GENEVIÈVE DELATTRE

# LES OPINIONS
# LITTÉRAIRES
## DE
# BALZAC

PRESSES UNIVERSITAIRES DE FRANCE
108, Boulevard Saint-Germain, PARIS
—
1961

*À PIERRE*

# ABRÉVIATIONS

CFL : Club français du Livre, édition de *L'œuvre de Balzac*, en 16 volumes, sous la direction d'Albert Béguin.

Con. : Conard, édition des *Œuvres complètes d'Honoré de Balzac*, en 40 volumes, sous la direction de Marcel Bouteron et Henri Longnon.

# INTRODUCTION

Dans la masse des travaux consacrés depuis plus d'un siècle
à Balzac, on constate avec étonnement combien peu s'intéressent
à définir l'attitude de Balzac envers les œuvres de ses confrères
en littérature, passés ou contemporains. Ceux qui le font s'attachent avant tout à dégager les influences de tel ou tel auteur sur
*La comédie humaine.* Quelques ouvrages, tel le *H. de Balzac et la
tradition littéraire classique,* de Paul Barrière (1), consacrent un
chapitre à rechercher la connaissance que Balzac pouvait avoir
des œuvres du passé, mais nulle part nous ne trouvons de données exactes basées sur une étude systématique. Quant à toute la
partie critique de l'œuvre balzacienne, elle est soit ignorée, soit
dénigrée, exception faite parfois pour le célèbre article sur
Stendhal qui, disons-le, semble avoir plus souvent soulevé l'indignation des stendhaliens que l'admiration des balzaciens. Pourtant, dans les dernières années, quelques voix se sont fait entendre pour protester contre le rejet traditionnel des qualités critiques de Balzac sous le fallacieux prétexte que les génies ne
peuvent pas être critiques. M. Etiemble, dans le premier volume
de son *Hygiène des lettres* (2), avance hardiment que non seulement la critique de Balzac est plus intéressante que ses romans,
mais qu'en 1830 il était le seul critique valable. M. Louis Jaffard,
en publiant ses *Journaux à la mer,* rend hommage à la critique
créatrice de Balzac ; M. Gaëtan Picon, dans son étude sur *Balzac
et la technique du roman,* parue dans l'édition des *Œuvres complètes
de Balzac* au Club français du Livre (3), montre que la perspective technique domine l'œuvre critique de Balzac en rappe-
lant combien celle-ci est considérable. Plus récemment enfin,
M. G. Pradalié, dans son *Balzac historien* (4), reconnaît en Balzac
un « esprit critique remarquable ».

(1) Paris, Hachette, 1928.
(2) Paris, Gallimard, 1952.
(3) *L'œuvre de Balzac,* t. 8, Paris, 1950-1953.
(4) Paris, Presses Universitaires de France, 1955.

Il nous a semblé que si l'on considérait à la fois les articles
de vraie critique et les innombrables jugements et réflexions sur
les œuvres de tous les temps dont sont émaillés les écrits de
Balzac, sans exception, on arriverait peut-être à reconstituer
comme un immense miroir dans lequel se refléteraient les visages
non seulement des contemporains mais des écrivains de tous les
siècles tels que le goût et le sens critique de Balzac les a modelés.
C'est ce que nous avons témérairement entrepris de faire ici.

Nous n'insisterons pas sur l'ampleur de la tâche, et l'étendue
des lectures qu'elle a nécessitées. Balzac n'entrevoyait-il pas déjà
avec humour le futur labeur des recherches balzaciennes lorsqu'il
remarquait à propos de l'Introduction que George Sand allait
écrire pour *La comédie humaine* : « Rien que la tâche de lire mes
œuvres est quelque chose ; cela fait bien des volumes... (1). »
Nous tenions naturellement à utiliser tout ce qui, de Balzac, a été
publié jusqu'ici. Ceci explique probablement la très grande
divergence entre nos résultats et les statistiques de P. Barrière
qui ne sont basées que sur *La comédie humaine*. Un premier
problème s'est présenté dès le début de notre rassemblement de
matériaux : fallait-il s'en tenir aux textes où un jugement explicite est exprimé, ou fallait-il relever également les citations ou les
simples mentions d'un auteur ou d'une œuvre ? Il nous a semblé,
à la réflexion, que la moindre des références pouvait avoir de la
valeur si nous la replacions dans son contexte. Les associations
d'idées qui amenaient Balzac à citer une œuvre étaient souvent
révélatrices de l'angle sous lequel il envisageait cette œuvre.
Nous pouvions, d'autre part, établir ainsi pour chaque écrivain
un indice de fréquence selon le nombre des allusions ou des
jugements le concernant. Le tableau général de ces indices se
trouve en appendice à notre travail. Il ne peut avoir une valeur
absolue, car comment prouver que le nombre des références à
un auteur donné est en raison directe de l'importance qu'a cet
auteur pour Balzac ? Dans la grande majorité des cas, cependant,
la relation entre le degré d'admiration exprimé par Balzac et la
fréquence des allusions apparaît si clairement que nous pouvons
bel et bien compter sur la véracité de notre tableau. Chaque fois
que l'indice de fréquence reflète mal la place accordée à un
écrivain dans l'échelle des valeurs littéraires balzaciennes, nous
l'avons indiqué. Une objection se présente pourtant à notre
esprit : n'est-il pas possible que Balzac admire sans jamais trouver
l'occasion d'exprimer son admiration, tout simplement parce que

---

(1) *Lettres à l'étrangère*, t. 2, p. 33.

les rapprochements sont impossibles ? Le silence est-il nécessairement ignorance ou antipathie ? Là encore nous n'avons pas de preuve irréfutable à avancer. Seules les constatations nous sont permises : d'abord, extrêmement rares sont les écrivains d'importance dont nous ne retrouvons pas le nom sous la plume de Balzac ; ensuite, nous ne pouvons guère imaginer de cas où Balzac n'aurait jamais trouvé à associer une œuvre qu'il aime avec la sienne. Car chez lui, admirer signifie aimer, et aimer signifie s'unir. Tout ce qu'il aime, tout ce qui l'intéresse, participe à son œuvre. Les œuvres littéraires ne font pas exception à cette règle.

Un autre problème assez délicat allait se poser. Où placer les frontières du domaine littéraire ? La curiosité encyclopédique de Balzac éclate partout. Science, histoire, philosophie, religion envahissent son œuvre tout autant que la littérature. Il fallait donc bien définir ce qui était œuvre littéraire et ce qui ne l'était pas. Nous nous sommes tenue, dans la mesure du possible, au sens le plus strict de ce mot, excluant de notre étude les philosophes, les historiens, les savants, rejetant du même coup Geoffroy Saint-Hilaire, Swedenborg et Cuvier, trois noms fréquents sous la plume de Balzac. Nous avons par contre admis Descartes et Buffon dont les œuvres revêtent un caractère littéraire tout aussi important que les idées qui s'y expriment. Pour la Bible, le problème était délicat. Nous avons décidé en faveur de son exclusion, les références qu'y fait Balzac portant très peu sur sa qualité d'œuvre littéraire.

Une fois nos innombrables fragments rassemblés, classés, il fallait pour chaque auteur essayer de les agencer de façon à ce qu'ils forment une image nette, mais aussi fidèle que possible à l'optique balzacienne. La tentation était parfois plus forte qu'on ne pense de nous substituer inconsciemment à Balzac et de juger selon notre point de vue du xxᵉ siècle. Pour l'éviter, nous avons choisi de laisser parler Balzac le plus possible. On nous reprochera peut-être le grand nombre de citations. Elles étaient inévitables si nous voulions présenter ces *opinions de Balzac par lui-même* dont nous rêvions. Nous n'avons donc voulu prendre la parole qu'en second, pour comparer et juger, une fois l'opinion de Balzac exprimée. Notre critique n'est jamais qu'une critique de critique.

Le groupement des écrivains pouvait se faire de diverses manières : par genres, par pays, par traditions ou par siècles. En nous arrêtant à ce dernier choix, nous n'en ignorions pas les inconvénients. Nous introduisions une solution de continuité là où il n'en existe pas. Cependant l'exacte chronologie importe beaucoup moins pour Balzac que les caractéristiques générales d'une époque. Pour les écrivains dont la vie fait le pont entre deux siècles, nous avons donc considéré avant tout les liens qui les relient à ce qui les précède ou à ce qui les suit. Bayle appartient évidemment au xviiie siècle bien que la plupart de ses œuvres aient paru avant 1700. Fénelon, par contre, est trop fréquemment rapproché de Bossuet pour ne pas être placé à côté de lui. Pour de semblables raisons, nous avons jugé bon d'incorporer les écrivains étrangers aux écrivains français en tenant compte uniquement de leur époque et de leurs caractéristiques.

Le nombre d'œuvres et d'écrivains qui surgit tout à coup aux abords de la période contemporaine de Balzac nous a obligée à diviser le xixe siècle en deux, distinguant ceux qui précèdent Balzac de ceux qui prennent le départ en même temps que lui. En reconstituant l'image de ces derniers, nous n'avons pas perdu de vue que les considérations non littéraires, inévitables lorsqu'il s'agit de contemporains connus personnellement, pouvaient jouer le rôle de miroir déformant. L'image ainsi aperçue n'en a pas moins sa valeur, à condition que nous connaissions les raisons de ses distorsions.

Qu'il nous soit permis ici d'exprimer notre profonde gratitude envers M. Jean Hytier, qui nous a orientée par son enseignement et ses conseils vers un champ de recherche particulièrement stimulant et fructueux. La bienveillance et la patience qu'il n'a cessé de montrer en guidant la longue élaboration de ce travail nous ont été infiniment précieuses, tout comme la générosité avec laquelle il nous a fait bénéficier de son immense érudition. Notre reconnaissance va également à MM. Jean-Albert Bédé et Michel Riffaterre pour les nombreux conseils et critiques dont ils ont bien voulu nous faire profiter après une lecture minutieuse de notre manuscrit.

Consciente plus que tout autre de l'imperfection de ce travail, nous espérons néanmoins qu'il apportera son humble contribution à la connaissance d'un des grands génies de la France.

# Chapitre Premier

# L'ANTIQUITÉ ET LE MOYEN AGE : RÉALISME ET MYTHOLOGIE

Dans la table des auteurs cités par Balzac, telle que nous l'avons établie (voir Appendice), les grands noms des littérateurs grecs et latins occupent une place fort modeste. Leur indice de fréquence reste en général très bas : Homère vient en tête avec 36 références, Virgile en a 19, Platon 15, Aristote 13, Horace 9, Tacite 8, Cicéron 7, Plutarque et Juvénal 6, et tous les autres moins de 5. D'autre part, les passages dans lesquels ces noms apparaissent expriment rarement de véritables jugements sur l'œuvre ou sur l'auteur. Ce sont de simples réminiscences des études classiques faites au collège de Vendôme.

Les auteurs comiques ou satiriques ont peut-être été plus volontiers relus que les autres. Balzac retrouve Aristophane chez Rabelais (1) ; Lucien et Pétrone sont les deux premiers noms distingués par Balzac parmi les rares hommes de génie qui ont été de grands conteurs (2) ; Plaute est « un grand poète comique » (3). Malgré tout il ne s'agit là que de très rares hommages. Nous allons voir que les écrivains vraiment aimés et fréquentés par Balzac envahissent toujours son œuvre, presque malgré lui. Notre très nette impression est, quand il s'agit des grandes œuvres de l'Antiquité, que passé le temps des études, Balzac les a peu fréquentées. Cette impression est basée sur deux constatations : d'une part, la fréquence des allusions à la littérature grecque ou latine est plus haute dans les œuvres de jeunesse et elle décroît très rapi-

---

(1) *Le cousin Pons*, CFL, t. 10, p. 621.
(2) *Pensées, sujets, fragments*, édité par J. Crépet, Paris, A. Blaizot, 1910, p. 18.
(3) *Illusions perdues*, CFL, t. 4, p. 561.

dement par la suite, avec l'effacement des souvenirs de collège ;
d'autre part, ces allusions manquent d'originalité, elles ne sont
que la réminiscence de ce qu'un élève apprend au cours de ses
études : les épisodes les plus connus de l'*Iliade* et de l'*Odyssée*
sont rappelés, Achille traînant le corps d'Hector, Calypso pleurant le départ d'Ulysse, Nausicaa faisant la lessive. Il en est de
même pour l'*Énéide*. Les citations textuelles sont soigneusement
évitées : une seule fois, citant un vers de Virgile, Balzac fait
allusion à un vers d'Homère qu'il refuse de citer, dit-il, par peur
de sembler pédant (1). Libre à nous de le croire. Il est fort plau-
sible qu'il lui reste en mémoire des bribes de grec apprises par
cœur au collège de Vendôme, au lycée de Tours ou à la pension
Lepître, comme il lui reste des bribes de Virgile ou d'Horace. Qui
ne se souvient du *Timeo Danaos et dona ferentes* ? La place un
peu plus grande accordée à Homère s'expliquera peut-être si
nous interprétons ce passage du manuscrit de *Louis Lambert*
(supprimé dans l'édition définitive) comme un souvenir personnel
de Balzac : « Ce livre (l'*Iliade*) me fut donné pour prix en septième, je le lus dans une journée ; depuis je ne l'ai jamais ouvert
et il n'existe pas d'ouvrage qui me soit plus familier, sauf Rabelais
et André Chénier (2). » Bien que Balzac puise peu dans Homère
pour soutenir sa propre création, le poète grec reste en lui comme
l'image du créateur qui « partage avec Dieu la fatigue ou le
plaisir de coordonner les mondes » (3), de l'écrivain qui, en se
faisant « le secrétaire de son époque » (4), crée une mythologie
dont « ce mendiant sublime » est pour Balzac l'une des poétiques
figures. « Il est déplorable, au XIXᵉ siècle, d'aller chercher les
images de la mythologie grecque », écrit-il à Mme Hanska en
1834, « mais je n'ai jamais été si frappé que je le suis de la puissante vérité de ces mythes » (5).

L'intérêt de Balzac pour la littérature ancienne est centré sur
cette notion de mythologie. C'est dans ces mythes que se forme
la tradition dont nous héritons d'un siècle à l'autre. Dans les
époques lointaines, plus que des formes littéraires, si belles
soient-elles, Balzac cherche avant tout les œuvres qui lui semblent
résumer leur époque, les exprimer symboliquement dans leur
réalité profonde. Le Moyen Age, à cet égard, va lui offrir une
plus grande vérité que le classicisme antique. Un passage de

---

(1) *Théorie de la démarche*, CFL, t. 12, p. 1556.
(2) Cité par M. BARDÈCHE, *Balzac romancier*, Paris, Plon, 1940, p. 54.
(3) Préface à la 2ᵉ éd. du *Père Goriot*, CFL, t. 15, p. 165.
(4) *Théorie de la démarche*, CFL, t. 12, p. 1574.
(5) *Lettres à l'étrangère*, Paris, Calmann-Lévy, 1906-1950, t. 1, p. 203.

l'article sur *La Chine et les Chinois* compare précisément les deux époques :

> L'art grec était réduit à la répétition d'idées, en définitive très pauvres, n'en déplaise aux classiques. [...] Le Beau n'a qu'une statue, il n'a qu'un temple, il n'a qu'un livre, il n'a qu'une pièce : l'*Iliade* a été recommencée trois fois, on a perpétuellement copié les statues grecques, on a reconstruit le même temple à satiété, la même tragédie a marché sur la scène avec les mêmes mythologies, à donner des nausées (1).

A cette monotonie le Moyen Age a su échapper par l'exubérance de ses artistes et la liberté laissée à leur imagination. Le Beau et le Laid (ou le Grotesque) se mêlent, reflétant ainsi la vie et l'époque. « La fantaisie sert de cadre à l'idéal (2). » Cette préférence pour l'art médiéval qui fait de Balzac un vrai romantique, semble avoir été constante chez lui, car si cet article sur *La Chine et les Chinois* date de 1842, déjà en 1829, dans la *Physiologie du mariage*, il parlait à propos des œuvres du Moyen Age, en particulier des romans courtois, de « cette mythologie nationale que notre imitation de la littérature grecque a tuée dans sa fleur » (3).

Il est évident que Balzac connaît mal la littérature grecque (4) et qu'il en juge injustement par les œuvres « classiques » françaises qui, en effet, en étaient venues à une monotonie de forme et de fond intolérable.

Il est impossible, par contre, de savoir exactement quelles œuvres de la littérature médiévale française il connaissait. Dans l'*Histoire du procès du Lys dans la vallée*, il fait allusion à diverses chansons de geste (*Ogier le Danois, Renaud de Montauban, Les quatre fils Aymon*) ; dans le passage que nous venons de citer de la *Physiologie du mariage*, il mentionne Lancelot, Tristan, Amadis (*L'Amadis des Gaules*, en français, date du xvie siècle, mais Balzac inclut assez volontiers le xvie siècle dans le Moyen Age). Son intérêt pour tout ce qui était conte ou récit nous autorise à penser qu'il avait lu une grande partie des chansons

---

(1) Con., t. 40, p. 545.
(2) *Ibid.*
(3) CFL, t. 12, p. 966.
(4) Au catalogue de vente d'une partie de la Bibliothèque de Mme de Balzac, en 1882, figure une *Collection des romans grecs*, traduits en français avec des notes par Courier, Larcher et autres hellénistes, en 12 vol., publiée à Paris en 1823. La littérature latine y est représentée par le *De natura rerum*, dans une traduction de Lagrange parue en l'an II, les *Poésies* de Martial dont les deux volumes font partie de la collection Coustelier, publiée en 1723, les *Métamorphoses* d'Ovide, en latin et en français, publiées à Paris en 1767-1770, en 4 vol.

de geste, ou des romans courtois, dans leurs si nombreuses versions en prose. Mais les œuvres auxquelles il pense certainement lorsqu'il compare l'art grec et l'art médiéval, ce sont celles avec lesquelles il est le plus familier, c'est-à-dire celles qui fournissent aux *Contes drolatiques* leurs lettres de noblesse : les fabliaux, *Les cent nouvelles nouvelles*, *Les quinze joyes de mariage* (1). C'est là qu'il voit surtout se manifester l'esprit national français, tel qu'il le conçoit. Il ne s'agit pas uniquement, entre Balzac et les facétieux écrivains de ces vieux contes, d'une conformité de goût pour le gros rire, la bonne chère et les plaisanteries sur les femmes ou les moines. Il y a plus. Balzac y trouve ce qu'il essaie lui aussi de faire. Si la liberté de l'imagination et de l'expression contribuent à créer une mythologie nationale, celle-ci n'est cependant pas pure fantaisie. Elle n'a de valeur que parce qu'elle exprime une réalité, réalité quotidienne, détaillée, enracinée dans l'époque. « Il n'est pas un conte de Louis XI ou de Charles le Téméraire *(Les cent nouvelles nouvelles)*, pas un de Bandello, de la reine de Navarre, de Boccace, de Giraldi, du Lasca, pas un fabliau des vieux romanciers, qui n'ait pour base un *fait* contemporain (2). »

Mythologie et réalisme, ne sont-ce pas exactement les deux faces de la création balzacienne ? Et le rapprochement n'est-il pas suffisant pour justifier la grande affection de Balzac pour les conteurs du Moyen Age ? C'est en pensant aux *Contes drolatiques* qu'il les fréquente, mais c'est dans sa *Comédie humaine* qu'il réalise leur esthétique telle qu'il la comprend.

La littérature médiévale, selon notre conception traditionnelle, s'étageant sur quatre siècles, est énorme en volume. Nous n'en trouvons mentionnée chez Balzac qu'une infime partie. Si ce qu'il aime avant tout dans le Moyen Age est ce mélange de réalisme et de mythologie dont il parle, il est très logique que sa préférence aille aux conteurs du XVᵉ siècle, siècle où le triomphe de la bourgeoisie est bien établi, et où les réalités de la vie s'imposent. Pour Balzac, cette littérature du XVᵉ est une grande réussite. « Il faut si bien connaître notre littérature nationale », écrit-il à Mme Hanska le 23 octobre 1833, à propos des *Contes drolatiques*

---

(1) Au catalogue de la bibliothèque, nous trouvons un recueil en trois volumes des *Fabliaux et contes des poètes français des XIᵉ, XIIᵉ, XIIIᵉ, XIVᵉ et XVᵉ siècles*, tirés des meilleurs auteurs publiés par BARBAZAN à Paris en 1808 ; la *Farce de Pathelin*, publiée dans la collection Cousteliver, Paris, 1723 ; le *Lai des deux amants* et le *Lai du Bisclaveret* de Marie de FRANCE, dans un recueil de contes divers intitulé *La Pléiade*, publié à Paris en 1841 ; *Le roman de la rose*, dans une édition de 1814, en 4 vol.

(2) Préface de la 1ʳᵉ éd. du *Cabinet des antiques*, CFL, t. 15, p. 299.

« la grande, la majestueuse littérature du xvᵉ siècle, si étincelante de génie, si libre d'allure, si vive de mots qui, dans ce temps, n'étaient pas encore déshonorés, que j'ai peur pour moi » (1).

Nous ne pouvons manquer de constater que la tradition dont l'auteur des *Contes drolatiques* se réclame n'est pas, ne lui en déplaise, une tradition purement nationale. Il le sait d'ailleurs fort bien, lui qui connaît et aime les conteurs italiens chez lesquels il puise abondamment, le Pogge des *Facéties*, le Straparole des *Nuits facétieuses*, le Gianetti de *Milesia*, et bien entendu le grand Boccace.

Ce dernier ne manque jamais à l'appel non seulement des hommes de génie qui ont bien conté (2) et qui furent en même temps des colosses d'érudition (3), mais aussi des fins observateurs qui surent traduire leur époque en des œuvres « où respire le parfum d'une naïveté jeune et où se trouve le nerf comique dont notre théâtre est privé, l'expression vive et drue qui peint sans périphrase et que personne n'ose plus *oser* » (4). Nous verrons à propos de Rabelais et de La Fontaine combien cette tradition comique est chère à Balzac. Le respect de Balzac pour Boccace est réel et profond. Bien qu'il s'agisse surtout, là où nous rencontrons son nom, de l'auteur du *Décameron* (5) et que, dans cet ouvrage, la préférence de Balzac aille sans aucun doute aux contes les plus lestes, Boccace n'en est pas moins pour lui un très grand écrivain chez qui l'imagination est admirablement secondée par le talent (6) et le talent par la force de caractère qui seule permet « la construction de l'immense édifice d'une gloire » (7).

Conteurs français du Moyen Age, conteurs italiens, chez les uns et les autres, Balzac goûte le mélange de réalisme et de mythologie, ainsi que la liberté joyeuse avec laquelle ils s'expriment. Et pourtant l'attrait d'une telle littérature se fait surtout sentir sur l'auteur des *Contes drolatiques*. Si *La comédie humaine* lui doit peut-être le sens de l'observation du détail pris sur le vif, elle ne reconnaît guère publiquement cette dette. C'est à une autre source également ancienne, mais plus lointaine dans l'es-

---

(1) *Lettres à l'étrangère*, t. 1, p. 60.
(2) *Pensées, sujets, fragments*, p. 18.
(3) *Petites misères de la vie conjugale*, CFL, t. 12, p. 1390.
(4) Avertissement à la 1ʳᵉ éd. des *Contes drolatiques*, CFL, t. 15, p. 387.
(5) La seule autre œuvre mentionnée est *Les dames de renom*, incorrectement nommées *Les célèbres dames*, dans *Sur Catherine de Médicis*, CFL, t. 11, p. 142. Une édition de 1779 en 10 vol. des *Contes* de BOCCACE figure au catalogue de vente de la bibliothèque de Mme de Balzac.
(6) Préface de la 1ʳᵉ éd. de *Pierrette*, CFL, t. 15, p. 329.
(7) *La muse du département*, CFL, t. 9, p. 177.

pace, que nous la voyons se rafraîchir à tout instant, celle des contes orientaux, le royaume des *Mille et une nuits*. Une telle orientation chez Balzac peut surprendre ceux qui s'entêtent à ne voir en lui qu'un réaliste. M. Baldensperger en a recherché l'origine dans la vie intensément imaginative qui fut celle du jeune Honoré durant les longues années de collège jamais coupées de vacances chez ses parents. Les énormes volumes du *Cabinet des fées* lui auraient alors offert le refuge d'un monde merveilleux où tout devient possible (1). L'hypothèse est vraisemblable. Elle ne suffit pas cependant à expliquer la fascination durable des *Mille et une nuits* sur Balzac. Comme le remarque M. Baldensperger, « Balzac aurait fait à vingt ans la gageure de fournir, sa vie durant, une allusion aux contes orientaux dans n'importe laquelle de ses œuvres, qu'il n'aurait pas glissé plus ingénieusement, et plus à l'imprévu, un « témoin », comme disent les architectes, une « remarque » à la façon des graveurs, dans toutes ses compositions » (2). Nous savons que dans sa bibliothèque figurait la traduction des *Mille et une nuits* par Galland (3). Or, les œuvres de jeunesse ne font aucun usage de ces contes, *La dernière fée* excepté. C'est à partir de la *Physiologie du mariage* que les allusions se multiplient, comme si, paradoxalement, la peinture des mœurs dans laquelle Balzac s'engage alors le rapprochait des contes arabes. Le paradoxe n'est qu'apparent. Essayons de reconstituer les différents plans sur lesquels travaille la réflexion de Balzac à la lecture des contes orientaux, *Mille et une nuits* ou *Mille et un jours*. Le lecteur occidental est évidemment d'abord saisi dans ces contes par un sentiment de dépaysement. Il se sent transporté dans un monde sans commune mesure avec le sien. Tout y semble fabuleux avant même que le conteur ait recours au véritable merveilleux. En ceci ils diffèrent donc déjà beaucoup des contes de fées occidentaux où seul le merveilleux peut nous faire franchir les limites du réel. Les splendeurs arabes suffisent à emporter l'imagination de Balzac, nous en sommes sûre. La réalité orientale est donc déjà, pour l'Occidental, dans le domaine du mythe. La limite du possible y est repoussée jusqu'à l'infini, le merveilleux et le réel se mêlent, se renforcent mutuellement, d'où le charme sous lequel tombe le

---

(1) Cf. F. Baldensperger, *Orientations étrangères chez Balzac*, Paris, Champion, 1927, p. 9.

(2) *Ibid.*, p. 12.

(3) Nº 84 du catalogue : *Les mille et une nuits*, contes arabes, trad. en français, par Galland, éd. revue, par Edouard Gauttier, Paris, Collin de Plancy, 1823, 7 vol. gr. in-8º.

lecteur : il croit tout et il accepte de vivre les aventures qu'on lui propose. Écoutons Balzac.

Quand j'étais malheureux (écrit-il), je m'élançais en Asie, dans l'Asie de la reine de Golconde, dans l'Asie du calife de Bagdad, dans l'Asie des *Mille et une nuits*, le pays des rêves d'or, le chef-lieu des génies, des palais de fées, un pays où, comme disaient nos ancêtres, on est *vêtu de léger*, où les pantalons sont en mousseline plissée, où l'on porte des anneaux d'or aux pieds, des babouches ornées de poèmes écrits à l'aiguille, des cachemires sur la tête, ces ceintures pleines de talismans où le despotisme réalise ses fééries (1).

D'un tel monde, plus d'un personnage de *La comédie humaine* restera, comme leur créateur, ébloui : pour le narrateur de *Sarrasine* la beauté de Marianina réalise « les fabuleuses conceptions des poètes orientaux. Comme la fille du sultan dans le conte de *La lampe merveilleuse* elle aurait dû rester voilée » (2) ; l'arrivée de Louis Lambert au collège de Vendôme fut pour son ami « le texte d'un conte digne des *Mille et une nuits* » (3) ; amoureux de Pauline de Villenoix, il ne trouve pas de plus belle expression de son amour que de lui écrire : « Vous avez expliqué les fabuleuses entreprises de la chevalerie et les plus capricieux récits des *Mille et une nuits*. Maintenant je crois aux plus fantastiques exagérations de l'amour » (4) ; Facino Cane promet à son interlocuteur la richesse des *Mille et une nuits* s'il le mène à Venise (5) ; dans l'émerveillement anticipé de son salon rénové, César Birotteau se laisse aller « à un geste asiatique digne des *Mille et une nuits* » (6) ; Blondet enfant identifie Mlle d'Esgrignon, qu'il adore, aux reines ou aux fées des *Mille et une nuits* (7) ; Félicité des Touches voit Calyste tomber amoureux de Béatrix sur sa simple description, absolument comme quelque prince des *Mille et un jours* (8) ; la princesse de Cadignan se souvient devant d'Arthez de « cette existence des *Mille et une nuits* » que fut sa vie mondaine (9) ; même la vertueuse et tranquille Mme de La Chanterie se souvient des trésors d'Aladin (10).

(1) *La Chine et les Chinois*, Con., t. 40, p. 532.
(2) *Sarrasine*, CFL, t. 12, p. 793.
(3) *Louis Lambert*, CFL, t. 1, p. 37.
(4) *Ibid.*, p. 116.
(5) *Facino Cane*, CFL, t. 2, p. 868.
(6) *César Birotteau*, CFL, t. 2, p. 101.
(7) *Le Cabinet des antiques*, CFL, t. 2, p. 1075.
(8) *Béatrix*, CFL, t. 9, p. 339.
(9) *Les secrets de la princesse de Cadignan*, CFL, t. 8, p. 321.
(10) *L'envers de l'histoire contemporaine*, CFL, t. 8, p. 1072.

Cette magie à laquelle le lecteur ne saurait résister, Balzac l'écrivain essaie nécessairement de l'analyser. Elle est évidemment due au génie du conteur, et c'est donc celui-ci qu'il convient d'expliquer. « C'est la nature qui fait les conteurs », commence par déclarer l'auteur de *La peau de chagrin* en rangeant fièrement son roman entre *Les mystères d'Udolphe*, d'Anne Radcliffe et *Les mille et une nuits* (1). « Vous avez beau être savant et grave écrivain, si vous n'êtes pas venu au monde conteur vous n'obtiendrez jamais la popularité de ces œuvres », ajoute-t-il. Explication qui comporte une part de vérité, certes, mais qui ne rend pas compte du talent du conteur. L'art, au contraire, s'acquiert. C'est en cherchant à résoudre ce problème que Balzac découvre aux contes des *Mille et une nuits* une signification profonde. La fiction sur laquelle reposent ces contes, Schéhérazade tenant le sultan sous le charme de ses récits et reculant ainsi de jour en jour sa mort, symbolise le rapport entre le conteur et son public. Pour intéresser le sultan, Schéhérazade doit faire appel à toutes les ressources de son imagination et de son esprit : « Peut-être l'homme vit-il plus par le sentiment que par le plaisir ? Peut-être le charme tout physique d'une belle femme a-t-il des bornes, tandis que le charme essentiellement moral d'une femme de beauté médiocre est infini ? N'est-ce pas la moralité de la fabulation sur laquelle reposent *Les mille et une nuits* (2) ? » Cette loi que Balzac déduit de la fiction de Schéhérazade et du sultan s'applique à la fois à leur rapport en tant qu'homme et femme, et à leur rapport en tant que conteur et public. Le lecteur, qui idéalement serait un auditeur, ne se laisse pas méprendre par la forme, si brillante soit-elle. Il veut un charme moral, c'est-à-dire un conte qui exprime quelque chose. Les contes de Schéhérazade sont le reflet de son pays, de sa société. C'est pourquoi le sultan s'y laisse prendre. « *Les mille et une nuits* sont l'histoire complète du mol Orient à ses jours de bonheur et de rêves parfumés » (3), elles sont « l'œuvre de tout un monde » (4). Ce monde particulier où les femmes étaient recluses, les maisons murées, a essentiellement besoin du merveilleux des talismans, des hasards étranges, pour exciter l'intérêt, car « la femme n'y paraît que par accident » et « il n'y a que le bazar et le palais du calife où puisse pénétrer

---

(1) Texte inédit publié dans *L'amateur d'autographes*, 15 mai 1865, cité par Lovenjoul, *Histoire des œuvres de H. de Balzac*, Paris, Calmann Lévy, 1912, p. 169.
(2) *La recherche de l'absolu*, CFL, t. 12, p. 582.
(3) Texte inédit publié dans *L'amateur d'autographes*, 15 mai 1865, cité par Lovenjoul, *op. cit.*, p. 170.
(4) Préface de la 1ʳᵉ éd. d'*Une fille d'Eve*, CFL, t. 15, p. 303.

le voyageur » (1). Tout l'art du conteur, et de Schéhérazade, consiste donc a recréer pour son auditeur le monde qu'il connaît en lui ajoutant une dimension, en le transposant sur le plan idéal. Réalité et imagination, vision d'un monde qui se dépasse, dans lequel le lecteur reconnaît ses objets familiers, et y découvre un sens nouveau, telle est la magie du conteur. Dès lors, Schéhérazade s'incarne en Balzac sans aucun effort. *Les mille et une nuits* offrent à celui-ci l'image de l'œuvre qu'il veut faire. La Perse des sultans n'a plus qu'à céder le pas à la France de la Restauration. *La comédie humaine* commence par être *Les mille et une nuits* de l'Occident où « l'homme, la société, l'humanité seront décrites, jugées, analysées sans répétitions » (2). C'est ce que proclame l'Introduction aux *Études philosophiques* (3). N'y voyons pas une fantaisie passagère. Philarète Chasles écrivait déjà en 1831, en présentant les *Romans et contes philosophiques :* « Ce livre a tout l'intérêt d'un conte arabe, où la féerie et le scepticisme se donnent la main, où des observations réelles et pleines de finesse sont encerclées dans un cercle de magie (4). » Et pourquoi pas, en effet ? Balzac n'a-t-il pas toujours eu, comme Schéhérazade, un sultan à tenir sous le charme de ses récits, n'a-t-il pas trop souvent redouté chaque soir, selon ses propres termes, « non pas de se voir trancher la tête, mais, ce qui est pis, de se voir remercié comme radoteur » (5) ? Dès 1830, il savait que ce public « fantasque » exige « des feux d'artifice de littérature, comme un monde élégant et toujours paré, comme des boutiques brillantes et des bazars magiques ; il veut *Les mille et une nuits* partout » (6). Ces *Mille et une nuits*, Balzac les lui a données, sous une forme inattendue peut-être, mais beaucoup plus proche de l'original que les apparences ne le laissent d'abord supposer. A Balzac lui-même nous pourrions appliquer cette phrase d'Honorine : « Combien de contes des *Mille et une nuits* tient-il dans une adolescence ! Combien de *Lampes merveilleuses* faut-il avoir maniées avant de reconnaître que la vraie *Lampe merveilleuse* est ou le hasard, ou le travail, ou le génie (7) ! »

Le chemin qui mène des *Mille et une nuits* à *La comédie humaine* passe par l'Italie, non plus celle des conteurs, mais celle de

(1) *Ibid.*
(2) *Lettres à l'étrangère*, t. 1, p. 206.
(3) *Etudes philosophiques*, CFL, t. 15, p. 126.
(4) *Introduction*, CFL, t. 15, p. 84.
(5) Préface de la 1re éd. d'*Une fille d'Eve*, CFL, t. 15, p. 305.
(6) *De la mode en littérature*, CFL, t. 14, p. 330.
(7) CFL, t. 6, p. 833.

*La divine comédie.* Là encore, Balzac nous réserve une surprise en choisissant Dante comme lien de transition entre *Les mille et une nuits* de l'Orient et celles de l'Occident. Écoutons-le :

> Les idées prennent en chaque pays la livrée des nations. A l'Asie ses tigres, ses onagres, ses feux dévorants, sa poésie imbibée de soleil, ses idées parfumées. A l'Europe ses plantes humides, ses animaux sans fièvre ; mais à l'Europe l'instinct, sa poésie concise, ses œuvres ana-lytiques, la raison, les discussions. S'il y a de l'air et du ciel bleu chez les écrivains orientaux, il y a de la pluie, des lacs, des rayons de lune, du bonheur pénible chez les écrivains de l'Europe.
>
> L'Asie est la jouissance ; l'Europe est la raillerie. En Europe les idées glapissent, rient, folâtrent, comme tout ce qui est terrestre ; mais, en Orient, elles sont voluptueuses, célestes, élevées, symboliques. Dante a seul soudé ces deux natures d'idées. Son poème est un pont hardi jeté entre l'Asie et l'Europe, un Poulh-Sherro sur lequel les générations des deux mondes défilent avec la lenteur des figures que nous rêvons sous l'empire d'un cauchemar. De là, cette majestueuse horreur, cette sainte peur qui saisit à la lecture de cette œuvre où tournoie le monde moral (1).

Comme le remarque M. Baldensperger, Balzac semble prévoir ici les résultats des recherches sur l'influence musulmane dans *La divine comédie*. Il a pu connaître les *Lettres sur la littérature et la poésie italiennes* de Bettinelli, traduites en 1778 par le père du général de Pommereul, son hôte de Fougères, dans lesquelles Dante était précisément blâmé pour avoir mêlé la philosophie de Platon à celle des Arabes (2). Une petite phrase insignifiante relevée dans les « Notes » écrites à propos de la loi sur la propriété littéraire, en 1841, indique que l'Asie à laquelle pense Balzac s'étend au delà du monde musulman jusqu'à l'Inde, car, dit-il, « *La divine comédie* est dans les *Pouranas* des Indes » (3). A-t-il lu les puranas ? A-t-il glané ces idées dans quelque ouvrage de se-conde main ? Nous ne savons. Une chose est certaine : l'intérêt de Balzac pour Dante a commencé très tôt. *Clotilde de Lusignan* utilise la célèbre inscription de la porte de l'enfer (maladroitement traduite par « Entrez et laissez l'espérance ») (4), et dans *Wann-Chlore* quelques vers du chant V de l'*Enfer* sont cités, en italien cette fois. Il est plus que vraisemblable que les lectures de Balzac sur les mystiques et les grands illuminés, ses fréquentations des sectes occultes à partir de 1825, aient entretenu et renforcé son intérêt pour *La divine comédie*. Le rapprochement possible entre la vision de Dante et la théologie de Sigier de Brabant peut avoir

---

(1) *Aventures administratives d'une idée heureuse*, CFL, t. 14, p. 833.
(2) Cf. F. BALDENSPERGER, *op. cit.*, p. 14.
(3) Con., t. 40, p. 425.
(4) Paris, Hubert, 1822, Vol. 4, p. 57.

été suggéré par les quelques vers du *Paradis* où le disciple d'Averroès est béatifié à côté de Thomas d'Aquin, son grand adversaire, si l'on admet que Balzac ait eu connaissance de l'enseignement de Sigier par ses relations martinistes et swedenborgiennes. Un tel rapprochement séduit en tout cas Balzac, car il éclaire pour lui une œuvre par ailleurs difficile à comprendre. Le mysticisme qui imprègne tout un côté de la riche personnalité de Balzac se fait sentir dans l'analogie qu'il établit en 1830 entre la destinée de l'artiste et celle du Christ crucifié (1). Le Dante en exil est une de ces vivantes et sublimes images dont le Christ est le plus admirable modèle. *Les proscrits* vont donc être l'aboutissement naturel, en 1831, de ce courant de pensée chez Balzac auquel Dante est si étroitement mêlé. Le poète florentin, transporté sur les rives de la Seine pour y suivre le cours du grand Sigier, nous apparaît, dans ces quelques pages, avec toute la puissance de fascination qu'il exerçait sur Balzac. La première apparition est soigneusement préparée par les impressions de son hôte qui soupçonne que « sa peau brune a été cuite et hâlée par le feu de l'enfer » (2). Dans le regard de cet être mystérieux se concentrent toutes les forces surnaturelles qui sont en lui : « Ses yeux exercent un charme comme ceux des serpents », pense le brave sergent (3). Et en effet, Balzac voudrait bien que, comme Jacqueline, nous frissonnions d'horreur en apercevant à la fenêtre « la face sombre et mélancolique, le regard profond qui faisaient tressaillir le sergent, quelque habitué qu'il fût à voir des criminels (4) ». Les touches et retouches successives que Balzac apporte à ce premier portrait ne font qu'accentuer le fantastique du personnage, et les yeux continuent à révéler la profondeur insondable de la pensée.

Quoique ses yeux fussent assez profondément enfoncés sous les grands arceaux dessinés par ses sourcils, ils étaient comme ceux d'un milan enchâssés dans des paupières si larges et bordés d'un cercle noir si vivement marqué sur le haut de sa joue, que leurs globes semblaient être en saillie. Cet œil magique avait je ne sais quoi de despotique et de perçant qui saisissait l'âme par un regard pesant et plein de pensées, un regard brillant et lucide comme celui des serpents ou des oiseaux, mais qui stupéfiait, qui écrasait par la véloce communication d'un immense malheur ou de quelque puissance surhumaine (5).

(1) *Des artistes*, CFL, t. 14, p. 971.
(2) *Les proscrits*, CFL, t. 10, p. 955.
(3) *Ibid.*
(4) *Ibid.*
(5) *Ibid.*, p. 958.

Et Balzac continue à accumuler les impressions terrifiantes :
« regard de plomb et de feu, fixe et mobile, sévère et calme [...]
grand œil d'aigle ». Lorsque Dante arrive dans la salle de confé-
rences, il jette sur l'auditoire « ce profond regard qui racontait
tout un poème de malheurs, et ceux qu'il atteignit éprouvèrent
d'indéfinissables tressaillements » (1). Nous savons que Balzac
aime exprimer la puissance de certains de ses personnages par
l'intensité de leur regard. Nous verrons que Byron lui en a peut-
être donné l'idée et qu'Argow rivalise avec Vautrin ou Melmoth
dans l'éclat diabolique des yeux. Dans ce portrait de Dante,
Balzac, tout en s'inspirant évidemment des gravures connues,
met en œuvre toutes les ressources de son vocabulaire et de ses
images pour créer en nous, devant le visage de Dante, le sentiment
d'un insondable abîme intérieur. Ces yeux fantastiques doivent
en effet être ceux qui ont contemplé l'enfer. Balzac fait de son
mieux pour créer en nous une image du poète florentin par laquelle
nous puissions comprendre à la fois le poids des événements de la
vie, des passions malheureuses, de l'exil, et celui de l'œuvre gigantesque et terrible portée par lui.

Oh ! fouiller dans les tombes pour leur demander d'horribles secrets,
essuyer les mains altérées de sang, les compter pendant toutes les nuits,
les contempler levées vers moi, en implorant un pardon que je ne puis
accorder ; étudier les convulsions de l'assassin et les derniers cris de
sa victime ; écouter d'épouvantables bruits et d'affreux silences ; les
silences d'un père dévorant ses fils morts ; interroger le rire des damnés ;
chercher quelques formes humaines parmi des masses décolorées que
le crime a roulées et tordues ; apprendre des mots que les hommes
vivants n'entendent pas sans mourir ; toujours évoquer les morts,
pour toujours les traduire et les juger, est-ce donc une vie (2) ?

Devant une telle destinée, le jeune Godefroid sent sa raison
s'égarer. Mais Balzac n'a pas terminé. Il faut qu'il nous montre
Dante conduit jusque dans les plus profonds abîmes de l'horreur
et du désespoir. Un geste de sa main, et « vous eussiez cru voir
alors un gouffre entrouvert à son commandement » (3). Alors la
vision intérieure le saisit, « son regard contracta cette fixité qui
semble indiquer la présence d'un objet invisible aux organes
ordinaires de la vue » (4). Dante raconte alors à son compagnon
l'épisode d'Honorine et de Teresa Donati, apport personnel de

---

(1) *Ibid.*, p. 969.
(2) *Ibid.*, p. 981.
(3) *Ibid.*, p. 982.
(4) *Ibid.*

Balzac à *La divine comédie* dans lequel s'exprime le conflit entre l'amour terrestre et l'amour divin, l'être extérieur et l'être intérieur chers à Swedenborg. Si *Les proscrits* sont, comme nous le pensons, un essai d'interprétation de *La divine comédie* incarnée dans son auteur, Balzac devait nous montrer un Dante heureux et apaisé qui correspondrait aux béatitudes du *Paradis*. Il le fait, mais très rapidement et maladroitement : la nouvelle du retour à Florence opère la transformation, telle une baguette magique. « Il se dressa sur ses pieds, regarda dans les airs, crut voir l'Italie, et devint gigantesque (1). » Avons-nous bien lu ? Oui, Florence est le paradis, où « le poète immortel » invite Godefroid à le suivre : « Pour la première, pour la seule fois, peut-être, la sombre et terrible figure de Dante respira une joie ; ses yeux et son front exprimaient les peintures de bonheur qu'il a si magnifiquement prodiguées dans son Paradis. Il lui semblait peut-être entendre la voix de Béatrix (2). » Plutôt que de finir sur cette nouvelle vision du poète, si incomplète soit-elle, Balzac ramène brutalement ses deux personnages à des mesures humaines en jetant Godefroid dans les bras d'une mère miraculeusement retrouvée et en lançant Dante sur le chemin de Florence aux cris de « Mort aux guelfes ! » L'amour divin de l'un se change en amour filial, l'extase paradisiaque de l'autre en esprit de conquête. Dénouement étrange qui préfigure déjà la transposition qui se fera quelques années plus tard de *La divine comédie* à *La comédie humaine*.

Cette brusque réduction finale d'un personnage gigantesque aux proportions d'un homme simplement amoureux de sa patrie et avide de vengeance, n'efface pas l'image fantastique du Voyant que Balzac s'est plu à nous peindre. Car pour lui *La divine comédie* est dans la tradition de l'illuminisme. En insistant sur les rapports que le poète italien put avoir avec Sigier, il le rattache à ce qu'il appelle lui-même « la religion de saint Jean », c'est-à-dire le mysticisme issu de l'Apocalypse. Or, cette tradition, Balzac l'explique dans la préface du *Livre mystique* (dont *Les proscrits* font partie) :

Comme religion, le Mysticisme procède en droite ligne du Christ par saint Jean, l'auteur de l'Apocalypse ; car l'Apocalypse est une arche jetée entre le Mysticisme chrétien et le Mysticisme indien, tour à tour égyptien et grec, venu de l'Asie, conservé dans Memphis, formulé au

(1) *Ibid.*, p. 987.
(2) *Ibid.*, p. 988.

profit de son Pentateuque par Moïse, gardé à Eleusis, à Delphes, et compris par Pythagore, renouvelé par l'aigle des apôtres, transmis nébuleusement à l'Université de Paris (1).

En « venant faire éclairer sa *Divine comédie* » par Sigier, et en se retrempant aux sources du mysticisme, Dante aurait fait de son œuvre « le pont hardi jeté entre l'Asie et l'Europe » dont nous parlions plus haut.

*Louis Lambert* insiste encore une fois sur l'aspect sweden-borgien de Dante : « Dans sa *Divine comédie*, Dante a peut-être eu quelque légère intuition de ces sphères qui commencent dans le monde des douleurs et s'élèvent par un mouvement armillaire jusque dans les cieux (2). » L'analogie entre les cercles de Dante et les sphères de Swedenborg ne pouvait en effet pas manquer de frapper Balzac. En se pénétrant de la doctrine swedenborgienne, qu'il veut exprimer dans *Seraphita*, Balzac laisse *La divine comédie* derrière lui. Le poème de Dante Alighieri ne fait plus alors qu' « à peine l'effet d'un point, à qui veut se plonger dans les innombrables versets à l'aide desquels Swedenborg a rendu palpables les mondes célestes » (3). Pourtant il n'est pas oublié, loin de là, puisque l'auteur du *Livre mystique* admet au contraire avoir, de bonne heure, pressenti qu'il y avait dans l'œuvre qui donnerait corps à la doctrine swedenborgienne « comme une nouvelle divine comédie. Hélas ! le rythme voulait toute une vie, et sa vie a exigé d'autres travaux ; le sceptre du rythme lui a donc échappé » (4).

L'idée de rivaliser avec Dante était déjà dans son esprit depuis quelque temps, sur un autre plan que le mysticisme. En effet les sphères de Swedenborg ou les cercles de Dante sont déjà appliqués à la vie sociale dans *La fille aux yeux d'or* qui date de 1834. L'argent permet de les franchir dans le même « mouvement ascensionnel » que celui qui mène du Purgatoire au Paradis, et Balzac, en nous guidant dans le « troisième cercle » entrevoit que peut-être cet enfer aura un jour son Dante (5). La description du monde des affaires à Paris réalise déjà en partie cette prophétie : elle est directement inspirée de *L'enfer*. Dès lors l'œuvre de Balzac s'ouvre à celle de Dante, les analogies surgissent un peu partout : le journalisme d'*Illusions perdues* est

(1) CFL, t. 15, p. 182.
(2) CFL, t. 1, p. 58.
(3) *Seraphita*, CFL, t. 12, p. 345.
(4) Préface de la 1<sup>re</sup> éd. du *Livre mystique*, CFL, t. 15, p. 185.
(5) CFL, t. 1, p. 800.

« un enfer, un abîme d'iniquités, de mensonges, de trahisons, que l'on ne peut traverser et d'où l'on ne peut sortir pur que protégé comme Dante par le divin laurier de Virgile » (1) ; le regard de la pauvre Esther Gobseck en proie aux machinations de Vautrin prend « une expression que Dante a oubliée, et qui surpassait les inventions de son Enfer » (2) ; c'est encore « dans un cercle oublié par Dante dans son Enfer » que se déroule le drame intérieur du mari d'Honorine (3) ; c'est l'Enfer de Dante que Louise de Chaulieu déclare avoir fouillé « pour en rapporter la plus douloureuse des tortures, un terrible châtiment moral auquel j'associerai l'éternelle vengeance de Dieu » (4) ; Thaddée, dans *La fausse maîtresse*, se sent « au fond des abîmes décrits par Alighieri » (5) ; Du Bruel, qui a épousé sa maîtresse, se voit plongé dans « un supplice oublié dans l'Enfer de Dante » (6). Le même phénomène se produit donc pour *La divine comédie* que pour *Les mille et une nuits*. La réflexion sur l'œuvre qu'il admire incite Balzac à l'imitation, à la transposition en un mode différent, mais toujours assez proche de l'original pour que nous sentions constamment le va-et-vient de la pensée créatrice.

L'orientation que Balzac donne à son œuvre explique pourquoi il s'arrête plus volontiers, dans *La divine comédie* à l'Enfer qu'au Paradis. Seraphita lui a sans doute montré les difficultés d'intéresser en peignant la pureté et l'idéal. L'Enfer offre au contraire plus de variété et c'est là qu'on trouve l'humanité. « Ici-bas, des poètes sublimes ont éternellement ennuyé leurs lecteurs en abordant la peinture du paradis. L'écueil de Dante fut aussi l'écueil de Vandenesse » (7), constate Balzac en s'apprêtant à rompre la monotonie du bonheur conjugal de son héros. Comme le dit encore Félicité des Touches : « La vie se compose d'accidents variés, de douleurs et de plaisirs alternés. Le paradis de Dante, cette sublime expression de l'idéal, ce bleu constant, ne se trouve pas dans l'âme, et le demander aux choses de la vie est une volupté contre laquelle proteste à toute heure la Nature (8). » En tant que romancier, peintre de la vie, Balzac ne peut donc guère s'attarder au *Paradis* de Dante, à moins que ce ne soit pour s'incarner en l'une de ses jeunes héroïnes précisément

---

(1) CFL, t. 4, p. 603.
(2) *Splendeurs et misères des courtisanes*, CFL, t. 5, p. 60.
(3) *Honorine*, CFL, t. 6, p. 847.
(4) *Mémoires de deux jeunes mariées*, CFL, t. 6, p. 144.
(5) CFL, t. 10, p. 66.
(6) *Un prince de la Bohême*, CFL, t. 9, p. 676.
(7) *Une fille d'Eve*, CFL, t. 8, p. 845.
(8) *Honorine*, CFL, t. 6, p. 911.

assoiffée d'idéal et de pureté : telle Modeste Mignon qui rêve de
« cette *félicité sans trouble* dont parle Dante comme étant l'élément de son *Paradis*, poème bien supérieur à son *Enfer* » (1) ;
telle Louise de Chaulieu pour qui « Dante paraît plus grand aux
âmes aimantes dans son Paradis que dans son Enfer » (2). Mais
Balzac n'est pas que romancier, il est homme aussi. Celui qui
aime Mme Hanska d'un amour que l'absence ne fait que renforcer
peut, lui aussi, rêver de « ce bonheur égal et pur, serein, de qui
Dante a dit : *Senza brama, secura ricchezza* » (3), et savourer dans
les lettres de sa lointaine comtesse ce « je ne sais quoi de bleu »,
lumière de l'Empyrée qui diffuse « l'amour égal et pur, l'amour
contenu du cœur » dont l'expression tient du *Paradis* de Dante (4).
Car le paradis de Dante, c'est beaucoup plus pour Balzac la
rencontre avec Béatrix que la contemplation finale de Dieu. Nous
ne citerons pas les nombreux exemples où il utilise, pour ses
personnages, le modèle de Dante et de Béatrix. Ils sont souvent
une parodie piteuse de l'amour sublime du poète italien. Un seul
passage mérite d'être rappelé, celui de *Massimilla Doni* (cette
nouvelle où Balzac a mis tout son italianisme), dans lequel est
exposé le déchirement d'Émilio entre son amour éthéré pour
Massimilla et son amour charnel pour la Tinti. « Vous venez
d'expliquer ce que l'Europe comprend le moins de *Dante*, sa
*Bice* ! », s'écrie Capraja. « Oui, Béatrix, cette figure idéale, la
reine des fantaisies du poète, élue entre toutes, consacrée par les
larmes, déifiée par le souvenir, sans cesse rajeunie par les désirs
inexaucés (5) ! » La Béatrix que Balzac donne à Calyste du
Guénic est bien loin de celle de Dante, en effet, et l'amour dont il
rêve lui-même lorsqu'il écrit à Mme Hanska : « Oh ! sois ma
Béatrix vraie, une Béatrix qui se donne et reste un ange, une
lumière ! » (6), mêle le terrestre au céleste.

Devant la complexité d'une œuvre comme *La divine comédie*,
nous ne pouvons guère nous attendre à rencontrer chez Balzac
une compréhension totale. Il admire dans l'œuvre la transposition poétique de ce qu'il nomme « un monde moral », monde
fabuleusement étendu où entrent les éléments les plus divers.
Chez le poète, il admire avant tout la grandeur de la vision intérieure. Il est certain que Balzac a essayé de saisir cette vision, mais

(1) *Modeste Mignon*, CFL, t. 7, p. 428.
(2) *Mémoires de deux jeunes mariées*, CFL, t. 6, p. 266.
(3) *Lettres à l'étrangère*, t. 2, p. 255.
(4) *Ibid.*, p. 127.
(5) CFL, t. 2, p. 1019.
(6) *Lettres à l'étrangère*, t. 1, p. 139.

comme il l'avoue dans la dédicace des *Parents pauvres*, *La divine comédie* lui semblait « une immense énigme, dont le mot n'avait été trouvé par personne, et moins par les commentateurs que par qui que ce soit » (1). Son essai d'interprétation swedenborgienne valait donc autant qu'un autre. Ce n'est qu'en 1846, lors d'un séjour à Rome, qu'il eut enfin l'impression de découvrir « la merveilleuse charpente d'idées sur laquelle le plus grand poète italien a construit son poème » (2), grâce à une conversation avec Don Michel Angelo Cagetani (à qui la dédicace est adressée), commentateur érudit de Dante qui, évidemment, éclaira d'une lumière nouvelle pour Balzac l'œuvre du poète. Nous ne savons malheureusement pas ce que fut cette révélation. Elle vint trop tard pour trouver des échos dans l'œuvre de Balzac. C'est en tout cas grâce à elle, sans aucun doute, que l'auteur de la dédicace des *Parents pauvres* peut proclamer le poème de Dante « le seul que les modernes puissent opposer à celui d'Homère » (3).

Ainsi dans ces œuvres anciennes si diverses et si éparpillées dans le temps et l'espace, un lien des plus solides s'établit de lui-même. Elles sont avant tout pour Balzac les reflets d'une certaine vision de l'humanité. En chacune d'elles, en *La divine comédie* surtout, Balzac peut admirer l'art avec lequel les détails les plus réalistes sont revêtus d'une signification qui transcende la réalité et aboutit au mythe.

Tout à fait en dehors de ce cycle dont l'*Iliade*, *Les mille et une nuits* et *La divine comédie* sont les points culminants, surgit de temps à autre, dans la pensée de Balzac, le souvenir de Pétrarque. Le chantre de Laure est évidemment associé plus d'une fois à celui de Béatrix, et ces deux passions sublimées servent à l'occasion de modèles à Balzac. Tel est le cas en particulier de l'amour de Félix de Vandenesse pour Mme de Mortsauf : en présence de sa divinité secrète, le jeune homme se revêt « idéalement de la robe blanche des lévites, imitant ainsi Pétrarque qui ne se présenta jamais devant Laure de Noves qu'entièrement habillé de blanc » (4). Le jeune Étienne, « l'enfant maudit, [...] enfant par la forme, homme par l'esprit [...] angélique sous les deux aspects » est un ardent lecteur de Pétrarque, « un de ses auteurs favoris, celui dont la poésie allait le plus à son cœur par la cons-

---

(1) CFL, t. 9, p. 708.
(2) *Ibid.*
(3) *Ibid.*
(4) *Le lys dans la vallée*, CFL, t. 1, p. 395.

tance et l'unité de son amour [...] Il trouva des significations
nouvelles aux sonnets de Pétrarque. Il avait entrevu Laure, une
fine et délicieuse figure, pure et dorée comme un rayon de soleil,
intelligente comme l'ange, faible comme la femme » (1). Est-ce là
le reflet du sentiment personnel qu'éprouve Balzac à la lecture des
sonnets ? Oui et non. Idéalement, l'amour platonique de Pétrarque pour Laure, comme celui de Dante pour Béatrix, lui inspire
une certaine nostalgie. L'essentiel n'est pas là : il est dans le rôle
créateur de cet amour d'où naît l'œuvre d'art. Balzac n'a jamais
fait cette expérience ; l'amour, au contraire, est pour lui une
force destructrice dont il ressentira à tel point les ravages que
M. Guyon peut dire que Balzac n' « est pas mort d'excès de café
ni de travail mais bel et bien mort d'amour » (2). Laure, d'ailleurs,
lui apparaît dans un éclairage tout terre à terre, où ses traits se
mêlent à ceux d'une belle Polonaise que nous connaissons : « J'ai
toujours cru, à part moi », écrit-il, « que Pétrarque était plus
grand que Laure. Si Hugues de Sade l'avait laissée libre, elle
aurait eu contre l'auteur des *Sonnets* des raisons de tutelle, des
toiles d'araignée, dont elle aurait fait des fils d'airain, des considérations sur lesquelles elle aurait groupé des assemblées de
parents » (3). Quant à Pétrarque, il est trop occupé de ses images,
de ses concetti : « Il voit bien plus la poésie que la femme (4). »
Balzac ne se sent décidément rien de commun avec Pétrarque. Il
s'intéresse pourtant à sa poésie par personne interposée : Lucien,
le jeune poète, son manuscrit des *Marguerites* sous le bras, songe
à devenir le Pétrarque français. C'est par amour pour lui que son
créateur s'est penché un moment sur les *Sonnets* de Pétrarque
afin de lui en souffler la technique : « Le sonnet, monsieur, est une
des œuvres les plus difficiles de la poésie. Ce petit poème a été
généralement abandonné. Personne en France n'a pu rivaliser *(sic)* Pétrarque, dont la langue infiniment plus souple que la
nôtre, admet des jeux de pensée repoussés par notre *positivisme*
(pardonnez-moi ce mot). Il m'a donc paru original de débuter par
un recueil de sonnets (5). » Nous savons que Balzac dut avoir
recours à ses amis pour écrire les sonnets de Lucien (D. de Girardin, Gautier, Lassailly). Nous savons également qu'il avait malgré tout sérieusement étudié la technique de Pétrarque, témoin

---

(1) *L'enfant maudit*, CFL, t. 11, pp. 499 et 504.
(2) Cf. B. Guyon, La fin de Balzac, *Mercure de France*, novembre 1950.
(3) *Lettres à l'étrangère*, t. 2, p. 13.
(4) *Ibid.*, t. 1, p. 476.
(5) *Illusions perdues*, CFL, t. 4, p. 614.

ce texte publié dans la *Revue parisienne* en 1840, c'est-à-dire l'année qui suivit la publication d'*Illusions perdues* :

Il n'existe pas de sextine dans toute la poésie française en y comprenant les œuvres des trouvères, celles du Moyen Age, et celles des poètes modernes. L'immense difficulté de cette pièce n'a jamais été vaincue que par Pétrarque. Ce poète a fait quelques sextines qui sont des chefs-d'œuvre de grâce et de facilité. Dans ce petit poème, la pensée doit se montrer aussi libre que si elle ne portait pas un joug pesant et gênant ; en un mot, la fantaisie des poètes doit danser comme la Taglioni, tout en ayant des fers aux pieds (1).

Pour prouver qu'il sait de quoi il parle, Balzac énonce ensuite les lois précises de cette forme. En renonçant à faire de Lucien un grand poète, **Balzac abandonne du même coup** Pétrarque et ses *concetti*. Son nom cesse alors d'apparaître sous la plume de Balzac. Nous allons voir que le vrai Pétrarque français, Ronsard n'existe pour ainsi dire pas pour lui.

(1) Cité par Lovenjoul, *op. cit.*, pp. 253-254.

# CHAPITRE II

# XVIᵉ SIÈCLE :
## AUTOUR DU PRINCE
## DE TOUTE SAPIENCE

Si en France la Renaissance se distingue nettement du Moyen Age, c'est surtout parce que, sous ce dernier terme, nous abritons des siècles et des siècles qui ont parfois peu en commun. L'intérêt de Balzac pour les écrivains de la Renaissance italienne se charge d'établir le lien entre les deux périodes. Son goût, en particulier, pour Boccace et les conteurs italiens et français d'avant 1500 s'étend naturellement à ceux qui continuent, après 1500, à exploiter toutes les richesses du genre. Les échanges entre la France et l'Italie, en se multipliant au xvıᵉ siècle, ne font que rendre plus sensible la continuité du courant littéraire. Nul exemple ne l'illustre mieux que le Bandello, continuateur et rival de Boccace, à qui, nous dit Balzac, Marguerite de Navarre envoyait un sujet de bon conte quand elle en trouvait un, en échange de quoi l'écrivain lui dédiait le conte (1). « Cet évêque, auteur de contes très drolatiques » (2), est un des familiers de Balzac, qui y découvre la source de plusieurs pièces de Shakespeare (*Roméo et Juliette* entre autres). La dédicace des *Employés* (3) nous montre Balzac, « obligé de tout lire pour tâcher de ne rien répéter », en train de feuilleter les trois cents contes « plus ou moins drolatiques » de Bandello dans le texte original d'une édition récente des conteurs italiens parue à Florence. Ses connaissances linguistiques laissant à désirer, bien que l'italien soit sans doute la seule langue étrangère dont il connaisse quelques mots, il s'attarde plus volontiers sur les dédi-

---

(1) *La Chine et les Chinois*, Con., t. 40, p. 533.
(2) Dédicace de *La cousine Bette*, CFL, t. 9, p. 708.
(3) CFL, t. 5, p. 966.

caces que le Bandello a rédigées pour « chaque conte, ne fût-il
que de cinq pages » et dans lesquelles il retrouve avec plaisir les
noms de plus d'une des relations élégantes qu'il se fit au cours de
ses différents séjours en Italie. L'attrait des contes du Bandello
est pour Balzac le même que celui des contes de Boccace : basés
sur un fait divers contemporain, ils donnent de leur époque une
image à la fois fidèle et cocasse.

Dans cette même lignée de conteurs se rangent Marguerite
de Navarre, Béroalde de Verville, Tabourot des Accords, Brantôme, Bonaventure des Periers. Nous savons que Balzac les
connaissait bien et que les *Contes drolatiques* sont nés sous leur
égide (1). Les allusions directes à leurs œuvres sont pourtant peu
nombreuses. Marguerite de Navarre a sa place dans le carnet de
Balzac à la page des grands conteurs. Elle « mérite une niche de
saincte » dans les contes drolatiques, nous dit leur auteur, « elle
qui, la première, fist de beaulx contes » (2). Tabourot a été très
fréquenté par Balzac au moment de la composition des *Contes
drolatiques*. Une lettre de septembre 1832 à Mme Balzac réclame
« très urgentement » les œuvres du seigneur des Accords que
Balzac ne connaît pas encore bien puisqu'il n'est même pas sûr
des titres. Il lui empruntera des phrases textuelles pour son
conte des *Trois clercs de sainct Nicholas* (3). Les « cacquetaïges »
de Brantôme apparaissent eux aussi dans les *Contes drolatiques* (4)
et ailleurs Balzac fait opposer par Stendhal sa « crudité » sans
arrière-pensée ni préméditation à l'hypocrisie contemporaine (5).

Le nom de Verville est le seul, de ce groupe de conteurs français, qui revienne avec quelque fréquence. Il est difficile de savoir
si Balzac connaissait tous ses ouvrages. En tout cas son attention
semble n'avoir été retenue que par *Le moyen de parvenir* (6).
Dans cette œuvre, sorte de *Banquet* burlesque, les propos de table
se succèdent en coq-à-l'âne continuel, chacun voulant placer son
anecdote et l'auteur se souciant peu d'y mettre de l'ordre. Bien
que Verville prétende traiter des sujets les plus profonds et

---

(1) Figurent au catalogue de vente de la bibliothèque de Mme de Balzac :
N° 60 : *Les contes et discours d'Eutrapel*, par Noël du FAIL, 1732, 2 vol. ;
n° 62 : *Œuvres* du seigneur de BRANTOME, La Haye, 1740, 15 vol., in-12 ; n° 72 :
Les *Nouvelles*, de Marguerite, reine de Navarre, Berne, 1780, 3 vol. ; n° 146 :
*Les bizzarreries et touches du seigneur des accords*, avec *Les apothègmes du sieur
Goulard* et *Les escraignes dijonnaises*, Rouen, 1648.
(2) *Le jeusne de François Ier*, CFL, t. 13, p. 381.
(3) Cf. G. MAUREVERT, *Le livre des plagiats*, Paris, Fayard, s. d., chap. 14.
(4) *Le frère d'armes*, CFL, t. 13, p. 305.
(5) *Echantillon de causerie française*, CFL, t. 14, p. 797.
(6) Bien que *Le moyen de parvenir* ait été publié en 1610, il est dans l'esprit
du XVIe siècle, c'est pourquoi nous l'y rangeons.

donner à son lecteur la clé de toute science humaine, les propos
roulent surtout sur la perfidie des femmes, l'innocence des jeunes
filles et l'hypocrisie des gens d'Église, quels qu'ils soient. Si
certaines des histoires sont amusantes, la plupart d'entre elles
sont purement et simplement obscènes et l'attention du lecteur
a peine à survivre aux 400 pages du volume. Or, que nous en dit
Balzac ? D'abord, que Verville est un de ces enfants de la Touraine qui illustrent brillamment l'esprit satirique tourangeau.
Dans *Les joyeusetés du roy Louis le onzième*, Balzac croit utile de
rapporter une anecdote concernant la vie de Verville « pour ce
que aulcuns ne cognoissent pas l'œuvre exquise de mon parfaict
compatriote » (1). La louange est grande et le choix du qualificatif
« exquise » étonne pour le moins. Il est vrai que nous sommes dans
les *Contes drolatiques* où le langage est facilement plus emphatique qu'ailleurs, et où l'esprit même des contes licencieux est à
l'honneur. Dans l'article *De la propriété littéraire*, Balzac confirme
ce jugement lorsqu'il voit dans *Le moyen de parvenir* « l'une des
œuvres qui s'approchent le plus de la grande œuvre de Rabelais
et qui enrichit l'imprimerie » (2). Cet article date de 1841, et nous
verrons qu'à cette époque, Balzac appréciait bien autre chose
chez Rabelais que le côté gaulois. Cependant, si l'œuvre de
Verville se rapproche en effet beaucoup de l'œuvre de Rabelais,
c'est justement et uniquement par ce côté gaulois, qu'elle
exploite jusqu'à l'excès. S'il faut bien admettre que ceci n'était
pas pour déplaire à Balzac, on peut cependant s'étonner de
trouver Verville en compagnie de la reine de Navarre, de Boccace,
de Rabelais, de l'Arioste et de La Fontaine, « génies rares dans
les temps modernes, car ils ont presque tous été Molière, moins la
scène. Au lieu de peindre une passion, la plupart d'entre eux
peignaient une époque » (3). Avouons qu'il nous est difficile de
distinguer en Verville un « Molière moins la scène ». Sa satire, au
contraire de celle de Rabelais, est toute négative. Si elle n'épargne
rien ni personne, elle ne semble non plus avoir aucun but cons-
tructif. Ce que Balzac a goûté surtout, paillardise mise à part,
c'est bien évidemment l'observation et le réalisme qu'il aime
déjà chez tous les conteurs de cette époque, chez Verville comme
chez Marguerite de Navarre ou chez Boccace. Malheureusement
ces deux qualités, apparentes ici et là, ne suffisent pas à faire de
lui le peintre de son époque, car c'est un aspect bien limité du

(1) CFL, t. 13, p. 208.
(2) Con., t. 40, p. 423.
(3) Avertissement à la 1ʳᵉ éd. des *Contes drolatiques*, CFL, t. 15, p. 387.

seizième siècle qu'il nous montre. Par contre nous ne lui dénie-
rons pas un réel talent de conteur, un style vif et direct dont la
crudité n'était pas, pour Balzac, un des moindres charmes, soyons-
en sûrs.

Par souci d'exactitude, nous ajouterons un nom à ceux des
conteurs français du xvi⁰ siècle cités par Balzac : celui de des
Essarts, le traducteur français du roman espagnol de *L'Amadis
des Gaules.* Balzac utilise Amadis comme type de parfait amoureux, mais dans un contexte presque toujours ironique. Une
seule allusion à l'œuvre même, dans *Sur Catherine de Médicis*, où,
au cours d'une conversation à laquelle participent Amyot, Brantôme et la célèbre Fosseuse, l'ouvrage est jugé « charmant »,
de style nouveau, plein de « barbaries » qui plaisent aux dames (1).
Notons qu'Amadis figure dans l'*Avant-Propos* au nombre des
héros immortels faisant concurrence à l'état-civil. L'Amadis
espagnol est un personnage suffisamment célèbre pour que Balzac
l'ait mis sur sa liste sans peut-être y attacher lui-même grande
importance.

En voyant l'Arioste figurer parmi les six génies rares qui ont
peint leur époque, nous nous demandons jusqu'à quel point
Balzac connaît l'interminable récit du *Roland furieux.* Il possédait
cet ouvrage, en italien, dans une édition de Birmingham de 1773.
Nous doutons fortement qu'il l'ait jamais lu dans l'original. Les
allusions qu'il y fait se rapportent toutes à la jalousie de Roland
quand il voit Angélique lui préférer Médor. Balzac a-t-il puisé
dans quelque article contemporain cet essai d'interprétation
symbolique auquel il n'ose souscrire franchement dans *La vieille
fille* ?

Si Mlle Cormon eût été lettrée [...] si elle avait lu l'Arioste, les
effroyables malheurs de sa vie conjugale eussent-ils jamais eu lieu ?
Elle aurait peut-être recherché pourquoi le poète italien nous montre
Angélique préférant Médor, qui était un blond chevalier de Valois, à
Roland dont la jument était morte et qui ne savait que se mettre en
fureur. Médor ne serait-il pas la figure mythique des courtisans de la
royauté féminine, et Roland le mythe des révolutions désordonnées,
furieuses, impuissantes qui détruisent tout sans rien produire ? Nous
publions, en en déclinant la responsabilité, cette opinion d'un élève
de M. Ballanche (2).

Devant une œuvre déroutante pour un esprit moderne, nous
sentons Balzac prêt à accepter une interprétation, quelle qu'elle

(1) CFL, t. 11, p. 142.
(2) CFL, t. 1, p. 1050.

soit. Celle qu'il cite correspond assez bien à ce qu'il cherche dans les grandes œuvres du passé. Pourquoi, coup sur coup, dans *La cousine Bette* et *Le cousin Pons*, nous renvoie-t-il aux fureurs de Roland (1) ? Il est possible que ses conversations avec le commentateur de Dante à Rome aient également porté sur l'Arioste. Simple supposition. Qu'il cite le poème de l'Arioste en exemple de l'originalité que favorise l'esthétique anti-classique ne nous éclaire pas davantage sur le plaisir réel qu'il trouva à le lire, si toutefois il fit plus que le parcourir. Le contexte des quelques références au *Roland furieux* nous incline à croire que Balzac y a surtout cherché le comique.

Nous savons déjà, et Balzac va nous le rappeler d'innombrables fois, que pour lui l'homme de génie est avant tout celui qui incarne, dans sa personne et dans son œuvre, l'époque à laquelle il appartient. Ainsi l'écrivain de génie doit « se faire le secrétaire de son époque » et tenir la plume sous la dictée de son siècle ; ainsi fit Homère, et après lui Aristote, Tacite, Shakespeare, l'Arétin, Machiavel, Rabelais, Bacon, Molière, Voltaire (2). Liste partielle sans aucun doute, à laquelle Balzac aurait pu ajouter bien d'autres noms ; liste intéressante pourtant, puisque le XVIᵉ siècle y est largement représenté.

Le nom de l'Arétin en appelle aussitôt un autre dans l'esprit de Balzac, celui de Voltaire. La même verve satirique rendait ces deux hommes également redoutables. « L'Arétin, le Voltaire de son temps, faisait trembler les rois, et Charles Quint tout le premier (3). » La licence des écrits de l'Arétin n'effarouche certes pas Balzac, bien au contraire ; il tient cependant à rectifier à son sujet l'opinion courante qui associe le caractère d'un auteur à celui de ses œuvres : « L'Arétin, l'ami du Titien, et le Voltaire de son siècle, a de nos jours un renom en complète opposition avec ses œuvres, avec son caractère, et que lui vaut une débauche d'esprit en harmonie avec les écrits de ce siècle, où le drolatique était en honneur, où les reines et les cardinaux écrivaient des contes, dits aujourd'hui licencieux (4). »

Cet autre « secrétaire de son époque » qu'est Machiavel offre à Balzac l'image poétique du grand homme né pauvre, écrivant son œuvre « le soir après avoir été confondu parmi les ouvriers

---

(1) CFL, t. 9, p. 1166 et t. 10, p. 595.
(2) *Théorie de la démarche*, CFL, t. 12, p. 1574.
(3) *Sur Catherine de Médicis*, CFL, t. 11, p. 23 ; cf. aussi l'anecdote sur les rapports de l'Arétin et de Charles Quint dans la préface de la 1ʳᵉ éd. de *David Séchard*, CFL, t. 15, p. 272.
(4) *Sur Catherine de Médicis*, CFL, t. 11, p. 23.

pendant toute la journée » (1) ; l'image aussi d'une pensée trop profonde pour être comprise par son siècle et qui dut attendre qu'un Montesquieu ou un Rousseau en saisisse la portée (2). L'ouvrage du Florentin stimule l'imagination de Balzac. Ne voit-il pas même, dans *Le prince*, le sujet d'une comédie en cinq actes à présenter au Théâtre français (3) ? Peut-être une nouvelle lecture lui a-t-elle rafraîchi la mémoire, en cette année 1846, car nous trouvons dans *Les paysans* une série de règles de prudence humaine telles que peut les connaître quiconque « sait lire fructueusement Machiavel » (4).

La dernière grande figure de ce xvie siècle italien est celle de l'auteur de *La Jérusalem délivrée*. Là encore, et plus que pour l'Arioste, nous avons le sentiment que la grandeur du poète italien est acceptée sur la foi de sa réputation. Les références au Tasse se rencontrent surtout dans *Modeste Mignon*. Or, nous verrons par la suite que ce roman a été inspiré en partie par le *Torquato Tasso* de Gœthe, et s'efforce de retrouver dans la peinture de Canalis les grandeurs et les faiblesses de l'artiste telles que Gœthe les incarne dans son personnage. Balzac connaît beaucoup mieux le Tasse allemand et le Tasse byronien que le véritable Tasse.

Ainsi, dans cette Italie que nous quittons pour ne plus y revenir, Dante reste la grande figure poétique, mystérieuse et solitaire. Aucun de ses compatriotes ne pourra lui faire la moindre ombre. Il en est bien autrement en France où nous allons voir les géants se dresser un à un à l'appel de Balzac. Et voici d'abord, en ce siècle de la Renaissance, celui en qui se résument à la fois Pythagore, Hippocrate, Aristophane et Dante (5), « le divin Rabelais » (6).

Bien qu'aucun écrit de Balzac, article ou autre, ne soit particulièrement consacré à Rabelais, nous ne cessons de retrouver son nom, à tout moment et en toute occasion, depuis les premiers romans de jeunesse jusqu'au *Cousin Pons*. Parfois il ne s'agit que d'une allusion ou d'une citation, mais le plus souvent, c'est

(1) *Illusions perdues*, CFL, t. 4, p. 561.
(2) Cf. la critique de *L'histoire du pape Alexandre VI et de C. Borgia*, Con., t. 38, pp. 369-370.
(3) *Lettres à l'étrangère*, t. 2, p. 397. M. MILATCHITCH signale dans les projets dramatiques de Balzac autour de 1830 une « trilogie glorieuse » : *Le prince, Les courtisans, La conspiration*. Il s'agit probablement en 1846 de la même idée, laissée et reprise.
(4) CFL, t. 3, pp. 1029-30.
(5) *Le cousin Pons*, CFL, t. 10, p. 621.
(6) *Physiologie du mariage*, CFL, t. 12, p. 879.

un jugement, une qualification ou une interprétation de l'homme ou de l'œuvre qui nous éclaire sur l'image que se fait Balzac du curé de Meudon.

Les qualificatifs s'appliquant à Maître François sont assez nombreux et variés pour qu'on puisse en tirer, par rapprochement, un véritable portrait de l'homme. Alors que les allusions au pantagruélisme dans ce qu'il a de plus sensuel — goinfrerie, penchant pour la bouteille — abondent, Balzac ne manque jamais l'occasion de rappeler que Rabelais lui-même, « homme sobre qui ne buvait que de l'eau » (1), « fidèle serviteur des abstinences monacales » (2), « démentait les goinfreries de son style » (3). Cette première distinction entre le créateur et ses créatures, sur laquelle Balzac insiste, a son importance, car elle montre qu'il ne voyait pas dans l'œuvre de Rabelais, comme certains, l'expression d'une philosophie de la vie exprimée littéralement, mais un immense symbole. Nous reviendrons sur cette idée.

Deux caractéristiques principales ressortent des épithètes appliquées à Rabelais par Balzac : sa sagesse et ses qualités de Tourangeau. Cette appartenance de Rabelais à la Touraine, Balzac y tenait particulièrement puisque lui-même aimait à se penser Tourangeau, et il est fréquent de le voir recenser tous les grands écrivains issus de Touraine pour prouver « l'esprit fin, poli [...] ardent, artiste, poétique, voluptueux » (4), que cette région imprime à ses enfants. En tête de tous ces bons Tourangeaux vient donc « notre bien-aimé Rabelais » (5), « impérial honneur de notre pays » (6), « notre maître à tous » (7). Mais, alors que le caractère tourangeau présente, malgré les qualités précitées, des « dispositions premières [qui] s'abolissent promptement » (8), Rabelais semble échapper à la règle par sa grande sagesse sur laquelle Balzac revient nombre de fois. « Docte et prud'homme » (9), « prince de toute sapience » (10), « grand abstracteur de quintessence » (11), il est comparé ici à Salomon (12), et là à un Homère philosophique (13).

(1) *Sur Catherine de Médicis*, CFL, t. 11, p. 23.
(2) *Le prosne du joyeux curé de Meudon*, CFL, t. 13, p. 88.
(3) Préface de la 1re éd. de *La peau de chagrin*, CFL, t. 15, p. 65.
(4) *L'illustre Gaudissart*, CFL, t. 8, p. 36.
(5) *La belle Impéria mariée*, CFL, t. 13, p. 877.
(6) *Le prosne du joyeux curé de Meudon*, CFL, t. 13, p. 188.
(7) *Physiologie du mariage*, CFL, t. 12, p. 875.
(8) *L'illustre Gaudissart*, CFL, t. 8, p. 36.
(9) Préface de la 1re éd. de *La peau de chagrin*, CFL, t. 15, p. 75.
(10) Prologue au premier dixain, CFL, t. 13. p. 50.
(11) *La peau de chagrin*, CFL, t. 7, p. 1043.
(12) *Théorie de la démarche*, CFL, t. 12, p. 1603.
(13) *Le prosne du joyeux curé de Meudon*, CFL, t. 13, p. 188.

Même si Rabelais ne vient, dans notre liste de fréquence, qu'au septième rang, il y a tout lieu de penser que dans la hiérarchie personnelle de Balzac, il vient en tête, précédant même peut-être Molière, car à l'admiration que Balzac peut avoir pour son œuvre (admiration que l'on retrouve égale pour Molière) vient s'ajouter une coïncidence de tempéraments si exceptionnelle qu'elle incline la balance en faveur de Rabelais. « Le plus grand génie de la France au Moyen Age » (1), en étant aussi « le plus grand esprit de l'humanité moderne » (2), relie le monde moderne au monde médiéval. Comme celle de Dante, son œuvre est un pont entre deux univers, et c'est pourquoi, pour Balzac, Rabelais est « le seul *poète* que nous puissions opposer à Dante » (3).

Ce qualificatif de poète appliqué à Rabelais peut étonner. S'il est vrai que chez Balzac le mot poète est souvent pris, non pas dans son sens étroit de l'homme qui écrit en vers, mais dans le sens très large de l'artiste, quel qu'il soit, doué du pouvoir de recréer une réalité plus saisissante et plus vraie que notre réalité concrète, il semble, à la lumière d'un autre texte, qu'il considère Rabelais comme un vrai poète au sens limité du mot. Nous lisons en effet dans *Modeste Mignon* : « De tous les poètes de ce temps, trois seulement : Hugo, Théophile Gautier, de Vigny ont pu réunir la double gloire de poète et de prosateur que réunirent aussi Racine et Voltaire, Molière et Rabelais, une des rares distinctions de la littérature française et qui doit signaler un poète entre tous (4). » Il s'agit donc bien du talent de Rabelais à manier la poésie, tel qu'il se révèle dans les pièces de vers intercalées dans les Cinq Livres. Balzac connaît peut-être aussi les lettres en vers écrites par Rabelais au grand rhétoriqueur Jean Bouchet lors de son séjour dans le Poitou. On oublie trop souvent que Rabelais fut un excellent rhétoriqueur. Balzac, lui, s'en souvient. Son affection pour Rabelais l'incline d'ailleurs à l'indulgence, car nous verrons qu'il reprochera sévèrement à Musset dans ses *Contes* le mélange de vers et de prose qui, dans les Cinq Livres, ne semble nullement le gêner. Aucune œuvre, certaines pièces de Molière exceptées, n'atteindra pour lui le degré de perfection qu'il trouve dans l'œuvre de Rabelais.

L'abondance des superlatifs trouvés par Balzac pour qualifier cette œuvre, « immortelle satire » (5), « immense arabesque » (6),

(1) *Lettre à M. Hyppolite* (sic) *Castille,* Con., t. 40, p. 652.
(2) *Le cousin Pons,* CFL, t. 10, p. 621.
(3) *Lettre à M. Hippolyte Castille,* Con., t. 40, p. 652.
(4) CFL, t. 7, p. 390.
(5) Préface de la 1ʳᵉ édition de *La peau de chagrin,* CFL, t. 15, p. 75.
(6) Introduction aux *Romans et contes philosophiques,* CFL, t. 15, p. 83.

« monstre comique » (1), « épopée immense » (2), « ouvrage sans
pareil » (3), « haute pyramide marmorine » (4), « très magnifique
livre » (5), en reflète le caractère gigantesque et universel. Gigantesque en effet, non seulement les héros le sont littéralement, mais
l'œuvre l'est aussi par la variété des sujets traités, la diversité du
ton et des genres : satire, épopée par le nombre d'épisodes sans
plan très précis (que Balzac essaiera de reproduire dans *La peau
de chagrin* et symbolisera par le serpent de Sterne), « roman,
conte, histoire, drame, folie aux mille couleurs » (6), aucune définition ne peut s'appliquer à elle ; si elle contient « ceste bonne
philosophie à laquelle besoing sera de tousjours revenir » (7),
elle est aussi la « Bible de l'incrédulité » (8). Elle jette aux yeux de
Balzac les mille feux d'un diamant aux nombreuses facettes.
Nous allons voir comment chacune de ces facettes intéresse plus
particulièrement Balzac selon les étapes de sa maturité.

L'aspect le plus directement accessible des Cinq Livres,
c'est celui qui fait de Pantagruel, Gargantua et Panurge les bons
vivants que leurs noms évoquent toujours, buvant en mangeant
et mangeant en buvant ; ce sont les innombrables plaisanteries,
jeux de mots, contrepèteries, dont Balzac se réjouissait fort et
qui provoquent un grand rire ; c'est surtout sous cet angle-là
que Rabelais apparaît lorsque Balzac en parle dans ses premières
œuvres, œuvres de jeunesse (où les citations de Rabelais sont
rares et uniquement reliées à l'ivresse) et surtout *Physiologie
du mariage.*

L'affection de Balzac pour Rabelais date de ses premières
années d'apprentissage littéraire, et est dès le début très forte (9).
Mais c'est probablement surtout le côté comique, moqueur et
paillard qui l'attire. C'est aux pantagruélistes qu'il prétend
s'adresser dans la *Physiologie du mariage*, à ceux « qui n'y regar-
dent pas de si près quand il s'agit de banqueter et goguenarder,
qui trouvent du bon dans le livre *Des pois au lard, cum commento*,
de Rabelais, dans celui *De la dignité des Braguettes* » (10). Le

---

(1) *Ibid.*
(2) *Ibid.*
(3) *Le prosne du joyeux curé de Meudon*, CFL, t. 13, p. 189.
(4) *Ibid.*
(5) *La belle Imperia mariée*, CFL, t. 13, p. 877.
(6) Introduction aux *Romans et contes philosophiques*, CFL, t. 15, p. 83.
(7) *Le prôsne du joyeux curé de Meudon*, CFL, t. 13, p. 487.
(8) Préface de la 1re éd. de *La femme supérieure*, CFL, t. 15, p. 277.
(9) Il est difficile de savoir quand Balzac lut Rabelais pour la première fois.
Il en possédait deux éditions, l'une en six volumes, de 1732, *sine loco*, l'autre en
trois volumes publiée à Paris en 1820 chez Th. Desoer.
(10) CFL, t. 12, p. 876.

Rabelais de Balzac, à cette époque, c'est donc avant tout le moine au rire large et franc, c'est l'inventeur de l'oracle de la Dive Bouteille, c'est le père d'un Panurge coiffé du bonnet à grelots et agitant une marotte, et c'est sous son égide qu'il place la *Physiologie du mariage*, défendant ainsi l'ouvrage contre les critiques possibles grâce à ce patronage vénérable. Mais il est curieux de constater aussi que Rabelais n'est présent, dans la *Physiologie du mariage*, qu'au début de l'œuvre, et qu'une fois bien entré dans son sujet, Balzac semble voler de ses propres ailes et oublier son modèle. Bien que les allusions à différents auteurs foisonnent dans toute la *Physiologie du mariage*, passées les cent premières pages, il n'est plus question de Rabelais.

Il est indéniable que Balzac trouvait chez Rabelais à satisfaire un penchant personnel pour la grosse plaisanterie, et prenait grand plaisir à ses « goinfreries de style ». Mais il y a plus. Son admiration pour cette faculté qu'a Rabelais de provoquer un rire inextinguible ne faiblira jamais, même quand ses jugements montreront une compréhension plus profonde de l'œuvre. C'est que Balzac admire par-dessus tout le génie comique et reconnaît la nécessité du rire. En pleine période romantique, au moment où la littérature est envahie par le fantastique et les émotions violentes, il proteste énergiquement contre l'oubli de son époque pour ce qu'il juge une tradition nationale descendant du xve siècle et surtout de Rabelais :

A la France, il appartenait d'élever une postérité à ces hommes qui ne dédaignaient pas de mettre des livres dans un bon mot, tandis qu'aujourd'hui c'est à peine si l'on trouve un bon mot dans un livre ; à ces hommes qui n'étaient occupés qu'à cacher la profondeur sous une légèreté gracieuse. Molière, La Bruyère, Rabelais, Voltaire, Diderot, Montesquieu ont pensé parfois ; ont-ils jamais trahi le caractère national (1) ?

Le xixe siècle a tué le rire parce qu'il a tué « l'expression vive et drue qui peint sans périphrase et que personne n'ose plus oser » (2). Lorsque, dans *Échantillon de causerie française*, le narrateur de *Ecce homo* est repris par une dame de l'assistance pour la vivacité de ses traits, il réplique, et c'est bien Balzac qui pourrait parler : « Aujourd'hui vous voulez rire, et vous nous interdisez toutes les sources de la gaieté franche qui faisait les délices de nos ancêtres. Otez les tromperies de femmes, les ruses des moines, les aventures un peu breneuses de Verville et

(1) *Complaintes satiriques*, CFL, t. 14, p. 298.
(2) Avertissement à la 1re éd. des *Contes drolatiques*, CFL, t. 15, p. 387.

de Rabelais, où sera le rire ? [...] Vous avez remplacé cette poétique par celle des calembours d'Odry (1). »

Balzac voit juste. Le romantisme se prend trop au sérieux pour savoir rire et l'on cherche en vain dans tout le xixe siècle un génie comique qui continuerait la tradition de Molière et de Beaumarchais. N'est-il pas étrange que Balzac lui-même, si sensible à la valeur du rire, et si enthousiaste pour tous nos écrivains comiques, n'ait jamais pu réussir dans ce genre ? *Jean-Louis* est un échec complet, et ses tentatives de personnages comiques dans *La comédie humaine* sont assez pitoyables. Aucun ne nous fait rire. De tous les articles satiriques publiés dans les journaux, certains sont réussis, mais aucun n'est un chef-d'œuvre. Sa grande tentative dans ce domaine reste les *Contes drolatiques*. C'est pour continuer la tradition interrompue que Balzac les entreprend. Il veut être le Rabelais du xixe siècle. La réussite ou l'échec des *Contes drolatiques* ne nous importe pas. Ils ne nous intéressent ici que parce qu'ils sont l'aboutissement d'une réflexion sur la santé littéraire trouvée dans Rabelais.

En 1843, dans la *Lettre à M. Hippolyte Castille*, Balzac, en se défendant du reproche d'immoralité, écarte de *La comédie humaine* toute idée d'influence rabelaisienne et ajoute : « J'ai les *Cent contes drolatiques* pour ce petit culte particulier (2). » Nous savons que l'influence de Rabelais n'est pas la seule à se faire sentir sur les *Contes drolatiques*, mais elle est nettement prédominante. Or, quel est le Rabelais que Balzac essaie d'imiter tout en prétendant être original ? C'est justement le Rabelais que nous venons de définir, le conteur qui ne s'effarouche d'aucun sujet, bien au contraire, et qui a à sa disposition les ressources d'un style non châtié par les convenances. Balzac se rendait compte, nous l'avons vu, que la langue littéraire moderne avait perdu la couleur et la naïveté qui avaient permis à Rabelais d'écrire le *Pantagruel*. Il se trouve donc dans l'obligation paradoxale, pour être le Rabelais moderne, d'avoir recours à la langue du xvie siècle dont il chérissait la vigueur et les termes disparus. Nous savons qu'il se défend vivement dans le Prologue au cinquième dixain d'avoir voulu imiter Rabelais comme on le lui reproche, et son dixain des imitations devait montrer la différence entre une imitation et une création originale. Même si ce dixain avait été achevé, nous doutons qu'il eût été convaincant. Tout au plus peut-on penser qu'en protestant qu' « imiter Rabelays, être

---

(1) CFL, t. 14, p. 797.
(2) Con., t. 40, p. 652.

Rabelays, vère se serroyt estre pluz que Rabelays » (1), il limite
son imitation à *la manière* de Rabelais, c'est-à-dire au style et au
ton de conteur. Car il sait bien que ses *Contes drolatiques* ne peuvent être mis en parallèle avec les Cinq Livres, le contenu de ceux-
ci dépassant de beaucoup celui de simples contes. Ce « petit culte
particulier » s'adresse donc à l'un des multiples visages du divin
Rabelais. Il établit définitivement l'admiration de Balzac pour
la forme et l'expression rabelaisiennes, mais ne nous permet pas
de conclure sur son opinion quant au contenu profond de l'œuvre.
Cette opinion, c'est ailleurs qu'il faut la chercher.

Avant les *Contes drolatiques*, Balzac publie en 1831 *La peau
de chagrin*. Dans la préface de la première édition, supprimée
par la suite, il met son livre de nouveau sous l'égide de Rabelais.
« Cet ouvrage est la plus humble de toutes les pierres apportées
pour le piédestal de sa statue (2). » Mais ici, nous entrons beaucoup
plus avant dans la pensée de Rabelais qu'avec la *Physiologie du
mariage*, par exemple, car, sous les joyeusetés prêchées par Pantagruel et Panurge, Balzac découvre une vérité profonde qu'il va
faire sienne et à laquelle il reviendra constamment. C'est la
vérité cachée sous le mode de vie des Thélémites, « grands mesna-
giers de leur peau et sobres de chagrins ». « Admirable maxime —
insouciante — égoïste — morale éternelle... » (3), s'écrie Balzac.
Coïncidence non seulement dans les mots mêmes qui forment le
titre du roman, mais dans les deux pensées, l'une revêtant le
masque du comique et l'autre s'exprimant directement « sans
saulce, ni jambons, ni vin, ni paillardise » (4). *La peau de chagrin*,
tout en appartenant essentiellement au génie balzacien, illustre
donc pour nous, par son thème central et par sa forme serpentine,
l'essence même du génie de Rabelais tel qu'il apparaît à Balzac.
D'une part, le premier aspect de Rabelais reste présent dans la
scène d'orgie, transposition dans le XIXᵉ siècle des festins panta-
gruéliques, où les joyeux journalistes ne manquent pas d'évoquer
Panurge et la dive bouteille, tout en se livrant à nombre de
plaisanteries. D'autre part, Balzac, en ébauchant une comparaison du XVIᵉ siècle et du XIXᵉ, commence à définir le rôle
joué par Rabelais, en même temps que se fait jour en son esprit
le besoin d'une œuvre moderne qui serait le pendant des Cinq
Livres.

Le XVIᵉ siècle « apprêtait une destruction en riant, le nôtre

(1) CFL, t. 13, p. 940.
(2) CFL, t. 15, p. 75.
(3) *Ibid.*
(4) *Ibid.*

riait au milieu des ruines » (1) ; et l'ouvrier de cette destruction, c'est Rabelais dont les éclats de rire expriment la philosophie de « Carymary, Carymara » ou du « peut-être ». La distinction entre le xviᵉ et le xixᵉ siècles est essentielle si l'on veut comprendre pourquoi, tout en admirant Rabelais sans réserve, Balzac ne peut pas reprendre à son propre compte toutes ses idées. Lorsque Raphaël, près de mourir, appelle en consultation quatre grands médecins, l'un d'eux, le Dʳ Maugredie, représente le doute, héritage direct de Rabelais : « Sur la ligne qui sépare le fait de la parole, la matière de l'esprit, Maugredie est là, doutant. Le *oui* et *non* humain me poursuit partout. Toujours le *Carymary Carymara* de Rabelais (2). » Mais Maugredie représente une attitude possible et rien chez Balzac n'indique qu'il penche en sa faveur, bien au contraire.

L'Introduction aux *Romans et contes philosophiques*, signée de Philarète Chasles, mais dictée, n'en doutons pas, par Balzac, souligne le rôle historique joué par Rabelais. Situé au carrefour de deux époques, il participe à la destruction d'une ère, celle d'un spiritualisme chrétien qui ne tenait plus compte de l'être humain dans son unité : « l'âme, divinisée, avait tout envahi » (3), et prépare en même temps une nouvelle ère, celle du sensualisme et du matérialisme dont le xviiiᵉ siècle sera l'apogée. Philosophie négative, par conséquent, renversant les idoles, raillant les choses les plus sacrées, faisant de Rabelais « le plus terrible des dériseurs » (4), philosophie du peut-être, mais également positive, « s'armant d'un symbole pour faire la guerre au symbole » (5), réhabilitant le corps, faisant confiance à la nature et rendant à l'homme la joie de vivre. « Dans Pantagruel et Gargantua, il résuma le passé, railla le présent et s'empara de l'avenir (6). »

Ce rôle de Rabelais, Balzac l'aperçoit nécessaire, dicté par des données historiques. Mais il serait insensé de vouloir le recommencer, car les données sont changées. C'est pourquoi, nous l'avons dit, il est impossible à Balzac d'adhérer à toute la pensée de Rabelais. Cependant son penchant pour Maître François est tel qu'il voudra pouvoir s'identifier avec lui, et, comme le remarque fort justement Maurice Lécuyer (7), il finit par inverser les rôles et « revêtir le curé de Meudon de la robe de chambre à cordelière ».

(1) CFL, t. 7, p. 1018.
(2) CFL, t. 7, p. 1222.
(3) CFL, t. 15, p. 80.
(4) Préface de la 1ʳᵉ éd. de *La peau de chagrin*, CFL, t. 15, p. 75.
(5) Introduction aux *Romans et contes philosophiques*, CFL, t. 15, p. 80.
(6) *Ibid.*, p. 81.
(7) *Balzac et Rabelais*, Paris, Les Belles-Lettres, 1956, p. 109.

En effet, l'ère de sensualisme inaugurée par Rabelais va se développer et en arriver, tout comme l'ère spiritualiste contre laquelle
il luttait, à un nouveau déséquilibre de l'être humain. Le xixe siècle
peut donc faire pendant au xvie, les deux époques voyant la
fin d'une philosophie qui, trop poussée, est devenue stérile. Balzac,
nouveau Rabelais, peut s'attaquer à rétablir l'équilibre et chercher à retrouver les valeurs spirituelles.

Cette théorie des alternances dans la pensée humaine explique,
nous semble-t-il, l'apparente contradiction entre les jugements de
Balzac sur Rabelais, les uns étant tout enthousiasme, et vantant
forme et contenu, les autres soulignant le caractère destructif
du doute. Replacé dans son contexte historique, Rabelais ne
peut être qu'admiré. Mais les besoins du xixe siècle sont opposés
à ceux du xvie ; l'esprit d'examen, issu du doute, a fait son œuvre;
il faut réagir contre lui et Balzac s'en dissocie.

Même une fois les *Contes drolatiques* commencés (qui délivre-
ront un peu *La comédie humaine* de l'influence de Rabelais), nous
retrouvons celui-ci tout au long des œuvres de Balzac : Panurge,
Pantagruel, Gargantua sont évoqués tour à tour par les personnages balzaciens ou par leur créateur. Cette présence est si réelle
que la « Lettre à M. Hippolyte Castille » est obligée de désavouer
publiquement l'aspect négatif de la philosophie rabelaisienne :
« Mon admiration pour Rabelais est bien grande, mais elle ne
déteint pas sur *La comédie humaine* ; son incertitude ne me gagne
pas (1). »

Il y a très certainement une évolution dans la pensée de Balzac
sur Rabelais. Nous avons vu que tout d'abord occupé du pantagruélisme dans ses manifestations extérieures, peu à peu Balzac
approfondit ce pantagruélisme pour y discerner une philosophie
à double face : sagesse de vie des Thélémites où il retrouve les
données de sa propre théorie de la relation entre la vie et la
dépense d'énergie, scepticisme et esprit railleur qui achèvent de
désintégrer une société et dont il se sépare de plus en plus. Rabelais apparaît comme le précurseur de l'incrédulité et du matérialisme du dix-neuvième siècle : protestantisme, Rabelais, Montaigne, Descartes concourent tous au même résultat, l'un étant
issu de l'autre. Mais ce « précurseur de l'incrédulité » (2), est en
même temps rapproché de Swedenborg, dans le dernier texte
que nous ayons de Balzac sur Rabelais. La même intuition des
rapports de l'homme et de l'univers les réunit : le microcosme

(1) Con., t. 40, p. 652.
(2) *Le cousin Pons*, CFL, t. 10, p. 621.

aperçu par Rabelais dans l'homme rejoint l'idée de Swedenborg de réunir l'homme et la terre en une même destinée. Il semble finalement que l'aspect positif de la pensée rabelaisienne l'emporte de beaucoup en importance pour Balzac. Rabelais est celui qui a vu dans l'homme un microcosme, c'est-à-dire une organisation complète, et qui a essayé de rétablir pour ce microcosme le droit d'exister dans toutes ses parties. En ceci il s'oppose au spiritualisme du Moyen Age dont Dante est la plus belle image. La sympathie de Balzac pour Rabelais nous explique pourquoi l'Enfer, dans *La divine comédie*, a plus d'attrait pour lui que les visions paradisiaques. Rabelais est aussi le prophète qui a prévu l'évolution de la société ; il est enfin le grand écrivain qui a su trouver une forme originale et inimitable pour revêtir sa pensée profonde, le précurseur de Molière et « le plus grand esprit de l'Humanité moderne » (1).

Tel nous apparaît Rabelais à travers les écrits de Balzac. Un point reste à souligner. A l'époque où Balzac noue son amitié avec Rabelais, celui-ci est à la mode. Balzac nous dit lui-même dans son article sur *L'état actuel de la librairie* que « pendant ces cinq dernières années, l'on a plus répandu d'exemplaires de Rabelais que depuis cent ans » (2). Mais son enthousiasme n'a rien à faire avec la mode. Il part d'une similarité de caractère et de tempérament qui l'amène à approfondir beaucoup plus l'œuvre de son ami du XVIe siècle que ne le feront ses contemporains. La critique traditionnelle d'un La Harpe voyait chez Rabelais une allégorie pouvant se traduire directement en termes de personnages réels, historiques. Balzac contredit violemment cette interprétation dans l'Introduction aux *Romans et contes philosophiques*, car pour lui Rabelais a voulu « formuler la vie humaine et résumer son époque » dans une « immense arabesque, fille de caprice accouplée avec l'observation » (3).

De même lorsque Sainte-Beuve écrit : « Rabelais, bourbeux de matière et de fond, car de style très pur et limpide », Balzac bondit à la défense de Rabelais, avec juste raison, pensons-nous.

Rien dans les jugements de Balzac sur Rabelais ne nous semble faux. Il l'a assez fréquenté pour aller jusqu'au bout de ses pensées les plus déguisées, et lorsqu'il semble parfois mettre un peu plus l'accent sur l'incrédulité de Rabelais que nous ne le ferions, il exprime moins une conviction personnelle qu'une accusation

(1) *Le cousin Pons*, CFL, t. 10, p. 621.
(2) Con., t. 38, p. 362.
(3) CFL, t. 15, p. 83.

fréquemment portée, dont il cherche à se dissocier (1). Il est indiscutable que Balzac connaissait bien Rabelais et l'inépuisable source d'idées que les bouffonneries du Pantagruel ou du Gargantua peuvent cacher ; la définition qu'il nous donne des Cinq Livres dans *Le prosne du joyeux curé de Meudon* n'est-elle pas excellente ? « Œuvres concentriques où l'univers est clouz, où se rencontrent pressées comme sardines fraîches en leurs bruyssers, toutes les idées philosophiques quelconques, les sciences, arts, éloquences oultre les momeries théâtrales (2). »

La monumentale figure de Rabelais domine à tel point tout le xvie siècle français pour Balzac que l'attention de celui-ci ne se laisse détourner par aucun autre écrivain excepté les quelques « nouvelliers » dont nous avons parlé. Les poètes sont totalement négligés. Nous ne rencontrons nulle part le nom de Villon, ni celui de du Bellay. Celui de Marot n'apparaît que deux fois, celui de Ronsard quatre fois, toutes insignifiantes (3). Plus étonnante est la négligence de Balzac pour Montaigne. Rien ne laisse penser qu'il se soit beaucoup plu à sa lecture. Et pourtant, n'aurait-il pu trouver d'abondants matériaux pour son œuvre dans les subtiles notations psychologiques qui foisonnent dans les *Essais* ? La manière même de Montaigne, sa pensée progressant par digressions, son esprit curieux de tout, les innombrables souvenirs de lecture qui s'incorporent à son œuvre, l'art avec lequel il conte ses anecdotes, autant d'aspects des *Essais* qui nous semblent avoir assez de rapports avec la manière de Balzac pour intéresser celui-ci. Certes, la valeur psychologique des *Essais* ne lui échappe pas, puisque, dans un article du *Feuilleton des journaux politiques* du 30 mars 1830, il s'indigne contre la destruction

---

(1) Ce problème de l'incrédulité supposée de Rabelais est loin d'être résolu. L. Febvre, dans *Le problème de l'incroyance au XVIe siècle, la religion de Rabelais*, collection « L'évolution de l'humanité », Albin Michel, 1942, conclut à la foi de Rabelais. La nouvelle édition de H. Busson, *Le rationalisme français dans la littérature de la Renaissance*, Paris, Librairie philosophique J. Vrin, 1957, vise ouvertement à réfuter L. Febvre. Pourtant, à propos de Rabelais, H. Busson écrit : « A prendre les choses comme on les trouve dans son roman, il a paru aux plus indulgents (Pons) un chrétien « éclairé », sans bigoterie ni superstition ; aux autres (L. Febvre) un chrétien normal pour son temps ; à tous un érasmien ; mais à Lote un « théiste sans piété réelle ». Personne ne prétend plus qu'il fut un athée ni même un rationaliste », p. 178.
(2) CFL, t. 13, p. 512.
(3) Au catalogue de vente de la bibliothèque de Mme de Balzac figurent : n° 49 : *Œuvres* de Clément Marot, de Cahors, Lyon, 1545 ; n° 53 : collection Coustelier, en 10 vol., Paris, 1723, dont *Œuvres* de Villon, 1 vol. ; *Poésies* de Guillaume Crétin, 1 vol., *Œuvres* de Jean Marot, 1 vol. ; *Poésies* de Guillaume Coquillard, 1 vol. ; n° 153 : *Œuvres complètes* de du Bartas, Rouen, 1602.

des *Confessions* de Lord Byron « qui eussent ajouté des trésors aux documents importants que Montaigne, le cardinal de Retz, Saint-Simon, Jean-Jacques Rousseau, Casanova ont laissés sur *l'âme humaine* » (1). Mais remarquons qu'il s'agit ici d'auteurs de Mémoires et que l'introspection à laquelle se livre Montaigne dans sa tour semble peut-être à Balzac trop individuelle et trop psychologiquement limitée pour lui offrir une documentation directement utilisable. D'autre part, le tempérament de Montaigne, fait de modération, de sagesse, de prudence parfois bien proche de la peur, n'est pas pour l'attirer.

Il manque chez Michel de Montaigne l'élément passionnel, qui consume peut-être corps et esprit, mais qui permet à l'individu de vivre intensément. Le sage, enfermé dans sa librairie, a dû paraître par trop chétif et désincarné pour devenir un familier de la pensée balzacienne. Il fait une apparition très brève dans *La comédie du diable* pour poser la question du doute à tous ces personnages déraisonnables, et c'est encore le sceptique du Que sais-je ? dont parle Émile Blondet dans *La peau de chagrin*, cette fois associé à Rabelais. « Notre cher Rabelais a résolu cette philosophie par un mot plus bref que Carymary, Carymara ; c'est *peut-être*, d'où Montaigne a pris son *Que sais-je* ? (2). »

Le rapprochement avec Rabelais est très significatif. En effet, les deux philosophes se rejoignent, mais par des voies très différentes, et la très grande importance accordée à Rabelais dans la pensée de Balzac explique peut-être le peu d'importance accordée à Montaigne. Il y a là une loi naturelle d'équilibre : les deux hommes et les deux œuvres, presque diamétralement opposés, ne pourraient avoir part égale dans l'affection de Balzac que si celui-ci n'éprouvait qu'un enthousiasme modéré pour Rabelais. Au contraire, le « culte particulier » qu'il entretient durant toute sa vie pour le grand Tourangeau fait nécessairement, semble-t-il, diminuer d'autant l'importance qu'il accorde à Montaigne. Son intérêt profond va beaucoup plus à ce qui différencie les deux hommes qu'à ce qui les rapproche : à l'exubérance incorrigible de Maître François, Montaigne oppose sa grande modération ; au lieu des attaques mordantes contre les idées et les institutions de l'époque, il choisit délibérément la soumission et le conformisme ; mais leur plus grande divergence est peut-être dans la forme de présentation qu'ils adoptent pour leurs idées : alors que Rabelais utilise le symbole, le grossissement, la caricature, et crée ainsi

(1) Con., t. 38, p. 397.
(2) *La peau de chagrin*, CFL, t. 7, p. 1043.

une sorte de mythologie, Montaigne, lui, explore patiemment, minutieusement et fidèlement, la psychologie d'un seul homme, celui qu'il connaît le mieux, lui-même. Balzac n'a peut-être pas su y reconnaître les traits de l'humanité qui le passionne.

Ce n'est pas en France mais en Espagne que se dresse, dans l'univers littéraire de Balzac, une figure quelque peu comparable à celle de Rabelais, celle de « l'immortel Cervantès » (1). Le rapprochement entre le créateur de Don Quichotte et celui de Pantagruel se fait à maintes reprises dans la pensée de Balzac. La parenté des deux œuvres pour lui est telle qu'il n'hésite pas à déclarer que « l'idée-mère de Don Quichotte est dans Rabelais, où Beaumarchais a pris Figaro » (2). Nous lui laissons volontiers les responsabilités d'un tel point de vue. Plus réel nous semble le parallèle entre Rabelais immolant « l'ergotisme sous ses terribles moqueries » et Cervantès tuant « la chevalerie avec une comédie écrite » (3), bien qu'il révèle une conception bien incomplète de *Don Quichotte* où le caractère satirique et destructeur de l'œuvre est seul mis en avant. Telle est pourtant la pensée de Balzac puisqu'il va jusqu'à ranger Cervantès avec Byron, Voltaire Swift et Rabelais parmi les écrivains qui, montés sur les chevaux du Doute et du Dédain, « ont laissé l'empreinte des sabots de leurs coursiers sur la tête des siècles » (4). Toujours aux côtés de Rabelais, mais cette fois en compagnie de Sterne et de Lesage, Cervantès offre l'exemple d'un ouvrage où la plaisanterie revêt une signification profonde, où l'humanité retrouve un de ses multiples visages, condition essentielle à une œuvre pour devenir « l'orgueil et la gloire des littératures » (5). Ni Cervantès ni Rabelais, enfin, ne manquent de figurer parmi « les plus fameux maîtres » du genre littéraire le plus difficile, celui qui s'attache à écrire l' « histoire secrète du genre humain » et à faire « l'inventaire de tous ses sentiments » (6). Balzac n'oublie pas non plus le plaisir ressenti par le lecteur à suivre « le sublime Chevalier de la Manche » (7) à travers ses aventures. L'art du conteur chez Cervantès révèle l'homme de génie (8). Sur cette notion d'homme

(1) *Splendeurs et misères des courtisanes*, CFL, t. 5, p. 322.
(2) *Propriété littéraire*, Con., t. 40, p. 426.
(3) *Les proscrits*, CFL, t. 10, p. 967.
(4) *Aventures administratives d'une idée heureuse*, CFL, t. 14, p. 834.
(5) *Lettres sur la littérature*, CFL, t. 14, p. 1148.
(6) *Une heure de ma vie* dans *La femme auteur et autres inédits*, publiés par M. BARDÈCHE, Paris, Grasset, 1950, p. 243.
(7) *Splendeurs et misères des courtisanes*, CFL, t. 5, p. 80.
(8) *Pensées, sujets, fragments*, p. 18 ; et *Petites misères de la vie conjugale*, CFL, t. 12, p. 1390.

de génie va se cristalliser l'essentiel de la pensée de Balzac sur Cervantès, et en elle vont s'unir jusqu'à presque se confondre l'image de l'écrivain espagnol et celle de son immortel personnage.

L'extrême pauvreté dans laquelle vécut Cervantès, l'indifférence de ses contemporains à son égard, s'offrent à Balzac comme des symboles poignants et poétiques des souffrances auxquelles l'artiste de génie peut et doit s'attendre. Quel écrivain, mieux que le grand Cervantès, comme Homère réduit à la mendicité (1), ayant perdu un bras en combattant pour la chrétienté et appelé *vieux et ignoble manchot* par les écrivains de son temps (2), obligé d'attendre dix ans avant de trouver un libraire pour la publication de la deuxième partie de « son sublime *Don Quichotte* » (3), incarnerait la destinée de l'artiste dont Balzac voit le symbole, nous l'avons dit, dans le Christ crucifié ? En poussant ainsi au noir la vie de Cervantès, Balzac ne fait que suivre la tendance générale de son époque (4). Ce romantisme se transmet également à l'œuvre, et en particulier à son héros, « Le pauvre chevalier castillan de qui nous nous moquons » (5), est évidemment mélancolique. Cet aspect n'est néanmoins que superficiel. Comme la vie de son créateur, celle de Don Quichotte, sa personne, son caractère et ses aventures, expriment la destinée de l'homme de génie. Cette conception dépasse de beaucoup la simple idée de la souffrance et de l'incompréhension qui attendent un être exceptionnel. Elle englobe tout le problème des rapports entre la réalité et l'imagination, et touche au cœur de l'œuvre de Cervantès. Très significatif, par conséquent, nous semble le projet de pièce auquel Balzac songe en 1830, où se trouvent réunies la figure du Tasse (vue à travers Gœthe, nous l'avons dit, c'est-à-dire un Tasse génial et enfant, déchiré entre le monde poétique et le monde réel), et celle de Don Quichotte. Voici le projet :

Conception primitive de la comédie de l'ARTISTE, à faire en cinq actes et en vers. Un homme de génie, en butte à des esprits médiocres, aimant avec idolâtrie une femme qui ne le comprend pas — tout cela

---

(1) Préface de la 1ʳᵉ éd. de *La femme supérieure*, CFL, t. 15, p. 284.
(2) *Illusions perdues*, CFL, t. 4, p. 561.
(3) *Ibid.* et *Propriété littéraire*, Con., t. 40, p. 427.
(4) CHATEAUBRIAND et ROUSSEAU avaient déjà mis l'accent sur la souffrance dans *Don Quichotte*. Le *Portrait de Michel Cervantès*, pièce écrite en 1802 par Michel DIEULAFOY, est sans doute à l'origine de la vague de pitié que le XIXᵉ siècle éprouve pour le malheureux Cervantès.
(5) *Le lys dans la vallée*, CFL, t. 1, p. 309.

pris comiquement. Le Tasse de Gœthe est tragique — y chercher des analogies. Le grand modèle est Don Quichotte (l'homme de génie) aux prises avec quelque Sancho Pança (1).

La folie apparente de Don Quichotte est celle du Tasse, celle du poète, celle qui fait passer l'homme de talent pour « un courtaud de boutique » aux yeux du monde et « pour un sot » aux yeux de sa femme (2). Relisons les pages que Balzac consacre aux artistes et nous trouverons partout Don Quichotte. Seuls le poète et le chevalier de la Manche sont capables de changer une fille des champs en princesse (3). Le parallèle pourrait s'étendre à tous les épisodes où la vision de Don Quichotte est différente de celle de Sancho. Là où Sancho ne voit qu'un plat à barbe, le chevalier voit un casque, mais il sait aussi qu'une troisième personne verrait encore autre chose. Lorsque finalement, quatorze ans après son projet initial, Balzac écrit *L'artiste* sous la forme de *Modeste Mignon*, il semble avoir renoncé à prendre Don Quichotte comme modèle. Nous croirions volontiers que la difficulté était trop grande. Canalis n'est pas Don Quichotte parce que, comme dit lui-même Balzac, « Canalis n'a pas assez de foi » (4), Canalis n'est qu'un écrivain de talent, pas un homme de génie. Aucune créature balzacienne ne trouvera jamais l'admirable mélange de folie, de poésie, de bonté qui rend si attachant le héros de Cervantès. Le cousin Pons en est peut-être le plus proche. Balzac va jusqu'à lui prêter le regard mélancolique et le nez qui « exprime, ainsi que Cervantès avait dû le remarquer, une disposition naïve à ce dévouement aux grandes choses qui dégénère en duperie » (5), sans penser que Cervantès ne connaissait pas Lavater et que « le masque si connu, si populaire, attribué à Don Quichotte » (6) n'était peut-être pas le visage exact que son créateur imaginait. « Il n'est pas de rôle plus ingrat que celui de Don Quichotte. L'on ne s'aperçoit de la grandeur de Cervantès qu'en exécutant une scène de Don Quichottisme », écrit Balzac dans la préface de la 1re édition d'*Une ténébreuse affaire* (7). Sortie de son contexte, cette phrase pourrait s'appliquer à Balzac essayant en vain de refaire le personnage de Cervantès.

Du personnage de Sancho tel que le conçoit Balzac, il y a fort

(1) *Pensées, sujets, fragments*, p. 130.
(2) *Des artistes*, CFL, t. 14, p. 970.
(3) *Splendeurs et misères des courtisanes*, CFL, t. 5, p. 80.
(4) *Modeste Mignon*, CFL, t. 7, p. 388.
(5) *Le cousin Pons*, CFL, t. 10, p. 490.
(6) *L'envers de l'histoire contemporaine*, CFL, t. 8, p. 1171.
(7) CFL, t. 15, p. 351.

peu à dire. Son ventre replet, sa silhouette grosse et grasse, son âne, son dévouement à Don Quichotte surgissent ici et là pour renforcer une description, sans plus. Le projet de comédie de 1830 devait faire de Sancho Pança un personnage à opposer à l'Artiste, obstacle à sa grandeur et non pas serviteur fidèle. Là aussi le projet échoua. Canalis a bien, auprès de lui, une sorte de Sancho, en la personne de son secrétaire, mais le rapprochement s'arrête là, car La Brière n'est pas plus Sancho que Canalis n'est Don Quichotte. Est-ce conscient de cet échec que Balzac, après avoir fait *Modeste Mignon*, donc une fois délivré de l'idée qui l'habitait depuis si longtemps, songe tout à coup à une autre pièce qui serait à l'époque de Napoléon ce que Don Quichotte est à la chevalerie (1) ? L'œuvre de Cervantès exerce en tout cas une bien forte emprise sur lui puisqu'il ne cesse d'y chercher des idées. Mais plus qu'aucune autre grande œuvre, elle résiste à la transposition.

En choisissant de placer l' « irréprochable Don Quichotte » en tête de la longue lignée d'œuvres gravitant autour du problème du bien et du mal, Balzac fait plus que rendre hommage à la tendresse et à l'humanité de Cervantès. Dans la même lignée, en effet, mais à l'autre extrémité, se trouvent Manon Lescaut et Candide. Or Balzac ajoute : « Qui ne voudrait être l'abbé Prévost ou Voltaire (2) ? » impliquant par là qu'on peut reprendre le problème en l'attaquant du même côté que Voltaire et Prévost. Cervantès, lui, reste unique et inimitable.

La mode shakespearienne qui suivit la découverte de Shakespeare par le romantisme français est beaucoup plus à l'origine des très nombreuses allusions de Balzac à l'œuvre du dramaturge anglais qu'un goût personnel profond. Shakespeare est un des rares cas où la fréquence des citations ne correspond pas à l'importance de l'écrivain pour Balzac. A l'examen des 74 mentions de Shakespeare ou d'une de ses œuvres, quelques remarques s'imposent. Chronologiquement, elles couvrent toute l'œuvre littéraire de Balzac : elles commencent en 1823 (l'année du premier *Racine et Shakespeare)* et vont jusqu'en 1848, sans interruption notable. Très peu d'entre elles contiennent un jugement sur Shakespeare, leur grande majorité consistant en des allusions à tel ou tel personnage. Toutes les grandes pièces y sont représentées, *Le roi Lear* excepté, mais avec une fréquence très variable (3).

(1) *Lettres à l'étrangère*, t. 2, p. 330.
(2) *Lettre à M. Hippolyte Castille*, Con., t. 40, p. 651.
(3) Ce silence sur *Le roi Lear* est d'autant plus curieux que l'auteur du *Père Goriot* ne peut pas avoir ignoré cette pièce. Rien pourtant ne nous suggère les chemins détournés qui conduisirent Balzac de Lear à Goriot.

*Othello* vient de loin en tête, puis *Hamlet*, puis *Macbeth*, *Roméo
et Juliette*, *Richard III*, *La tempête*, *Le marchand de Venise ;
Henri IV*, *Henry V*, *Le songe d'une nuit d'été*, et *Beaucoup de
bruit pour rien* ne sont nommés qu'une fois. Nous constatons donc
chez Balzac une connaissance de Shakespeare tout à fait acceptable en étendue, et un intérêt suffisamment grand pour que *La
comédie humaine* fasse accueil aux personnages shakespeariens.
Tâchons de préciser jusqu'où vont cette connaissance et cet
intérêt en profondeur.

Dans une lettre datée du 29 février 1848, Balzac, racontant à
Mme Hanska les journées de révolution, écrit : « Il y a eu un
mélange de gaminerie, de sublimité, de force qui a fait du
jeudi un drame de Shakespeare (1). » Une telle phrase, assez
générale mais valable, nous intéresse surtout en ce qu'elle
emprunte à la caractérisation humaine les termes de définition
du drame shakespearien. Pour Balzac, rien ne peut en effet mieux
exprimer le sentiment que lui inspire ce genre d'œuvre que la
comparaison avec un personnage grandiose, contradictoire et
déroutant. Par trois fois, Balzac utilise ce procédé de définition
par analogie : Nathan « qui connaissait son Shakespeare, déroula
ses misères, raconta sa lutte avec les hommes et les choses, fit
entrevoir ses grandeurs sans base, son génie politique inconnu, sa
vie sans affection noble » (2). A la lecture de *La chartreuse de
Parme*, la duchesse de Sanseverina apparaît à Balzac « franche,
naïve, sublime, résignée, remuée comme un drame de Shakespeare » (3). Aucun de ces deux rapprochements ne possède la
vivacité de celui qui fait ressembler Aquilina, la courtisane de
*La peau de chagrin*, à une tragédie de Shakespeare :

> Espèce d'arabesque admirable où la joie hurle, où l'amour a je ne
> sais quoi de sauvage, où la magie de la grâce et le fer du bonheur suc-
> cèdent aux sanglants tumultes de la colère ; monstre qui sait mordre
> et caresser, rire comme un démon, pleurer comme les anges, improviser
> dans une seule étreinte toutes les séductions de la femme, excepté les
> soupirs de la mélancolie et les enchanteresses modesties d'une vierge ;
> puis en un moment rugir, se déchirer les flancs, briser sa passion, son
> amant ; enfin, se détruire elle-même comme fait un peuple insurgé (4).

Retenons également qu'Aquilina « étonnait plutôt qu'elle ne
plaisait » (5).

(1) Lettres à l'étrangère, publiées dans la *Revue de Paris*, août 1950, p. 25.
(2) *Une fille d'Eve*, CFL, t. 8, p. 867.
(3) *Etudes sur M. Beyle*. CFL, t. 14, p. 1171.
(4) *La peau de chagrin*, CFL, t. 7, p. 1035.
(5) *Ibid.*, p. 1034.

En incarnant ainsi l'essence du drame de Shakespeare en
ces trois personnages, Balzac en souligne à la fois le caractère
étrange, un peu monstrueux pour un esprit français, et la profonde individualité, qui l'oppose fondamentalement à l'universalité et à l'harmonie classiques. La poésie de Shakespeare est
une sorte de monstre sacré, exactement comme Aquilina. Avec
beaucoup de justesse, Balzac définit, dans sa critique d'*Hernani*,
le drame de Shakespeare comme l'expression d'une individualité
dont l'auteur donne toutes les nuances, tandis que la tragédie
de Racine est l'expression d'une passion idéalisée (1). Il est donc
naturel que de ces drames, dont la structure même est celle d'un
individu dans la plus grande complexité de son caractère, reste
avant tout, dans la mémoire de Balzac, le souvenir de ces personnages quelque peu monstrueux qui, comme la courtisane, éton-
nent plus qu'ils ne plaisent : Macbeth escorté de ses sorcières et
du spectre de Banquo (2) ; Hamlet condamné à vivre « avec un
épouvantable spectre à ses côtés » (3) ; Othello dont le visage
sombre effraie (4) ; Shylock guettant sa livre de chair (5) ;
Caliban, enfin, la brute « où la forme domine et le sentiment
disparaît » (6). Un phénomène curieux se produit alors chez
Balzac, semble-t-il. De telles créatures, si monstrueuses et si
profondément individualisées soient-elles, s'offrent constamment
à lui comme une image brutale mais frappante des personnages
de *La comédie humaine*, d'où les si nombreuses rencontres, parfois
inattendues, avec les uns ou les autres. Nous n'en choisirons que
quelques exemples : Raphaël aperçoit dans la boutique de l'antiquaire « une vieille paysanne, espèce de Caliban femelle occupée
à nettoyer un poêle » (7) ; Wilfred est « beau comme Hamlet
résistant à l'ombre de son père et avec laquelle il converse en la
voyant se dresser pour lui seul au milieu des vivants » (8) ; devant
la perspective d'un mariage, les vieilles filles deviennent des
Richard III : « spirituelles, féroces, hardies, prometteuses, et,
comme des clercs grisés, ne respectent plus rien » (9) ; Montriveau
brise sous son pied la duchesse de Langeais « comme Othello tua
Desdemona » (10) ; l'ignoble Mme de Saint-Estève n'est autre

 (1) *Hernani*, CFL, t. 14, p. 985.
 (2) *La peau de chagrin*, CFL, t. 7, pp. 1048 et 1120.
 (3) *César Birotteau*, CFL, t. 2, p. 286.
 (4) *Modeste Mignon*, CFL, t. 7, p. 486.
 (5) *Théorie de la démarche*, CFL, t. 12, p. 1577.
 (6) *Ursule Mirouet*, CFL, t. 8, p. 358.
 (7) *La peau de chagrin*, CFL, t. 7, p. 980.
 (8) *Seraphita*, CFL, t. 12, p. 316.
 (9) *La vieille fille*, CFL, t. 1, p. 996.
(10) *Le cabinet des antiques*, CFL, t. 2, p. 1161.

qu'une « affreuse sorcière devinée par Shakespeare et qui paraissait connaître Shakespeare » (1) ; en Mme Cibot, la concierge du cousin Pons, se retrouve « une affreuse lady Macbeth de la rue » (2), et ainsi de suite. Comme M. Baldensperger le remarque, Balzac, en plaquant ainsi les personnages de Shakespeare aux siens, les dépouille de la grandeur qui fait partie intégrante de leur âme et n'en retient que le contenu typiquement humain (3). Et en effet ils ne sont utilisables comme points de référence que s'ils peuvent incarner des types humains. Or, leur profonde individualité résiste à une telle conception. Nous trouvons donc Balzac, grand admirateur des classiques français, nous le verrons, habitué à confronter l'humanité qu'il observe avec celle qu'il a héritée de Molière, Corneille et Racine, se livrant, malgré lui peut-être, au même exercice avec les personnages de Shakespeare, et pour y réussir, les dépouillant de plus d'un de leurs traits essentiels. Le succès n'est jamais total, néanmoins, et Balzac reste dérouté. Nous le constatons en particulier à propos d'Othello. Au premier abord, si un personnage chez Shakespeare peut incarner un sentiment universel, c'est bien le More de Venise, et Balzac ne se fait pas faute d'utiliser sa jalousie comme le type de toutes les jalousies qu'il se propose de dépeindre. Tout va bien tant qu'il ne s'agit que d'une « disposition othellienne » comme celle que Balzac trouve en sa chère et ombrageuse Étrangère (4). Balzac peut même se flatter de faire mieux que Shakespeare en feignant de montrer la nature même : « Le génie italien peut inventer et raconter Othello, le génie anglais peut le mettre en scène ; mais la nature seule a le droit d'être dans un seul regard plus magnifique et plus complète que l'Angleterre et l'Italie dans l'expression de la jalousie (5). » Cependant, Othello ne se contente pas de jeter des regards fulgurants, il va jusqu'au meurtre. Balzac alors recule : le meurtre de Desdémone est un acte de folie individuelle, qui remplit d'horreur, mais qui n'emporte pas notre adhésion ni notre compassion. Balzac ne met la pensée du meurtre dans l'esprit de Raphaël que pour lui faire admettre que « N'est pas Othello qui veut » (6). En comparant la vengeance de Montriveau sur la duchesse de Langeais à celle d'Othello, Balzac prend la peine de rectifier la vérité de Shakespeare en faisant dire à Diane

(1) *La cousine Bette*, CFL, t. 9, p. 1149.
(2) *Le cousin Pons*, CFL, t. 10, p. 672.
(3) Cf. F. BALDENSPERGER, *op. cit.*, p. 212.
(4) *Lettres à l'étrangère*, t. 3, p. 172.
(5) *Splendeurs et misères des courtisanes*, CFL, t. 5, p. 93.
(6) *La peau de chagrin*, CFL, t. 7, p. 1131.

de Maufrigneuse que Montriveau agit « dans un accès de colère qui du moins atteste l'excès de son amour : ce n'était pas mesquin comme une querelle » (1). Balzac est beaucoup plus exigeant quant à la motivation de l'action que ne l'est Shakespeare parce que celui-ci octroie à ses personnages une liberté beaucoup plus grande que ne le permet l'esthétique classique à laquelle, nous le voyons bien, Balzac tient si profondément. Shakespeare laisse à l'homme un choix : Othello peut commettre ou ne pas commettre un meurtre. Chez Balzac, au contraire, aux traits généraux humains s'ajoute le déterminisme du milieu social, voire du physique même, pour contraindre ses personnages à suivre une seule direction. C'est pourquoi la seule logique qu'il puisse trouver dans l'acte d'Othello est celle que de Marsay expose. Retirons-en l'ironie, il y reste une vérité pour Balzac : « Ici, je dois vous avouer que j'ai toujours trouvé Othello non seulement stupide, mais de mauvais goût. Un homme à moitié nègre est seul capable de se conduire ainsi. Shakespeare l'a bien senti d'ailleurs en intitulant sa pièce *Le More de Venise* (2). »

Le même dépaysement se fait sentir devant le caractère de Desdémone. La bouillante Louise de Chaulieu se charge d'en juger la vérité : « Quel triste dramaturge que Shakespeare ! Othello se prend de gloire, il remporte des victoires, il commande, il parade, il se promène en laissant Desdémone dans son coin, et Desdémone, qui le voit préférant à elle les stupidités de la vie publique, ne se fâche point ? Cette brebis mérite la mort (3). » Balzac ne la contredirait sans doute pas. Ainsi, à la fois attiré et dérouté par les personnages de Shakespeare, il ne peut ni les accepter tels qu'ils sont, ni les modifier à sa guise. Témoin cette tentative d'adaptation du sujet d'Othello, drame en trois actes intitulé *La Gina*, où Balzac mettrait en scène un « Othello retourné » c'est-à-dire un « Othello femelle ». Projet abandonné aussitôt devant l'extrême difficulté : « Il y a des raisonnements qui assassinent. Ainsi, dans Othello, Iago est le pilier qui soutient la conception, moi, je n'ai que l'intérêt d'argent, au lieu de l'intérêt de l'amour méconnu (4). » Une telle remarque ne manque pas d'intérêt : elle accuse à la fois la réalité de l'ambition de Balzac à être une sorte de Shakespeare de son époque et les moyens qu'il envisage pour y arriver. Nous savons déjà, et nous verrons à nouveau, que bien d'autres rivaux stimulaient l'ambi-

---

(1) *Le cabinet des antiques*, CFL, t. 2, p. 1161.
(2) *Autre étude de femme*, CFL, t. 8, p. 81.
(3) *Mémoires de deux jeunes mariées*, CFL, t. 6, p. 75.
(4) *Lettres à l'étrangère*, t. 1, p. 489.

tion du jeune Balzac. Shakespeare en est un, admis négligemment dans l'Introduction aux *Études philosophiques*, où Félix Davin déclare que si le but de Shakespeare était en effet identique à celui de Balzac, son travail était beaucoup plus simple, car la société de son temps était plus « tranchée » (1). La transposition possible d'une œuvre à l'autre se révèle, nous l'avons vu, très superficielle. Balzac, armé de ses deux tout-puissants moyens d'action pour animer ses personnages, l'argent et la passion, rencontre quelque difficulté pour apprivoiser les personnages de Shakespeare. Nous ne pensons pas qu'il s'y soit attaché sérieusement, trop conscient de ce qui le séparait du grand poète anglais. Pourtant ici et là nous rencontrons un signe certain de son effort : une scène de *La rabouilleuse*, nous informe Balzac, est « en petit la scène que joue Richard III avec la reine qu'il vient de rendre veuve », et l'auteur prend soin de nous expliquer comment, dans la vie privée, la nature (toujours la nature opposée à Shakespeare !) « se permet ce qui, dans les œuvres de génie, est le comble de l'art ; son moyen, à elle, est *l'intérêt*, qui est le génie de l'argent » (2).

La vérité est que Balzac, tout en reconnaissant en Shakespeare, comme en Rabelais, un de ces grands génies qui « ont tenu la plume sous la dictée de leurs siècles » (3), ne se sent pas avec lui cette communauté de tempérament ou de goût qui le rapproche tellement de Rabelais ou de Molière. Shakespeare reste un étranger pour Balzac, dans le temps et l'espace. En dépit de tous les enthousiasmes contemporains, il n'est ni moderne ni facilement accessible à l'esprit français. Même le très poétique *Roméo et Juliette* où l'amour s'exprime en un langage universel, semble-t-il, garde pour Balzac un caractère essentiellement anglais, où se retrouvent « les beautés particulières aux femmes de ce pays : cette exaltation d'une tendresse où pour elles se résume nécessairement la vie, l'exagération de leurs soins pour elles-mêmes, la délicatesse de leur amour si gracieusement peinte dans la fameuse scène de Roméo et de Juliette où le génie de Shakespeare a d'un trait exprimé la femme anglaise » (4). Le culte de Molière et de Racine, d'autre part, réduit considérablement les possibilités de sympathie avec Shakespeare. « La liberté absolue de l'imagination en produit le marasme. Shakespeare, au XIXe siècle, aurait tracé des règles ; il aurait béni le ciel, en trouvant certains principes tout établis. Molière lui eût appris la différence qui existe

---

(1) CFL, t. 15, p. 115.
(2) *La rabouilleuse*, CFL, t. 3, p. 329.
(3) *Théorie de la démarche*, CFL, t. 12, p. 1574.
(4) *Le lys dans la vallée*, CFL, t. 1, p. 468.

entre le grotesque et le comique : l'un est une impuissance, et l'autre est la marque distinctive du génie (1). » Une telle déclaration, écrite en 1830 dans un esprit absolument anti-romantique, reste valable, croyons-nous, pour apprécier les limites de l'admiration que Balzac a jamais pu éprouver pour Shakespeare.

Un regard d'ensemble sur ce xvi^e siècle tel que nous avons essayé de le reconstruire à partir des écrits de Balzac nous en affirme le caractère essentiellement européen puisque Cervantès, Shakespeare et les Italiens y occupent une place de choix. En mettant tout ce siècle de la Renaissance sous l'égide de Rabelais nous n'avons fait qu'attester l'ombre gigantesque que celui-ci projette sur ses contemporains, éclipsant complètement certains de ses compatriotes. Mieux qu'aucun autre, serait-ce les plus grands, Rabelais résume pour Balzac cette époque où l'homme sort d'un spiritualisme sclérosé pour prendre conscience de la richesse de sa nature et des merveilles du monde. Le rire de Maître Alcofribas exprime la joie d'une ère nouvelle dans laquelle l'homme essaie ses forces.

(1) *Complaintes satiriques*, CFL, t. 14, p. 299.

# Chapitre III

# XVIIᵉ SIÈCLE : LES GRANDS MAITRES

Au caractère européen du siècle précédent s'oppose le caractère essentiellement français de celui que nous abordons maintenant. Nos incursions en domaine étranger seront brèves et peu fructueuses.

En Espagne, Lope de Vega et Calderon, respectés par Balzac pour ce qu'il connaît de leur vie (il les cite au nombre des grandes vies où la volonté seconde le talent), ne l'intéressent nullement pour leurs œuvres qu'une phrase de la critique d'*Hernani* juge sans appel : « Ce qu'il y a de castillan dans la pièce, c'est une rare accumulation d'invraisemblances, et un profond dédain pour la raison, qui la font ressembler à un drame enfantin de Calderon ou de Lope de Vega (1). » Avec un soupçon d'humour noir, Balzac écrira après sa vaine intervention dans le procès Peytel : « Ce qu'on applaudit dans Calderon, Shakespeare et Lope de Vega, on l'a guillotiné à Bourg (2). » Le goût romantique pour les deux dramaturges espagnols ne l'atteint nullement. Nous allons voir que son admiration trouve en France amplement de quoi se satisfaire, et ne se laisse pas guider par la mode.

Pas plus que nous ne pouvons ranger Balzac sous une bannière quelconque durant la bataille entre classiques et romantiques, car il n'est et ne veut être ni l'un ni l'autre, nous ne pouvons grouper les écrivains et les œuvres qu'il aime autour d'une doctrine. Les théories lui importent peu. Les deux siècles qui le précèdent ont récolté « une moisson de gloire qui a fait nommer l'espace de temps qui s'est écoulé entre la naissance de Descartes, élève des Jésuites, et la mort de Voltaire, leur élève aussi, le nom de *grand siècle* » (3). Ainsi le XVIIᵉ et le XVIIIᵉ siècle sont

(1) *Hernani*, CFL, t. 14, pp. 989-990.
(2) *Lettres à l'étrangère*, CFL, t. 1, p. 528.
(3) *Histoire des Jésuites*, Con., t. 38, p. 37.

étroitement liés dans son esprit. Dans cette moisson de gloire il choisit à son gré les écrivains dont l'œuvre éveille en lui quelque écho. Ils sont nombreux au xviie siècle. Sur notre liste figurent à peu près tous les noms importants, avec une seule omission criante : Mme de La Fayette. Néanmoins la fréquence des allusions varie énormément : alors que d'Urfé, Hardy, Malherbe, Guez de Balzac, Voiture, Mme de Sévigné, Mlle de Scudéry, Furetière, pour n'en citer que quelques-uns, n'apparaissent que d'une à quatre fois, et jamais de manière à nous éclairer sur l'opinion de Balzac à leur égard, certains reviennent sous la plume de Balzac avec une insistance très significative de leur importance dans l'échelle des valeurs littéraires balzaciennes. Molière, nommé 204 fois, se révèle immédiatement comme le grand maître de Balzac.

Puisque les philosophes ont été exclus de ce travail, il faudrait laisser Descartes de côté. Qu'il nous soit permis de faire une exception pour lui : non pas que Balzac considère son œuvre sous l'angle littéraire, mais parce qu'il occupe une place intéressante dans l'histoire de la pensée selon la conception balzacienne. Né lui aussi dans les vallées fertiles de la Touraine, il doit être doté, comme Rabelais, comme Verville, de « l'esprit fin, poli, comme il doit l'être dans un pays où les rois de France ont pendant longtemps tenu leur cour ; esprit ardent, poétique, voluptueux » (1). Mais, Balzac le sent bien, Descartes résiste quelque peu à un tel déterminisme caractériel, d'où cette rectification dans le Prologue au premier dixain des *Contes drolatiques :*

> [La Touraine] a fourni sa grand'part des hommes de renom à la France avecque feu Courier de piquante mémoire ; Verville, autheur du Moyen de parvenir ; et autres bien cogneuz, desquels nous tirons le sieur Descartes, pource que ce fust ung génie mélancolique et qui ha plus célébré les songeries creuses que le vin et la friandise, homme duquel tous les pastisciers et rostisseurs de Tours ont une saige horreur, le mescognoissent, n'en veulent point entendre parler, et disent :
> — Où demeure-t-il ? si on le leur nomme (2).

Descartes en effet ne peut se joindre à la fameuse bande satirique de ses compatriotes pour parrainer les *Contes drolatiques*. Le rapprochement avec Rabelais est pourtant valable, mais sur un tout autre terrain que celui de la facétie. Nous allons le voir dans un instant.

(1) *L'illustre Gaudissart*, CFL, t. 8, p. 36.
(2) CFL, t. 13, pp. 47-48.

Si nous datons les différents passages où Balzac parle de Descartes, nous nous apercevons d'une évolution qui correspond, assez logiquement d'ailleurs, à celle de ses idées politiques et religieuses. Tant que Balzac n'a pas choisi de miser sur le parti légitimiste, son catholicisme est fort libéral et Descartes lui apparaît comme un très grand penseur, qui, avec Bayle, a contribué à séparer la morale de la religion et à faire prendre aux hommes conscience des moyens termes entre l'homme et Dieu. Une des *Lettres sur Paris*, attaquant vivement l'esprit étroit de Bossuet, rend ainsi justice au rôle de Descartes : « Il [Bossuet] n'osait peut-être pas parler devant Louis XIV, des vastes idées qui créent un monde intermédiaire entre ces deux termes de nos comparaisons (l'homme et Dieu), de ce monde moral, de cette philosophie de Bayle et de Descartes, dont les tempêtes et les convictions font plier les peuples et les trônes comme des joncs flexibles (1). » Un passage de *La peau de chagrin* (1831) reconnaît également le rôle prédominant de la pensée de Descartes sur son siècle (2), sans souligner de caractère néfaste à cette influence.

Tout à coup, en 1832, dans *Louis Lambert*, le doute est souligné chez Descartes, et tous les passages suivants résonnent de la même note. Là se trouve le point de contact avec Rabelais. On se souvient qu'un des aspects de Rabelais sur lequel Balzac hésitait dans son admiration était justement le doute, incarné par Panurge, et réitéré dans le fameux « peut-être » attribué au curé de Meudon sur son lit de mort. Mais ce doute, bien que renié hautement dans la *Lettre à M. Hippolyte Castille*, ne semblait pas vraiment inquiéter Balzac, puisque c'est en somme à lui que l'on devait le « Trinque » et la réhabilitation des droits du corps. C'est ce même doute, devenu le « doute philosophique » mais marquant la ruine définitive du spiritualisme, que Balzac retrouve chez Descartes : « Mais comment en des siècles où l'entendement avait gardé les impressions religieuses et spiritualistes qui ont régné pendant les temps intermédiaires entre le Christ et Descartes, entre la Foi et le Doute, comment se défendre d'expliquer les mystères de notre nature intérieure autrement que par une intervention divine (3) ! »

Opposer le Christ et Descartes, l'un ouvrant le règne de la Foi, l'autre celui du Doute, n'est-ce pas considérer la pensée de Descartes non pas dans sa réalité, mais dans son évolution au

(1) Con., t. 39, p. 109.
(2) CFL, t. 7, p. 1080.
(3) CFL, t. 1, p. 71.

cours des siècles ? S'il est vrai que le cartésianisme a pu aboutir au rejet de la foi, telle n'était pas la pensée initiale de notre grand philosophe qui voulait avant tout appliquer à toute connaissance, théologie comprise, la méthode analytique. Ce qui frappe, c'est que Balzac ne voit que ce « doute philosophique » chez Descartes, et semble laisser entièrement de côté l'usage de ce doute comme point de départ d'un raisonnement qui aboutit à la preuve de l'existence de Dieu. C'est pourquoi il peut voir en Rabelais et Descartes « deux génies qui se correspondent plus qu'on ne le croit ; l'un avait mis en épopée satirique ce que l'autre devait mathématiquement démontrer : le doute philosophique, la triste conséquence du protestantisme ou de cette liberté d'examen qui a enfanté le livre de Rabelais, cette Bible de l'incrédulité » (1).

Ranger Descartes dans le camp des protestants, c'est aller bien vite et ignorer sa vie et sa pensée intime. Il est clair que Balzac juge hâtivement et confond raisonnement, liberté d'examen et doute. Le doute n'existe chez Descartes que comme démarche première de l'esprit, et cède la place aux idées claires et distinctes sur lesquelles sont basées toutes les connaissances, y compris celle de Dieu. Toutefois, si l'on considère l'évolution de la pensée cartésienne, on peut en effet voir en elle, comme dans celle de Rabelais d'ailleurs, l'impulsion vers la mise en question de toute croyance au surnaturel, si le surnaturel reste irrationnel. La critique moderne n'est encore d'accord ni sur la véritable pensée de Rabelais, ni sur celle de Descartes. Notre opinion est que Balzac voit plus juste pour Rabelais que pour Descartes parce qu'il connaît moins bien ce dernier, de toute évidence. La place qu'il lui fait est très modeste, et si nous nous y sommes arrêtés, c'est justement pour signaler l'aspect unique et très restreint sous lequel Descartes se présente à la pensée de Balzac. Remarquons enfin que ni les *Méditations* ni le *Discours de la méthode* ne sont spécifiquement nommés.

Lorsqu'en 1819, Balzac installé dans sa mansarde de la rue Lesdiguières et décidé à prouver à sa famille son talent littéraire, cherche la direction dans laquelle se lancer, il se décide, après quelques hésitations, à écrire une tragédie, ce fameux *Cromwell* qui lui coûtera tant de peine et lui vaudra tant de déception. Ses grands maîtres, à cette époque, ceux qu'il veut imiter ou même égaler, sont les classiques : Corneille et Racine, d'abord, mais

---

(1) Préface à la 1re éd. de *La femme supérieure*, CFL, t. 15, pp. 276-277.

aussi Crébillon et Voltaire. Pour cela, il faut d'abord les étudier à fond et c'est ce qu'il fait : « Je dévore nos quatre auteurs tragiques : Crébillon me rassure, Voltaire m'épouvante, Corneille me transporte, Racine me fait quitter la plume », écrit-il à sa sœur Laure en novembre 1819 (1). Nous pouvons voir ici une sorte de hiérarchie dans l'esprit du jeune Honoré. Le génie de Racine étant par trop éblouissant, c'est surtout vers le « vieux Corneille », « mon vieux général », dit-il, qu'il va se tourner.

Le sujet historique qu'il choisit est, de toute évidence, destiné à rivaliser avec *Cinna*, ce *Cinna* qu'il hésite, à cause de la dépense, à aller voir jouer : « Cependant, je puis lire tant que je veux ; il faudra que je sois fièrement fou ; mais voici ce qui pourrait m'entraîner. Je n'ai pas encore vu de pièce de Corneille, notre général, et j'ignore absolument la manière dont on dit ses vers qui sont plus rudement faits que ceux de Racine (2). »

Cette « rudesse » de Corneille, que l'on oppose si souvent à la « douceur » de Racine, apparaissait sans doute plus accessible à un débutant. A tort, d'ailleurs, comme le prouve l'échec des tentatives classiques de Balzac. Beaucoup plus tard, en 1840, il la définira stylistiquement dans une de ses *Lettres sur la littérature* : « Entre la force qui marche, à l'instar de Bossuet ou de Corneille, par la seule puissance du verbe et du substantif, et le style ample, fleuri, qui donne de la valeur aux adjectifs, il y a l'écueil de la monotonie des temps du verbe (3). » Quand il écrit cela, Balzac est loin des excercices littéraires de la rue Lesdiguières ; à force de travail, il est arrivé à une grande expérience dans l'art d'écrire. C'est donc un expert qui parle, un expert qui, pour trouver son propre style, a dû analyser longuement celui de ses maîtres, les classiques. Le jugement que nous citons est une simplification des problèmes de style, mais il met bien en relief la forte charpente de la phrase cornélienne et son caractère beaucoup plus actif que descriptif. Nous examinerons un peu plus loin s'il en va de même pour celle de Bossuet.

L'admiration du jeune Honoré pour le vieux Corneille ne cesse donc pas quand l'apprenti en littérature est passé maître du roman. Il saisit chaque occasion de rendre hommage à l'homme et à l'œuvre, surtout à l'homme de génie luttant contre la pau-

---

(1) *Lettres à sa famille*, éditées par W. S. HASTINGS, Paris, A. Michel, 1950, p. 23.
(2) *Ibid.*, p. 19.
(3) CFL, t. 14, p. 1137.

vreté et délaissé de ceux qui, au pouvoir, auraient pu lui venir en aide (1).

De toutes les tragédies de Corneille, il semble que *Cinna* soit celle que Balzac préfère, ou en tout cas qu'il ait le plus étudiée. Nous opterions plutôt pour cette dernière supposition, étant donné la similarité de l'intrigue de son *Cromwell* avec celle de *Cinna* (similarité avouée, car dans la scène où Charles Ier libère les enfants de Cromwell qui auraient pu lui servir d'otages, Balzac veut qu'il fasse preuve d' « une magnanimité plus belle que celle d'Auguste pardonnant à Cinna ») (2).

Le souvenir de son échec est encore présent à sa mémoire en 1830. En effet, dans son article du *Feuilleton des journaux politiques* sur Hernani, *Cinna* est à nouveau invoqué et Balzac ne manque pas de souligner à la fois la similarité de l'idée et la dissimilarité des talents qui exploitent cette idée : « L'empereur pardonne à ses ennemis, à Hernani surtout, qu'il rétablit dans ses biens et fiance à dona Sol. La scène est celle de *Cinna* ; mais... oh ! non, nous ne comparerons pas... (3). » De même, « la scène de Charles Quint dans le tombeau est celle de *Cinna*, sauf la vraisemblance » (4).

Le dur travail du jeune Balzac dans sa mansarde où, emmi-touflé dans de vieux lainages, il restait aux prises des nuits en-tières avec les difficultés de la tragédie classique, n'a pas été vain, car il l'a amené à comprendre très profondément tout ce qu'il y avait d'art et de technique dans la conception du sujet, dans la composition et dans la facture de l'alexandrin. C'est pourquoi jamais il ne pourra accepter le drame romantique, non par entêtement partisan, mais par simple lucidité. Connaissant tout aussi bien les défauts que les qualités de l'idéal classique, il peut se permettre de juger impartialement d'une réussite théâ-trale et personne ne lui contestera sa clairvoyance à l'égard d'*Hernani*. Nous y reviendrons plus en détail lorsque nous abor-derons ses opinions sur Victor Hugo. Celui-ci ayant eu la malheu-reuse idée de se réclamer de Molière et de Corneille, Balzac en profite évidemment : « Ces deux grands hommes, tout en commet-tant souvent la faute de substituer la parole à l'action, n'ont jamais manqué de ne faire discourir leurs personnages que sur

---

(1) Cf. *Lettre aux écrivains*, Con., t. 39, p. 644 ; *Sur les questions de propriété littéraire*, Con., t. 40 ; p. 18 ; Préface à la 1re éd. de *La femme supérieure*, CFL, t. 15, p. 285.
(2) *Lettres à sa famille*, p. 31.
(3) CFL, t. 14, p. 985.
(4) *Ibid.*, p. 991.

des intérêts, sur leurs passions, sur des faits, et d'une manière si profonde, que, d'un seul mot ils peignaient la passion et couvraient le dénuement d'action sous le *pallium* du génie (1). » Balzac rend hommage ici à l'extrême concentration d'intérêt et d'action du théâtre classique, soutenue par l'extrême concentration de langage où la recherche du mot juste et pénétrant profondément dans l'étude d'une passion excluait tout verbiage accessoire. Cette concentration, nous la trouvons à son maximum chez Racine ; si Balzac ne nomme ici que Molière et Corneille, c'est parce que Hugo, qui détestait Racine, n'y renvoyait bien évidemment pas ses lecteurs.

Une partie de la critique moderne voit chez Corneille un « baroque », mettant ainsi l'accent sur tout le côté de son génie qui se rebellait contre les règles. D'après le passage que nous venons de citer, l'opinion de Balzac est bien différente. Pour lui, Corneille est bien « le père de notre théâtre tragique » (2), celui qui a tiré notre théâtre « de la barbarie et de l'avilissement » (3), mais il n'en est pas pour cela un débutant dans l'art classique. Il a trouvé avant Racine la perfection de la forme. Balzac ne manque pas de rappeler que « Racine a commencé par un pastiche de Corneille » (4). Ce qui les sépare est la langue, le ton général, et non pas tant la composition et l'analyse des passions.

De même qu'au sujet d'*Hernani*, Balzac faisait intervenir Corneille comme point de comparaison, de même dans son article contre *Port-Royal*, en 1840, c'est encore Corneille qui fait le sujet d'une controverse avec Sainte-Beuve. Il s'agit cette fois de *Polyeucte*, où Sainte-Beuve se plaît à voir un pendant à la journée du guichet tout en admettant d'ailleurs que Corneille n'avait pas de relations avec Port-Royal. Balzac s'accorde avec lui sur un seul point : Polyeucte est « ce que Corneille a inventé de plus grand » (5). Mais cette admiration est précisément cause de son indignation devant la tentative de rapprochement à laquelle se livre Sainte-Beuve. Balzac, qui avait écrit l'*Histoire des Jésuites* sans trop croire à ses théories, embrassa à fond la cause jésuite en 1840, mi par conviction, mi par opportunisme politique. Sa querelle avec Sainte-Beuve au sujet de *Polyeucte* ne porte donc pas sur la valeur de l'œuvre, mais sur

(1) *Hernani*, CFL, t. 14, p. 988.
(2) *Les romances du Cid*, Con., t. 38, p. 401.
(3) *Vie de Molière*, Con., t. 38, p. 142.
(4) *Lettres sur la littérature*, CFL, t. 14, p. 1140.
(5) Con., t. 40, p. 304.

son sens, et peut-être même moins sur son sens que sur son inspiration. La vieille querelle sur la grâce est ranimée. Personne n'y gagne, ni Balzac, ni Sainte-Beuve, ni Corneille, car si nous accordons volontiers que Corneille, élève des Jésuites, leur soit resté fidèle toute sa vie, ceci n'entraîne pas nécessairement que *Polyeucte* soit l'illustration de la doctrine moliniste, comme le prétend Balzac. La grâce divine qui agit sur Polyeucte, puis sur Pauline et sur Félix, nous semble libre de toute couleur théologique, moliniste ou augustinienne. Il est trop évident que Corneille, ici, n'est que prétexte à contradiction et nous ne devons pas prendre trop au sérieux le jugement de Balzac en cette occasion.

*Polyeucte* se trouve encore mentionné dans la Préface de la première édition de *La peau de chagrin* (1831) où Balzac, s'en prenant à la nullité littéraire de son époque qui tourne tout en ridicule et ne produit rien de grand, choisit *Polyeucte* comme exemple d'une belle œuvre d'inspiration élevée, qu'il imagine écrite au XIXe siècle dans le genre vaudeville « où Polyeucte chanterait sa profession de foi chrétienne sur quelque motif de *La Muette* » (1). Rien là non plus ne mérite de retenir l'attention.

Des autres tragédies, seul *Le Cid* est cité, non pas par Balzac lui-même, mais par Louise de Chaulieu, l'une des deux jeunes femmes des *Mémoires de deux jeunes mariées*. Elle écrit à son amie : « Le rôle de Chimène, dans *Le Cid*, et celui du Cid me ravissent. Quelle admirable pièce de théâtre (2) ! » Jugement peu compromettant, auquel Balzac pourrait certes souscrire, mais qui représente, surtout dans le contexte, l'exaltation d'une jeune fille blessée par la petitesse de son milieu et éprise de grandeur et de gloire.

Moins que les jugements particuliers sur telle ou telle pièce, nous trouvons donc chez Balzac une connaissance profonde de Corneille et, en même temps qu'une grande affection pour l'homme, une admiration durable pour l'œuvre. Corneille reste, pour lui, un modèle dont il se souviendra lorsque la lecture de *La chartreuse de Parme* le fera s'exclamer : « M'abusé-je ? n'est-ce pas beau comme Corneille, de tels dialogues (3) ? »

Comme Corneille, ou même encore davantage, Racine fait l'objet de l'admiration du jeune Balzac dès ses débuts litté-

---

(1) CFL, t. 15, p. 74.
(2) CFL, t. 6, p. 80.
(3) CFL, t. 14, p. 1195.

raires (1). Pendant cet hiver de 1819 où il travaille dans sa mansarde, ses lettres à sa sœur Laure nous le montrent tout occupé
de la difficulté de son entreprise et tout plein des modèles qu'il
s'est donnés. Nous venons de voir que c'est surtout de Corneille
qu'il s'inspire finalement pour son *Cromwell*, parce que Racine
lui apparaît déjà hors d'atteinte. Il peut essayer de se donner
du courage en se disant que même Racine ne faisait pas de tragédie sans labeur : « Ah ! si tu connaissais les difficultés qui
règnent dans de pareils ouvrages ! Qu'il te suffise de savoir que le
Grand Racine a passé *deux* ans à polir Phèdre ! le désespoir
des poètes » (2) ; en se persuadant que le succès immédiat n'est
pas forcément signe de réussite : « Et je ne dois pas travailler
pour le goût actuel, mais comme ont fait les Racine, les Boileau,
pour la postérité ! » (3) ; il sait bien qu'on ne refait pas Racine :
« Racine me fait tomber la plume (4). » C'est là le résultat d'une
trop grande contemplation.

Et pourtant le jeune Honoré refuse de détourner les yeux,
car il ne veut que de très grands modèles : « Au diable la médiocrité ! au diable les Pradon et les Bauverlet ! il faut être Grétry
et Racine (5). » Peut-être, lorsqu'en 1840 il écrit : « Racine a
commencé par un pastiche de Corneille, et ces sortes d'études
sont excellentes, elles apprennent l'art » (6), songe-t-il à cette
année 1819, et à son *Cromwell*, où, en imitant Corneille, il espé-
rait au fond devenir un Racine. Ayant sagement renoncé à cet
espoir et s'étant attaché à devenir non pas Corneille ni Racine
mais Balzac, il ne se détourne pas pour autant de ses premiers
enthousiasmes, et Racine reste pour lui, sa vie durant, ce désespoir des poètes dont il parlait à vingt ans, ce miracle de poésie, de
vérité et de goût qui ne se reproduira plus.

Il n'était pas particulièrement bien vu, en 1842, pour un
écrivain lancé, de louer ouvertement les classiques. Balzac,
cependant, ne devait pas se priver d'exprimer son opinion si
l'on en juge par le passage suivant d'une lettre à Mme Hanska :
« Dans le dîner du Rocher de Cancale, il [Hugo] a stupéfié le

(1) Les œuvres de Corneille ne figurent pas au catalogue de la vente de la
bibliothèque de la veuve de Balzac. Nous ne savons donc pas quelle édition il
en possédait. Par contre, nous y trouvons deux éditions de Racine : n° 88 :
*Œuvres* de Racine suivant la copie imprimée à Paris, Amsterdam, 1678, et
n° 158 : *Œuvres* de Racine, Paris, 1760, 3 vol. in-4°.
(2) *Lettres à sa famille*, p. 8.
(3) *Ibid.*, p. 9.
(4) *Lettres à sa famille*, p. 23.
(5) *Ibid.*, p. 25. Balzac avait en tête également un opéra-comique, *Le
corsaire*, qui ne vit jamais le jour.
(6) *Lettres sur la littérature*, CFL, t. 14, p. 1140.

Russe en disant : « Je sais que je ferai mal à Balzac en disant que « Racine est un homme médiocre, car il tient pour Racine... » — Jusqu'à mon dernier soupir, lui ai-je répondu, car c'est la perfection (1). »

Cet hommage est assez remarquable, non seulement parce qu'il manifeste chez Balzac une grande indépendance de goût, mais aussi parce qu'il ne peut être soupçonné d'aucun narcissisme déguisé. Quand Balzac loue Rabelais, par exemple, nous sentons toujours que, dans sa pensée profonde, il le rapproche de lui-même, et l'admiration qu'il professe pour le curé de Meudon rejaillit indirectement sur sa propre personne. Entre lui et Racine, par contre, rien de semblable n'existe. Le roman balzacien n'a rien en commun avec la tragédie racinienne, et les tempéraments des deux hommes sont fort différents. Il est vrai que Léon Gozlan, dans son *Balzac en pantoufles*, alléguant l'indifférence de Balzac vis-à-vis de la poésie en tant que « forme rimée », affirme qu'il vantait Racine « parce qu'on lui avait fait croire que Racine avait, comme lui, excellé à peindre les femmes » (2). En admettant que Balzac se complût à faire ressortir ce point commun entre Racine et lui, ceci ne nous paraît pas une explication suffisante pour l'admiration, toujours égale depuis sa jeunesse et en dépit de la mode littéraire, qu'il professe pour « le grand Racine ». Essayons donc, dans ce que nous avons recueilli de textes concernant Racine, de voir sur quoi exactement porte cette admiration.

Gozlan a probablement raison en constatant chez Balzac une certaine insensibilité au vers ; nous ne trouvons en effet aucune remarque portant directement sur la facture du vers racinien, à part celle-ci, faite en passant, dans l'article sur *La Chine et les Chinois* où Balzac plaide pour une esthétique permettant une libre et totale expression de l'artiste : « On peut mettre la plus idéale statue dans les dix mille statues de la cathédrale de Milan, des strophes raciniennes dans les *Orientales*, une sorte de Vénus anglaise dans *Clarisse*... (3). » Mais cette opposition de la strophe racinienne au style général des *Orientales* n'est pas développée et reste du domaine plus ou moins conventionnel. Pourtant le style de Racine, la forme qu'il donne à son expression, est loin de laisser Balzac indifférent. Lorsque Gozlan affirme que Balzac ne se rend pas compte des difficultés de la poésie, il a tort. Au contraire, grâce à ses propres tentatives infructueuses,

(1) *Lettres à l'étrangère*, t. 2, p. 94.
(2) Paris, Lévy, 1865, p. 29.
(3) Con., t. 40, p. 545.

Balzac sait fort bien que n'écrit pas des vers qui veut. Et s'il voyait déjà dans *Phèdre* le « désespoir des poètes » en 1819, son opinion ne changera guère là-dessus. Le miracle d'équilibre, chez Racine, entre la sobriété de la langue, maintenue par une versification stricte, et le lyrisme d'expression qui se fait jour en dépit de, ou peut-être grâce à cette sobriété ne lui échappe pas. Dans la critique jamais parue du *Monde comme il est* de Custine, il écrit : « L'inégalité du style et son amertume ne peuvent déplaire qu'aux personnes qui veulent ces peintures léchées, glacées, correctes dont l'artiste a horreur. En ce genre, un seul homme est resté grandiose. Racine sera toujours désespérant. Il est complet (1). »

Cette remarque semble bien admettre qu'il faut, en général, choisir entre l'expression imagée, vivante, mais irrégulière, et l'expression restreinte, soumise à une surveillance stylistique sévère, qui lui ôte toute chaleur. C'est déjà en germe la distinction entre littérature des idées, où la beauté est dans le contenu et non dans la forme, et littérature des images, où la beauté appartient à l'expression de la pensée. Racine est donc l'exception où l'équilibre parfait a pu se réaliser. Commentant en 1840 cette distinction entre littérature des idées et littérature des images, Balzac souligne cette exception (en y incluant La Fontaine et Chénier) : « Mais nous devons à celle-ci (littérature des images) la poésie que les deux siècles précédents n'ont pas même soupçonnée en mettant à part La Fontaine, André Chénier et Racine (2). » Rappelons enfin la distinction faite par le jeune Honoré entre le vers racinien et le vers cornélien, celui-ci « plus rudement fait ». La grandeur de Racine est donc intimement liée, dans l'esprit de Balzac, à sa langue et par conséquent à sa poésie.

Nous pouvons compléter ces remarques qui, jusqu'ici, portaient sur l'œuvre de Racine en général, par d'autres qui portent plus particulièrement sur telle ou telle pièce. Comme il faut s'y attendre, c'est de *Phèdre* qu'il s'agit surtout, et en cela Balzac se range à l'opinion générale qui voit dans cette tragédie le sommet de l'art racinien.

La première mention de *Phèdre* (mise à part la lettre de septembre 1819 à Laure, déjà citée), est à propos d'*Hernani*. Non pas toutefois pour établir une comparaison, comme c'est le cas pour *Cinna*, mais pour illustrer une théorie du drame que Balzac essaie d'exposer : « Un drame est l'expression d'une

(1) Con., t. 39, p. 678.
(2) *Etudes sur M. Beyle*, CFL, t. 14, p. 1155.

passion humaine, d'une individualité ou d'un fait immense » (1),
et de citer *Phèdre* pour le premier cas, *Henri IV*, *Henri V* ou
*Richard III* de Shakespeare pour le deuxième, et *Guillaume Tell*
pour le troisième. La distinction entre théâtre classique ou non
classique, entre Racine et Shakespeare, est indifférente au but
de cette pièce, car « le génie des deux poètes a traduit originale-
ment une vie humaine » (2), mais elle importe pour le choix des
moyens, Racine idéalisant, Shakespeare s'attachant au détail.
Nous avons vu où va la préférence de Balzac.

Balzac cite *Phèdre* à nouveau en 1840 (3), comme une des
situations clés du cœur humain en amour (les autres étant
celles de *Manon Lescaut*, de *La courtisane amoureuse*, de *Ceci
n'est pas un conte*, d'*Adolphe*, de *Werther*, de *Clarisse*, et de *René*)
et cette situation d'amour incestueux revient à la pensée de
Balzac lorsqu'il analyse l'amour de la Sanseverina pour Fabrice.
L'enthousiasme encore tout débordant de Balzac pour Stendhal
lui fait préférer la duchesse italienne : « La Phèdre de Racine,
ce rôle sublime de la scène française, que le jansénisme n'osait
condamner, n'est ni si beau, ni si complet, ni si animé (4). » Plus
qu'une véritable supériorité de Stendhal sur Racine, croyons-
nous, il faut voir dans cette phrase surprenante, toute exagération
prise en considération, une préférence de Balzac pour le roman par
rapport au théâtre, le roman permettant une analyse plus
complète en effet.

C'est à la conversation avec Hugo, relatée dans la lettre à
Mme Hanska citée plus haut, qu'il faut revenir pour écouter
Balzac justifier son admiration pour Racine. « *Bérénice* ne sera
jamais surpassée ; *Athalie* est la pièce la plus romantique qui
existe, la plus hardie, et *Phèdre* le plus grand rôle des temps
modernes (5). » Le choix de ces trois pièces correspond sûrement
à la préférence de Balzac, car ce sont justement les trois pièces
dont nous rencontrons le nom ailleurs. Le jugement de Balzac
est rapide, péremptoire, fait de superlatifs, et se place sur le
terrain même de l'adversaire : au lieu de chercher à replacer
Racine dans la perspective classique et de montrer qu'il y atteint
la perfection, Balzac le place délibérément sur un plan universel,
en dehors de toute esthétique particulière. Il ne s'agit pas pour
lui de chefs-d'œuvre du passé, qui suscitent l'admiration mais

---

(1) CFL, t. 14, p. 985.
(2) *Ibid.*
(3) *Lettres sur la littérature*, CFL, t. 14, p. 1132.
(4) *Etudes sur M. Beyle*, CFL, t. 14, p. 1171.
(5) *Lettres à l'étrangère*, t. 2, p. 96.

restent coupés du présent. La modernité est un souci constant
chez Balzac, et les génies qu'il salue tout particulièrement à
travers les siècles sont presque toujours des génies qu'il considère
en avance sur leur époque. Il insiste sans cesse sur le fait qu'un
écrivain ne doit pas penser à plaire à ses contemporains, car il
piétine ainsi dans le déjà fait. Il doit marquer un progrès, une
avance, et accepter que sa nouveauté ne soit comprise que bien
plus tard. C'est également, on le sait, l'attitude de Stendhal. La
prétention du drame romantique à supplanter la tragédie classique ne trouve pas d'oreille complaisante chez Balzac : il sait
que Victor Hugo, en voulant faire entrer trop d'éléments disparates dans ses drames, n'a jamais réussi qu'à en faire des œuvres
hybrides, où le lyrisme pur lutte avec l'élément dramatique et où
l'analyse psychologique individuelle ne rejoint jamais le type
universel qui assurerait à l'œuvre une survie. Derrière l'élément
de boutade, il y a donc, dans la réponse de Balzac à Hugo, une
juste compréhension du génie de Racine. Son opinion sur *Athalie*
mérite qu'on s'y arrête un instant.

Nommer *Athalie*, et non *Andromaque* ou *Britannicus*, si l'on
ne nomme que trois tragédies de Racine, indique déjà un choix
intéressant, car il prouve une connaissance sérieuse de l'œuvre
entier. *Bérénice*, *Phèdre*, *Athalie*, ce sont en effet trois exemples,
trois chefs-d'œuvre, de trois moments dans la carrière de Racine,
exprimant de manière très différente un même génie. On a parfois
tendance à considérer *Esther* et *Athalie* comme une sorte d'épilogue, dicté par les circonstances et relié peu profondément au
génie de Racine. Balzac y voit tout autre chose. L'interruption
de seize ans n'a pas endormi ce génie, et dans un genre bien différent de *Phèdre*, mais tout aussi original, Racine a de nouveau été
au delà de la compréhension de ses contemporains. « *Athalie*
n'a été comprise en France qu'un demi-siècle après la mort de
Racine (1). » Et en effet, cachée derrière l'histoire pieuse pour les
demoiselles de Saint-Cyr, la hardiesse de pensée est extrême.
Athalie, son ambition, sa cruauté, son entourage, l'opportunisme
de Mathan, tout ceci recouvre des avertissements audacieux au
Roi, qui assistait à la pièce, et pose des problèmes qui dépassent
de beaucoup les données strictement historiques. L'exaltation
prophétique de Joad, l'emploi de la surprise telle que Joas caché
par un rideau et dévoilé tout à coup, les Lévites armés et postés
tout autour du sanctuaire, l'existence même de cet enfant arraché
par miracle au massacre et identifié grâce à sa vieille nourrice

---

(1) *De la propriété littéraire*, Con., t. 40, p. 427.

et aux marques laissées sur lui par le couteau de l'égorgeur, autant de procédés qui éloignent cette tragédie de la sobriété classique et ont pu déplaire au public de 1691. Par contre, le XVIII<sup>e</sup> siècle réservait à cette pièce un très grand succès. Balzac pourrait bien, par conséquent, être influencé par Voltaire, par exemple, qui voyait dans *Esther* et *Athalie* les deux tragédies les plus proches de la perfection.

Nous passerons sur l'interprétation publicitaire de *Bérénice* par César Birotteau, ainsi que sur le commentaire de Louise de Chaulieu dans les *Mémoires de deux jeunes mariées* où elle craint de se voir jouer le rôle de Bérénice devant son Titus-Félipe. Passons aussi sur *Britannicus, Mithridate* ou *Andromaque* qui sont simplement nommés. Une citation de Petit-Jean des *Plaideurs* (en 1819, à Laure), et une mention de cette pièce parmi les comédies qui, bien qu'imitées de Molière, sont des chefs-d'œuvre, ne nous apportent rien non plus de significatif.

Il reste à nous arrêter un moment sur un passage de *Modeste Mignon* (1844), déjà signalé au sujet de Rabelais. C'est celui où Balzac recense les écrivains qui furent à la fois poètes et prosateurs. Racine y figure. Or, tout le théâtre de Racine est en vers, et jusqu'ici Balzac ne semblait penser qu'au poète tragique. Le prosateur a pourtant sa part dans son admiration. Dans la fameuse *Lettre sur Sainte-Beuve à propos de Port-Royal* (1840), désireux de démontrer que le travail entrepris par Sainte-Beuve était non seulement prétentieux mais inutile (car, estime-t-il, la question de Port-Royal est close et l'histoire de la querelle entre Jansénistes et Jésuites a déjà été retracée par nombre d'écrivains), Balzac oppose à l'ouvrage de Sainte-Beuve celui de Racine : l'*Abrégé de l'histoire de Port-Royal.* « Dans ce vaste chaos bibliographique s'élèvent, comme des fleurs, éternelles et brillantes, l'*Histoire de Port-Royal* par Racine, livre admirable, d'une prose magnifique, comparable pour sa grâce et sa simplicité aux plus belles pages de Jean-Jacques Rousseau » (1). N'oublions pas que Balzac est loin d'éprouver de la sympathie pour les Jansénistes. Il faut donc supposer devant ce passage si élogieux (qui se continue dans le même ton par un commentaire sur *Les provinciales*) soit que le talent de Racine l'emporte sur l'esprit partisan et force l'admiration de Balzac malgré des opinions divergentes, soit que le désir d'accabler Sainte-Beuve soit le plus fort et que n'importe quelle arme soit bonne. Peut-être, pour être juste, faut-il pencher surtout pour cette hypothèse, sans du

(1) Con., t. 40, p. 297.

reste exclure complètement la première, puisque la louange porte principalement sur la forme de l'ouvrage et non sur les idées. Le texte de *Modeste Mignon*, quatre ans plus tard, montre que Balzac voyait bel et bien en Racine un grand prosateur aussi bien qu'un grand poète. Il est difficile de savoir quand Balzac lut l'*Abrégé* de Racine. Peut-être le consulta-t-il au moment où il écrivait son *Histoire des Jésuites*, et y retourna-t-il pour y trouver des armes contre Sainte-Beuve. Son jugement étonnerait moins s'il n'amenait pas, comme terme de comparaison, la prose de Rousseau. Vingt ans plus tard, Sainte-Beuve, dans l'Appendice à la seconde édition du tome I de *Port-Royal*, ne manque pas de le relever : « La prose de l'*Abrégé* de Racine n'a rien de *magnifique* et ne se distingue que par la pureté et une parfaite élégance ; elle ne rappelle de près ni de loin les plus belles pages de Jean-Jacques, et surtout elle ne les rappellerait point par la *grâce* et la simplicité, caractères qui n'appartiennent point essentiellement à la prose éloquente de Rousseau (1). »

S'il faut admettre la justesse de la rectification apportée par Sainte-Beuve au jugement de Balzac, retenons cependant le rapprochement significatif dans l'esprit de ce dernier entre Racine et Rousseau, car sans aucun doute, dans l'échelle des valeurs balzaciennes, l'un est le plus grand poète et l'autre est le plus grand prosateur français.

Il est difficile d'établir, quand il s'agit de Corneille ou de Racine, un rapport de cause à effet entre l'admiration de Balzac et ses tentatives d'imitation. L'étude qu'il dut faire de leurs œuvres lui révéla peut-être l'étendue de leur génie, mais c'est peut-être aussi parce qu'il les plaçait déjà au premier rang de la littérature qu'il se décida à écrire une tragédie classique. Il est

---

(1) *Port-Royal*, t. 1, p. 553, Paris, Hachette, 1901. Cette controverse sur les qualités stylistiques de l'*Abrégé* dépasse le dialogue Balzac-Sainte-Beuve. D'OLIVET, dans son *Histoire de l'Académie française depuis 1652 jusqu'à 1700* (Paris, Coignard, 1729, 1 vol. in-4°), exprimait déjà l'opinion de Balzac en écrivant au sujet de cette *Histoire de Port-Royal* : « Et sur l'échantillon que j'en ai vu de mes yeux, je m'assure que si jamais elle s'imprime, elle achèvera de lui donner, parmi ceux de nos auteurs qui ont le mieux écrit en prose, le même rang qu'il tient parmi les poètes. » Ce à quoi Paul MESNARD, dans sa Notice précédant l'*Abrégé*, dans l'édition des *Œuvres complètes* (Paris, Hachette, 1865), répond : « D'Olivet disait beaucoup trop, quand il exprimait l'espoir qu'elle donnerait à Racine, parmi les prosateurs, le rang qu'il a parmi les poètes. Mais l'élégante simplicité et la justesse du style, la sobriété des développements dans un abrégé sans sécheresse, le ton qui y est toujours en parfaite harmonie avec le sujet, en font une œuvre de maître, et donnent une favorable idée de ce que, avec de telles qualités de narrateur, il eût, historien du règne de Louis XIV, su faire dans un plus grand sujet », t. 4, p. 385.

donc probable qu'admiration et imitation se renforcent mutuellement.

Pour Molière, la situation est légèrement différente. La fréquence des allusions, qui dépasse de beaucoup celle de tout autre écrivain, est un indice indiscutable de l'importance accordée à Molière dans la pensée de Balzac. Tous les balzaciens s'accordent pour reconnaître avec Paul Barrière que Molière est le grand maître de Balzac. Mais personne, à notre connaissance, n'a tenté d'appuyer cette affirmation sur une étude précise et détaillée. Maurice Bardèche, dans son *Balzac romancier*, consacre à cette question quelques pages très intéressantes, à propos d'*Eugénie Grandet*, mais il traite surtout de l'utilisation de Molière faite par Balzac. Laissant de côté une fois de plus la question des influences, qui n'entre pas dans le cadre de cette étude, nous allons donc tenter de vérifier le bien-fondé de cette opinion générale sur la place prééminente occupée par Molière dans l'esprit de Balzac.

Avant d'essayer de débrouiller la complexité des opinions exprimées dans les 204 passages se rapportant à Molière, il faut noter que, s'il n'existe pas d'œuvre de Balzac, achevée ou même partiellement écrite, qui rende, par son imitation de Molière, l'hommage direct et avoué que les *Contes drolatiques* rendaient à Rabelais, ou le *Cromwell* à Corneille, certaines indications nous permettent pourtant de penser que cette imitation de Molière n'était pas entièrement étrangère aux préoccupations de Balzac. Diverses notes du carnet de *Pensées, sujets, fragments* en témoignent : « Alceste politique. — Figaro idem... Ridiculiser la patrie. Grouper autour d'un honnête homme les idées de notre époque personnifiées. Intituler LE RÉPUBLICAIN. Chercher une intrigue, conclure pour le pouvoir fort. — Le caissier. — L'espion. — S'inspirer de Molière et de Beaumarchais, de la plaisanterie âcre de lord Byron, et fondre le tout. [...] Alceste vertueux, mais trompant une femme (1). »

Voici un autre projet inspiré par Molière : « Marciole, 5 actes. Une première demoiselle de comptoir, maîtresse du négociant, Tartufe *(sic)* en femme. Son frère caissier. Deux filles, un amant (2). »

(1) P. 104. La datation de ce fragment est très difficile. M. BARDÈCHE, qui le cite, le place en 1833, mais sans préciser comment il arrive à cette date. M. MILATCHITCH le place « probablement aux environs de 1830 » (*Le théâtre d'Honoré de Balzac*, Paris, Hachette, 1930).

(2) *Ibid.*, p. 133. Cette pièce, intitulée *L'école des ménages*, ou *La première demoiselle*, ou *La demoiselle de magasin*, fut écrite et lue en 1839 chez Mme Saint-Clair, puis chez le marquis de Custine. Son projet remonte au moins à 1837,

Enfin, toujours dans les *Pensées, sujets, fragments*, figure la note suivante : « Orgon. — Comédie en 5 actes et en vers. — Orgon regrettant Tartufe et la religion vengée. Il est ennuyé par sa famille, etc. (1). » Projet ébauché entre 1835 et 1841, et repris assez sérieusement en 1847, au moment où Balzac travaillait aux *Paysans* et au *Député d'Arcis*. Plusieurs lettres à Mme Hanska de juin et juillet 1847 témoignent de son importance. L'idée de Balzac était d'écrire une suite au *Tartuffe* de Molière ; il fut arrêté par la difficulté de la forme (2), et c'est finalement Molière lui-même qui seul eût pu écrire cette suite de *Tartuffe* dont Balzac rêve : « Molière est mort trop tôt, il nous aurait montré le désespoir d'Orgon ennuyé par sa famille, tracassé par ses enfants, regrettant les flatteries de Tartuffe, et disant : C'était le bon temps (3). » L'imagination de Balzac revint plus d'une fois sur Tartuffe et sur les prolongements possibles du personnage. Le personnage de Canalis, dans *Modeste Mignon*, que nous avons déjà signalé comme l'aboutissement, dans la pensée créatrice de Balzac, d'une reprise du Tasse et de Don Quichotte, est aussi Tartuffe :

Molière avait fait l'*Avarice* dans Harpagon ; moi, j'ai fait un avare avec le père Grandet. Eh bien, dans un *Grand artiste*, je lutte encore avec lui, pour le sujet de *Tartufe*. Il a montré l'hypocrisie dans une seule situation, le triomphe (car, dans la pensée de Molière, il n'y a que triomphe ; Orgon est la bourgeoisie). Mais moi, je veux faire le Tartufe de notre temps, le Tartufe-Démocrate-Philanthrope et dans toute la partie que Molière a laissée dans son avant-scène, c'est-à-dire à l'œuvre, et, au lieu d'un Orgon, personnage typique, séduisant cinq

puisque dans une lettre à Mme Hanska du 12 février 1837, nous lisons : « Je fais en ce moment avec fureur une pièce de théâtre, car là est mon salut. [...] Elle s'appelle *La première demoiselle*. Je l'ai choisie pour mon début, parce qu'elle est entièrement bourgeoise. Figurez-vous une maison de la rue Saint-Denis, comme *La Maison du Chat qui pelote*, où je mettrai un intérêt dramatique et tragique d'une extrême violence. Personne n'a encore pensé à mettre à la scène l'adultère du mari, et ma pièce est basée sur cette grave affaire de notre civilisation moderne. Sa maîtresse est dans la maison. Personne n'a encore songé à faire un *Tartufe femelle*, et sa maîtresse sera Tartufe en jupons ; mais on concevra bien plus l'empire de la première demoiselle sur le maître, qu'on ne conçoit celui du Tartufe sur Orgon, car les moyens de domination sont bien plus naturels et compréhensibles » (*Lettres à l'étrangère*, t. 1, p. 381-82). On voit qu'à part l'idée du Tartuffe femelle, Balzac est assez loin de Molière.

(1) P. 107.

(2) Après avoir espéré la collaboration de Th. Gautier pour mettre sa pièce en vers, Balzac dut avoir recours à Amédée Pommier. Nous ne connaissons que le premier acte, publié par D. MILATCHITCH, *Le théâtre inédit d'Honoré de Balzac*, Paris, Hachette, 1930. Balzac a changé considérablement les caractères de Molière, faisant notamment d'Elmire une écervelée tyrannique.

(3) *Les paysans*, CFL, t. 3, p. 1021.

à six personnes de divers caractères, et qui l'obligent à jouer tous les rôles. C'est une grande et belle œuvre à faire. Réussirai-je ? Voilà la question (1).

Cependant Canalis semble avoir tout à coup pris vie indépendamment des idées qu'il devait incarner. *Modeste Mignon* n'est qu'une ramification du projet initial. *Un grand artiste* n'est devenu *Modeste Mignon* qu'en s'éloignant de l'idée de Tartuffe. Celle-ci par contre cherchait, au même moment, à se faire jour dans *Les bourgeois de Paris* (devenu *Les petits bourgeois*), roman entrepris avant *Modeste Mignon*, mais resté inachevé bien que commencé d'imprimer. Balzac était si sûr de le terminer rapidement en 1844 qu'il en avait déjà écrit la dédicace :

Quelques restes de glaise laissés par Molière au bas de sa statue de Tartufe ont été maniés ici d'une main plus audacieuse qu'habile. Mais, à quelque distance que je reste du plus grand des comiques, je serai content d'avoir utilisé des miettes de l'avant-scène de sa pièce, en montrant l'hypocrite moderne à l'œuvre. La raison qui m'a le plus encouragé dans cette difficile entreprise, c'est de la voir dépouillée de toute question religieuse qui fut si nuisible à la comédie de *Tartufe*, et qui devrait être écartée aujourd'hui (2).

Il s'agit donc bien de l'idée déjà exprimée à propos d'*Un grand artiste*, cette fois assez fidèlement incarnée dans le personnage de Théodose de La Peyrade, trop fidèlement peut-être puisque le roman ne put jamais trouver sa forme définitive. En imitant *Tartuffe*, comme en imitant toute autre œuvre, Balzac aboutit à une impasse. La soudaineté de la création de *Modeste Mignon* montre au contraire combien son génie a besoin d'indépendance. *Les petits bourgeois* devaient être roman et pièce. Le projet de pièce, Balzac essaya de le mettre sur pied en mai 1848, sans plus de succès. Ce devait être une comédie « folle d'un bout à l'autre, pleine de charges et poussée ou grossière. Si cela ne réussit pas, qui réussira ? C'est continuer Molière, adapter ses idées au temps présent : la vieillesse jouée par les passions de la jeunesse, donne raison à chacun » (3).

Les rapports entre Balzac et Molière vont beaucoup plus loin que ces tentatives avortées d'imitation. Lorsque Balzac entreprend sa carrière littéraire, il connaît déjà bien Molière, nous

---

(1) *Lettres à l'étrangère*, t. 2, p. 258.
(2) *Lettres à l'étrangère*, t. 2, p. 270. La version définitive de cette dédicace porte quelques légères modifications ; cf. CFL, t. 10, p. 238.
(3) Lettre à Mme Hanska, citée par D. MILATCHITCH, *Le théâtre inédit*, p. 193.

allons le voir dans un instant, mais il ne songe à écrire une comédie *(Les deux philosophes)* que pour y renoncer aussitôt. C'est vers la tragédie qu'il se tourne d'abord, puis vers le roman (1). Pendant ce temps, sa connaissance de Molière s'approfondit, tandis que son propre talent s'oriente de plus en plus vers le roman et non vers le théâtre. Lorsqu'il décide de s'essayer au théâtre, c'est toujours pour des raisons financières, avec la conviction erronée qu'il arrivera rapidement et sans gros effort au succès. Balzac est à cette même époque assez conscient de l'art de Molière pour se rendre compte qu'on ne peut refaire Molière dans les conditions de hâte et de négligence qui marquent toujours, chez le romancier, la composition d'une pièce. Il vise donc au succès immédiat pur et simple, laissant de côté, croyons-nous, toute exigence esthétique. Mais les projets que nous venons de citer prouvent bien que Molière ne peut être totalement exclu de sa conception du théâtre. Ses divers projets de pièce reprennent des idées moliéresques, ou même, plutôt que des idées, des personnages, en replaçant ceux-ci dans des circonstances toutes différentes, fort étrangères à l'esprit de Molière, d'où les caractères mêmes sortent transformés. Beaucoup plus qu'une imitation de Molière, nous trouvons donc chez Balzac une utilisation des personnages de Molière comme point de départ de son invention. Souvent les noms seuls appartiennent véritablement à Molière. En fait, les pièces achevées de Balzac sont plus du « Shakespeare bourgeois » que du Molière.

L'examen de nos 204 références confirme la prééminence des personnages sur le créateur. En effet, tout en portant sur des aspects très variés de l'œuvre ou du génie de Molière, la majorité de ces références concerne les personnages plus que l'auteur lui-même ou son art. Tout se passe comme si Balzac arrivait à être tellement familier avec l'œuvre de Molière que les personnages de celui-ci vivent de leur propre existence et se mêlent constamment avec ces autres créatures douées d'une existence autonome, les personnages balzaciens. D'où des comparaisons et des confrontations fréquentes. Et il semble que, pour Balzac, le monde de Molière voit sa réalité augmenter en raison directe de celle du monde balzacien.

Nous avons vu, au sujet de Rabelais, que Balzac devenait si conscient de ce qui le rapprochait du curé de Meudon qu'il

_____

(1) L'édition des *Œuvres* de MOLIÈRE, Paris, 1734, en 6 vol. était dans sa bibliothèque (catalogue de vente, n° 140) ainsi que l'édition augmentée de la vie de l'auteur et des remarques historiques et critiques par M. de VOLTAIRE, Amsterdam et Leipzig, chez Arkstee et Markus, 1765, 6 vol. in-16, (n° 40.)

finissait par s'identifier à lui, allant jusqu'à renverser les rôles et identifier Rabelais à Honoré de Balzac. Le même phénomène se passe pour Molière. Au lieu d'une admiration qui se manifesterait par un désir d'imitation, Balzac éprouve une admiration qui le fait réfléchir sur le rôle joué par Molière dans la littérature et comme il le fait pour Rabelais, le replaçant dans son contexte historique, il en arrive à conclure que ce que Molière a fait pour le XVIIᵉ siècle, lui, Balzac, le fait pour le XIXᵉ, les genres différents s'expliquant par les époques différentes, mais le fond du génie et l'expression de ce génie restant identiques. D'où la remarque suivante écrite en 1845 par l'éditeur dans l'avant-propos aux *Comédiens sans le savoir* et bien certainement soufflée par Balzac lui-même :

... dans toutes les nomenclatures littéraires des différents siècles qui ont donné au monde des hommes dont il s'honore à juste titre, nous ne voyons qu'un seul nom auprès duquel nous placerions volontiers M. de Balzac... Et ce nom, c'est *Molière*. Qu'est-ce donc que Molière, sinon le poète qui a peint avec le plus de vérité la société du XVIIᵉ siècle ?... Si M. de Balzac avait vécu sous Louis XIV, il eût fait *Les femmes savantes, Tartufe, Georges Dandin, Le misanthrope* ; si Molière vivait de nos jours, il écrirait *La comédie humaine* (1).

Telle est, dans son ensemble, la relation qui s'établit entre Balzac et Molière. Entrons maintenant plus avant dans la complexité des remarques sur Molière éparpillées dans toute l'œuvre de Balzac et tâchons d'en distinguer les points essentiels.

L'intérêt de Balzac pour Molière remonte à sa première jeunesse. A Villeparisis il lisait les comédies de Molière à haute voix à sa famille. L'idée de publier, en 1825, en édition compacte les auteurs classiques ne fut pas la sienne, comme on l'a cru, mais celle d'Urbain Canel qui décida de commencer par La Fontaine et Molière (2). Mais il est certain que le choix ne déplaisait pas à Balzac et que c'est avec plaisir qu'il accepta d'écrire la *Notice* sur la vie de Molière figurant en tête de l'édition. Cette notice, consciencieuse, ne contient pas de vues particulièrement originales, mais il ne faut pas s'en étonner, puisque son but était d'informer, sans plus. Pourtant, c'est un peu plus qu'une simple vie de Molière, car, tout en donnant des faits biographiques

---

(1) CFL, t. 15, pp. 364-365. L'année précédente, BALZAC, qui venait de publier *Splendeurs et misères des courtisanes*, avouait déjà à Mme Hanska que cet ouvrage était « une comédie de Molière écrite (en roman) », et le plus « spirité » de ses tableaux (*Lettres à l'étrangère*, t. 2, p. 451).

(2) Cf. HANOTAUX et VICAIRE, *La jeunesse de Balzac*, Paris, Ferroud, 1921, p. 38.

essentiels, Balzac s'attache surtout à souligner la personnalité de Molière et l'on sent que son admiration pour l'écrivain se double d'une grande sympathie pour l'homme. De l'image qu'il se fait de Molière, se dégagent deux traits saillants — son affabilité et sa mélancolie : « [...] nous le trouverons homme simple, affable, prêt à tendre la main à l'infortune et à frayer la route au talent. [...] Avec tant d'éléments de bonheur, son visage portait l'empreinte d'une mélancolie profonde ; et lorsqu'il répandait autour de lui et sur la scène la gaieté la plus franche, seul il était en proie à la tristesse (1). » Un Molière riche, fêté, entouré d'amis, mais incurablement triste parce qu'amoureux et jaloux, un Molière qui sans pitié pour lui-même trouve dans sa propre souffrance de quoi faire rire le public, ne devait-il pas plaire à l'imagination du jeune Honoré et lui apparaître comme un vrai personnage de roman ? Cette sympathie décelée ici chez Balzac trouve son écho, bien plus tard, en 1844, chez la roma-nesque Modeste Mignon : « Modeste reprochait la mélancolie de Molière à toutes les femmes du xviie siècle (2). » Et dans une de ses lettres à Canalis, elle s'explique sur ce sentiment où l'on retrouve celui de Balzac de 1825 : « Aussi, dans quels malheurs le poète ne tombe-t-il pas, quand, à l'exemple de Molière, il veut vivre de la vie des sentiments tout en les exprimant dans leurs plus poignantes crises, car, pour moi, superposé à sa vie privée, le comique de Molière est horrible (3). »

Cette coïncidence chez Molière de l'expérience la plus intime avec les sentiments de certains de ses personnages devait appa-raître à Balzac comme une évidence à laquelle même le cynique Maxime de Trailles, peu fait pour croire à la force de l'amour, est obligé de se rendre. Citant tous les héros qui traditionnellement incarnent le grand amour, il s'écrie :

Jamais leurs pères à cœur de verglas n'ont connu ce qu'est un amour absolu ; Molière seul s'en est douté. L'amour, madame la duchesse, ce n'est pas d'aimer une noble femme, une Clarisse, le bel effort, ma foi... L'amour, c'est de se dire : « Celle que j'aime est une infâme, elle me trompe, elle me trompera, c'est une rouée, elle sent toutes les fritures de l'enfer... » Et d'y courir, et d'y trouver le bleu de l'éther, les fleurs du paradis. Voilà comme aimait Molière, voilà comme nous aimons, nous autres mauvais sujets ; car moi, je pleure à la grande scène d'Arnolphe (4).

(1) Con., t. 38, p. 144.
(2) CFL, t. 7, p. 379.
(3) *Ibid.*, pp. 432-433.
(4) *Béatrix*, CFL, t. 9, p. 590.

Ce tragique souligné par Balzac dans la vie de Molière va tout naturellement porter son attention sur le personnage qui l'incarne le mieux sur la scène : Alceste.

De toutes les pièces de Molière, c'est *Le Misanthrope* qui l'emporte par le nombre des allusions dans l'œuvre de Balzac. Faut-il voir un fait significatif dans la répartition chronologique de ces allusions ? Nous le croyons. En effet, à part trois ou quatre exceptions, elles s'étagent sur les douze années qui vont de 1835 à 1847, c'est-à-dire les années de pleine maturité de Balzac, et aussi à peu près exactement les années où son amour pour Mme Hanska, ou en tout cas son impatience d'épouser l'Étrangère, le torturent le plus cruellement. En examinant ces textes, nous y découvrons une évolution qui correspond assez bien aux préoccupations de Balzac.

C'est d'abord le nom de Célimène que nous rencontrons, une Célimène sur laquelle Balzac n'a de toute évidence pas encore beaucoup réfléchi, mais qui lui offre, à lui, jeune écrivain conscient de son grand public féminin et s'attachant à peindre des caractères de femme, un type auquel il peut se référer. Émilie de Fontaine *(Le bal de Sceaux)*, Foedora *(La peau de chagrin)*, Mme Firmiani, Mme Évangelista *(Le contrat de mariage)* sont l'occasion de rapides confrontations avec l'héroïne de Molière. Mais Balzac n'analyse nullement le caractère de Célimène. Elle semble représenter pour lui la coquette, et rien d'autre. Ce n'est que plus tard, en 1839, dans *Le cabinet des antiques*, que l'on rencontre une définition du personnage qui indique plus de compréhension :

Parmi les organisations diverses que les physiologistes ont remarquées chez les femmes, il en est une qui a je ne sais quoi de terrible, qui comporte une vigueur d'âme, une lucidité d'aperçus, une promptitude de décision, une insouciance ou plutôt un parti pris sur certaines choses dont s'effraierait un homme. Ces facultés sont cachées sous les dehors de la faiblesse la plus gracieuse. Ces femmes, seules entre les femmes, offrent la réunion ou plutôt le combat de deux êtres que Buffon ne reconnaissait existants que chez l'homme. [...] les femmes comme la duchesse de Maufrigneuse peuvent arriver à tout ce que la sensibilité a de plus élevé, et faire preuve de la plus égoïste insensibilité. L'une des gloires de Molière est d'avoir admirablement peint, d'un seul côté seulement, ces natures de femmes dans la plus grande figure qu'il ait taillée en plein marbre : Célimène. Célimène, qui représente la femme aristocratique, comme Figaro, cette seconde édition de Panurge, représente le peuple (1).

---

(1) CFL, t. 2, pp. 1154-55.

Dans cette analyse, on découvre beaucoup plus qu'une coquette : une femme chez qui la tête domine le cœur, capable de faire face aux situations adverses sans se laisser terrasser par sa sensibilité et aussi une cruelle et une égoïste. La remarque de Balzac semble surtout intéressante lorsqu'il fait de ce caractère un phénomène social. Célimène, le type de la femme aristocratique, ne peut s'imaginer pour lui hors du milieu de la société élégante dont elle a besoin pour exister et où elle trouve à la fois la justification de sa lucidité et les occasions de l'exercer. Cette définition de Célimène est autant l'aboutissement de l'observation personnelle de Balzac que de sa réflexion simultanée sur le sens de l'œuvre de Molière. Son opinion ne varie plus, car nous la retrouvons, en 1842, sous la plume de Louise de Macumer, dans les *Mémoires de deux jeunes mariées* : « Le monde brise à Paris tous les sentiments, il vous prend toutes vos heures, il vous dévorerait le cœur si l'on n'y faisait attention. Quel étonnant chef-d'œuvre que cette création de Célimène dans *Le Misanthrope* de Molière ! C'est la femme du monde du temps de Louis XIV comme celle de notre temps, enfin la femme du monde de toutes les époques (1). » Balzac ne reviendra plus sur ce personnage de Molière. C'est sur Alceste que va se porter son attention.

L'interprétation du personnage d'Alceste a connu une évolution très nette depuis sa création jusqu'à nos jours. Il a été créé par Molière et accueilli par le public du xviie siècle comme un « atrabilaire amoureux » qui, tout en étant foncièrement honnête, n'en est pas moins ridicule par ses intransigeances et ses contradictions. Philinte apparaissait au contraire comme l'honnête homme, indulgent et compréhensif. « L'ami du Misanthrope est si raisonnable », écrit Donneau de Visé dans sa *Lettre sur le Misanthrope* au lendemain de la première représentation « que tout le monde devrait l'imiter : il n'est ni trop, ni trop peu critique ; et ne portant les choses dans l'un ni dans l'autre excès, sa conduite doit être approuvée de tout le monde ». De nos jours, nous sommes revenus à ce point de vue, bien que chaque représentation du *Misanthrope* provoque encore bien des discussions sur l'interprétation donnée par les acteurs aux rôles d'Alceste et de Philinte. C'est que, après Fénelon et Rousseau, protestant tous deux que Molière ridiculisait purement et simplement la vertu, on commença à faire d'Alceste un martyr de l'honnêteté, et le romantisme adopta ce point de vue avec enthousiasme : Alceste, le révolté social, en proie à une passion fatale, devenait un vrai

(1) CFL, t. 6, p. 191.

héros romantique. Par contre, Philinte ne pouvait plus représenter l'idéal de la juste mesure, et devenait un égoïste, un
hypocrite, un cynique. Balzac n'échappe pas à cette optique. Il
fait entièrement bénéficier Alceste de toute la sympathie qu'il
manifeste pour les chagrins domestiques de Molière dans sa
« Vie de Molière ». Lorsqu'en 1835, Balzac commente pour la
première fois depuis sa *Notice* de 1825 le personnage d'Alceste,
c'est pour le mettre aux côtés des deux personnages puritains
de Walter Scott, Jenny Deans et son père, tous trois « magnifiques images de la probité » (1). Un tel rapprochement retire au
personnage de Molière tout élément comique. Le contexte ne
laisse d'ailleurs aucun doute sur le point de vue de Balzac,
puisqu'il oppose « ces hommes rectangulaires, ces belles volontés
qui ne se plient jamais au mal, à qui la moindre déviation de
la ligne droite semble être un crime » aux sinuosités morales
dans lesquelles s'engage le jeune Rastignac pour obéir à son
ambition sociale. Bien que Philinte ne soit pas ici nommé, il
est clair qu'il participe dans l'esprit de Balzac de la « morale
relâchée » des hommes du monde. Car ce personnage, au lieu de
servir de terme de comparaison raisonnable aux excès du caractère d'Alceste, s'éloigne du juste milieu où Molière avait cru le
placer pour faire pendant, dans la complaisance, à l'intran-
sigeance d'Alceste.

Oui (écrit Mme de Mortsauf à Félix Vendenesse), croyez que le galant
homme est aussi loin de la lâche complaisance de Philinte que de l'âpre
vertu d'Alceste. Le génie du poète comique brille dans l'indication
du milieu vrai que saisissent les spectateurs nobles ; certes tous penche-
ront plus vers les ridicules de la vertu que vers le souverain mépris
caché sous la bonhomie de l'égoïsme ; mais ils sauront se préserver
de l'un et de l'autre (2).

Rapprochons ce texte de la préface de *César Birotteau*, écrite
la même année, et nous verrons qu'Henriette de Mortsauf exprime
assez précisément les idées de son créateur : « Toute œuvre comique est nécessairement bilatérale. L'écrivain, ce grand rapporteur
de procès, doit mettre les adversaires face à face. Alceste, quoique
lumineux par lui-même, reçoit son vrai jour de Philinte (3). »
Cette opposition entre les deux personnages d'Alceste et de
Philinte ne fera que s'accentuer.

Deux ans plus tard, dépeignant dans *Une fille d'Ève* le

(1) *Le Père Goriot*, CFL, t. 4, p. 156.
(2) *Le lys dans la vallée*, CFL, t. 1, p. 402.
(3) Préface à la 1re éd. de *César Birotteau*, CFL, t. 15, pp. 272-273.

personnage de Nathan, égoïste, paresseux, arriviste, Balzac
y revient : « Nul ne sait mieux jouer les sentiments, se targuer
de grandeurs fausses, se parer de beautés morales, se respecter
en paroles, et se poser comme un Alceste en agissant comme
Philinte (1). » Plus rien ici ne laisse soupçonner de torts chez
Alceste. Dans le mythe de Janus dont parlait Blondet, il est
l'endroit, Philinte est l'envers. Le génie de Molière consiste
peut-être à avoir refusé de choisir mais Balzac, lui, a fait son
choix. Tous les passages à partir de celui-ci vont insister sur la
lâcheté de Philinte et sur la loyauté d'Alceste. Lâcheté de l'amour,
opposée à l'amour absolu : « Le digne magistrat aimait à la manière d'Alceste, quand Mme de La Baudraye voulait être aimée à
la manière de Philinte. Les lâchetés de l'amour s'accommodent
fort peu de la loyauté du Misanthrope » (2) ; lâcheté également
dans les rapports avec les hommes, opposée à la vertu absolue.
Nous avons déjà cité ce passage d'*Illusions perdues* : « La vertu
complète, le rêve de Molière, Alceste, est excessivement rare » (3),
auquel fait pendant cet autre passage des *Paysans* : « Si l'homme
de province est sournois, il est obligé de l'être ; sa justification
se trouve dans son péril admirablement exprimé par ce proverbe
*Il faut hurler avec les loups*, le sens du personnage de Philinte » (4).

Tout ceci atteste que Balzac, comme ses contemporains,
finit par perdre de vue l'aspect comique du *Misanthrope*. En
épousant à peu près sans réserve la cause d'Alceste, ils négligent
l'équilibre des caractères d'où Molière fait jaillir le comique. Et
Alceste n'est plus qu'une arme supplémentaire pour vitupérer
contre les vices et la corruption créés par la société. « Les Alcestes
deviennent des Philintes, les caractères se détrempent, les
talents s'abâtardissent, la foi dans les belles œuvres s'envole (5). »
Ce qui est vrai pour les écrivains dégradés par le journalisme l'est
aussi dans d'autres domaines.

Il est significatif que nulle part nous ne trouvions de référence au comique du *Misanthrope*. Tout ce que la pièce comporte
de satire fine sur les mœurs, par le jeu des personnages secondaires, est laissé de côté par Balzac. On ne peut en conclure qu'il
y était insensible, mais plutôt que son intérêt pour la peinture
des caractères, de Célimène d'abord, puis d'Alceste plus tard,
l'emportait sur tout autre aspect de la pièce. On ne peut non

(1) CFL, t. 8, p. 856.
(2) *La muse du département*, CFL, t. 9, p. 209.
(3) CFL, t. 5, p. 271.
(4) CFL, t. 3, p. 1026.
(5) *Splendeurs et misères des courtisanes*, CFL, t. 5, p. 34.

plus s'empêcher de penser qu'en faisant d'un personnage comique un personnage presque tragique, Balzac obéissait à la pente de son esprit. Lui qui aimait tant le rire, les contes licencieux, lui l'adorateur de Rabelais, s'il n'a jamais pu dans son œuvre créer un caractère vraiment comique, c'est probablement parce qu'il ne peut pas, comme le fait Molière, limiter sa vision d'un personnage à un aspect et en voulant voir plus loin que l'éclairage comique ne le permet, il découvre presque toujours le tragique. C'est peut-être là le sens qu'il faut attribuer à cette remarque de Bixiou dans *La maison Nucingen* : « La sublime comédie du *Misanthrope* prouve que l'Art consiste à bâtir un palais sur la pointe d'une aiguille (1). » Le palais sur la pointe d'une aiguille, n'est-ce pas non seulement la réussite d'une comédie en cinq actes avec une action à peu près nulle, mais aussi la réussite extraordinaire d'une comédie restant comédie malgré un sujet qui pourrait si facilement tourner au tragique, l'art de Molière étant dans ce délicat maintien d'équilibre ?

Après *Le Misanthrope*, c'est *Tartuffe* qui revient le plus souvent sous la plume de Balzac. Nous l'avons vu, il songe même à utiliser le personnage de Tartuffe et à donner une suite à la pièce de Molière en montrant Orgon regrettant Tartuffe. Cependant, nous ne trouvons nulle part de jugement indiquant une réflexion de Balzac sur tel ou tel personnage de cette pièce. Les caractères peints par Molière sont acceptés comme tels, chacun représentant un « type » : « Le Turcaret de Lesage, le Philinte et le Tartufe de Molière, le Figaro de Beaumarchais et le Scapin du vieux théâtre, tous ces types s'y trouveraient agrandis de la grandeur de notre siècle (2). » « Orgon est *la bourgeoisie*... personnage typique (3). » « Quand Molière introduisit un monsieur Loyal dans *Tartuffe*, il faisait l'*Huissier* et non tel huissier. C'était le fait et non un homme (4). »

Types bien définis, d'ailleurs, dont les attitudes et les traits sont si connus que Balzac peut les employer comme termes de comparaison pour ses propres personnages. Ici, ce sont « les séductions à la Dorine » (5), là « une moue digne de Tartufe », « les yeux ardents de Tartufe » (6), « un regard comme Tartufe

---

(1) CFL, t. 6, p. 389.
(2) Préface de la 1re éd. d'*Un grand homme de province à Paris*, CFL, t. 15, p. 265.
(3) *Lettres à l'étrangère*, t. 2, p. 258.
(4) Note relative au fait d'armes raconté dans *Les parents pauvres*, parue dans *Le Constitutionnel*, 18 nov. 1846, citée par Lovenjoul, *op. cit.*, p. 124.
(5) *Le cousin Pons*, CFL, t. 10, p. 609.
(6) *Le cousin Pons*, CFL, t. 10, pp. 599 et 667.

en jette à Elmire » (1) ; ailleurs « une de ces audaces que Tartufe seul se serait permise » (2).

La seule remarque sur l'art de Molière dans *Tartuffe* se lit dans une des *Lettres sur la littérature*, celle où il analyse les *Contes* de Musset et reproche justement à celui-ci de n'avoir pas « élevé chacune de ces narrations à la hauteur où elles deviennent typiques » (3). Et comme exemple, il choisit très étrangement le personnage de Flipote : « Phlipote [*sic*], dans Molière, a une vie étonnante et n'est que nommée ; mais quel reflet projette sur elle la famille (4) ! » Balzac va-t-il jusqu'au paradoxe ? Flipote, en effet, n'est que nommée par Mme Pernelle à l'ouverture et à la fin de la première scène de l'acte I. Mais comment le « Allons, Flipote, allons, que d'eux je me délivre », ou le « Allons, vous, vous rêvez, et bayez aux corneilles. / Jour de Dieu, je saurai vous frotter les oreilles. / Marchons, gaupe, marchons », peuvent-ils donner à la servante, dont on n'entend plus parler, une vie étonnante ? La famille entière est présentée dans cette première scène, mais sans rapport aucun avec Flipote. Et pourtant, la petite servante maltraitée s'anime dans l'imagination de Balzac. Un détail suffit pour que la vision vienne s'ajouter aux données concrètes pour agrandir la réalité. Le personnage existe.

Un grand nombre d'autres pièces sont nommées ici et là : *Georges Dandin, Amphitryon, Le malade imaginaire, Monsieur de Pourceaugnac, Don Juan, Le médecin malgré lui, L'avare, Le dépit amoureux, Les précieuses ridicules, L'école des femmes, Les femmes savantes,* apparaissent sous la plume de Balzac, soit qu'il en cite une phrase célèbre, soit qu'il en rappelle un épisode ou un personnage afin de mieux caractériser une situation semblable dans une de ses œuvres. Mais ni le contexte, ni le contenu de ces allusions ne nous indiquent autre chose qu'une grande familiarité de Balzac avec l'œuvre de Molière. De même, il est clair que certaines associations sont presque automatiques : la ruse et l'insolence suggèrent les Mascarille, les Sganarelle et les Scapin ; les médecins de Molière ne sont pas étrangers à la scène des médecins de *La peau de chagrin* ; le baron Nucingen amoureux de la courtisane Esther « est le Géronte moderne, le vieillard de Molière moqué, dupé, battu, content, vilipendé, dans le costume et avec les moyens modernes » (5).

(1) *La cousine Bette*, CFL, t. 9, p. 715.
(2) *Illusions perdues*, CFL, t. 4, p. 983.
(3) CFL, t. 14, p. 1148.
(4) *Ibid.*
(5) Préface de la 1re éd. de *Splendeurs et misères des courtisanes*, CFL, t. 15, p. 356.

On retrouve derrière cette transposition d'un personnage à un autre la transposition à laquelle Balzac songe souvent : de Molière à lui, il n'y a au fond qu'une différence d'époque. Lorsqu'il écrit à Mme Hanska en 1845 au sujet de la première partie des *Paysans*, qui est pourtant loin d'être comique : « On a crié au Molière et au Montesquieu ! on m'a salué Roi ! » (1), il fait dire à l'opinion publique ce qu'il a toujours pensé.

Nous comprenons beaucoup mieux l'identification avec Rabelais que celle avec Molière. Certains textes, pourtant, en définissant le génie de Molière tel que Balzac le voit, nous aident à mieux comprendre en quoi Balzac croit être le Molière du XIXᵉ siècle.

Sa prétention à être pour le XIXᵉ siècle tout ensemble ce que Rabelais fut pour le XVIᵉ et Molière pour le XVIIᵉ exige évidemment qu'il rapproche ces deux auteurs. Il n'y manque point. Nous avons souligné, à propos de Rabelais, le goût de Balzac pour les œuvres comiques et l'importance qu'il attache au rire. Pour lui, c'est un caractère national français que de savoir traiter de sujets sérieux avec une gaieté franche, et l'on se souvient qu'avec Rabelais, il cite Molière, puis La Bruyère, Voltaire, Diderot et Montesquieu comme les grandes expressions de ce caractère national (2). Balzac établit particulièrement entre Rabelais et Molière un lien très étroit, celui-ci continuant l'œuvre de celui-là, entretenant « le bon Panurge [...] gai, vivant, bien portant », tous deux ayant le même but « livrer bataille à toutes les sottises qui débordent » (3).

La différence des genres entre l'œuvre de Molière, purement théâtrale, et celle de Rabelais, purement romanesque, pourrait dispenser Balzac de porter un jugement sur la valeur respective de leurs écrits. Tout en étant plus proche de Rabelais par tempérament, il n'hésite cependant pas à reconnaître à l'art de Molière un degré supérieur de perfection. « Ainsi les joyeusetés rabelaisiennes préparaient Molière dans une littérature plus parfaite », écrit-il dans son article sur *Les deux fous* (4). Idée qu'il reprend lorsqu'il fait écrire au libraire en 1832 : « La reine de Navarre, Boccace, Rabelais, l'Arioste, Verville et La Fontaine, génies rares dans les temps modernes, ont presque tous été Molière, moins la scène (5). » Si La Fontaine ne figurait pas dans cette

---

(1) *Lettres à l'étrangère*, t. 3, p. 7.
(2) Cf. *Complaintes satiriques*, CFL, t. 14, p. 298.
(3) *Ibid.*, p. 302.
(4) Con., t. 38, p. 430.
(5) Avertissement en tête des *Contes drolatiques*, CFL, t. 15, p. 387.

liste d'auteurs comiques, nous pourrions conclure que Balzac
voit chez Molière un comique dont la perfection est due à un
siècle littérairement plus raffiné et plus évolué que celui des auteurs précédents. Mais la présence de La Fontaine donne toute
son importance à la distinction faite entre Molière et les autres :
« Molière moins la scène. » Est-ce donc, de la part de Balzac,
reconnaître au théâtre en général une supériorité sur les autres
genres ? Nous ne le croyons pas. Il s'agit ici de comique, et surtout
de comique satirique. Si l'on considère que les deux éléments
les plus indispensables à la réussite dans le comique sont : d'abord
le choix de certains traits sur lesquels on veut attirer l'attention
et l'élimination d'autres traits plus secondaires ; ensuite, le
grossissement de ces traits, on est obligé d'admettre que le genre
littéraire se prêtant le mieux à la satire est le théâtre. Les conventions mêmes du théâtre exigent en effet les deux mêmes conditions : sélection et grossissement. Chez Rabelais, le grossissement
et l'exagération existent, mais non le dépouillement de détails
nécessité par la scène. L'œuvre est plus touffue, plus exubérante,
moins parfaite aussi du point de vue purement artistique. Balzac
sait bien que Molière a emprunté ses procédés aussi bien à la
comédie italienne qu'à la farce du Moyen Age ou au comique
de Rabelais : « Les comédies de Molière sont éparses dans les
théâtres antérieurs (1). » Mais en refondant ces éléments divers, il
a créé une œuvre originale, supérieure à tout ce qui la précède
et à tout ce qui la suit. La comédie atteint avec Molière à un point
de perfection qui ne permettra à personne d'aller au delà. Balzac,
grand admirateur de la comédie de Beaumarchais, ne pourra
cependant pas la placer sur le plan d'égalité avec Molière. Molière
sut être original et inimitable, tout en appliquant cette formule :
« Je prends mon bien où je le trouve », formule dont Balzac
signale l'abus quand elle n'est pas accompagnée de génie : « Nous
devons à Molière ce funeste article de loi, mais cet article de loi
ne nous a pas rendu Molière (2). »

Le génie de Molière va d'ailleurs, pour Balzac, au delà de son
originalité dans l'utilisation du « déjà fait ». La notion de génie
est au centre des préoccupations balzaciennes. Partagé entre la
conscience de son talent inné et sa volonté de grandeur, Balzac
s'arrête fréquemment pour essayer de définir le génie, peut-être
afin d'y voir plus clair en lui-même. Et c'est à propos de Molière
qu'il nous donne une de ces distinctions entre « génie » et

(1) *Propriété littéraire*, Con., t. 40, p. 425.
(2) *Lettre aux écrivains*, Con., t. 39, p. 651.

« talent » : « Ainsi, cet homme [Vautrin] devinait vrai dans sa sphère du crime, comme Molière dans la sphère de la poésie dramatique, comme Cuvier avec les créations disparues. Le génie en toute chose est une intuition. Au-dessous de ce phénomène, le reste des œuvres remarquables se doit au talent. En ceci consiste la différence qui sépare les gens du premier des gens du deuxième ordre (1). »

« Deviner vrai », tel est le génie de Molière pour Balzac en 1844, tel il était déjà en 1833 puisque nous lisons dans la *Théorie de la démarche* : « Ceux qui ont su formuler la nature, comme le fit Molière, devinèrent vrai, sur simple échantillon (2). » Ce rôle primordial donné à l'intuition soulève un problème. Il est traditionnel de parler, à propos de Molière, comme à propos de Balzac d'ailleurs, de la finesse d'observation qui leur permet de peindre les hommes tels qu'ils sont. Or, si l'on accepte de définir le génie par l'intuition du vrai, comme le fait Balzac, quel est le rôle exact de l'observation ? Jusqu'où doit-elle s'étendre ? La réflexion sur Molière que nous venons de citer dans la *Théorie de la démarche* sert précisément de conclusion à deux grandes pages sur le don d'observation. Balzac y distingue entre l'observation de la nature scientifique et l'observation de la nature morale, entre savant et écrivain :

L'écrivain, chargé de répandre les lumières qui brillent sur les hauts lieux, doit donner à son œuvre un corps littéraire, et faire lire avec intérêt les doctrines les plus ardues, et parer la science. Il se trouve donc sans cesse dominé par la forme, par la poésie et par les accessoires de l'art. Etre un grand écrivain et un grand observateur, Jean-Jacques et le Bureau des Longitudes, tel est le problème, problème insoluble. [...] Donc, en mettant à part la rareté particulière des observateurs qui observent la nature humaine sans scalpel et veulent la prendre sur le fait, souvent, l'homme doué de ce microscope moral, indispensable pour ce genre d'étude, manque de la puissance qui exprime, comme celui qui saurait s'exprimer manque de la puissance de bien voir (3).

Le génie chez Molière et chez tous ceux qui sont jugés grands observateurs de la nature humaine, consiste donc d'une part à remplacer une enquête longue et minutieuse, de caractère scientifique, par une intuition infaillible, capable d'atteindre directement à la vérité à partir d'une simple observation jouant le

_____

(1) *Splendeurs et misères des courtisanes*, CFL, t. 5, p. 409.
(2) CFL, t. 12, p. 1573.
(3) *Ibid.*

rôle d'échantillon, et d'autre part, à pouvoir exprimer cette vérité en termes littéraires. C'est ce même don de deviner vrai et de juger juste que La Brière souligne dans *Modeste Mignon* : « Molière a raison dans ses personnages de vieillards et dans ceux de ses jeunes gens, et Molière avait certes le jugement sain (1). »

Cette phrase nous offre en raccourci les deux aspects essentiels du génie de Molière tel que Balzac le conçoit, l'un étant l'essence du génie — l'intuition de la vérité, et l'autre étant le procédé pour faire jaillir cette vérité aux yeux du public — l'utilisation des contraires : « Le poète a sa mission », dit encore La Brière. « Il est destiné par sa nature à voir la poésie des questions, de même qu'il exprime celle de toute chose ; aussi, là où vous le croyez en opposition avec lui-même, est-il fidèle à sa vocation. C'est le peintre, faisant également bien une madone et une courtisane (2). » C'est le mythe de Janus auquel Balzac revient si souvent. Mythe qui s'applique à toute la littérature mais plus particulièrement à la littérature comique où il devient un procédé technique, déjà signalé chez Rabelais. Fulgence Ridal était « obligé, comme les grands poètes comiques, comme Molière et Rabelais, de considérer toute chose à l'endroit du Pour et à l'envers du Contre » (3). Et Balzac écrit dans la Dédicace des *Parents pauvres* : « Tout est double, même la vertu. Aussi Molière présente-t-il toujours les deux côtés de tout problème humain (4). »

Cette dualité, nous la trouvons non seulement dans l'opposition de différents types de personnages, mais aussi dans le caractère même d'un seul personnage. A l'examen, tous les personnages principaux de Molière présentent deux aspects plus ou moins contradictoires ; l'exemple le plus frappant et le plus poignant en est Alceste, l'exemple le plus comique en est le double jeu des valets dans nombre de pièces : « La grande supériorité des comiques vient de cette puissance qui révèle deux hommes dans un seul, et permet à Scapin de pleurer devant Géronte en avertissant le spectateur qu'il va mystifier le vieillard (5). »

De cette dualité jaillit le comique, mais d'elle aussi doit jaillir la vérité. Il ne s'agit donc pas d'un procédé qui garantirait la réussite. L'intuition géniale de Molière est en quelque sorte canalisée, maîtrisée. C'est une intuition raisonnée, que Balzac préfère de beaucoup à l'intuition imaginative prêchée par les

(1) CFL, t. 7, p. 552.
(2) *Ibid.*
(3) *Illusions perdues*, CFL, t. 4, p. 590.
(4) CFL, t. 9, p. 709.
(5) *La frélore*, fragment édité par M. BARDÈCHE, p. 196.

romantiques. Le XIXᵉ siècle ne connaît que le grotesque, parce qu'en rejetant les règles, c'est la pensée même qu'il rejette. Molière au contraire en se soumettant à la discipline d'une pensée raisonnée atteint au vrai comique. L'on se souvient de ce texte : « Molière lui eût appris [à Shakespeare, donc à ses imitateurs] la différence qui existe entre le grotesque et le comique : l'un est une impuissance et l'autre est la marque distinctive du génie » (1), auquel nous ajouterons celui-ci : « Le comique de Molière [...] procédera toujours de la raison et des idées. Le Comique est l'ennemi de la Méditation et de l'Image (2). »

Deux passages d'*Illusions perdues* nous serviront de conclusion car ils résument également bien la position de Balzac par rapport à Molière. Le premier concerne d'Arthez, le jeune écrivain austère qui représente un peu pour Lucien la voix de la conscience. Sans aucun doute Balzac se plaisait à se peindre lui-même en d'Arthez. Or, il écrit : « Il voulait, comme Molière être un profond philosophe avant de faire des comédies (3). » C'est le seul texte où la connaissance de Molière du cœur humain soit explicitement mentionnée. Mais elle est souvent implicite et en la posant comme condition préalable à l'œuvre, Balzac lui donne toute son importance, nous semble-t-il. L'autre passage, mais dans la bouche de Blondet, établit encore plus étroitement les liens possibles entre Balzac et Molière :

Le roman, qui veut le sentiment, le style et l'image, est la création moderne la plus immense. Il succède à la comédie qui, dans les mœurs modernes, n'est plus possible avec ses vieilles lois. Il embrasse le fait et l'idée dans ses inventions qui exigent l'esprit de La Bruyère et sa morale incisive, les caractères traités comme l'entendait Molière, les grandes machines de Shakespeare et la peinture des nuances les plus délicates de la passion, unique trésor que nous aient laissé nos devanciers (4).

Rabelais a écrit les *Cinq Livres*, Molière a fait dans ses comédies la synthèse de ses prédécesseurs, Balzac a écrit *La comédie humaine*, où la synthèse est encore plus vaste, et tous trois, par des moyens d'expression différents, correspondant à leur époque, ont atteint le même but : la peinture de la société avec ses caractéristiques historiques, mais aussi, à travers elle, la peinture de l'homme. Si la pensée de Balzac est tout imprégnée

---

(1) *Complaintes satiriques*, CFL, t. 14, p. 299.
(2) *Etudes sur M. Beyle*, CFL, t. 14, p. 1155.
(3) CFL, t. 4, p. 586.
(4) CFL, t. 4, p. 764.

de Rabelais et de Molière, c'est sans doute parce que ces derniers sont les deux grands auteurs comiques de notre littérature — et que Balzac aime rire ; mais c'est surtout parce qu'il se sent tout proche d'eux dans sa conception du rôle de l'écrivain.

Il nous reste à signaler, pour compléter cet aperçu des écrivains dramatiques tels qu'ils s'offrent à Balzac, l'écrivain anglais Otway dont la *Venise sauvée* remporta un immense succès aux xviie et xviiie siècles, et était encore très célèbre à l'époque romantique. De l'œuvre, nous ne savons ce que pense Balzac. Mais à quatre reprises, un de ses personnages fait irruption sans déguisement aucun dans *La comédie humaine*, manifestant ainsi de la part de Balzac un attachement tenace : il s'agit de la fameuse courtisane Aquilina dont le double se retrouve dans l'Aquilina de *La peau de chagrin*, comme dans celle de *Melmoth réconcilié*. La scène où Aquilina fouette sauvagement un sénateur vénitien chaque fois que son ardeur amoureuse se relâche a si vivement frappé Balzac qu'il la rappelle dans *La physiologie du mariage* (1), et la fait revivre par sa *Rabouilleuse*. Elle est pour lui le modèle de « ces scènes ensevelies dans les mystères de la vie privée » où se réalise « le magnifique de l'horrible » (2). Tout aussi tenace en lui est le souvenir de l'amitié entre Jaffier, le héros d'Otway, et Pierre, « amitié profonde, d'homme à homme, [...] qui fait pour eux d'une femme une bagatelle, et qui change entre eux tous les termes sociaux » (3). Ainsi parle Vautrin, ainsi pense Balzac, soyons-en certains, lui qui rêva souvent, nous allons le voir, sur la fable des *Deux amis* de La Fontaine, qui ne connut jamais ce sentiment d'amitié profonde et totale entre deux êtres, qui la chercha dans l'amour sans l'y trouver. *L'histoire des treize* est basée sur cette idée de solidarité entre hommes. Les personnages d'Otway ont contribué à l'inspirer. L'un des Treize, dit Balzac dans la préface de cet ouvrage, « après avoir lu *Venise sauvée*, après avoir admiré l'union sublime de Pierre et de Jaffier, vint à songer aux vertus particulières des gens jetés hors de l'ordre social, à la probité des bagnes, à la fidélité des voleurs entre eux, aux privilèges de puissance exorbitante que ces hommes savent conquérir en confondant toutes leurs idées en une seule volonté » (4). Une fois de plus, la pensée de Balzac prend comme point de départ un détail d'une œuvre qui l'a

(1) CFL, t. 12, p. 1093.
(2) *La rabouilleuse*, CFL, t. 3, p. 189.
(3) *Illusions perdues*, CFL, t. 4, p. 1069.
(4) Préface de la 1re éd. de *Ferragus*, CFL, t. 15, p. 94.

frappé, isole ce détail (scène ou personnage) de son contexte, et le développe bien au delà, bien différemment aussi, de ce qu'il était à l'origine.

Suivant Molière de très loin, mais malgré tout le premier après celui-ci pour le xviie siècle, vient La Fontaine. Si les allusions à cet auteur sont bien moins nombreuses que pour Molière, c'est que son œuvre, d'un genre à part, se mêle difficilement à celle de Balzac. Or nous savons combien celui-ci aime mesurer ce qu'il écrit avec les œuvres du passé qu'il admire particulièrement. Pour cette raison, son affection pour La Fontaine est plus désintéressée que celle qu'il porte aux autres auteurs.

Des 81 passages concernant La Fontaine, nous ne tirerons que fort peu de jugements véritables, car ils consistent, pour la plupart, en citations ou allusions à telle fable ou tel conte. Nous avons l'impression que les rapports Balzac-La Fontaine se placent sur un plan d'amitié plus que sur celui d'une pure appréciation littéraire. Encore plus que pour Molière, la personnalité de l'homme entre pour beaucoup dans l'appréciation de l'œuvre.

Lorsqu'en 1819, c'est-à-dire toujours dans cette première année de la rue Lesdiguières, Balzac se choisit un univers intellectuel, La Fontaine y joue déjà le rôle de l'ami : « La Nouvelle Héloïse pour maîtresse, La Fontaine pour ami, Boileau pour juge, Racine pour exemple et le Père Lachaise pour me promener ! », écrit-il à Laure (1). Nous imaginons facilement le jeune Honoré, entouré des classiques, lisant et relisant Corneille et Racine pour y découvrir les secrets de la tragédie, et cherchant le plaisir de la détente en lisant Molière ou La Fontaine (2). « Le bon La Fontaine », comme il aime à l'appeler, doit représenter pour lui le bonheur envié de pouvoir vivre selon son tempérament d'artiste, sans se soucier des réalités financières. L'insouciance et la distraction presque proverbiales de La Fontaine, Balzac nous les rappelle fréquemment : « Le chemin de La Fontaine quand il allait à l'Académie », est synonyme de détours interminables. Ici, une lettre à Mme Hanska parle de se réfugier « dans la vie à la La Fontaine » (3) ; ailleurs, Balzac déplore (en pensant au fabuliste, évidemment), la rareté des Mmes de La Sablière

---

(1) *Lettres à sa famille*, p. 25.
(2) Outre deux éditions des *Fables choisies*, l'une de 1759 publiée à Paris sans nom d'éditeur, l'autre de 1792 publiée à Paris chez Fessard, Balzac possédait l'édition en 2 vol. des *Contes et nouvelles en vers* par M. de LA FONTAINE, Paris, Plassan, 1792, et celle de DIDOT, Paris, 1795.
(3) *Lettres à l'étrangère*, t. 1, p. 478.

ou Hervart (1). Faisant le portrait du bibliophile Jacob, c'est à La Fontaine qu'il le compare, car « il est doux, affable, un peu bavard et simple comme La Fontaine » (2).

Lorsqu'en 1825, Balzac écrit la *Notice* sur la vie de La Fontaine pour l'édition compacte des *Œuvres complètes*, il ne s'attarde pas sur toutes les anecdotes déjà trop connues qui pourraient illustrer le caractère du fabuliste, mais il essaie de reconstituer, à partir de ce tempérament nonchalant, le travail intérieur du génie : derrière les apparences de paresse, de naïveté, d'insouciance, se cache le cheminement d'une pensée profonde. « C'est, en un mot, la création magique de la mine d'or dont la nature dérobe le long travail à l'homme étonné (3). »

Si Balzac admire et envie La Fontaine, c'est pour avoir su préserver son royaume intérieur de l'envahissement du monde et y faire régner souverainement la pensée et la poésie :

La Fontaine est le seul qui n'ait point expié le don de son génie par le malheur ; mais aussi sut-il cultiver la Muse pour la Muse elle-même ; et, loin d'escompter avidement ses inspirations en applaudissements fugitifs, en richesses, en honneur, il se crut assez payé par les délices de l'inspiration, et il en trouva l'extase trop voluptueuse pour la quitter et se jeter dans les embarras de la vie (4).

Il est clair que si le jeune Honoré qui écrit ces lignes, ou le Balzac de plus tard, voudraient pouvoir eux aussi vivre dans l'univers de leur choix, un tempérament bien différent de celui de La Fontaine les entraîne en même temps vers la conquête des honneurs et de la fortune. Peut-être envient-ils surtout à La Fontaine ce don de concentration intérieure qui n'a jamais besoin de dérivatif. D'où ce cri de découragement lancé à sa sœur Laure en 1836 : « Si l'on savait ce que c'est que de pétrir des idées, de leur donner une forme, une figure, et quelle lassitude cela produit ! toujours penser comme La Fontaine sous son arbre (5) ! »

Il est curieux qu'à aucun moment, ni dans sa *Notice*, ni dans les remarques éparses ici et là sur La Fontaine, Balzac ne souligne le côté épicurien du fabuliste. Insouciance, distraction, naïveté dans ses relations humaines, méditation et rêverie dans sa vie intérieure, telles sont les deux faces du caractère de l'homme tel

(1) Préface de la 1ʳᵉ éd. de *La femme supérieure*, CFL, t. 15, p. 285.
(2) *Portrait de P.-L. Jacob*, Con., t. 39, p. 22.
(3) Con., t. 38, p. 147.
(4) *Ibid.*, p. 149.
(5) *Lettres à sa famille*, p. 189.

que Balzac semble le voir ; aucune mention n'est faite de son goût pour les plaisirs les plus variés et de son art à en jouir. Ceci est d'autant plus étonnant que l'œuvre de La Fontaine, pour Balzac, est loin de se limiter aux *Fables*. Il connaît certainement l'ensemble de l'œuvre et apprécie particulièrement les contes les plus licencieux. Peut-être la *Notice* ne fait-elle que reproduire ce que le jeune Balzac a lu d'une part chez La Bruyère qui insiste sur le contraste entre l'apparence niaise et paresseuse de l'homme et son génie, et d'autre part dans l'*Histoire de l'Académie française* de d'Olivet : car il répète après celui-ci l'anecdote selon laquelle l'audition de vers de Malherbe aurait déclenché la vocation poétique du jeune La Fontaine. Et par la suite, Balzac n'a jamais eu l'occasion de consacrer plus d'une phrase ou deux, en passant, à l'auteur des *Fables* et n'a pu, par conséquent, donner de lui une image complète.

Du génie de la Fontaine, Balzac souligne deux aspects : ce qu'il appelle « la pensée profonde », qui fournit la substance de l'œuvre, et l'art par lequel cette substance prend forme — art du poète mais surtout art du conteur.

Reconnaissons à Balzac le bon sens de ne pas chercher en La Fontaine un moraliste. La polémique commencée par Rousseau le laisse indifférent. Il retrouve chez La Fontaine ce qu'il admire chez Molière : un coup d'œil infaillible, capable de saisir les traits humains, de les choisir, et un esprit capable de raisonner sur eux et de les utiliser pour en faire des portraits à la fois individualisés et universels. Le miracle chez La Fontaine est peut-être encore plus grand que chez Molière, si l'on considère le caractère absent du poète ; mais cette absence d'autre part permet une plus grande concentration intérieure. N'oublions pas non plus que le génie, pour Balzac, complète l'observation par l'intuition du vrai. Il ne s'agit donc pas de voir dans les *Fables* une illustration de leçon de morale, mais une vision rapide et parfaite des rapports humains, chaque personnage exprimant une vérité qui transcende ses données concrètes. C'est pourquoi Balzac peut utiliser ces personnages comme il utilisait ceux de Molière, pour éclairer de leur signification ses propres personnages. D'où de rapides allusions à un grand nombre de fables, certaines bien connues : *La laitière et le pot au lait, Le lièvre et la tortue, Le savetier et le financier, Les deux pigeons, Le paysan du Danube, Le meunier, son fils et l'âne, L'ours et l'amateur des jardins;* d'autres moins connues : *L'âne chargé de reliques, Le singe et le dauphin, Le cochon, la chèvre et le renard, Le mari, la femme et le voleur.*

L'étonnante densité que La Fontaine sut donner à chacune de ses fables, la diversité des idées contenues dans ses œuvres, expliquent, pour Balzac, la disproportion entre le succès qu'il obtint de ses contemporains et sa renommée posthume. Nouvel exemple du génie en avance sur son temps, dont la pensée ne se révèle que lentement : « Comme toutes les poésies profondément pensées, elles demandaient aux contemporains et des méditations courageuses et le long abandon que réclame une belle poésie pour être entièrement comprise. [...] Bayle, La Bruyère, La Fontaine, Fénelon, penseurs profonds, livrant leurs œuvres aux hasards des préoccupations contemporaines, attendirent leurs couronnes de la postérité (1). » Idée que nous retrouvons dans la *Lettre aux écrivains* (1834) : « Aucun ne devina la vaste et sublime épigramme, l'audacieuse épigramme de La Fontaine à Louis XIV, dans la fable des *Noces du soleil* : le bonhomme, enhardi, put crier sans être mis à la Bastille : Notre ennemi, c'est notre maître (2). »

L'art avec lequel La Fontaine compose ses fables ou ses contes ne devait pas laisser Balzac insensible, étant donné l'intérêt tout particulier qu'il porte au conte en tant que genre littéraire. S'il recense les écrivains qui ont été de grands conteurs, La Fontaine est parmi eux. C'est le cas, par exemple, dans la note déjà citée de *Pensées, sujets, fragments*, et dans le passage suivant de *Petites misères de la vie conjugale* ; « [...] les grands conteurs, (Ésope, Lucien, Boccace, Rabelais, Cervantès, Swift, La Fontaine, Lesage, Sterne, Voltaire, Walter Scott, les Arabes inconnus des *Mille et une nuits*), sont tous des hommes de génie autant que des colosses d'érudition ». (3) Rappelons également le paragraphe de l'avertissement aux *Contes drolatiques* où Balzac place La Fontaine parmi ceux qui ont été « Molière, moins la scène ». Enfin, souvenons-nous que le La Fontaine des *Contes* est un des nombreux parrains des *Contes drolatiques*, de l'aveu même de Balzac : « Si vous n'aimez pas les *Contes* de La Fontaine, ni ceux de Boccace, et si vous n'êtes pas folle de l'Arioste, il faut laisser les *Contes drolatiques* de côté, quoique ce soit ma plus belle part de gloire dans l'avenir (4). »

Si besoin était de prouver que le goût de Balzac pour certains

---

(1) *Notices* sur la vie de La Fontaine, Con., t. 38, p. 148.
(2) Con., t. 39, p. 645. Balzac fait ici erreur. Aucune fable n'est intitulée *Les noces du soleil*. *Le soleil et les grenouilles* est probablement celle à laquelle il songe. « Notre ennemi, c'est notre maître » appartient à une autre fable *Le vieillard et l'âne*.
(3) CFL, t. 12, p. 1390.
(4) *Lettres à l'étrangère*, t. 1, p. 33.

conteurs ne vient pas uniquement du caractère leste des histoires qu'ils racontent, comme certains le prétendent, mais tout autant de l'art avec lequel ils savent conter, de la vivacité des détails, du pittoresque de leur langue, du naturel dans l'enchaînement des faits, on pourrait avoir recours à La Fontaine pour faire cette preuve. En effet, même en admettant que les *Contes* aient été l'objet de la prédilection de Balzac, son admiration va tout autant à l'auteur des *Fables* qu'à celui des *Contes*, car il reconnaît dans les unes comme dans les autres le même génie. Et il parle même beaucoup plus souvent des *Fables* que des *Contes*.

On sait combien les questions de style le préoccupent et combien ses œuvres de jeunesse, malgré leur médiocrité, lui ont été utiles, car elles lui ont permis d'expérimenter sur les rapports de la pensée et de l'expression. S'il est vrai que, lorsqu'il écrit à Mme d'Abrantès, en 1826 : « Ne sommes-nous pas tombés d'accord, un jour, que le naturel était le seul attrait que l'on dût priser ; et La Fontaine n'a-t-il pas tracé les devoirs des voyageurs dans ces vers que le pigeon dit à l'autre :

« J'étais là ; telle chose m'avint
« Vous y croirez être vous-même (1) »

il interprète un peu arbitrairement deux vers hors de leur contexte, il n'en est pas moins évident qu'il comprend à cette époque ce qui fait la magie des récits de La Fontaine : le naturel parfait, toujours adapté au sujet et aux personnages, ainsi que l'expression directe. L'art du conteur tient donc étroitement au style. Il est impossible de les dissocier. C'est ce que Balzac a également découvert. Et en admirant Rabelais, l'Arioste, Boccace ou La Fontaine, il sent combien le charme de leur récit vient du piquant de leur langue. La Fontaine, loin de se limiter strictement à la langue de son époque, a su retourner en arrière ou créer du nouveau quand il le jugeait nécessaire, chercher les expressions pittoresques que voulaient ses tableaux. Là se retrouve encore une fois, comme chez les conteurs du xvie siècle, comme chez Rabelais « l'expression vive et drue qui peint sans périphrase et que personne n'ose plus oser » (2). L'erreur de Balzac a peut-être été, en voulant écrire ses *Contes drolatiques*, de se croire obligé d'adopter entièrement la langue de Rabelais, au lieu d'essayer de redonner du nerf et de la vigueur à celle de son époque. Et, lorsqu'il écrit, pour se justifier : « La Fontaine aurait-il pu écrire

(1) CFL, t. 16, p. 25.
(2) Avertissement aux *Contes drolatiques*, CFL, t. 15, pp. 387-388.

*La courtisane amoureuse* avec le style de Jean-Jacques Rousseau » (1), ne pourrait-on pas lui rétorquer que La Fontaine
n'aurait davantage pu écrire *La courtisane amoureuse* dans la
langue de Racine, et que chaque écrivain doit recréer sa langue ?

Nous aimerions sans doute que Balzac ait été plus explicite
sur son goût pour La Fontaine. Il faut nous contenter malheureusement de très rapides notations. Une fable, pourtant, fait
l'objet de commentaires un peu plus élaborés, où nous trouvons
résumées les qualités essentielles qui font de La Fontaine un
grand conteur. Cette fable est celle des *Deux amis*. Le sujet même
semble avoir beaucoup frappé Balzac, car il y revient à plusieurs
reprises, chaque fois qu'il essaie de peindre des liens d'amitié
profonde entre deux de ses personnages (2). Dans *Illusions
perdues*, le souvenir de La Fontaine plane sur l'affection qui
unit David et Lucien à Angoulême ; puis, sur l'amitié qui règne
parmi les membres du Cénacle de d'Arthez : « Les charmantes
délicatesses qui font de la fable des *Deux amis* un trésor pour les
grandes âmes étaient habituelles chez eux (3). » De même, dans
la correspondance entre les deux jeunes femmes des *Mémoires
de deux jeunes mariées*, nous lisons : « Pense que mes craintes
cachent une excessive amitié, l'amitié comme l'entendait La
Fontaine, celle qui s'inquiète et s'alarme d'un rêve, d'une idée à
l'état de nuage (4). » L'exemple le plus clair de cette inspiration
venue de La Fontaine se trouve dans le couple Pons-Schmucke,
et c'est à propos de celui-ci que Balzac explique pourquoi le
petit chef-d'œuvre de La Fontaine peut ainsi en quelque sorte,
résumer toutes les paires d'amis passées et à venir : « Mettez les
noms de Fritz et Wilhem, avec ceux de Damon et Pythias, de
Castor et Pollux, d'Oreste et Pylade, de Dubreuil et Péméja,
de Schmucke et Pons, et de tous les noms de fantaisie que nous
donnons aux deux amis du Monomotapa, car La Fontaine, en
homme de génie qu'il était, en a fait des apparences sans corps,
sans réalité (5). »

Balzac comprend fort bien la diversité du génie de La Fontaine
qui sait caractériser avec les détails les plus saillants un person-

---

(1) *Ibid.*
(2) Un fragment, inachevé, porte même ce titre, mais il est difficile d'y voir
un rapport avec la fable de La Fontaine, car il s'agit d'un conte entièrement
dominé par la satire et le ridicule (cf. Con., t. 39, p. 226). Nous avons vu aussi
le souvenir que lui a laissé l'amitié de Pierre et de Jaffier dans *Venise sauvée
des eaux*. C'est un thème qui intéresse Balzac.
(3) CFL, t. 4, p. 593.
(4) CFL, t. 6, p. 178.
(5) CFL, t. 10, p. 555.

nage quand c'est nécessaire pour le rendre vivant, tel par exemple le Capitaine Renard de *Renard et le bouc* ou dom Pourceau dans *Le cochon, la chèvre et le renard* (1) ; mais qui peut aussi, comme c'est le cas dans la fable des *Deux amis*, dépouiller ses personnages de toute individualité, ne leur laissant que leur qualité d' « amis » pour attirer au contraire l'attention du lecteur sur un exemple très concret, mais non moins typique, de leurs relations.

Remarquons que, si Balzac est conscient de l'ancienneté dans la littérature des couples d'amis, puisqu'il en cite quelques-uns, c'est à La Fontaine qu'il les rattache tous, plutôt qu'à un auteur de l'Antiquité. Il est clair qu'il est plus sensible à l'art classique francisé du XVIIᵉ siècle qu'à celui de la Grèce ou de Rome.

Citons encore, comme conclusion à l'opinion de Balzac sur La Fontaine, ce passage du *Cousin Pons* où malgré l'expression, par trop emphatique, s'exprime la profonde admiration du romancier à la fois pour la personne et pour l'œuvre du fabuliste :

Sans la divine fable de La Fontaine, cette esquisse aurait eu pour titre Les deux amis. Mais n'eût-ce pas été comme un attentat littéraire, une profanation devant laquelle tout véritable écrivain reculera ? Le chef-d'œuvre de notre fabuliste, à la fois la confidence de son âme et l'histoire de ses rêves, doit avoir le privilège éternel de ce titre. Cette page, au fronton de laquelle le poète a gravé ces trois mots : Les deux amis, est une de ces propriétés sacrées, un temple où chaque génération entrera respectueusement et que l'univers visitera, tant que durera la typographie (2).

On peut, à propos de La Fontaine, rouvrir la discussion sur la sensibilité de Balzac à la poésie. Si l'on s'en tient strictement au contenu des remarques que nous avons récoltées, il faut bien avouer que tout en reconnaissant chez La Fontaine une nature de poète et en admirant son style, Balzac ne semble pas s'être arrêté au caractère purement poétique de ce style, et aucune de ses remarques ne devrait être modifiée si La Fontaine avait été prosateur et non poète (3). Nous ne pouvons certes pas en conclure que Balzac était indifférent à la poésie de La Fontaine ; ce serait injuste et mal fondé. Il est certain que sa qualité de romancier le fait s'arrêter plus volontiers à l'art du conteur qu'à l'art du

---

(1) Cf. *Brillat-Savarin*, Con., t. 39, p. 674.
(2) CFL, t. 10, p. 503.
(3) Une exception peu significative serait ce passage déjà cité : « Mais nous devons à celle-ci [la littérature des images] la poésie que les deux siècles précédents n'ont pas même soupçonnée en mettant à part La Fontaine, André de Chénier et Racine (*Etudes sur M. Beyle*, t. 14, p. 1155).

poète, mais l'un et l'autre sont si bien mêlés chez La Fontaine qu'il est impossible d'être sensible à son charme sans être sensible à la poésie.

Cet intérêt pour toute la littérature narrative, roman ou conte, amène nécessairement sous la plume de Balzac le nom d'un autre grand conteur du xviie siècle, celui de Charles Perrault. Tout le monde connaît les *Contes* de Perrault ; que Balzac les connaisse aussi n'a donc rien de remarquable. Le fait même de se référer de temps à autre à *Peau d'âne*, au *Petit chaperon rouge*, à *Riquet à la houppe*, au *Chat botté*, ou à *Barbe-Bleue* ne peut être signe d'un intérêt ou d'un point de vue particuliers. N'importe qui, écrivain ou non, peut se rappeler les personnages qui ont peuplé le monde imaginaire de son enfance. Cependant, à deux ou trois reprises, Balzac s'explique sur ce qu'il juge particulièrement digne d'admiration chez Perrault, et la qualité qu'il y souligne est la « naïveté ». On se souvient que cette qualité était déjà mise en lumière chez tous les conteurs appréciés de Balzac, du Moyen Age à La Fontaine. Remarquons pourtant qu'il s'agissait surtout de « naïveté de langage » chez ceux-ci, c'est-à-dire d'une liberté totale dans l'emploi du mot imagé, même s'il est cru. Chez Perrault, la naïveté est moins crudité que simplicité, simplicité du sujet et simplicité de l'expression, qui le mit à part dans la littérature de son temps et n'attira pas l'attention de ses contemporains : « Nul, dans le grand siècle, ne se douta de la gloire de Perrault, dont nous admirons aujourd'hui la naïveté conteuse (1). »

La pensée de Balzac devient intéressante lorsqu'elle décèle dans cette naïveté une fausse apparence. Car elle est l'expression d'un grand génie : « ... dans la production la plus simple, dans *Riquet à la houppe* même, il y a un travail d'artiste, et une œuvre de naïveté est souvent empreinte du *mens divinior* autant qu'il en brille dans un vaste poème » (2). Ce *mens divinior* chez l'écrivain l'amène parfois sans même qu'il s'en doute, à revêtir son œuvre d'une signification plus profonde que celle qu'il croit tout d'abord lui donner. La valeur des *Contes* de Perrault est donc double : valeur littéraire, de récit bien conté et bien imaginé ; mais aussi valeur mythologique, car certains gestes, certaines attitudes font figure de mythes : « Sous ce rapport, sans être M. Ballanche, Perrault aurait, à son insu, fait un mythe dans *La belle au bois dormant*. Admirable privilège des hommes dont

(1) *Lettre aux écrivains*, Con., t. 39, p. 645.
(2) Préface de la 1re éd. de *La peau de chagrin*, CFL, t. 15, p. 73.

le génie est tout naïveté. Leurs œuvres sont des diamants taillés à facettes, qui réfléchissent et font rayonner les idées de toutes les époques (1). »

Le ton badin et plaisant de ce passage n'en cache pas moins une conviction chez Balzac, car il revient ailleurs sur la même idée : Lautour-Mézeray, signale-t-il, voyait dans *Le chat botté* le mythe de la publicité moderne, idée qu'il reprend à son compte, mi-plaisantant, mi-sérieusement (2). Ailleurs encore, il retrouve dans *Barbe-Bleue* l'éternel féminin : « Aujourd'hui, comme dans le conte de la *Barbe-Bleue*, toutes les femmes aiment à se servir de la clef tachée de sang ; magnifique idée mythologique, une des gloires de Perrault (3). »

Si Perrault ne figure pas au nombre de « ceux qui ont bien conté » dans la note de *Pensées, sujets, fragments*, nous ne pouvons pourtant douter que Balzac ne l'ait mis au rang des grands conteurs, puisque dans les fragments du dixain des imitations des *Contes drolatiques*, figure un « conte écrit dans le goût de Perrault », intitulé *La filandière*. Bien que ce conte soit achevé, il est difficile de savoir si Balzac l'aurait remanié, eût-il publié ce cinquième dixain. Notre avis est que, dans sa forme présente, il est loin de pouvoir passer pour un pastiche de Perrault. Les éléments des contes de fées sont là, roi, princesse, fées, vieille sorcière, beau jeune homme, mais, à part quelques passages mieux réussis, le style est loin d'approcher celui du modèle et le goût parfois douteux de Balzac pour la plaisanterie apparaît par trop souvent, donnant au récit un ton gouailleur fort étranger à Perrault. Pour pouvoir déduire de ce conte, écrit par Balzac, l'image qu'il se faisait des *Contes* de Perrault, il faudrait donc pouvoir être sûr qu'il s'était appliqué à une imitation aussi fidèle que possible. Ce n'est pas le cas. Notre seule certitude reste donc l'importance attribuée à Perrault comme conteur, sinon Balzac n'aurait pas fait figurer *La filandière* dans le dixain des imitations.

Il nous reste maintenant à voir quels autres écrivains du xviie siècle semblent avoir retenu l'attention de Balzac. Corneille, Racine, Molière, La Fontaine sont les géants de ce siècle et l'importance que nous leur découvrons dans l'œuvre de Balzac est fort naturelle. Bien d'autres noms, cependant, se rencontrent,

---

(1) *Théorie de la démarche*, CFL, t. 12, p. 1151.
(2) *Peines de cœur d'une chatte anglaise*, Con., t. 40, p. 434 et *Guide-Ane*, Con., t. 40, p. 446.
(3) *Une fille d'Eve*, CFL, t. 8, p. 867.

que nous ne pouvons passer sous silence, bien qu'ils apparaissent avec des fréquences fort inégales et toujours fort inférieures à celles des « grands ».

Un fait mérite d'être signalé, nous semble-t-il : c'est la très petite place faite à la littérature romanesque du XVIIe siècle. Il ne faut pas trop s'étonner de ne rencontrer le nom de d'Urfé que deux fois, ou celui de Mlle de Scudéry trois fois, le caractère artificiel de leurs œuvres étant certes peu fait pour plaire à Balzac, bien que nous lisions dans *Le cabinet des antiques* que la carte du Tendre « n'est pas une conception aussi ridicule que le pensent certaines personnes. Cette carte se regrave de siècle en siècle avec d'autres noms et mène toujours à la même capitale » (1).

Le roman précieux n'est pas le seul à être négligé. *Le roman comique* de Scarron, ou *Le roman bourgeois* de Furetière, auraient pu, nous semble-t-il, intéresser Balzac, l'un par son savoureux mélange de satire et de réalisme, l'autre pour sa peinture de la petite bourgeoisie. Or, Furetière est à peine mentionné une fois, en passant, dans un contexte où d'ailleurs sa présence nous étonne, car il figure parmi les écrivains (Pascal, Ménage, Saint-Évremond, Malherbe) « qui, les premiers, balayèrent le françays, firent honste aux mots estranges » (2). Le « burlesque auteur du Roman comique » (3), occupe à peine plus de place. Sa « grossiè-reté » est notée par Nathan dans le pastiche de Sainte-Beuve (4) ; d'autre part le fragment de *La frélore* semble bien indiquer chez Balzac l'idée de refaire *Le roman comique* : « Malgré le comique étrange du roman de Scarron sur les comédiens, et où il semble que la matière soit épuisée, il reste encore bien des choses à dire sur l'état de cette malheureuse profession au milieu du XVIIe siè-cle (5). » Il connaît donc bien l'œuvre de Scarron. C'est tout ce que nous pouvons affirmer.

Le problème de son silence total sur Mme de La Fayette est beaucoup plus troublant. Les éditions de *La princesse de Clèves* ne manquaient pas. En 1815 et en 1820 avaient paru les *Œuvres complètes*. Nous ne pouvons croire que si Balzac avait eu connais-sance de l'œuvre de Mme de La Fayette, il n'en aurait jamais parlé. Il faut donc conclure ici à une lacune dans sa culture.

Le roman anglais occupe une place tout aussi modeste. Les rares mentions de Swift, « grand auteur » (6) ou de Daniel Defoe,

(1) CFL, t. 2, p. 1132.
(2) *Prologue au deuxième dixain*, CFL, t. 13, pp. 348-349.
(3) *Louis XIV*, Con., t. 40, p. 154.
(4) *Un prince de la Bohême*, CFL, t. 9, p. 656.
(5) *La femme auteur et autres fragments inédits*, p. 185.
(6) *Petites misères de la vie conjugale*, CFL, t. 12, p. 1390.

créateur d'un personnage immortel, montrent que Balzac connaît, comme tout le monde, Gulliver et Robinson Crusoë, mais qu'il n'a rien à en dire.

Avant de retourner aux écrivains français, faisons une très brève halte auprès du grand poète anglais de ce xviie siècle : Milton. Balzac dut le lire très tôt, car déjà *La dernière fée* (1823) en cite une « admirable expression » (1), et *Le centenaire* (1824) en utilise la description du roi des enfers se levant dans le *Pandemonium* et se moquant des anges (2). La vie de Milton, pauvre, aveugle, dictant à sa femme et à ses enfants son poème, éveille en Balzac les mêmes sentiments de pitié émue que nous lui avons vu éprouver devant le Tasse ou Cervantès. « Tout ce qui a été grand, noble et solitaire m'émeut », écrit-il (3). L'œuvre même de Milton en revanche ne paraît pas avoir eu un grand retentissement sur Balzac. « L'Ève de Milton est une Ève anglaise », selon la conception balzacienne exprimée à propos de la Juliette de Shakespeare ; elle est essentiellement préoccupée d'elle-même (4). Nous savons le peu de goût du romancier pour la femme anglaise. Quant à Satan, il exerce sur Balzac l'attrait de toutes les créatures en révolte. Pourtant nous pensons avec M. Baldensperger (5) que sa révolte est trop uniquement dirigée contre Dieu pour intéresser profondément le père de Vautrin. Le satanisme, chez Balzac, se manifeste essentiellement dans le désir éperdu de possession totale d'un être, comme seul Dieu la connaît. Il naît du sentiment de solitude : « Sans ce désir souverain », dit Vautrin à Lucien, « Satan aurait-il pu trouver des compagnons ?... Il y a là tout un poème à faire qui serait l'avant-scène du *Paradis perdu*, qui n'est que l'apologie de la Révolte (6). » Chercher « un complice de sa destinée », telle est l'obsession du réprouvé. « A satisfaire ce sentiment, qui est la vie même, il emploie toutes ses forces, toute sa puissance, la verve de sa vie (7). » Carlos Herrera, en rencontrant Lucien, ne peut laisser échapper sa proie : il trouve enfin sa créature, il va enfin prendre la place de Dieu. Nous sommes bien loin de l'orgueil de la révolte métaphysique du Satan miltonien. Remarquons en outre que la prise de posses-

---

(1) Calmann-Lévy, t. 3, p. 71.
(2) Calmann-Lévy, t. 2, p. 49. Il s'agit très vraisemblablement de Mammon se levant au cours du Conseil des pairs infernaux (Liv. II) et repoussant le sort des anges, leur « splendide vasselage » et « le joug léger d'une pompe servile ».
(3) *Lettres à l'étrangère*, t. 1, p. 157 ; cf. aussi *Des artistes*, CFL, t. 14, p. 971 et *Modeste Mignon*, CFL, t. 7, p. 379.
(4) *Les amours de deux bêtes*, Con., t. 40, p. 479.
(5) *Op. cit.*, p. 71.
(6) *Illusions perdues*, CFL, t. 4, p. 1069.
(7) *Ibid.*

sion de Lucien par Vautrin est la version satanique de l'union totale de deux êtres, dont la fable des *Deux amis* est l'image.

Si la littérature romanesque du XVIIᵉ siècle est dans l'ensemble négligée par Balzac, par contre les moralistes figurent à un assez bon rang sur notre liste de fréquence et méritent de nous arrêter. Lorsqu'il s'agit d'écrivains religieux dont les écrits reflètent une prise de position dogmatique, tels Pascal ou Bossuet, l'opinion de Balzac va forcément en être affectée, soit que sa première indifférence religieuse l'éloigne d'eux, soit que plus tard sa prise de position en faveur de l'orthodoxie romaine influence son jugement.

Tout en admirant chez Pascal la diversité du génie et le talent de l'écrivain, Balzac, la chose est claire, éprouve peu de sympathie pour l'auteur des *Provinciales* ou pour sa pensée. C'est pourquoi les remarques que nous trouvons sur lui sont souvent partagées entre l'éloge et la réfutation. Elles ne sont d'ailleurs pas très nombreuses et ne se rencontrent que lorsque le sujet traité par Balzac se rapporte directement à l'œuvre de Pascal (l'*Histoire des Jésuites* et la *Lettre sur Sainte-Beuve* où le jansénisme entre en question ; *La peau de chagrin* où les inventions scientifiques de Pascal sont utilisées). Nous avons assez vu comment les auteurs préférés de Balzac interviennent constamment dans sa propre pensée, presque malgré lui, pour comprendre l'éloignement dans lequel il tient Pascal. Les deux ou trois citations qu'il en fait apparaissent dans un contexte tellement étranger à la pensée de l'auteur cité qu'on se demande ce qui a pu pousser Balzac à l'y mettre. De plus, le texte est souvent inexact. Tel ce passage de *La femme de trente ans*, où, expliquant l'amour naissant de Mme d'Aiglemont pour Vandenesse, il écrit : « Pascal a dit : « Douter de Dieu, c'est y croire. » De même, une femme ne se débat que quand elle est prise. Le jour où la marquise s'avoua qu'elle était aimée, il lui arriva de flotter entre mille sentiments contraires (1). » L'incongruité d'une citation de Pascal est encore beaucoup plus apparente lorsqu'elle est mise dans la bouche de Claparon, ancien commis voyageur, jouant le rôle de banquier devant la famille Birotteau, et lorsqu'elle est volontairement utilisée à contresens pour faire un effroyable jeu de mots (2).

La querelle avec Sainte-Beuve au sujet de Port-Royal est très complexe et sera étudiée plus loin. Si l'on ne considère que la

(1) CFL, t. 6, p. 1065.
(2) Cf. *César Birotteau*, CFL, t. 2, p. 162.

substance même des attaques de Balzac, il est évident qu'il fait preuve d'un grave manque de documentation et d'une totale incompréhension du jansénisme, laissant à Sainte-Beuve une victoire incontestée. Cette incompréhension chez Balzac est constante, et vient d'un parti pris initial refusant toute élucidation. Pascal n'y échappe donc pas, et si nous lisons en 1824, dans l'*Histoire des Jésuites* : « Les *Provinciales*, livre immortel plutôt comme monument d'éloquence et de comique que comme l'œuvre d'un génie impartial » (1), le point de vue de Balzac n'a pas changé en 1840, puisqu'il écrit : « A 80 ans de distance, loin des passions qui égaraient Pascal, tout en lui faisant faire une œuvre étonnante... (2) », et « Voltaire a continué Pascal, comme Louis XIV avait continué Catherine et Richelieu (3). » Voir dans le jansénisme le précurseur du déisme du xviiie siècle, dans Voltaire le continuateur de Pascal, c'est aller un peu loin dans l'ignorance ou dans la mauvaise foi et se laisser soi-même égarer par les passions que l'on reproche aux autres. Dans cette même *Lettre sur Sainte-Beuve* on voit Balzac s'essayer à réfuter « une bévue de Pascal, car il y en a plus d'une dans les *Pensées* si célèbres de ce grand écrivain » (4). Le détail de l'argumentation importe peu. Il n'est pas du domaine littéraire. Qu'il suffise de remarquer que tout en alléguant un « raisonnement purement philosophique », Balzac refuse de comprendre la pensée de Pascal et joue sur les mots, ne laissant le choix à l'auteur des *Pensées* qu'entre l'hérésie, malgré sa « prétention d'être bon catholique », ou la fausseté de pensée.

Les *Pensées, sujets, fragments* portent les traces du combat intérieur mené par Balzac contre Pascal. Sans doute au cours de la lecture des *Pensées*, il en note en effet quelques-unes contre lesquelles il s'insurge particulièrement. La date de ces notes nous est inconnue. Elles révèlent une pensée chez Balzac singulièrement peu chrétienne et peu fidèle aux dogmes catholiques, protestant, par exemple, au nom de tous les peuples non chrétiens contre la phrase pascalienne : « Sans Jésus-Christ le monde ne subsisterait pas » (5), ou relevant cette autre phrase : « Dieu

(1) Con., t. 38, p. 31.
(2) *Lettre sur Sainte-Beuve*, Con., t. 40, p. 298.
(3) *Ibid.*, p. 301.
(4) *Ibid.*, p. 307. On retrouve l'écho de cette discussion dans *Un prince de la Bohême*, qui date de la même année. Balzac y fait reprendre par Nathan, dans son pastiche du style de Sainte-Beuve, cette même pensée de Pascal : « Car il [La Palférine] a l'*entre-deux* qui voulait Pascal ; il est tendre et impitoyable ; il est comme Epaminondas, également grand aux extrémités » (CFL, t. 9, p. 652).
(5) Pp. 31-32.

étant caché, toute religion qui ne dit pas que Dieu est caché, n'est pas véritable », pour noter « Pascal gris, niant Dieu » (1). En dépit de cette divergence de pensée fondamentale, les *Pensées* restent pour Balzac, autant que les *Provinciales*, une œuvre qu'il n'hésite pas à citer à l'occasion parmi les grands sommets de notre littérature sérieuse, à côté de *L'esprit des lois* et de *L'Émile* (2) ou de l'*Histoire des variations* de Bossuet (3). Il semble cependant que, leur parti pris janséniste mis à part, les *Provinciales* s'offrent plus facilement à l'admiration de Balzac que les *Pensées* (4). Le charme de ces lettres où Pascal manie le comique avec tant d'art arrive à lui faire oublier qu'elles parlent en faveur d' « une terrible opposition ». Et si, en 1824, il les qualifie déjà de « monument d'éloquence et de comique », en 1840, dans la *Lettre sur Sainte-Beuve*, le même Pascal, attaqué avec tant de virulence pour ses « bévues », voit ses *Provinciales* rangées parmi ces « fleurs éternelles et brillantes », auxquelles appartient aussi l'*Abrégé* de Racine, et définies ainsi : « Les *Provinciales*, immortel modèle des pamphlétaires, chef-d'œuvre de logique plaisante, de discussion rigoureuse sous les armes rabelaisiennes (5). » Le rapprochement avec Rabelais nous surprend peut-être autant qu'il surprit Sainte-Beuve qui ne se fit pas faute de le ridiculiser. C'est pourtant à Balzac que nous donnons raison cette fois. Les *Provinciales* n'ont rien de « rabelaisien » au sens traditionnel de ce terme qui ne manque pas de suggérer avant tout une grande liberté de langage. Mais au fond, les armes employées par Pascal sont bien les mêmes que celles de Rabelais, car l'ennemi est le même jusqu'à un certain point. Ils combattent tous deux contre la stupidité, l'hypocrisie et un formalisme creux où l'âme se dessèche. Sans prétendre rapprocher des natures qui auraient eu beaucoup de peine à se comprendre, il est permis de voir chez Rabelais, comme chez Pascal, comme chez Molière aussi, la même horreur de l'hypocrisie, le même sens du comique, et surtout le même don dans le maniement de la moquerie.

Lorsque, sur la question du jansénisme, Balzac oppose Pascal à Bossuet, il semble qu'il ne comprenne pas mieux l'un que l'autre.

(1) P. 34.
(2) *Complaintes satiriques*, CFL, t. 14, p. 301.
(3) *Ursule Mirouet*, CFL, t. 8, p. 446.
(4) Balzac possédait deux éditions des *Provinciales* : celle de 1657 et celle de 1666, toutes deux publiées à Cologne : n° 120 et n° 57 au catalogue de vente. Aucune édition des *Pensées* ne figure à ce catalogue.
(5) Con., t. 40, p. 297.

Aucun des textes se référant à Bossuet ne corrige cette impression. Bossuet ne peut rester inconnu à quiconque veut étudier le style classique français, et Balzac l'a lu en même temps qu'il étudiait Corneille et Racine en 1819. Si, en écrivant son *Cromwell*, c'était surtout Corneille qu'il tâchait d'imiter, il n'en était pas moins conscient de marcher aussi sur les traces de Bossuet, témoin cette lettre à Laure où il écrivait : « Ce qui me coûte le plus, c'est l'exposition. Il y a à faire le portrait de Cromwell, et Bossuet m'épouvante (1). » Si Bossuet peut donc figurer parmi les premiers maîtres de Balzac, c'est du moins d'un point de vue purement technique : l'élève y cherche avant tout une leçon de style (2). De cette étude, malheureusement, il ne reste à peu près aucune trace. La seule définition du style de Bossuet par Balzac se trouve dans la *Lettre sur la littérature* où il oppose « la Force qui marche, à l'instar de Bossuet ou de Corneille, par la seule puissance du verbe et du substantif », au « style ample, fleuri qui donne de la valeur aux adjectifs » (3). En rapprochant Corneille et Bossuet, Balzac ne se permet pas une analyse très profonde, car s'il est vrai que de la phrase de Bossuet se dégage une impression de force, ceci n'exclut pas pour autant l'ampleur de l'éloquence, et la distinction de Balzac ne résiste pas à l'examen. Une autre remarque des *Pensées, sujets, fragments* témoigne également d'une attention particulière donnée au style de Bossuet. Nous y lisons : « Pour qu'un écrivain soit grand, sa phrase doit toujours contenir l'idée correspondante à celle qu'il exprime. La phrase de Bossuet, qui est toujours *bifrons*, bilatérale (4). » Nous ne pouvons chercher querelle à Balzac d'être quelque peu obscur dans cette remarque, puisque nous avons l'indiscrétion de consulter un carnet qui n'était écrit que pour lui-même. Par bilatérisme, peut-être entend-il le balancement de la période, la symétrie de son architecture. Mais il semble bien que le mythe de Janus soit encore suggéré ici dans cette notion d' « idée correspondante » : la pensée ne progresserait alors que par contrastes. « Tout est double, même la vertu », disait Balzac à propos de Molière. La vérité au double visage s'exprimerait donc par la phrase *bifrons*, phrase dont la symétrie de structure, la symétrie d'expression, correspondent à la symétrie de pensée.

---

(1) *Lettres à sa famille*, pp. 31-32.
(2) Là encore, le catalogue de la vente de la bibliothèque de Mme de Balzac ne nous indique qu'une œuvre : nº 163, *Trinité de l'amour de Dieu*, ouvrage posthume de J.-B. Bossuet, Paris, 1736.
(3) CFL, t. 14, p. 1137.
(4) P. 38.

Nous souhaiterions en savoir davantage sur cette leçon de style que Balzac se donnait à lui-même, car la passion de l'antithèse qui possédera Hugo toute sa vie ne rencontrera guère de sympathie de la part de son contemporain.

De ses lectures de Bossuet restent à la mémoire de Balzac quelques expressions qu'il cite à l'occasion, tel ce verre d'eau plus richement récompensé par Dieu qu'une victoire, que nous retrouvons à trois reprises (1).

Sur le rôle de Bossuet dans l'histoire de la pensée, Balzac est plus explicite que sur son style. Mais l'image qu'il nous présente, et fort vraisemblablement qu'il se fait, de l'évêque de Meaux n'en est pas moins discutable. Soit faute de connaissance réelle de l'œuvre de Bossuet, soit faute d'impartialité ou de nuances dans certains de ses points de vue, Balzac ne semble prêter attention qu'à l'aspect absolu et intransigeant du catholicisme de Bossuet. Il fait de celui-ci, à tort, le symbole de l'orthodoxie religieuse, opposé aveuglément, par principe, à toute déviation possible. Rien n'est plus faux que cette image, car elle ôte à Bossuet la chaleur de ses convictions intérieures pour ne le faire agir qu'au nom d'un principe abstrait applicable à toute circonstance. Fait curieux, Balzac ne varie pas dans son idée de Bossuet, en dépit de son changement d'attitude envers la religion. En 1830, par conséquent avant qu'il ait décidé de se poser en champion du catholicisme, Bossuet fait l'objet d'une de ses attaques assez violentes :

L'*Et reges intelligite...* de Bossuet m'a toujours paru singulièrement niais. Ce sublime orateur, accablé par sa mitre, ne voyait que l'homme et Dieu. Il n'osait peut-être pas parler, devant Louis XIV, des vastes idées qui créent un monde intermédiaire entre ces deux termes de nos comparaisons, de ce monde moral, de cette philosophie de Bayle et de Descartes, dont les tempêtes et les convictions font plier les peuples et les trônes comme des joncs flexibles. [...] Aujourd'hui, le persécuteur de Fénelon soutiendrait sans doute le catholicisme, tandis que M. de Lamennais, homme peut-être supérieur à son devancier, voit quelque chose de plus fort en avant, et devine qu'à des sociétés nouvelles il faut des sacerdoces nouveaux (2).

Ce Bossuet, « accablé par sa mitre », tenant avec entêtement pour un ordre des choses établi une fois pour toutes, refusant de

---

(1) *La peau de chagrin*, CFL, t. 7, p. 1097 ; *Le cousin Pons*, CFL, t. 10, p. 831 ; *L'envers de l'histoire contemporaine*, CFL, t. 8, p. 1200.
(2) *Lettres sur Paris*, Con., t. 39, p. 109.

tenir compte de l'évolution historique, est un Bossuet fort simplifié et qu'il est facile de malmener. Mais, en changeant de camp
et passant du côté du catholicisme monarchique le plus absolu,
Balzac ne modifie pas son image de Bossuet. Au lieu de l'attaquer,
il le défend, et sans beaucoup se soucier de la chronologie, en fait
une fois pour toutes le défenseur de la foi catholique contre
l'ennemi quel qu'il soit : jansénisme, quiétisme ou protestantisme.

Toujours dans cette même *Lettre sur Sainte-Beuve*, voulant
prouver l'ineptie de l'entreprise de Sainte-Beuve, Balzac s'applique à aligner les grands écrivains qui ont déjà traité du sujet,
soit pour, soit contre. Et son raisonnement est clair : qui n'est
pas pour, est contre. Aussi, en face de l'*Abrégé* de Racine et des
*Provinciales*, n'hésite-t-il pas à ranger « les œuvres de Bossuet, de
Bouhours, de Bourdaloue et les foudres vengeresses du Vatican » ;
et pour ne laisser aucun malentendu, il précise : « Vouloir raconter
Port-Royal après Racine, le défendre après Pascal et Arnauld, le
critiquer après Bossuet et les Jésuites », etc. (1). Balzac eût été
sans doute bien embarrassé de citer dans quelles œuvres ou dans
quelles circonstances Bossuet attaqua Port-Royal. Et son emportement à ridiculiser Sainte-Beuve n'excuse pas son ignorance ou
la déformation qu'il inflige à la vérité. Il est vrai que son erreur
vient surtout de mêler la querelle du jansénisme à celle du quiétisme, comme Sainte-Beuve le fait remarquer. Mais il transforme
un peu trop aisément l'effort de réforme catholique du jansénisme
en une révolte contre le principe monarchique. Tout est simplifié
par Balzac dans ces questions, et Bossuet joue uniformément
le rôle de gardien du catholicisme romain et défenseur de l'autorité absolue de l'Église et du roi : « Le mysticisme ne comporte
ni gouvernement, ni sacerdoce ; aussi fut-il toujours l'objet des
plus grandes persécutions de l'Église romaine ; là est le secret
de la condamnation de Fénelon ; là est le mot de sa querelle avec
Bossuet (2). » Là encore, Balzac se plaît à ne voir qu'un aspect de
la question.

L'œuvre de Bossuet qui semble l'avoir le plus frappé est
l'*Histoire des variations*, « la sublime *Histoire des variations* »,
écrit-il dans *Ursule Mirouet* (3) ; et il n'est pas impossible de penser que c'est sur cet ouvrage que repose principalement la conception balzacienne de la pensée de Bossuet. Balzac éprouve pour le
protestantisme une répulsion instinctive plutôt que raisonnée

---

(1) Con., t. 40, p. 297.
(2) Préface de la 1ʳᵉ éd. du *Livre mystique*, CFL, t. 15, p. 182.
(3) CFL, t. 8, p. 446.

et il trouve probablement chez Bossuet de quoi soutenir ses propres convictions, en même temps qu'une source d'information. C'est peut-être à partir du Bossuet de l'*Histoire des variations* que Balzac forme son image d'un Bossuet adversaire implacable de toute dissension au sein de l'Église et allié inébranlable des Jésuites. Lorsqu'il écrit, au sujet de Port-Royal : « M. Sainte-Beuve pouvait se placer sur le sommet où plana l'aigle de Meaux, d'où il embrassa l'antérieur de la question, d'où il contempla le péril dans l'avenir » (1), nous nous demandons, avec Sainte-Beuve, à quel moment Bossuet a bien pu faire ainsi l'histoire de Port-Royal, et il apparaît évident que Balzac transpose ici au jansénisme ce que Bossuet fit, en effet, pour le protestantisme. Il y a donc chez Balzac une constante confusion, volontaire ou non, il est difficile de le dire, au sujet de Bossuet. Bossuet, pour lui, doit entrer à toute force dans les cadres étroits de ses propres idées religieuses et politiques. En lui reconnaissant « un dévouement absolu à des principes » (2), il a tendance à oublier les qualités humaines du grand prédicateur pour en faire un système.

Si Bossuet nous apparaît, selon le mot de Balzac, « fort et logique », plus fort que logique, dirons-nous même, Fénelon, dont on ne peut le séparer, est pour Balzac « le doux et saint Fénelon » (3). A l'énergie indomptable de l'aigle de Meaux, il oppose « les vertus aimables du pieux et tolérant archevêque de Cambrai » (4). L'intérêt de Balzac pour les mystiques ne l'attache pas particulièrement à Fénelon, car il remonte aux sources, à Jacob Boehm par exemple, et Fénelon n'est qu'un disciple entre d'autres. L'image qu'il se fait de lui n'a rien de personnel ; douceur, mysticisme, soumission dans la persécution.

Son œuvre ne fait pas davantage l'objet de remarques particulières. Balzac a bien sûr lu le *Télémaque* et s'y rapporte de temps à autre : ici, il rattache son *Traité de la vie élégante* au chapitre sur la constitution de Salente (5) ; ailleurs, c'est aux « épisodes dangereux du Télémaque » qu'il fait allusion, épisodes qui obligent Mme de Granville à ne pas mettre l'ouvrage entre les mains de ses filles (6), et qui, pour Balzac, sauvent l'œuvre, au contraire, du danger d'être insipide : « Le doux et saint Fénelon n'a-t-il

(1) Con., t. 40, p. 298.
(2) Avant-propos de *La comédie humaine*, CFL, t. 15, p. 373.
(3) *Lettre à M. Hippolyte Castille*, Con., t. 40, p. 651.
(4) *Dictionnaire des enseignes*, CFL, t. 14, p. 219.
(5) CFL, t. 12, p. 1616.
(6) *Une fille d'Éve*, CFL, t. 8, p. 823.

pas été contraint d'inventer les épisodes dangereux de *Télémaque* ?
ôtez-les, Fénelon devient Barquin, plus le style. Qui relit Barquin ? Il faut la candeur de nos douze ans pour le supporter (1). »
Les idées mêmes de Fénelon ne présentent rien qui doive
arrêter l'attention de Balzac, et c'est encore une fois le style qui
l'intéresse avant tout. Lorsque madame de Fischtaminel, dans
les *Petites misères de la vie conjugale*, écrit un livre sur l'éducation des jeunes filles, Balzac commente : « Elle a bravement
réimprimé Fénelon, moins le style (2). » En 1834, il écrit à
Mme Hanska : « Mais ce qui est surprenant, c'est une phrase qui
est à vous, qui sort de votre cœur, comme votre regard de vos
yeux ; c'est notre langue écrite comme l'écrivait Fénelon. Il faut
que vous ayez lu beaucoup Fénelon ou que vous ayez dans l'âme
son harmonieuse pensée (3). » Nous ne connaissons malheureusement pas la phrase qui put suggérer à Balzac cette analogie de
style. Le mysticisme de Mme Hanska peut nous faire supposer
que le rapprochement avec Fénelon était dû autant à la pensée
qu'à l'expression, l'un étant lié à l'autre. Mais pour ainsi trouver
du Fénelon dans une lettre de l'Étrangère, il faut que Balzac ait
été assez familier avec l'auteur de *Télémaque*. Aucun autre indice
ne nous permet de préciser le degré de cette familiarité.
Le modèle de style dont Balzac a essayé avec le plus de zèle
de s'approcher n'est ni celui de Fénelon, ni celui de Bossuet,
mais bien celui de Massillon. « Un style clair, harmonieux, la
langue de Massillon, de M. de Buffon, du grand Racine, un style
classique, enfin, ne gâte jamais rien », déclare le vieux professeur
de Raphaël Valentin (4). Balzac a sans doute hérité son admiration pour Massillon de Voltaire qui se le faisait lire à table.
Nous verrons que la lecture de *Volupté*, de Sainte-Beuve, suscita
en Balzac le désir d'écrire lui aussi un roman sur un sujet semblable. Or, le style de Sainte-Beuve ne plaisait pas à Balzac.
Celui-ci tenait donc à refaire *Volupté* mieux que *Volupté*. Pour
cela il fallait un style essentiellement français, c'est-à-dire
classique, et en même temps adapté à un sujet où l'amour
réprimé tient un si grand rôle. Massillon offrait le modèle rêvé de
vigueur classique et de suavité. Les *Lettres à l'étrangère* nous
donnent un aperçu de la difficulté que Balzac dut rencontrer dans
la tâche qu'il s'était assignée : « J'ai bien travaillé cette œuvre.
J'ai voulu me servir du langage de Massillon, et cet instrument-là

(1) *Lettre à M. Hippolyte Castille*, Con., t. 40, p. 651.
(2) CFL, t. 12, p. 1425.
(3) *Lettres à l'étrangère*, t. 1, p. 204.
(4) *La peau de chagrin*, CFL, t. 7, pp. 1165-66.

est lourd à manier (1). » Et quelques jours plus tard : « Si le *Lys*
n'est pas un bréviaire femelle, je ne suis rien. La vertu y est
sublime et point ennuyeuse. Faire du dramatique avec la vertu,
rester chaud, se servir de la langue et du style de Massillon,
tenez, c'est un problème, qui, résolu, dans le premier article,
coûte déjà trois cents heures de correction, quatre cents francs à
la Revue, et à moi, un peu de mal au foie (2). » Ne sourions pas
de cette comptabilité où les effets de style se traduisent en déficit.
Imaginons plutôt les innombrables corrections que Balzac dut
imposer à l'imprimeur pour s'approcher du modèle qu'il s'était
donné. Comme Mme Hanska s'inquiétait de ces corrections,
Balzac lui répond péremptoirement : « Non, non, le style est le
style. Massillon est Massillon et Racine est Racine. D'après les
critiques, le *Lys* est le point culminant (3). » Nous voudrions
ajouter : Balzac est Balzac, et dans aucun roman ne se sent
comme dans *Le lys dans la vallée* un effort aussi contraire à toutes
les tendances naturelles de Balzac. Nulle part, à notre avis, la
discordance n'est aussi désagréable entre ce que Balzac essaie
d'écrire et ce qu'il écrit. Le style de Massillon, sous la plume de
l'auteur du *Lys* est devenu un style fleuri, affecté, où la suavité
se change trop souvent en pure mièvrerie. L'échec est complet.
Il fut sans doute utile à l'écrivain en l'obligeant à analyser de
très près le style du prédicateur et, comme il le déclare, « à étudier
la langue française » (4).

Sur La Rochefoucauld et sur La Bruyère, nous ne trouvons
que quelques remarques éparses (5). Tous deux profonds observateurs du cœur humain et désireux de saisir sur le vif certains
traits frappants de l'homme, ils ont su trouver un style incisif et
vigoureux que Balzac dit ne retrouver que chez Brillat-Savarin :
« Depuis le XVIe siècle, si l'on excepte La Bruyère et La Rochefoucauld, aucun prosateur n'a su donner à la phrase française
un relief aussi vigoureux (6). » Bien qu'il en parle peu, il est probable que Balzac profita des observations de La Bruyère et de
La Rochefoucauld, comme de leur art d'écrire. La fine satire de
La Bruyère, en particulier, devait lui plaire, car il le place, nous
l'avons vu, parmi « ces hommes qui ne dédaignèrent pas de mettre

(1) T. 1, p. 277.
(2) *Ibid.*, p. 278.
(3) *Ibid.*, p. 310.
(4) Historique du procès du *Lys dans la vallée*, CFL, t. 15, p. 199.
(5) *Les caractères* de M. de LA BRUYÈRE, Paris, 1750, 2 vol., font partie
de la bibliothèque de Balzac, n° 49 au catalogue de vente. Rien de La Rochefoucauld.
(6) *Brillat-Savarin*, Con., t. 39, p. 673.

des livres dans un bon mot, [...] qui n'étaient occupés qu'à cacher la profondeur sous une légèreté gracieuse » (1), au rang desquels se trouvent également, on s'en souvient, Molière, Rabelais, Voltaire, Diderot et Montesquieu.

On ne peut guère penser au classicisme sans penser à son grand critique et législateur. Balzac n'échappe pas à cette règle, puisque Boileau ou ses œuvres sont cités 28 fois, c'est-à-dire plus que Fénelon ou Descartes. Cependant, cette fréquence serait trompeuse pour qui voudrait en tirer plus qu'une certitude que Balzac connaissait bien Boileau. Si, en effet, en élève appliqué des classiques, il ne manque pas de consulter les règles de l'*Art poétique* tout au début de sa carrière, il ne tarde pas à découvrir de lui-même que le bénéfice à tirer pour un jeune écrivain de l'exemple de ses aînés est plus dans l'étude des œuvres mêmes que dans celle des principes théoriques, fussent-ils énoncés par un Boileau. C'est pourquoi, si Balzac, en 1819, écrit à Laure qu'il se choisit « Boileau pour juge » (2), il ne tarde pas à oublier cette docile soumission, ne serait-ce que sous l'effet de la rapide discordance survenue entre l'idéal de Boileau et les œuvres de Balzac, particulièrement autour de 1830. Toutes les références à Boileau ne sont plus, dès lors, qu'allusions à l'*Art poétique* (3) ou à la *Satire des femmes* (4) ou encore au *Lutrin* et à l'embonpoint de ses prélats (5). Du jeune écrivain de 1819, disciple des classiques, à l'auteur de *La comédie humaine*, la distance est longue et le changement d'attitude s'exprime assez bien dans le contraste entre la lettre à Laure, citée plus haut, et le passage suivant des *Paysans* où, en ridiculisant la littérature impériale, esclave d'un classicisme sclérosé, Balzac s'en prend indirectement à la source du mal, à Boileau : « *Le lutrin* est le saturne de cette abortive génération de poèmes badins, tous en quatre chants à peu près, car, d'aller jusqu'à six, il était reconnu qu'on fatiguait le sujet (6). »

(1) *Complaintes satiriques*, CFL, t. 14, p. 298.
(2) *Lettres à sa famille*, p. 25.
(3) Postface de la 1re éd. des *Scènes de la vie privée*, CFL, t. 15, p. 60 ; Introduction aux *Etudes philosophiques*, CFL, t. 15, p. 115 ; *Illusions perdues*, CFL, t. 4, p. 1021.
(4) *Le contrat de mariage*, CFL, t. 3, pp. 741 et 745 ; *Physiologie du mariage*, CFL, t. 12, p. 913 ; et encore, en faisant allusion au « fameux vers de Boileau » sur la rareté de la vertu féminine, il est fort probable que Balzac imite purement et simplement Rousseau qui cite ce vers dans la Lettre à d'Alembert (cf. *Œuvres complètes de Rousseau*, D. C. DUPONT, t. 1, p. 127).
(5) *Illusions perdues*, CFL, t. 4, p. 374.
(6) CFL, t. 3, p. 1203.

Boileau est sans doute le seul des classiques qui apparaisse à Balzac comme vieilli, démodé. Il ne nie pas l'importance de son rôle, mais il le limite à une époque précise ; l'œuvre de Boileau n'offre plus pour le XIX$^e$ siècle qu'un intérêt rétrospectif. Il faut le connaître, mais il ne peut exercer l'influence sur un écrivain qu'un Racine ou un Molière continuent au contraire à exercer à travers les siècles.

Tel nous apparaît le XVII$^e$ siècle à travers la pensée de Balzac. Le tableau se complète de quelques noms secondaires, cités en passant et fort rarement : Voiture, Malherbe, Guez de Balzac, Racan, Rotrou, Mme de Sévigné, Bourdaloue, Saint-Évremond, Cyrano de Bergerac, Fontenelle. Un passage de l'article *De la propriété littéraire* nous permet de vérifier l'authenticité de ce tableau tel que nous l'avons dégagé des textes balzaciens. Balzac y parle du XVII$^e$ siècle et de l'importance de la protection du roi dans le développement des lettres, et il nomme « les grands auteurs de ce siècle », qu'il oppose plus loin aux « auteurs médiocres » (1). La liste comprend : Bossuet, Fénelon, Pascal, Molière, La Fontaine, Racine, Boileau, Perrault. Corneille seul manque au rappel, mais ailleurs Balzac souligne l'injustice de Louis XIV vis-à-vis de celui-ci. Son droit à figurer au rang des grands n'est donc pas à mettre en doute.

L'importance des grands auteurs du XVII$^e$ siècle dénote chez Balzac non seulement une solide formation classique, mais un profond goût classique dont il ne se départira jamais ; même une fois engagé dans la voie de *La comédie humaine*, pourtant très éloignée de l'idéal classique, son esthétique restera fortement inspirée des leçons apprises chez ses grands maîtres du siècle de Louis XIV. Nous le verrons souvent avoir recours, pour juger les œuvres contemporaines, à la règle immuable d'unité de composition qui, pour lui, restera le fondement de toute œuvre littéraire. Plus importante encore que son adhérence à certains principes classiques est l'admiration spontanée, mais raisonnée aussi, qu'il éprouve pour les grands écrivains créateurs d'œuvres éternellement vivantes, si vivantes qu'elles contribuent, chacune à sa manière, à animer *La comédie humaine*.

(1) Con., t. 40, p. 423.

# Chapitre IV

# XVIII<sup>e</sup> SIÈCLE : L'HÉRITAGE PATERNEL

A mesure que nous nous rapprochons du XIX<sup>e</sup> siècle, le tableau des œuvres et des écrivains mentionnés par Balzac se complique considérablement. Plus une époque est éloignée de celui qui la juge, plus les grandes figures de cette époque se détachent sur la masse des écrivains secondaires. Quand le recul dans le temps diminue, la perspective change et les détails apparaissent tout autant que les grandes lignes. Pour Balzac, le XVIII<sup>e</sup> siècle est encore trop proche pour qu'une hiérarchie définitive parmi les écrivains ait pu s'établir. Il faut d'ailleurs reconnaître que le nombre et la diversité des œuvres de ce siècle rend difficile toute classification.

Le choix de Balzac va donc être dicté maintenant plus par son goût personnel que par une tradition acceptée. Par son refus d'adhérer à une école littéraire, il garde son indépendance de jugement et peut choisir, dans la littérature qui l'a immédiatement précédé, tout ce qui lui semble intéressant et tout ce qui peut agrandir son univers intérieur.

Le XVIII<sup>e</sup> siècle, jugé par Balzac, se présente à nous de façon très paradoxale : c'est, d'une part, le siècle de beaucoup le plus complet et le mieux représenté du simple point de vue du nombre des écrivains cités (l'époque contemporaine exceptée, bien entendu). Mais d'autre part, l'inégalité d'importance entre ces écrivains est beaucoup plus frappante que pour les autres siècles. Leur répartition se fait sur trois échelons : Voltaire et Rousseau, à peu près égaux, dominent tout le siècle, de très loin. Puis viennent dans une région intermédiaire : Beaumarchais, Sterne, Richardson, Diderot, Montesquieu, Buffon, Lesage, Bernardin de Saint-Pierre, Chénier et Prévost. Tous les autres auteurs se groupent dans une zone d'importance très secondaire, sinon négligeable.

Le fait le plus remarquable dans cet ordre établi d'après la fréquence des allusions est la place de Voltaire et de Rousseau, qui se suivent de très près et viennent directement après Molière. Ils représentent pour Balzac les deux pôles du siècle entre lesquels il ne peut ni ne veut choisir. Il est trop fréquent que l'antagonisme qui opposa ces deux hommes de leur vivant se prolonge de nos jours chez leurs admirateurs : qui aime Voltaire méprise Rousseau et vice versa. Cet équilibre du goût chez Balzac mérite donc d'être souligné. L'éclectisme littéraire dont il se réclame dans l'article sur *La chartreuse de Parme* est plus qu'une commode invention pour classer ce qui n'est pas classifiable. Il correspond chez Balzac à la fois à un goût qui n'a jamais pu se plier à des exigences de chapelle littéraire, et à un tempérament exceptionnellement riche où les tendances les plus contradictoires se combinent sans se détruire mutuellement.

D'autre part, comme le remarque très justement M. Bernard Guyon, cette coexistence de l'influence de Voltaire et de celle de Rousseau dans un même esprit n'est pas exceptionnelle à l'époque de Balzac. D. Mornet (1), l'avait déjà relevée chez « un bon nombre des esprits moyens ou médiocres » de la fin du XVIIIe siècle, et M. Guyon ajoute :

Il n'est pas impossible que cette contradiction essentielle tienne à des raisons plus intimes, à un conflit entre les déductions de l'intelligence abstraite et les poussées instinctives du tempérament. Enfin il n'est sans doute pas inutile de faire remarquer que cette synthèse des contradictoires Voltaire-Rousseau [...] devenait beaucoup plus facile et même naturelle au début du XIXe siècle, sous ce régime de la Restauration que ni Voltaire, ni Rousseau n'auraient vu d'un bon œil, qui leur faisait à tous deux une guerre acharnée, et contre lequel ses adversaires utilisaient comme deux armes également redoutables la pensée anti-religieuse de l'un et la pensée révolutionnaire de l'autre (2).

L'importance égale attachée à Rousseau et à Voltaire par Balzac, ainsi que le nom des écrivains qui reviennent souvent sous sa plume, montre bien qu'il voit dans le XVIIIe siècle sa diversité plus que son unité. C'est pourquoi l'image qu'il en donne varie avec le point de vue auquel il se place. Tantôt c'est le côté matérialiste qu'il souligne : « Les écrivains du XVIIIe siècle ont sans doute rendu d'immenses services aux sociétés ; mais leur philosophie, basée sur le sensualisme, n'est pas allée plus loin que l'épiderme humain. Ils n'ont considéré que l'univers extérieur (3). »

(1) *La pensée française au XVIIIe siècle*, Paris, A. Colin, 1932, pp. 214-215.
(2) *La pensée politique et sociale de Balzac*, Paris, A. Colin, 1948, p. 108.
(3) *Physiologie du mariage*, CFL, t. 12, p. 1234.

Tantôt, se plaçant du point de vue strictement littéraire, il parle de « la littérature fine, vive, railleuse et gaie du xviiie siècle, où les auteurs ne se tenaient pas toujours droits et raides, où, sans discuter à tout propos la poésie, la morale et le drame, il s'y faisait du drame, de la poésie, et des ouvrages de vigoureuse morale » (1). Ce qui ne l'empêche pas de critiquer ailleurs le « procédé sévère de la littérature du xviie et du xviiie siècle » (2), ou « la discussion froide et mathématique », « la sèche analyse du xviiie siècle » (3).

Nul mieux que Pierre Bayle ne semble, dans la pensée de Balzac, représenter la transition entre le xviie et le xviiie siècles. Nous le trouvons tantôt rattaché aux encyclopédistes, tantôt aux écrivains indépendants du xviie siècle. Dans *Falthurne*, les notes de l'abbé Savonati contiennent plusieurs références au *Dictionnaire* de Bayle et à l'interdiction de le lire ; nous n'en citerons qu'un passage : « Que le lecteur lise Bayle. Sophistiquot dit qu'on y trouve tout. Comme aussi l'*Encyclopédie*. Œuvres de l'enfer, dit le curé dans son prône (4). » Dans les *Aventures administratives d'une idée heureuse*, Bayle est cité comme le chaînon qui relie les réformateurs protestants au déisme de Voltaire : « Les idées de Luther ont engendré Calvin, qui engendra Bayle, qui engendra Voltaire, qui engendra l'opposition constitutionnelle, enfin l'esprit de discussion et d'examen (5). » La perspective est différente, mais non nécessairement contradictoire dans la *Vie de La Fontaine* où Balzac écrit : « Bayle, La Bruyère, La Fontaine, Fénelon, penseurs profonds, livrant leurs œuvres aux hasards des préoccupations contemporaines, attendirent leurs couronnes de la postérité (6). » Mais si Bayle est ainsi placé parmi les penseurs originaux du xviie siècle, il est logique que Balzac le rapproche également de Descartes. Tous deux ont, en effet, contribué à séparer la morale de la foi, et le Balzac libéral de 1830 ne peut que les applaudir. Le xvie siècle marque, pour lui, le « moment où la pensée a triomphé, en Europe, par l'influence de Bacon, de Descartes et de Bayle » (7). De la même année date le texte déjà cité qui attaque Bossuet et exalte la philosophie de Descartes et de Bayle (8).

(1) Préface de la 1re éd. de *La peau de chagrin*, CFL, t. 15, p. 73.
(2) *Etudes sur M. Beyle*, CFL, t. 14, p. 1156.
(3) *Illusions perdues*, CFL, t. 4, p. 764.
(4) *Falthurne*, publié par P.-G. Castex, Paris, Corti, 1950, note de la p. 30.
(5) CFL, t. 14, p. 833.
(6) Con., t. 38, p. 148.
(7) *Traité de la vie élégante*, CFL, t. 12, p. 1625.
(8) *Lettres sur Paris*, Con., t. 39, p. 109.

L'opinion de Balzac sur Bayle évolue avec son attitude envers la religion. Jusqu'en 1832, l'influence de Bayle, comme celle de Descartes, lui semble bienfaisante. L'ironie des notes de *Falthurne* écrit en 1820 ou 1821 par un jeune Balzac tout plein de l'esprit philosophique transmis par son père, indique assez que leur auteur apprécie Bayle. Mais c'est à partir du moment où il se range du côté du catholicisme monarchique que Balzac commence à établir ces lignées de penseurs, destructeurs de la foi et de l'autorité, que nous retrouvons si souvent et dans lesquelles se trouvent rapprochés, d'une manière parfois discutable, les réformateurs, Rabelais, Descartes, Pascal et le jansénisme, Bayle, Voltaire, et les libéraux républicains.

S'il est certain que Balzac a connu Bayle très tôt (*Falthurne* nous en donne la preuve), on peut néanmoins se demander jusqu'à quel point il l'a bien compris et si sa connaissance n'en était pas très superficielle. Il semble, en effet, voir avant tout en Bayle un rapporteur impartial. Trois textes différents reviennent sur la méthode historique utilisée dans le *Dictionnaire*, sans jamais suggérer que cette impartialité pourrait bien n'être qu'apparente. Voici les trois textes :

*Phantosma* qui reste au port d'armes de la critique, à la façon du *Dictionnaire* de Bayle (1).

Ce *Dictionnaire* de Bayle vivant ne faisait pas comme le fameux dictionnaire, il ne rapportait pas toutes les opinions sans conclure (2).

M. Sainte-Beuve pouvait, à la manière de Bayle, se constituer le rapporteur des deux partis, expliquer synthétiquement les faits dont l'analyse est impossible, les faits majeurs, condenser les théories, marquer les points de cette longue partie, et faire comprendre aux contemporains quel est, dans l'histoire moderne, le poids du résultat (3).

Il est difficile de ne pas s'étonner avec Sainte-Beuve de la « singulière idée qu'il [Balzac] donne de Bayle, représenté par lui comme un rapporteur *synthétique* et un *condensateur* de théories » (4). Et pourtant, la méthode utilisée dans *Falthurne* par Balzac est la transposition évidente, sur un plan grotesque, de la méthode du *Dictionnaire* de Bayle : des notes abondantes y détruisent systématiquement la teneur du texte. Il est donc parfaitement conscient des possibilités qu'offre une telle méthode, en apparence impartiale, pour la discussion des idées. Si l'on

---

(1) *Les martyrs ignorés*, CFL, t. 14, p. 854.
(2) *Les employés*, CFL, t. 15, p. 199.
(3) *Lettre sur Sainte-Beuve*, Con., t. 40, p. 298.
(4) SAINTE-BEUVE, Appendice à *Port-Royal*, Paris, Hachette, 1901, p. 554.

considère que les trois passages que nous venons de citer se suivent de très près (1837, 1838, 1840), on peut supposer que la
connaissance de Bayle chez Balzac s'est faite en deux étapes :
une première lecture, très jeune, sous l'influence de son père, à
une époque où il cherchait surtout des arguments contre la religion ; puis une deuxième lecture, entre 1835 et 1840, où Balzac
est surtout frappé par l'érudition extraordinaire de Bayle et le
sérieux avec lequel il examine les divers arguments. Ceci n'est,
bien entendu, qu'une hypothèse invérifiable, mais qui expli-
querait les différences de point de vue rencontrées dans les
différents passages concernant Bayle.

La bibliothèque de M. Balzac père était bien pourvue en
écrivains du xviiie siècle et, très tôt, le jeune Honoré put s'initier
à leurs œuvres. C'est le cas pour Montesquieu, qu'il avait probablement déjà lu abondamment avant 1819 et qu'il pensait bien
connaître, d'où son étonnement lorsque sa sœur Laure lui en cite
des passages inconnus : « Maintenant, dis-moi donc où tu lis
Montesquieu, dont tu me cites des passages que je ne connais
pas (1). » Cet intérêt restera vivant pendant tout le reste de la
carrière de Balzac et porte beaucoup plus sur le Montesquieu de
*L'esprit des lois* que sur celui des *Lettres persanes*. La finesse,
l'ironie, l'originalité des *Lettres persanes* ne sont évidemment pas
pour lui déplaire, et c'est à elles qu'il pense surtout lorsqu'il
place Montesquieu à côté de La Bruyère, Rabelais, Voltaire et
Diderot, parmi les écrivains français « qui n'étaient occupés
qu'à cacher la profondeur sous une légèreté gracieuse », et « qui
n'ont jamais trahi le caractère national » (2). Mais quelques pages
plus loin, c'est *L'esprit des lois* qui figure à côté des *Pensées* de
Pascal et de *L'Émile* pour montrer que le génie français, tout en
sachant rire, peut aussi produire des œuvres de poids. Ces deux
aspects de l'œuvre de Montesquieu reviennent encore à l'esprit
de Balzac lorsque Lucien de Rubempré fait ses débuts de journaliste et, après avoir écrit un article de critique littéraire sérieuse,
lit à ses amis un petit article dans le genre à la mode, badin et
spirituel : « Cet article était aussi différent de l'article grave et
profond sur Nathan, que les *Lettres persanes* diffèrent de *L'esprit
des lois* (3). » Montesquieu aussi, par conséquent, porte le masque
de Janus : les *Lettres persanes*, c'est l'œuvre à succès, brillante,

---

(1) *Lettres à sa famille*, p. 14. Seul *Le temple de Gnide*, édité à Paris, an III,
figure au catalogue de vente de la bibliothèque de Mme de Balzac.
(2) *Complaintes satiriques*, CFL, t. 14, p. 298.
(3) *Illusions perdues*, CFL, t. 4, p. 748.

mais de peu de poids ; *L'esprit des lois*, c'est l'œuvre sérieuse, profonde, difficile et lente à se faire accepter du public. Balzac, cette fois, considère avant tout le côté sérieux de ce double visage.

Si nous voulons trouver des raisons à cet intérêt très tôt développé chez Balzac pour un ouvrage aussi ardu et aussi éloigné de ses propres préoccupations que *L'esprit des lois*, il faut les chercher ailleurs que dans le sujet même de l'œuvre. Bien sûr, l'histoire et les théories politiques l'intéressaient, et Montesquieu lui sert maintes fois de références pour appuyer ses dires. Lorsqu'il écrit sa brochure sur le droit d'aînesse, *L'esprit des lois* lui fournit un appui sérieux et il ne manque pas d'alléguer l'autorité de « l'illustre Montesquieu », « l'homme qui a le plus approfondi cette matière importante » (1). De même, en 1832, le nouveau légitimiste qu'est devenu Balzac se réclame de l'autorité de Montesquieu, entre autres, pour avancer ses théories monarchistes, dans un petit article sur le départ de Charles X en exil : « Je ne pense pas d'aujourd'hui, avec Hobbes, Montesquieu, Mirabeau, Napoléon, J.-J. Rousseau, Locke et Richelieu, que, si le bien-être des masses doit être la pensée intime de la politique, l'absolutisme ou la plus grande somme de pouvoir possible, de quelque nom qu'on l'appelle, est le meilleur moyen d'atteindre ce grand but de sociabilité (2). »

Cependant, l'attirance particulière de Balzac pour *L'esprit des lois* vient moins des théories que de la démarche de la pensée. En essayant de mettre de l'ordre dans des phénomènes sociaux et moraux, en établissant des lois qui parfois ne sont pas loin du déterminisme, en montrant l'influence des éléments physiques sur les mœurs, Montesquieu fait, comme le note M. Bernard Guyon, « des réalités morales et sociales un objet de science positive » (3). Cette méthode ne peut qu'être reçue avec enthousiasme par Balzac si l'on se souvient du goût de celui-ci pour les systèmes et les classifications et de son intérêt pour tout ce qui tend à assimiler les phénomènes moraux aux phénomènes physiques. Ce que certains reprochent à Montesquieu, sa tendance à généraliser et à systématiser, est justement ce que Balzac admire le plus chez lui : « La loi de l'écrivain, ce qui le fait tel, ce qui, je ne crains pas de le dire, le rend égal et peut-être supérieur à l'homme d'État, est une décision quelconque sur les choses

(1) *Du droit d'aînesse*, Con., t. 38, p. 1.
(2) *Le départ*, Con., t. 39, p. 468.
(3) *Op. cit.*, p. 744.

humaines, un dévouement absolu à des principes. Machiavel, Hobbes, Bossuet, Leibnitz, Kant, Montesquieu, sont la science que les hommes d'État appliquent (1). » Encore une fois, le génie de Montesquieu, comme chez tant d'autres, est avant tout pour Balzac un génie de précurseur : « Ces hommes se sont assimilés, ont formulé par avance les idées de l'avenir. Ils se les sont appropriées, comme je le disais plus haut, en leur imposant la forme de leur âme, et les rendant ainsi sensibles à l'Humanité (2). »

Donc, plus que les idées mêmes, qui, originales tout d'abord, sont vite absorbées par la postérité et deviennent domaine commun, reste à l'admiration des générations l'originalité de l'esprit qui a su trouver ces idées et l'originalité de l'expression par lesquelles elles se sont fait jour. « On achète maintenant ces œuvres pour *la forme*, pour la beauté qu'y a mise le génie (3). »

Mais la forme n'est malgré tout que secondaire ; elle vient après les idées. En ce qui concerne Montesquieu, Balzac s'occupe peu de la forme, fasciné qu'il est par la méthode de la pensée d'où jaillissent les idées. Il en sera de même pour les autres grands écrivains du xviiie siècle, d'où la fameuse distinction entre littérature des idées et littérature des images, dont Lousteau donne son interprétation cyniquement simplifiée : « Jusqu'aujourd'hui, de siècle en siècle, les écrivains français maintenaient l'Europe dans la voie de l'analyse, de l'examen philosophique, par la puissance du style et par la forme originale qu'ils donnaient aux idées. Ici, tu places, pour le bourgeois, un éloge de Voltaire, de Rousseau, de Diderot, de Montesquieu, de Buffon (4). »

Nous n'avons parlé jusqu'ici que de *L'esprit des lois*, car c'est autour de cet ouvrage que se groupe la grande majorité des remarques de Balzac. Il faut pourtant ajouter que Balzac apprécie également le *Dialogue de Sylla et d'Eucrate* et les *Considérations*, pour les mêmes raisons que *L'esprit des lois* : méthode historique positive, qu'il cite en exemple à Sainte-Beuve et qui refuse d'expliquer les faits par le hasard ou par la Providence (5) ; vigueur de la pensée à laquelle il compare celle de Louis Lambert (6) ; concision et précision d'analyse, presque scientifiques. Ce sont ces deux œuvres et non *L'esprit des lois* qu'il choisit de mettre dans l'énumération des œuvres illustrant la littérature à idées : « La litté-

(1) *Avant-Propos*, CFL, t. 15, p. 373.
(2) *De la propriété littéraire*, Con., t. 40, p. 428.
(3) *Ibid.*
(4) *Illusions perdues*, CFL, t. 4, p. 743.
(5) Cf. *Lettre sur Sainte-Beuve*, Con., t. 40, p. 299.
(6) Cf. *Louis Lambert*, CFL, t. 1, p. 85.

rature à Idées, pleine de faits, serrée, est dans le génie de la France. La *Profession de foi du vicaire savoyard*, *Candide*, le *Dialogue de Sylla et d'Eucrate*, *La grandeur et la décadence des Romains*, les *Provinciales*, *Manon Lescaut*, *Gil Blas*, sont plus dans l'Esprit français que les œuvres de la Littérature des Images (1). »

Les qualités que Balzac trouve avant tout chez Montesquieu se trouvent bien résumées dans la phrase suivante de la *Monographie de la presse* : « D'abord quel homme tiendrait à faire par an six cents colonnes dignes de Jean-Jacques Rousseau, de Bossuet ou de Montesquieu, pleines de sens, de raison, de vigueur et colorées (2) ? » Le rapprochement de ces trois auteurs, si différents l'un de l'autre, peut faire réfléchir, surtout si nous essayons de leur appliquer en commun les quatre qualités nommées. Nous verrons plus loin jusqu'à quel point cette image de Rousseau correspond à la vraie pensée de Balzac. Tous trois tirent leur grandeur en tout cas de l'originalité de leur pensée. Tous trois ont su se créer un style personnel. Bien que Balzac nulle part ne précise son opinion sur le style de Montesquieu, il est certain que ses qualités d'écrivain sont pour quelque chose dans le rapprochement avec Rousseau et Bossuet. Peut-être pouvons-nous dire que chez Montesquieu plus que chez aucun autre écrivain, le style est tellement soumis à la pensée, tellement étudié et travaillé qu'ils ne peuvent se distinguer l'un de l'autre.

L'œuvre de Montesquieu dépassant de beaucoup le domaine strict du droit ou des sciences politiques pour rejoindre le domaine littéraire, il n'était pas possible de ne pas considérer les opinions de Balzac sur cet auteur. Le problème se pose avec beaucoup plus d'acuité quand il s'agit de Buffon. Nous avons exposé au début de cette étude les raisons qui nous ont guidée dans notre sélection. L'exception faite pour Descartes se reproduit donc ici pour Buffon, seul scientifique admis au rang des littéraires.

L'intérêt de Balzac pour l'œuvre de Buffon est grand, mais se dirige surtout vers les théories scientifiques développées par l'auteur de l'*Histoire naturelle* plutôt que vers l'art de l'écrivain proprement dit. Cependant, la méthode scientifique dont Buffon se targue, bien imparfaite pour nous, tout en intéressant Balzac en elle-même et pour les résultats qu'elle apporte à la connaissance de la terre et des animaux, l'attire, croyons-nous, avant

(1) *Etudes sur M. Beyle*, CFL, t. 14, p. 1155.
(2) CFL, t. 14, p. 542.

tout pour l'application possible qu'il en entrevoit en d'autres domaines que la zoologie ou la géologie. L'essentiel de ses remarques sur Buffon se concentre, en effet, autour de deux moments de sa carrière : la *Physiologie du mariage* (1829) et l'*Avant-Propos* de *La comédie humaine* (1842). Lorsque le jeune Balzac entreprend d'écrire la *Physiologie*, il vise au succès mondain et non pas à l'œuvre profonde et sérieuse. Cependant, le genre qu'il choisit, très à la mode, exige un semblant d'attitude scientifique. Affectant de traiter le mari comme une espèce animale, c'est naturellement Buffon qu'il évoque : « Ah !... Buffon a supérieurement décrit les animaux, mais le bipède nommé mari... » (1), et c'est encore sur son autorité qu'il s'appuie ici et là pour donner plus de poids à ses observations. S'il s'agit ici d'une mascarade, plutôt que d'un recours sérieux à un modèle, il n'en est pas moins clair que Balzac entrevoit les possibilités d'application des découvertes de Buffon à l'espèce humaine. Cette idée va cheminer longtemps dans son esprit pour réapparaître soudain avec l'idée de *La comédie humaine* et du retour des personnages. Cette fois il ne s'agit plus de plaisanter. Relisons les premières pages de l'*Avant-Propos : La comédie humaine* est née « d'une comparaison entre l'Humanité et l'Animalité » (2), comparaison possible seulement si l'on accepte la théorie de « l'unité de composition » dont Buffon est un des promoteurs ; c'est à lui surtout que Balzac pense en exposant le but qu'il se propose dans *La comédie humaine* : « Si Buffon a fait un magnifique ouvrage en essayant de représenter dans un livre l'ensemble de la zoologie, n'y avait-il pas une œuvre de ce genre à faire pour la Société (3) ? » L'idée a donc considérablement mûri depuis la *Physiologie du mariage* et a donné naissance à une conception autrement vaste qu'en 1829. A la base cependant, nous retrouvons chez Balzac le désir de rivaliser avec Buffon et de compléter, en quelque sorte, son œuvre. Ce projet nous fait sourire, car entre l'*Histoire naturelle* et *La comédie humaine*, qu'y a-t-il vraiment de commun ? Et si Balzac a sérieusement songé à faire pour la Société ce que Buffon a fait pour les animaux, comment comparer l'élève au maître ? N'est-il pas curieux que si souvent, devant un écrivain qu'il admire, Balzac ait voulu refaire, dans un siècle et sur un plan différent, ce que cet écrivain avait fait ? Nous avons vu Balzac s'identifier à Rabelais, puis à Molière, et maintenant, d'une ma-

---

(1) *Physiologie du mariage*, CFL, t. 12, p. 895.
(2) CFL, t. 15, p. 368.
(3) *Ibid.*, p. 369.

nière beaucoup plus inattendue, à Buffon. Et la liste de ces incarnations est loin d'être close.

Entre ces deux moments, 1829 et 1842, où Balzac consciemment se mesure avec Buffon, se situent nombre d'allusions qui, de par leur répartition régulière au cours des années, manifestent un intérêt constant pour le grand naturaliste du XVIIIᵉ siècle. Les citations textuelles sont peu nombreuses et limitées aux formules les plus connues telles que « Le style est l'homme » (1), ou « Le génie c'est la patience » (2), ou encore le fameux *homo duplex* (3). Balzac salue en Buffon, comme en Montesquieu, un de ces grands génies précurseurs dont les idées ont été assimilées peu à peu par l'humanité et sont devenues monnaie courante : « Le puits de Grenelle, hier, a lancé son magnifique paraphe pour approuver la *Théorie de la terre*, de Buffon (4). »

Cette *Théorie de la terre* est, semble-t-il, pour Balzac le plus grand titre de gloire de Buffon, ce qui ne l'empêche pas de souligner que Buffon, même là, n'est pas le premier, car avant lui Bernard de Palissy : « affirmait au XVIᵉ siècle, avec l'infaillible autorité du génie, les faits géologiques dont la démonstration fait aujourd'hui la gloire de Buffon et de Cuvier » (5). De même, « les *Opera metallurgica* de Swedenborg contiennent tout le système de Buffon, avant Buffon » (6) ; précédence d'ailleurs non reconnue : « Quelques-uns des plus illustres, dit M. de Thomé en faisant allusion à la THÉORIE DE LA TERRE par Buffon, ont la faiblesse de se parer des plumes de paon sans lui en faire hommage (7). »

Le génie de Buffon ne dépend pas uniquement de l'originalité de sa pensée ou de la vérité de ses théories. Pour Balzac, les idées sont du domaine public et se retrouvent les mêmes partout et dans tous les siècles : « Tout le monde peut avoir la pensée de Vico, de Rousseau, de Buffon, de Royer-Collard, de Chateaubriand, de Hugo, de Lamartine : oui, toutes les pensées préexistent (8). » Mais le génie leur imprime sa marque personnelle, différente de celle des autres, et qui permet à son œuvre de survivre. C'est donc encore à la forme que Balzac revient. Lorsque,

(1) *Pierrette*, CFL, t. 6, p. 675.
(2) *Les employés*, CFL, t. 5, p. 978 ; *Illusions perdues*, CFL, t. 4, p. 582 ; *Petites misères de la vie conjugale*, CFL, t. 12, p. 1392.
(3) *Physiologie du mariage*, CFL, t. 12, p. 1222 : *Le cabinet des antiques*, CFL, t. 2, p. 1155 ; dédicace de *La cousine Bette*, CFL, t. 9, p. 709.
(4) *De la propriété littéraire*, Con., t. 40, p. 428.
(5) *Louis Lambert*, CFL, t. 1, p. 67.
(6) *De la propriété littéraire*, Con., t. 40, p. 426.
(7) *Séraphita*, t. 12, p. 323.
(8) *De la propriété littéraire*, Con., t. 40, p. 425.

dans *La peau de chagrin*, le vieux M. Porriquet, ancien professeur de Raphaël, partisan des classiques, s'enquiert de l'ouvrage entrepris par son élève, Balzac lui fait dire : « Néanmoins, mon enfant, un style clair, harmonieux, la langue de Massillon, de M. de Buffon, du grand Racine, un style classique, enfin, ne gâte jamais rien (1). »

Il n'est pas douteux qu'il admire lui-même la clarté du style de Buffon, mais c'est sur un autre aspect qu'il insiste surtout, car il est conscient, de par sa propre expérience, de la bataille qu'il faut livrer aux mots pour arriver à une telle simplicité. La grande qualité de Buffon est donc ce refus de s'abandonner à la facilité, cette reprise incessante de ses phrases que Balzac lui-même pratique et qu'il est heureux de montrer comme la condition absolue du style. Dans la *Lettre aux écrivains*, il parle d' « un homme qui a sué sur ses phrases, payé des corrections comme en faisait Buffon » (2). L'historique du procès du *Lys dans la vallée* cite Chateaubriand et Buffon en exemple d'écrivains éternellement insatisfaits de ce qu'ils ont écrit, et remaniant leurs manuscrits indéfiniment (3). Enfin, dans la préface de la première édition de *Pierrette*, Buffon est encore cité parmi les écrivains qui, pour être féconds, n'en ont pas pour autant été dispensés de travailler la forme qu'ils donnèrent à leur pensée :

Malgré les suppositions de beaucoup de paresseux et de fainéants, incapables d'écrire une page en français, ou de créer un drame, ou de composer un personnage, d'inventer une situation ou de suer un livre par leur tête de bois, imaginant que la fécondité exclut la réflexion et le faire, comme si Raphaël, W. Scott, Voltaire, Titien, Shakespeare, Rubens, Buffon, lord Byron, Boccace, Lesage ne donnaient pas d'éclatants démentis à leurs niaises assertions (4).

Là encore, nous sentons chez Balzac une tentative de projection de sa personne dans celle des grands artistes dont le génie est reconnu. « Ce qu'ils ont fait, je le fais », formule qui a le double but de se justifier devant les attaques, et de prendre la mesure de son génie en le confrontant avec les grands modèles. Ce besoin de s'identifier à tel ou tel écrivain qu'il admire naît peut-être d'un grand orgueil, mais certainement aussi d'une incertitude profonde sur la réalité de son propre talent. La diversité des

(1) CFL, t. 7, pp. 1165-66.
(2) Con., t. 39, p. 648.
(3) CFL, t. 15, p. 210.
(4) CFL, t. 15, p. 329.

écrivains faisant l'objet d'une telle identification reflète la diversité de la personnalité de Balzac ainsi que celle de son œuvre.

Il ne faut pourtant pas croire que ce phénomène de projection se reproduise à coup sûr chaque fois que Balzac se trouve en présence d'un écrivain qu'il admire. Une certaine coïncidence de tempérament, de goût ou de conception est nécessaire pour qu'un tel rapport puisse s'établir. Cette coïncidence n'est, par contre, pas indispensable à l'admiration pure et simple, et Voltaire nous en fournit le meilleur exemple. Venant au deuxième rang sur la liste des fréquences, cité 142 fois, il occupe donc une place très importante dans la pensée de Balzac. Cependant, aucun des passages le concernant ne tente un rapprochement quelconque entre les deux hommes ou les deux œuvres à deux exceptions près.

Lorsque Balzac tente de se défendre des railleries de ses contemporains au sujet de la particule soudain ajoutée à son nom, il a recours, entre autres, aux précédents illustres : « Pour rassurer les commentateurs, j'ajouterai que mon homonyme littéraire, l'illustre Balzac, l'auteur des *Lettres*, s'appelait Guers, et prit son second nom d'une petite terre située près d'Angoulême, comme M. Arouet s'appela M. de Voltaire [...] Quand Arouet s'est appelé Voltaire, il songeait à dominer son siècle, et voilà une prescience qui légitime toutes les audaces (1). »

Cette dernière remarque, jugée sans doute bien présomptueuse par les contemporains, révèle l'ambition profonde de Balzac basée sur une confiance inébranlable en sa destinée, qui elle aussi « légitime toutes les audaces ». En ceci, il a conscience de rejoindre Voltaire.

Le seul autre texte indiquant un rapport dans l'esprit de Balzac entre lui et Voltaire date de 1844, à un moment où son œuvre est déjà très importante, sa réputation établie, et où son secret désir d'égaler les plus grands semble se réaliser. C'est pourquoi il écrit à Mme Hanska : « Mes rivaux sont Molière et Walter Scott, Lesage et Voltaire (2). » La rivalité avec Walter Scott est une rivalité directe entre deux œuvres romanesques, et commença par une franche imitation de la part de Balzac. Entre Molière et lui, nous l'avons vu, la rivalité se place sur un autre plan : non plus de romancier à romancier, mais de peintre de mœurs à peintre de mœurs. Quand il s'agit de Voltaire, plus rien

---

(1) Historique du procès du *Lys dans la vallée*, CFL, t. 15, pp. 208-209.
(2) *Lettres à l'étrangère*, t. 2, p. 433.

ne nous autorise à songer à une rivalité dans les œuvres. Il s'agit plutôt, dans l'esprit de Balzac, de se tailler dans le xixᵉ siècle une place aussi importante que celle occupée par Voltaire au xviii ᵉsiècle, de « dominer son siècle » comme lui. Ce qui n'entraîne pas nécessairement une identité de rôle, non plus que de moyens. Le domaine de Balzac est avant tout la création artistique, celui de Voltaire l'action et la polémique. C'est pourquoi peu de points communs sont possibles. L'intrusion des personnages voltairiens dans *La comédie humaine* est pratiquement nulle : le procédé, si familier à Balzac, de définition d'un de ses personnages par un autre personnage célèbre ne trouve guère d'utilisation car les personnages voltairiens sont trop abstraits. Nous ne rencontrons que cinq fois ce procédé : « Le génie interrogant » du bailli de *L'ingénu* est attribué au juge Popinot dans *L'interdiction* (1) et au marquis de Rochefide dans *Béatrix* (2) ; « l'intelligence du sage arabe dans *Zadig* » se retrouve chez Honorine (3) ; le dévouement de Séïde pour Mahomet illustre la conquête de Lucien par Vautrin (4) et enfin Crevel-Orosmane aime Mlle Héloïse-Zaïre dans *La cousine Bette* (5).

Deux constatations s'imposent donc sur ces 142 références à Voltaire : d'une part, leur répartition, en grande partie hors de *La comédie humaine* ; d'autre part, leur contenu, portant beaucoup moins sur les œuvres ou la pensée de Voltaire que sur le rôle prépondérant que celui-ci joua dans son siècle. Malgré leur abondance, les remarques sur Voltaire sont par conséquent assez vagues, et ne comportent que très peu de jugements de valeur (6).

Il semble que l'ombre de Voltaire domine tout le xviiiᵉ siècle, dans l'esprit de Balzac, et ceci non pas tant à cause de l'importance littéraire de son œuvre qu'à cause de la personnalité même de l'homme et de son esprit combatif. C'est surtout la stature de Voltaire, le prestige qu'il réussit à obtenir aux yeux de ses contemporains que Balzac admire... et envie, sans aucun doute. Peut-on parler de génie ? Le jeune Honoré écrit, en 1825, dans une lettre à la duchesse d'Abrantès : « Voltaire avait prodigieusement d'esprit, il avait du génie ; mais, dans la masse totale du carac-

---

(1) CFL, t. 6, p. 1238.
(2) CFL, t. 9 ; p. 345.
(3) CFL, t. 6, p. 827.
(4) *Splendeurs et misères des courtisanes*, CFL, t. 5, p. 121.
(5) CFL, t. 9, p. 841.
(6) Indiquons que Balzac possédait dans sa bibliothèque une édition des *Œuvres* de VOLTAIRE, avec préfaces, avertissements, notes, etc., par M. BEUCHOT, publiée à Paris chez Lefèvre en 1834.

tère, la dose d'esprit était plus forte que celle du génie (1). »
Cette distinction entre génie et esprit, faite fort sérieusement
ici, revient plus tard, sous forme de cliché, dans la bouche du
droguiste Matifat, parfaite incarnation du bourgeois : « Jamais
il ne disait Corneille, mais le sublime Corneille. Racine était le
doux Racine. Voltaire. Oh ! Voltaire le second dans tous les
genres, plus d'esprit que de génie, mais néanmoins homme de
génie (2). » Nous ne pouvons donc pas trop compter sur cette
distinction pour expliquer la grandeur de Voltaire. Mais Balzac,
en plusieurs occasions et à des propos fort différents, cherche à
expliquer comment celui qui est le second en tous les genres
peut être le premier de son siècle.

Tout d'abord, deux circonstances matérielles ont favorisé
Voltaire : richesse et longévité. Si accessoires qu'elles puissent
nous apparaître, Balzac leur attache une grande importance.
Les difficultés financières des écrivains, à commencer par les
siennes, constituent un de ses sujets de discussion favoris et il
ne manque jamais de rappeler l'aisance dans laquelle vécurent
les grands écrivains des autres époques :

> Non, les plus beaux ouvrages ont été fils de l'opulence. Rabelais
> n'a travaillé que dans le loisir, Raphaël puisait à pleines mains dans
> les trésors de la cour de Rome ; Montesquieu, Buffon, Voltaire, étaient
> riches (3).

> Dans le xviiie siècle, vous n'ignorez pas que Buffon fut honoré
> d'une grande protection et n'était pas déjà dépourvu. Voltaire eut, dès
> son apparition, sa fortune faite par le régent (4).

> Rubens, Van Dyck, Raphaël, Titien, Voltaire, Aristote, Montesquieu,
> Newton, Cuvier, ont-ils pu monumentaliser leurs œuvres sans les
> ressources d'une existence princière (5) ?

C'est également dans cette préface, quelques pages plus loin,
que Balzac donne le détail des ressources financières de Voltaire
pour réfuter de Custine qui accusait ce dernier d'avoir trafiqué
de ses œuvres. L'expérience personnelle parle très haut chez
Balzac, et les quelques exceptions d'écrivains pauvres, comme
Rousseau, ne lui ôtent pas de l'idée que l'aisance matérielle contribue aux grandes créations.

La longue vie de Voltaire est un autre facteur, tout matériel
aussi, dans l'étendue de l'influence qu'il eut sur son siècle. C'est

---

(1)  CFL, t. 16, p. 19.
(2)  *César Birotteau*, CFL, t. 2, p. 193.
(3)  *Lettre aux écrivains*, Con., t. 39, p. 654.
(4)  *De la propriété littéraire*, Con., t. 40, p. 423.
(5)  Préface de la 1re éd. de *La femme supérieure*, CFL, t. 15, p. 278.

une remarque familière à Balzac, nous l'avons vu, que celle sur la gloire posthume des écrivains dont l'œuvre, en avance sur son époque, doit attendre pour être comprise. Voltaire, avec ses quatre-vingt-quatre ans, est une exception : « Parmi les grands hommes, Charlemagne et Voltaire sont deux immenses exceptions. Eux seuls ont vécu longtemps en conduisant leur siècle (1). » « Peu d'hommes, comme Voltaire et Chateaubriand, peuvent voir, eussent dit nos pères, *soleiller* leur gloire de leur vivant », dit encore la *Lettre aux écrivains* (2).

Il est évident que ces deux facteurs, richesse et longévité, ne constituent pas en soi une explication suffisante du rôle joué par Voltaire au xviiie siècle. Fontenelle, centenaire (de qui d'ailleurs Voltaire tenait le secret d'une longue vie, s'il faut en croire une anecdote de la *Théorie de la démarche*), y occupe une place beaucoup plus modeste.

Ce qui distingue Voltaire de ses contemporains, même des plus grands, comme Rousseau et Diderot, c'est une combinaison de l'intelligence, du sens pratique et du talent que Balzac reconnaît comme tout à fait exceptionnelle. Alors que chez la plupart des grands hommes, on constate un décalage, plus ou moins accentué, entre homme et œuvre, Voltaire (avec Pétrarque, lord Byron, Hoffmann) était « l'homme de son génie » (3), et constitue une exception notoire à la loi du génie telle que Balzac essaie de la formuler dans *Splendeurs et misères des courtisanes* :

> Également distribuée, la force humaine produit les sots, ou la médiocrité, partout ; inégale, elle engendre ces disparates auxquelles on donne le nom de *génie*, et qui, si elles étaient visibles, paraîtraient des difformités. [...] Nucingen multiplié par le prince de Ligne, par Mazarin ou par Diderot est une formule humaine presque impossible, et qui cependant s'est appelée Périclès, Aristote, Voltaire et Napoléon (4).

L'éloge est grand, on le voit, et donne une idée des proportions de l'image de Voltaire dans l'esprit de Balzac. Il faut ajouter à ces facteurs personnels ayant contribué à établir la gloire de Voltaire, une circonstance tout extérieure, mais déterminante : l'absence de liberté de pensée et d'expression de l'époque. C'est elle, en effet, qui orienta Voltaire vers la polémique et aiguisa son esprit. Sans résistance, il n'y a pas de lutte

---

(1) *Théorie de la démarche*, CFL, t. 12, p. 1603.
(2) Con., t. 39, p. 645.
(3) Préface de la 1ʳᵉ éd. de *La peau de chagrin*, CFL, t. 15, p. 65.
(4) CFL, t. 5, p. 248.

possible ; sans lutte, nul besoin de chef. Les circonstances aidèrent donc grandement Voltaire à dominer son siècle : « La Révolution n'a pas donné un seul chef-d'œuvre parce qu'on pouvait tout faire et tout dire, et que les littérateurs ne brillent que par l'attaque ou la résistance. Voltaire et Diderot, Rousseau, Courier livraient des batailles morales (1). » Et quand Balzac lui-même se voit en butte aux attaques de ses confrères, la même pensée le console. Il écrit à Mme Hanska, en 1843 : « En France il n'y a de grand que ce qui est *nié*. Rousseau, Voltaire, Montesquieu, La Fontaine, Racine et Molière même, tous ont été niés, discutés, combattus (2). »

L'opposition, la résistance, la répression même, opèrent donc chez Voltaire comme stimulant, et aiguisent son arme principale, la satire. Et c'est parce que le caractère polémique de l'œuvre de Voltaire ne se relâche pas que Balzac (ou Matifat) peuvent voir en lui plus d'esprit que de génie. Le don, chez Voltaire, de trouver et d'exploiter le ridicule est peut-être, pour Balzac, son don principal. La « grimace d'ironie » qui marque le visage du maître de Ferney est assez célèbre pour caractériser le visage de la vieille Mme de Lansac (3) ; plus d'un personnage balzacien sera « fin comme Voltaire » (4), « plus spirituel que Voltaire et Beaumarchais réunis » (5), « aura de l'esprit comme Voltaire » (6) ; Ferragus « ressemblait tout à la fois à Voltaire et à Don Quichotte; il était railleur et mélancolique, plein de mépris, de philosophie, mais à demi-aliéné » (7). Dans un article de *La chronique de Paris*, Balzac fait allusion à « l'acide carbonique de Voltaire » (8). C'est enfin parce que la satire « parle avant tout à notre esprit » (9), que Voltaire apparaît comme un des meilleurs représentants de la littérature à idées « qui a tout mis en question » (10), et où l'intelligence laisse bien peu de place aux sentiments, comme le remarque Blondet. Si l'on se souvient de l'importance attribuée par Balzac à la tradition comique française, pure expression du caractère national, on ne s'étonnera pas de voir Voltaire, lui aussi,

(1) *Lettres sur Paris*, CFL, t. 14, p. 388.
(2) *Lettres à l'étrangère*, t. 2, p. 158.
(3) *La paix du ménage*, CFL, t. 12, p. 74.
(4) *Physiologie du mariage*, CFL, t. 12, p. 1009.
(5) *Les martyrs ignorés*, CFL, t. 14, p. 854.
(6) *César Birotteau*, CFL, t. 2, p. 181.
(7) *Ferragus*, CFL, t. 2, p. 416.
(8) *Le ministère de M. Thiers, les Chambres et l'opposition de M. Guizot*, Con., t. 40, p. 13.
(9) *Dictionnaire des enseignes*, CFL, t. 14, p. 226.
(10) *Illusions perdues*, CFL, t. 4, p. 764.

figurer parmi ceux « qui n'étaient occupés qu'à cacher la profondeur sous une légèreté gracieuse » (1).

La prédominance de l'esprit sur le génie, chez Voltaire, l'empêche, certes, de créer un véritable chef-d'œuvre ; mais elle donne, d'autre part, à son œuvre, si divers et touchant à tous les genres, son unité. Balzac, lui-même fort préoccupé d'unité dans sa propre création, y voit une condition indispensable de réussite : édifier un monument, et non sculpter des pierres isolées, tel est le but de l'artiste qui veut se survivre : « Il ne suffit pas d'être un homme, il faut être un système. Voltaire a été une pensée aussi bien que Marius, et il a triomphé (2). » La force de Voltaire, et sa grandeur, viennent donc de la constance de sa pensée, du moins dans ses grandes lignes, et nous comprenons peut-être pourquoi Balzac s'arrête peu au détail des œuvres. L'ensemble seul importe.

Devant cette admiration évidente pour la pensée voltairienne qui sut triompher de tous les obstacles, une question va se poser. De l'aveu même de Balzac (du Balzac de 1830, il est vrai) : « Si Voltaire a été si spirituel, c'est qu'il appuyait ses plaisanteries sur Dieu, sur la Bible, sur la société (3). » Quelle est donc la réaction de Balzac devant la lutte parfois féroce menée par Voltaire contre le christianisme ?

On sait avec quelle violence Balzac s'emporte parfois contre les mouvements religieux dissidents : protestantisme ou jansénisme, par exemple. Son attitude vis-à-vis du déisme est très différente, et ce n'est qu'apparente contradiction. Il semble très peu préoccupé par le caractère, destructeur et dangereux du point de vue de la foi, de la pensée voltairienne. C'est à peine si nous trouvons quelques mentions du rôle joué par Voltaire dans ce domaine. L'étrange M. de Lessones des *Aventures administratives d'une idée heureuse*, voulant illustrer l'enchaînement des idées humaines, qui ne meurent que pour renaître, dit : « Les idées de Luther ont engendré Calvin, qui engendra Bayle, qui engendra Voltaire, qui engendra l'opposition constitutionnelle, enfin l'esprit de discussion et d'examen » (4), et il cite plus loin Byron, Voltaire, Swift, Cervantès, Rabelais (tous auteurs favoris

---

(1) *Complaintes satiriques*, CFL, t. 14, p. 298.
(2) Introduction aux *Etudes de mœurs*, CFL, t. 15, p. 135. Bien que cette Introduction soit signée de Félix Davin, elle fut, comme celle des *Etudes philosophiques*, plus ou moins dictée par Balzac. « Il a fallu le *serinetter* et le recorriger jusqu'à ce qu'il eût exprimé convenablement ma pensée », écrit-il à Mme Hanska *Lettres à l'étrangère*, t. 1, p. 222.
(3) *Lettre à M. Victor Ratier*, correspondance, Lévy, t. 24, p. 74.
(4) CFL, t. 14, p. 833.

de Balzac, notons-le) comme « les écrivains montés sur les chevaux du Doute et du Dédain » (1). M. Bernard Guyon, citant le
premier de ces deux passages, voit dans le rapprochement entre
protestantisme et libéralisme, qui tous deux s'opposent à l'unité
spirituelle, une des thèses centrales du système politique de
Balzac, et note en même temps que « l'assimilation entre le protestantisme et la révolution, entre l'esprit d'examen, l'esprit
critique et l'esprit révolutionnaire avait été faite depuis longtemps déjà par Bonald » (2). C'était d'autre part une des thèses
favorites des saint-simoniens. La *Lettre sur Sainte-Beuve* fait
le même rapprochement, mais, cette fois, entre le jansénisme et
Voltaire : « Voltaire a continué Pascal, comme Louis XIV avait
continué Catherine et Richelieu (3). » Il semblerait donc que
Voltaire dût être aussi violemment critiqué et rejeté que le
protestantisme, le jansénisme, ou le libéralisme politique, ou en
tout cas pris avec autant de circonspection que Rabelais. Ces
trois passages sont pourtant les seuls où pareille question soit
soulevée. La vraie pensée de Balzac au sujet de Voltaire semble
s'exprimer plutôt dans la *Lettre à M. Hippolyte Castille* où il
écrit : « Voltaire, Rousseau, tous les encyclopédistes étaient profondément immoraux aux yeux du pouvoir, de la religion de
leur temps ; et, néanmoins, ils sont les pères du xixe siècle (4). »
Cette remarque peut nous servir de point de départ pour expliquer l'étrange contradiction entre son attitude toute de sympathie pour les philosophes du xviiie et Voltaire en particulier, et
son attitude de prudence devant Rabelais ou d'hostilité devant
le protestantisme ou Pascal.

Balzac en effet se sent avant tout héritier direct du xviiie siècle. Son père est un homme du xviiie, tout imprégné de rousseauisme, mais aussi d'esprit philosophique. La pensée de
Voltaire occupe donc une très grande place dans l'héritage intellectuel recueilli par Balzac. Les bouleversements politiques et
sociaux de la Révolution et de l'Empire, bien loin d'être considérés comme une rupture entre les deux siècles, ont scellé leur union,
car les idées ont préparé les événements. Il est donc impossible à
Balzac de juger du déisme comme il juge du jansénisme, par
exemple, avec détachement. Car, qu'il le veuille ou non, ce déisme
a contribué à former sa propre pensée. D'autre part, le mouvement des idées qui a préparé la Révolution est, pour lui, sans

(1) *Ibid.*, p. 834.
(2) *Op. cit.*, p. 370.
(3) Con., t. 40, p. 301.
(4) Con., t. 40, p. 652.

aucun doute, beaucoup plus large et s'étend à bien d'autres domaines que celui de la foi religieuse. Les conséquences, telles que Balzac les voit dans son époque, sont surtout sociales et politiques. C'est pourquoi, peut-être, il ne s'apesantit pas sur la polémique religieuse poursuivie par Voltaire. N'oublions pas non plus que la pensée balzacienne elle-même va évoluer à partir d'une position philosophique toute voltairienne. Il suffit de rappeler ce passage d'une lettre à Laure, datée de 1821 : « Vas-tu donc aller à la messe et plier le genou devant les préjugés et les plâtres de l'Église ? Hier encore, j'ai vu jeter en moule cent saints qui vont recevoir l'hommage de cent mille dupes (1). »

M. Bernard Guyon a étudié avec beaucoup de précision cette évolution, lente et nuancée, de la pensée de Balzac. A propos du jeune auteur du premier *Falthurne* ou de *Slénie*, il écrit : « La négation de la révélation, celle de l'existence de Dieu, de l'immortalité de l'âme, du fondement religieux de la morale apparaissent successivement sous la plume enthousiaste de ses héros. Et ces thèses négatives se doublent d'actes de foi vibrants en la vérité du déterminisme scientifique, la grandeur de la science, les infinies possibilités de progrès pour l'humanité (2). »

De là aux célèbres déclarations de l'*Avant-Propos* où Balzac déclare écrire à la lueur de deux « Vérités éternelles : la Religion, la Monarchie » (3), le chemin est long, mais, comme M. Guyon le montre, le changement est moins radical que les apparences ne le laisseraient croire : le libéral idéologue de 1821 est un réactionnaire qui s'ignore ; par contre, le monarchiste des années postérieures ne pourra jamais oublier son libéralisme initial. La pensée de Balzac va et vient constamment entre ces deux positions extrêmes.

A côté de cette appartenance (bon gré mal gré) à la pensée du XVIIIe siècle, nous voyons une autre raison au silence presque total de Balzac sur la pensée anti-religieuse de Voltaire : c'est son indifférence foncière en matière de religion. Son catholicisme, après sa soi-disant « conversion » au légitimisme, est purement politique, et n'entame en rien ses convictions métaphysiques personnelles. L'Église et la Royauté pour lui sont également indispensables au contrôle des masses, tout en se contrôlant mutuellement. Balzac voit dans la religion catholique une organisation essentielle au cadre politique et social de la nation. La

(1) *Lettres à sa famille*, p. 38.
(2) *Op. cit.*, p. 98.
(3) CFL, t. 15, p. 375.

question des dogmes et de la foi véritable le laisse indifférent (1). Or, Voltaire s'attaque beaucoup plus aux croyances, à la liberté de pensée, à l'intolérance, qu'à l'organisation temporelle de l'Église. Le protestantisme ou le jansénisme, par contre, peuvent paraître beaucoup plus dangereux, car ils tendent à une réforme, donc à un bouleversement de l'ordre établi. Ne considérant comme important que l'aspect politique du catholicisme, Balzac redoute beaucoup moins le déisme ou même l'athéisme qu'une pensée chrétienne dissidente. D'où ses remarques sur Rabelais, sur Descartes, sur Pascal.

Si nous avons dit que les remarques de Balzac sur telle ou telle œuvre de Voltaire étaient étonnamment peu fréquentes, elles n'en sont pas pour autant négligeables. Connaissant l'intérêt qu'il porte au genre du conte, et l'accent qu'il met sur l'esprit fin et railleur de Voltaire, on peut supposer de prime abord que dans la grande diversité des écrits de Voltaire, les *Romans et contes* retiennent surtout son attention. Notre enquête confirme cette supposition, car le nombre des allusions aux *Contes* l'emporte sur celui des allusions à tout autre genre ; toutefois, répétons-le, ce nombre est en même temps décevant si l'on songe que sur 142 références à Voltaire, 13 seulement concernent les contes. Nous savons l'estime que Balzac avait pour l'art du conteur chez Voltaire, puisque celui-ci figure parmi les grands conteurs, hommes de génie, dans la note déjà citée de *Pensées, sujets, fragments* (2). De même, dans une note de ce même carnet, intitulée *La fleur des contes, Zadig* est en bonne place. Par contre, Voltaire n'apparaît pas dans la *Bibliothèque des conteurs*, ébauche de liste alphabétique des meilleurs conteurs. Mais cette liste est très incomplète, elle ne comporte que peu de noms, tous antérieurs au XVIII$^e$ siècle, et Rabelais n'y figure même pas. Le titre de « grand conteur » est également attribué à Voltaire, comme à Ésope, Lucien, Boccace, Rabelais, Cervantès, Swift, La Fontaine, Lesage, Sterne, W. Scott, les Arabes, dans les *Petites misères de la vie conjugale* où Balzac parle de la difficulté de la tâche de l'écrivain et déclare « que les grands conteurs [...] sont tous des hommes de génie autant que des colosses d'érudition » (3).

La nouveauté du récit est secondaire dans la réussite d'un

---

(1) Nous ne négligeons pas, bien entendu, l'intérêt de Balzac pour le mysticisme, ni l'importance qu'il donne à la religion dans certaines de ses œuvres. Mais il s'agit d'une conception religieuse très personnelle, non orthodoxe, où des éléments très divers se mêlent. De plus, quand Balzac aborde les problèmes religieux, c'est avec plus de curiosité intellectuelle que de conviction profonde.
(2) P. 18.
(3) CFL, t. 12, p. 1390.

conte. Voltaire, comme La Fontaine, a le plus souvent repris
des sujets déjà existants. « Il n'est pas un conte de Voltaire dont
les racines ne se retrouvent, les critiques le lui ont cruellement
prouvé (1). » Balzac n'a jamais attaché d'importance à l'invention
pure et simple ; pour lui, la création littéraire ne peut partir de
zéro. L'écrivain recrée, avec les matériaux qu'il trouve dans
l'héritage littéraire et dans l'observation de la réalité. Le processus
qu'il a lui-même suivi, de l'imitation pure et simple à une création
originale dans laquelle les emprunts se transforment grâce à la
vision personnelle de l'écrivain, lui semble sans doute le processus
normal. Lorsqu'un article de Ch. de Bernard dans la *Gazette de
Franche-Comté* voit dans *La peau de chagrin* un conte fantastique
imité de Hoffmann, Balzac réplique bien vite : « Vous accusez
peut-être légèrement la jeune littérature de viser à l'imitation
des chefs-d'œuvre étrangers. Croyez-vous que le *fantastique*
d'Hoffmann n'est pas virtuellement dans *Micromégas*, qui,
lui-même, était déjà dans Cyrano de Bergerac, où Voltaire l'a
pris (2). » La valeur des contes de Voltaire vient de ce que leur
auteur a su, tout en utilisant les matériaux déjà à sa disposition,
en trouver d'autres dans l'observation directe de son époque.

Nous avons déjà vu l'importance que Balzac attache au
contexte historique d'une œuvre littéraire. S'il admire Rabelais
ou Molière, c'est beaucoup parce qu'ils ont été la voix de leur
époque, et c'est pourquoi, nous l'avons dit, Balzac ne songe jamais
à les imiter complètement, mais plutôt à être pour son siècle ce
qu'ils furent pour le leur. Au sujet de Voltaire, nous retrouvons
cette même insistance sur cette qualité de l'écrivain qui lui fait
exprimer dans sa création artistique une réalité vivante et
historique : « C'est ainsi que *Candide* est toute l'histoire d'une
époque où il y avait des bastilles, un parc-aux-cerfs et un roi
absolu (3). » Aussi bien dans les contes que dans le reste de son
œuvre, Voltaire est un de ces hommes de génie dont parle la
*Théorie de la démarche* qui se sont faits les secrétaires de leur
époque et « ont tenu la plume sous la dictée de leurs siècles » (4).
On retrouve dans les contes non seulement la transposition
artistique d'une société, mais aussi, par l'emploi de l'ironie, la
critique de cette société et la discussion des grands problèmes qui
se posent à elle. C'est encore le Voltaire pamphlétaire qui se

(1) *De la propriété littéraire*, Con., t. 40, p. 425.
(2) *Lettre à M. Ch. de Bernard*, CFL, t. 16, p. 80.
(3) Article sur *La peau de chagrin*, écrit en 1831, publié dans *L'amateur
d'autographes* en 1865, cité par LOVENJOUL, *op. cit.*, p. 170.
(4) CFL, t. 12, p. 1574.

cache derrière le conteur : « *L'homme aux quarante écus*, l'un des chefs-d'œuvre de Voltaire, et *Candide* sont deux pamphlets (1). » Texte que complète cet autre, déjà cité à propos de Cervantès : « Ce problème [l'opposition du bien et du mal] est terminé d'un bout par l'irréprochable *Don Quichotte*, et, de l'autre, par *Manon Lescaut*, ou si vous voulez, par *Candide* (2). »

Il est évident que le style des contes, et leur ironie, contribuent autant que leur contenu à en faire des chefs-d'œuvre, aux yeux de Balzac. Pour donner au lecteur une idée du talent de Louis Lambert, il suffit de dire : « Il eût écrit *Zadig* aussi spirituellement que l'écrivit Voltaire (3). » En définissant la « littérature des Idées », c'est en fait le style de Voltaire que Balzac définit : « Cette École [...] se recommande par l'abondance des faits, par sa sobriété d'images, par la concision, par la netteté, par la petite phrase de Voltaire, par la façon de conter qu'a eue le XVIII$^e$ siècle, par le sentiment du comique surtout (4). »

Si le goût personnel de Balzac va de préférence aux romans et contes, n'oublions pas que le principal titre de gloire littéraire de Voltaire était encore, à l'époque dont nous parlons, son œuvre dramatique. Les défenseurs du classicisme, dans leur lutte contre le romantisme, invoquaient tout aussi volontiers l'auteur de *Mahomet* que celui de *Phèdre* ou du *Cid*. Connaissant l'admiration de Balzac pour Corneille, Racine et Molière, il est naturel de se demander si la même admiration se porte vers l'œuvre dramatique de Voltaire ; si, autrement dit, Balzac dans son goût est un fidèle disciple du classicisme tel qu'on le comprenait à son époque.

On se souvient qu'en 1819, l'apprenti écrivain faisait figurer Voltaire parmi ses modèles : « Je dévore nos quatre grands auteurs tragiques : Crébillon me rassure, Voltaire m'épouvante, Corneille me transporte, Racine me fait quitter la plume (5). » En groupant ainsi ces quatre écrivains dont les talents respectifs nous semblent si inégaux, Balzac, encore très jeune, ne fait qu'accepter l'opinion générale de son temps. Mais nous croyons avoir montré que Corneille était en vérité le modèle qu'il imitait et Racine l'idéal auquel il aspirait en le sachant inaccessible. La nuance entre les divers sentiments inspirés par ces maîtres à leur élève n'est donc pas négligeable. Que Balzac se trouve rassuré par Crébillon nous rassure à notre tour sur son goût. L'épouvante (le mot est fort)

(1) *Monographie de la presse*, CFL, t. 14, p. 564.
(2) *Lettre à M. Hippolyte Castille*, Con., t. 40, p. 651.
(3) *Louis Lambert*, CFL, t. 1, p. 85.
(4) *Etudes sur M. Beyle*, CFL, t. 14, p. 1153.
(5) *Lettres à sa famille*, p. 23.

éprouvée devant Voltaire nous semble bien différente du désespoir ressenti devant Racine, car elle exprime surtout la conscience des difficultés techniques et n'entraîne pas forcément une très grande admiration pour le génie de l'auteur. Quelques jours auparavant, Balzac écrivait, en effet, toujours à Laure : « Les tragédies d'imagination (1), sont horriblement difficiles, il y a tout à créer ; le spectateur est neuf sur tout. Voltaire qui est le seul presque qui ait réussi dans ce genre, a *(sic)* tombé à presque toutes excepté *Zaïre, Alzire*, etc. (2). » Si l'on songe que Balzac, à cette époque, était plus hanté par la nécessité du succès que par la valeur de l'œuvre à créer, on peut supposer qu'il salue chez Voltaire celui qui a réussi à faire accepter des tragédies modernisées plus que celui qui a véritablement créé des chefs-d'œuvre. Ceci ne constitue pas un authentique jugement de valeur sur la tragédie voltairienne. Or, nous n'en trouvons nulle part chez Balzac, preuve suffisamment éloquente de la grande différence entre son opinion sur Racine et Corneille et celle qu'il a de Voltaire auteur dramatique. Les deux premiers, malgré l'orientation de Balzac vers un genre littéraire très différent, restent constamment présents à son esprit, alors que nous ne trouvons sur l'œuvre dramatique de Voltaire que de très rares allusions à *Zaïre* (3), à *Alzire* (4), à *Mahomet* (5) ou à *L'orphelin de la Chine* (6). Aucune citation textuelle, sinon le « Qu'en dis-tu, Coucy ? » d'*Adélaïde du Guesclin* que Balzac utilise à plusieurs reprises en écrivant à Mme Hanska, ni aucun jugement, sinon la phrase suivante d'*Illusions perdues* qui place le théâtre de Voltaire dans sa vraie lumière : « Le triomphe de Voltaire sur les planches du Théâtre français n'était-il pas celui de la philosophie de son siècle (7) ? »

Le goût classique, très fort chez Balzac, se rapproche donc beaucoup plus du nôtre que de celui de ses contemporains et sait reconnaître le génie là où il est, sans s'embarrasser de préjugés esthétiques. La tragédie voltairienne n'a de valeur que par les idées qu'elle exprime ; elle n'atteint jamais à la perfection du chef-d'œuvre comme chez Racine. Elle n'est, pour Balzac, qu'une forme, entre d'autres, d'une œuvre de polémique. Encore une

---

(1) Balzac entend par là les tragédies dont le sujet est moderne, par opposition aux tragédies purement classiques à sujet historique éloigné.
(2) *Lettres à sa famille*, p. 15.
(3) *Nouvelle théorie du déjeuner*, Con., t. 39, p. 44 ; *Béatrix*, CFL, t. 9, p. 590; *La cousine Bette*, CFL, t. 9, p. 841.
(4) Première préface des *Chouans*, CFL, t. 11, p. 1110.
(5) *Gambara*, CFL, t. 7, p. 1307 ; *Lettre sur Sainte-Beuve*, Con., t. 40, p. 298 ; *Splendeurs et misères des courtisanes*, CFL, t. 5, p. 121.
(6) *La Chine et les Chinois*, Con., t. 40, p. 551.
(7) CFL, t. 4, p. 1002.

fois, Balzac voit en Voltaire un pamphlétaire plus qu'un artiste.

Cette prédominance de l'idée sur la forme, et la soumission de l'œuvre littéraire à l'esprit de polémique est encore mise en lumière par Balzac chez Voltaire historien. Bien que les œuvres historiques de celui-ci occupent une place infime dans ses jugements, quand il s'arrête sur elles ou les mentionne au passage, c'est toujours pour en souligner le côté militant et partial. En faisant pour le *Feuilleton* le compte rendu de l'édition intégrale des *Mémoires du marquis de Dangeau*, il rappelle, par exemple, ceux qui les ont déjà utilisés : Voltaire, Mme de Genlis et Lemontey, « chacun dans un esprit différent » (1), ce qui impliquerait un certain parti pris de la part de ces trois auteurs. Comme Balzac ne reparle nulle part ailleurs du *Siècle de Louis XIV* nous ne savons pas ce qu'il en pensait vraiment. Pas plus que de l'*Essai sur les mœurs*, dont il n'est jamais question, sinon, très tard, en 1847, dans une lettre à Mme Hanska où l'intérêt de l'ouvrage semble avoir peu de pouvoir sur l'extrême lassitude physique et morale qui est celle de Balzac à cette époque. Il écrit : « J'ai passé ma journée à lire Voltaire : l'*Essai sur les mœurs*, et à penser à la troupe » (2), et le lendemain : « Hier, j'ai lu l'*Essai sur les mœurs* ; je me suis endormi dessus (3). »

L'ouvrage historique que Balzac a sans doute lu avec le plus de soin, à cause de son propre intérêt personnel pour la Russie et pour une de ses grandes dames, est l'*Histoire de l'Empire de Russie sous Pierre le Grand*. Il semble toutefois y avoir une certaine confusion chez lui entre cet ouvrage et l'*Histoire de Charles XII*. C'est bien de l'*Histoire de l'Empire de Russie* apparemment qu'il parle dans son compte rendu de *Saint-Pétersbourg et la Russie en 1829* paru dans le *Feuilleton*, et où il déplore l'absence, jusqu'ici, d' « histoire digne de ce nom » sur la Russie, c'est-à-dire d'histoire impartiale ; et il cite les ouvrages existants comme tous pleins de parti pris, celui de Voltaire compris, bien qu'il n'en nomme point le titre : « Voltaire n'a fait que mettre en ordre les notes fournies par l'impératrice Élizabeth (4). » L'*Histoire de l'Empire de Russie* avait été, en effet, sur la demande de Voltaire, commissionnée par l'impératrice, et le Russe Schouvalow avait été chargé de fournir à l'auteur les renseignements dont il avait besoin. S'agit-il du même ouvrage dans la lettre de requête auprès du chancelier russe à Saint-Pétersbourg au sujet

(1) Con., t. 38, p. 409.
(2) *Lettres à l'étrangère*, t. 4, p. 354.
(3) *Ibid.*, p. 355.
(4) Con., t. 38, p. 373.

du mariage de Balzac ? Probablement. Il écrit : « Je n'ose rappeler à Votre Excellence la *Vie de Pierre le Grand*, écrite par Voltaire, et les services rendus à Votre nation, pendant le xviiie siècle, par la littérature française (1). » L'ardeur de Voltaire à montrer les réalisations sociales et politiques d'un « despote éclairé » est évidente ainsi que la partialité de son information. Mais il n'en est pas de même pour l'*Histoire de Charles XII*, écrite avec un grand désir d'impartialité, selon des témoignages et des documents variés. Il est vrai que l'*Histoire de Charles XII* est aussi par opposition celle de Pierre le Grand. N'y a-t-il pas confusion chez Balzac pourtant entre les deux ouvrages sur Pierre le Grand, car il écrit à propos de Voltaire dans la préface à la première édition de *La femme supérieure* : « A 45 ans le roi de France le fit gentilhomme ordinaire de sa chambre, il était chambellan du roi de Prusse, il protégeait Catherine II, qui le récompensa magnifiquement à propos de l'*Histoire de Charles XII* (2). » L'*Histoire de Charles XII* parut en 1731 : Catherine II avait 2 ans. L'*Histoire de l'Empire de Russie* parut entre 1759 et 1763 : le règne personnel de Catherine II commence en 1763. Balzac fait donc soit une confusion d'ouvrages, soit une confusion de noms entre Élizabeth et Catherine.

S'il faut expliquer le peu d'intérêt porté par Balzac à l'œuvre historique de Voltaire, on peut le faire à la fois, croyons-nous, par un manque évident de familiarité avec cette œuvre, et par un écart trop grand entre les époques des deux écrivains dans leur conception de l'histoire. Celle-ci a en effet beaucoup évolué, et le mérite de Voltaire se borne pour Balzac tout au plus à avoir aidé à cette évolution. Parlant de « l'indépendance historique », l'Introduction à *Sur Catherine de Médicis* admet que « Voltaire, dans un intérêt malheureux, avec une passion triste, porte souvent la lumière de son esprit sur des préjugés historiques » (3). C'est là le seul hommage rendu à Voltaire historien.

Nous passerons sur les quelques allusions à telle ou telle œuvre isolée, qui n'ajoutent rien à ce que nous avons déjà dit. Un exemple suffira : si Balzac a attendu 1847 pour lire l'*Essai sur les mœurs*, le jeune homme de 1822 s'est déjà délecté à la lecture de

---

(1) *Lettres à l'étrangère*, t. 4, p. 378. Ces services de propagande ne sont d'ailleurs pas nécessairement approuvés de Balzac puisque nous lisons dans la *Lettre sur Kiew*, de la même année : « Entre les plaisanteries du *Charivari*, du *Corsaire* et de tous nos petits journaux sur le colosse du Nord, sur l'autocratie, le knout, et les adulations des Encyclopédistes, de Grimm et de Voltaire pour Catherine II, je crois qu'il existe un juste milieu », Con., t. 40, p. 654.
(2) CFL, t. 15, p. 281.
(3) CFL, t. 11, p. 22.

*La Pucelle* dont il utilise une plaisanterie dans une lettre à Laure (1). L'absence de toute remarque sur les *Lettres philosophiques* est plus notoire que les brèves allusions à des œuvres secondaires. L'anglophobie de Balzac est certainement pour quelque chose dans ce silence.

Dans l'abondance des textes mentionnant Voltaire, nous avons trouvé en somme peu de vrais jugements de valeur et peu de franche admiration comparable à celle exprimée pour Rabelais ou Molière. Et pourtant Voltaire est au centre de la pensée de Balzac. Il a contribué à sa formation et sa silhouette ricanante, mais imposante, domine pour lui tout le XVIIIᵉ siècle, c'est-à-dire tout ce dont il a hérité directement. De l'écrivain, de l'artiste faudrait-il dire, Balzac voit les qualités et les défauts. Il a su donner à la langue française une clarté et un mouvement qui restent sa marque personnelle. Il est de ceux « qui se battent avec la langue française » (2), et dont la fécondité n'exclut pas « la réflexion et le faire » (3). S'il fut à la fois poète et prosateur, double gloire partagée seulement dans la littérature française, on s'en souvient, par Racine, Molière et Rabelais (4), ses qualités de prosateur l'emportent de beaucoup sur celles de poète dans l'opinion de Balzac. Le poète ne reçoit guère d'éloges : Canalis qualifie ses vers de « secs » (5), et Balzac, lui reprochant d'avoir mélangé dans certaines œuvres prose et poésie, commente : « Sauf certaines exceptions [Rabelais en serait-il ?], je blâme beaucoup cet usage. Voici pourquoi : l'expérience a été contre Voltaire lui-même, contre tous les ouvrages où la prose et le vers sont alternativement employés, même quand les vers ne sont pas de la poésie et se rapprochent de la prose, comme ceux de Voltaire (6). »

Que Balzac insiste avant tout sur le côté polémique de l'œuvre de Voltaire, n'en diminue pas, à ses yeux, la grandeur de l'écrivain. L'intelligence de Voltaire, sa vivacité d'esprit, son incroyable énergie lui ont permis de s'imposer à ses contemporains, amis comme ennemis, et de « résumer l'esprit de son époque » (7) ; mais il lui fallait un moyen d'expression, et c'est parce qu'il a choisi la littérature, et que le talent du pamphlétaire égalait celui de l'écrivain, qu'il a réussi à faire entendre sa voix au-dessus

(1) *Lettres à sa famille*, p. 54.
(2) Préface de la 1ʳᵉ éd. de *La femme supérieure*, CFL, t. 15, p. 283.
(3) Préface de la 1ʳᵉ éd. de *Pierrette*, CFL, t. 15, p. 239.
(4) *Modeste Mignon*, CFL, t. 7, p. 390.
(5) *Ibid.*, p. 547.
(6) *Lettres sur la littérature*, CFL, t. 14, p. 1146.
(7) *Le curé de Tours*, CFL, t. 6, p. 578.

du tumulte social et politique. Chaque siècle a ainsi besoin d'une voix ; Voltaire fut celle du xviiie siècle :

> Il faut que les quatre cents législateurs dont jouit la France sachent que la littérature est au-dessus d'eux ; que la Terreur, que Napoléon, que Louis XIV, que Tibère, que les pouvoirs les plus violents, comme les institutions les plus fortes, disparaissent devant l'écrivain qui se fait la voix de son siècle. Ce fait-là s'appelle Tacite, s'appelle Luther, s'appelle Calvin, s'appelle Voltaire, Jean-Jacques ; il s'appelle Chateaubriand, Benjamin Constant, Staël ; il s'appelle aujourd'hui JOURNAL. Voltaire et les Encyclopédistes ont brisé les Jésuites qui recommençaient les Templiers et qui étaient la plus grande puissance parasite des temps modernes (1).

La fréquence des références à Voltaire et le contenu de leur texte montrent assez que Voltaire incarne presque à lui seul, dans l'esprit de Balzac, le mouvement philosophique et encyclopédique. L'image du maître de Ferney telle qu'elle apparaît à Balzac est celle avant tout d'un chef de parti. Par contraste, la stature de l'initiateur de l'*Encyclopédie*, souvent beaucoup plus hardi que Voltaire dans ses idées, garde des proportions très modestes. Mais, paradoxalement, alors que chez Voltaire, Balzac voit plus le polémiste que l'écrivain proprement dit, chez Diderot il s'intéresse beaucoup plus aux quelques œuvres purement littéraires qu'à l'ensemble de la pensée ou de l'œuvre. Diderot était largement lu à l'époque romantique. Son éclipse ne viendra que dans la deuxième moitié du xixe siècle. Beaucoup de ses œuvres avaient été publiées après sa mort et étaient donc relativement récentes. *Le neveu de Rameau* n'avait même paru qu'en 1817. Balzac ne faisait pas exception et connaissait Diderot, sans aucun doute, assez complètement. Mais tandis que le nom de Voltaire revient fréquemment sous sa plume, manifestant ainsi une préoccupation permanente, celui de Diderot n'apparaît en général que lorsqu'une comparaison ou une association d'idées s'imposent nettement. Pour cette raison, les passages concernant Diderot, bien que beaucoup plus rares que ceux sur Voltaire (51 contre 142), sont souvent plus définis, et plus riches en renseignements sur l'opinion de Balzac. Le texte de choix à cet égard est évidemment l'extrait des *Lettres sur la littérature* où, à propos d'un conte d'Ourliac, Balzac analyse en détail l'art de Diderot dans *Ceci n'est pas un conte*.

Du rôle joué par Diderot dans le groupe des encyclopédistes,

---

(1) **Préface** de la 1re éd. de *David Séchard*, CFL, t. 15, p. 270.

de ses idées philosophiques, Balzac parle très peu. « A lui seul toute une opposition » (1), lui aussi, comme Voltaire, livrait ces « batailles morales » qui contribuèrent largement à leur gloire (2), lui aussi exerça une forte influence par sa pensée « qui avait conduit, qui conduisait encore tout un siècle » (3). Mais Balzac ne semble pas avoir été imprégné de cette pensée comme il le fut de celle de Voltaire. Beaucoup plus philosophe, au sens moderne du mot, que Voltaire, Diderot, on s'en souvient, est tout au plus une des « composantes » dans la formule humaine qui aboutit à un Voltaire. De plus, il va peut-être trop avant dans le sensualisme et le matérialisme pour plaire complètement à Balzac. Il y a chez Diderot des quantités d'idées originales qui devraient enthousiasmer Balzac. Mais la philosophie balzacienne s'est formée par une synthèse d'apports très divers ; elle ne peut se limiter à une école. Elle est matérialiste en ce qu'elle cherche constamment à assimiler les phénomènes psychiques et moraux aux phénomènes physiques. Cependant, par là même, elle reconnaît l'existence des phénomènes non physiques. L'intérêt de Balzac pour le magnétisme, par exemple, ne peut se satisfaire du sensualisme des philosophes du xviiie siècle. Un passage d'*Ursule Mirouet*, où l'auteur parle en son propre nom, nous le prouve bien :

Surtout pour les matérialistes, le monde est plein, tout se tient, tout s'enchaîne et tout est machiné. « Le monde, disait Diderot, comme effet du hasard, est plus explicable que Dieu. La multiplicité des causes et le nombre incommensurable de jets que suppose le hasard expliquent la création. Soient donnés l'*Énéide* et tous les caractères nécessaires à sa composition, si vous m'offrez le temps et l'espace, à force de jeter les lettres, j'atteindrai la combinaison *Énéide*. » Ces malheureux, qui déifiaient tout plutôt que d'admettre un Dieu, reculaient aussi devant la divisibilité infinie de la matière que comporte la nature de forces impondérables. Locke et Condillac ont alors retardé de cinquante ans l'immense progrès que font en ce moment les sciences naturelles sous la pensée d'unité due au grand Geoffroy Saint-Hilaire (4).

Cette prise de position contre le sensualisme n'est pas nouvelle chez Balzac, car nous la trouvons déjà formulée en termes très semblables, dans un texte de la *Physiologie du mariage* :

Les écrivains du xviiie siècle ont sans doute rendu d'immenses services aux sociétés ; mais leur philosophie, basée sur le sensualisme,

(1) *De la propriété littéraire*, Con., t. 40, p. 423.
(2) *Lettres sur Paris*, CFL, t. 14, p. 388 et p. 426.
(3) *La peau de chagrin*, CFL, t. 7, p. 1080.
(4) CFL, t. 8, pp. 426-427.

n'est pas allée plus loin que l'épiderme humain. Ils n'ont considéré que l'univers extérieur ; et, sous ce rapport seulement, ils ont retardé, pour quelques temps, le développement moral de l'homme et les progrès d'une science qui tirera toujours ses premiers éléments de l'Évangile, mieux compris désormais par les fervents disciples du Fils de l'homme (1).

Diderot n'est pas expressément nommé, il est vrai, mais le rapprochement des deux textes nous montre que Condillac et Locke n'étaient pas les seuls dans l'esprit de Balzac à s'être égarés dans une philosophie trop étroitement sensualiste.

C'est d'ailleurs dans la *Physiologie du mariage* que nous rencontrons le nom de Diderot pour la première fois : ce qui n'a rien d'étonnant, car cet ouvrage fourmille d'allusions aux lectures déjà très vastes mais encore toutes fraîches faites par Balzac à cette époque, et la bibliothèque de M. Balzac père avait dû fournir nombre d'œuvres du « fougueux Diderot » (2). Celui-ci fournit donc à Balzac, en une dizaine d'occasions, dans la seule *Physiologie*, de quoi appuyer ses dires sur une autorité respectable. Nous ne citerons pas tous ces passages. Ils n'offrent qu'un intérêt très médiocre, portent presque tous sur la nature des femmes, leur humeur changeante, leur infidélité, et évoquent un Diderot avant tout satirique et railleur qui pourrait bien être celui que Balzac préfère. Ne le cite-t-il pas en effet, lui aussi (et c'est le dernier), parmi les écrivains qui cachent la profondeur sous une légèreté gracieuse (3) ?

Les sentiments de Balzac pour « le bourgeois Diderot » (4), apparaissent très mélangés. Il rappelle, avec une pointe de mépris, les origines modestes de l'écrivain (5), sa pauvreté (Diderot et Rousseau, « gens qui logeaient au 4e étage ») (6), et la nécessité où il fut presque toute sa vie de « vendre ses poésies au marché » (7) ; il rappelle l'anecdote selon laquelle Diderot aurait « fait six sermons pour cent écus » (8). Mais d'autre part « cet homme dont le caractère était exquis de naturel » (9), et plein de fougue malgré une vie difficile, entraîne la sympathie.

Comme nous l'avons dit plus haut, c'est surtout de Diderot auteur de romans que Balzac s'occupe. A peine trouvons-nous

(1) CFL, t. 12, p. 1234.
(2) *Les deux amis*, CFL, t. 14, p. 687.
(3) *Complaintes satiriques*, CFL, t. 14, p. 298.
(4) *Le cabinet des antiques*, CFL, t. 2, p. 1106.
(5) *Physiologie du mariage*, CFL, t. 12, p. 905.
(6) *Louis XV*, Con., t. 40, p. 160.
(7) Préface de la 1re éd. de *La femme supérieure*, CFL, t. 15, p. 284.
(8) *La peau de chagrin*, CFL, t. 7, p. 1102.
(9) *Lettres sur la littérature*, CFL, t. 14, p. 1131.

une remarque sur la *Lettre sur les aveugles*, cette « belle lettre de Diderot, faite par parenthèse, en 12 heures de nuit » (1). N'oublions pas non plus une amusante comparaison entre les *Lettres à Sophie Volland* et la correspondance entre Balzac et Mme Hanska, comparaison tout à l'avantage de ces derniers : « Les sens font gravir une roche, l'amour pur y a volé et y reste ; il n'en descend jamais. J'ai trouvé les *Lettres à Sophie* misérables, même quand j'avais dix-sept ans. Celles de Rousseau sont d'un rhéteur. Je préfère les nôtres à tout (2). » Tout le reste porte sur les contes ou les romans, sans un seul mot sur les œuvres dramatiques (3).

Il n'y a pas lieu de s'étonner de cette préférence chez Balzac pour un genre qui après tout est le sien et qui a sans doute quelque chose à lui apprendre. Il faut pourtant remarquer que là n'est pas l'unique raison de son attention exclusive à l'œuvre romanesque de Diderot. A la différence de Voltaire, qui est toujours grand écrivain même dans ses œuvres à sujet non littéraire, Diderot est, de l'avis de Balzac, un écrivain très inégal. « Cet homme dont le caractère était exquis de naturel et qui n'en a que peu dans ses œuvres » (4), tel est son jugement. Quand, après s'être répandu en éloges sur la composition de *La Chartreuse de Parme*, il en vient au style, « le côté faible de cette œuvre », il ne peut que comparer Stendhal à Diderot : « Sa phrase longue est mal construite, sa phrase courte est sans rondeur. Il écrit à peu près dans le genre de Diderot, qui n'était pas écrivain (5). » « Langage abrupt et brûlant » (6), le style de Diderot n'est pas assez varié ni assez souple pour le goût de Balzac.

Ce jugement, si catégorique, se nuance pourtant et perd même toute validité lorsqu'il s'agit de certains contes de Diderot où Balzac est bien obligé de reconnaître un grand artiste :

Diderot, qui eût été un grand conteur, qui n'a de style que quand il conte, et qui malheureusement pour sa gloire, a peu cultivé cette belle partie de son talent, dont les contes n'ont même été dus qu'à des besoins de Mme de Puisieux (7), sa maîtresse, nous a laissé

(1) *Théorie de la démarche*, CFL, t. 12, p. 1572.
(2) *Lettres à l'étrangère*, t. 2, p. 127.
(3) Il serait intéressant d'étudier comment et pourquoi Balzac qui théoriquement admire au théâtre les classiques du xviie siècle et Beaumarchais, pratiquement se rapproche souvent beaucoup plus dans ses pièces du drame bourgeois de Diderot dont il ne parle pourtant jamais.
(4) *Lettres sur la littérature*, CFL, t. 14, p. 1131.
(5) *Etudes sur M. Beyle*, CFL, t. 14, p. 1212.
(6) *La confession*, Con., t. 38, p. 413.
(7) Balzac fait ici erreur. Ce sont *Les bijoux indiscrets* et non les contes que Diderot écrivit pour subvenir aux besoins de sa maîtresse. Les trois contes

dans sa misérable copie de Sterne, dans *Jacques le Fataliste*, deux diamants : l'histoire de Mme de La Pommeraie et celle de l'ami Bigre. *L'inconséquence des jugements publics, Ceci n'est pas un conte*, et *Les deux amis de Bourbonne*, forment son bagage littéraire, en ce genre. *Le neveu de Rameau* n'a été publié qu'en 1817 (1).

Pourquoi cette dernière phrase, qui semble refuser de formuler un jugement sur ce que beaucoup considèrent comme le chef-d'œuvre de Diderot, parce qu'il ne fut publié que très tard ? Nous ne saurions répondre à cette question. Ce n'est, en tout cas pas par aveuglement de la part de Balzac sur les qualités de cette nouvelle, car il en utilisait lui-même avec beaucoup de lucidité les meilleurs procédés, deux ans plus tôt, dans *La maison Nucingen*, et ne pouvait s'empêcher de souligner le parallèle :

Ce pamphlet contre l'homme que Diderot n'osa pas publier, *Le neveu de Rameau* ; ce livre, débraillé tout exprès pour montrer des plaies, est seul comparable à ce pamphlet dit sans aucune arrière-pensée, où le mot ne respecta même point ce que le penseur discute encore, où l'on ne construisit qu'avec des ruines, où l'on nia tout, où l'on n'admira que ce que le scepticisme adopte : l'omnipotence, l'omniscience, l'omniconvenance de l'argent (2).

Le même « débraillé » qui permettait à Diderot de faire exprimer à son cynique héros quelques-unes de ses pensées les moins avouables, comme le montre M. Jean Fabre dans son *Introduction* à l'édition critique du *Neveu de Rameau*, permet à Balzac d' « exorciser ses démons » (3).

Le jugement sur *Jacques le Fataliste* cité plus haut est dur : « misérable copie de Sterne ». Si Diderot a voulu « copier » Sterne, il faut accorder à Balzac que le modèle est bien au-dessus de l'imitation. Malgré les digressions incessantes, il y a chez l'auteur de *Tristram Shandy* un art incomparable d'enchaînement : il repousse les développements attendus par le lecteur avec beaucoup plus d'habileté et de malice que ne le fait Diderot. Cependant, Diderot a-t-il vraiment « copié » Sterne ? Nous ne le croyons pas, et c'est là l'injustice de Balzac. *Jacques le Fataliste* commence bien à partir d'un épisode pris presque textuellement à Sterne, mais l'histoire se développe ensuite indépendamment. Ce que Diderot a imité, c'est la technique du roman anti-roman, parce

furent écrits entre 1770 et 1772, bien après la liaison avec Mme de Puisieux, et deux d'entre eux ne furent pas publiés du vivant de Diderot.

(1) *Lettres sur la littérature*, CFL, t. 14, p. 1131.
(2) CFL, t. 6, p. 350.
(3) Bernard GUYON, Introduction à *La maison Nucingen*, CFL, t. 6, p. 344.

qu'il y trouvait la réponse aux problèmes qui se posaient à lui en tant qu'écrivain : en se débarrassant des conventions romanesques, il devenait libre d'aller où il voulait, de traiter des sujets qui lui plaisaient, tout en restant dans la plus pure réalité, saisie sur le vif. Les deux épisodes cités par Balzac sont en effet des réussites particulièrement heureuses de nouvelles intercalées dans le récit et contées avec un art incomparable. Mais ils ne sont pas les seuls. Il y a bien d'autres anecdotes ou nouvelles dans ce roman qui auraient pu exciter l'admiration d'un Balzac. Et ce n'est pas du Sterne refait, mais du Diderot tout pur que l'on retouve à chaque page de *Jacques le Fataliste*.

Les deux autres romans de Diderot, *La religieuse* et *Les bijoux indiscrets*, n'intéressent d'ailleurs pas plus Balzac. Il ne les cite même pas dans le « bagage littéraire » du conteur. Son opinion sur *La religieuse* s'exprime succinctement dans le compte rendu pour *La chronique de Paris* d'un mauvais roman moderne inspiré du même sujet et intitulé *Le cloître au XIXe siècle*. Balzac ne s'arrête que sur le sujet même du roman de Diderot, sujet choisi délibérément, de mauvaise foi, dit-il, dans un but de propagande. Le roman, une de ces « diatribes anté-révolutionnaires sur les cloîtres » (1), est également qualifié, très ironiquement, d'une de « ces belles grappes littéraires » qui pendirent de « la vigne philosophique » (2). Ignorant le thème du livre, qui est, en somme, de montrer les malheurs d'une religieuse sans vocation, il reproche à Diderot d'avoir fait reposer son roman « sur une passion dont l'auteur des *Bijoux indiscrets* pouvait voir plus d'exemples autour de lui qu'il n'y en avait dans les couvents » (3). Reproche fondé, si le roman reposait vraiment sur le vice de la supérieure d'Arpajon. Ce n'est pas le cas. Nous admettrons cependant volontiers avec Balzac que le roman, bien commencé, tourne en diatribe dans sa deuxième moitié. Il est dommage que Balzac se soit trop peu intéressé à la technique du roman, aux procédés très neufs employés par Diderot pour parvenir à un entier réalisme, pour éprouver le besoin d'en parler. Il est impossible de penser qu'il ne les ait pas remarqués et qu'il n'en ait pas fait son profit.

La préférence avouée de Balzac va donc aux trois contes qu'il nomme dans la *Lettre sur la littérature* et parmi ceux-ci, il voit avec raison dans *Ceci n'est pas un conte*, ce « magnifique

(1) Con., t. 40, p. 5.
(2) *Ibid.*, p. 6.
(3) *Ibid.*, p. 6.

conte vrai » (1), la plus belle réussite de Diderot. Là, pour une fois, le naturel de l'homme se retrouve dans l'œuvre : « Il a été simple, vrai, complet (2). » C'est en faisant le parallèle avec *Suzanne*, conte d'Ourliac, que Balzac s'explique sur ces trois qualités de l'œuvre de Diderot.

La simplicité se trouve dans le dépouillement des deux histoires mises en regard l'une de l'autre, l'absence de détails inutiles, l'absence de préparation qui permet au récit d'aller droit à l'essentiel, dans un style « vif et pressé », accentuant ainsi le pathétique. Ourliac, par contre, a cru devoir creuser l'analyse psychologique du séducteur avant de montrer son caractère par ses actions. Il a fait appel à des personnages secondaires qui n'ont rien à voir avec l'action centrale. Rien de tout cela chez Diderot. Remarquons tout de suite l'intelligence de Balzac à ce sujet. Lui qui, dans ses romans, est le spécialiste des préparations, des mises en scènes minutieuses, qui fouille les détails pour recréer le vrai, loue ici chez Diderot un procédé inverse. C'est que la théorie du conte est bien différente de celle du roman : le roman peut se permettre un rythme varié, lent d'abord, précipité ensuite. Le conte, au contraire, beaucoup plus restreint de longueur et d'événements, n'a de valeur que par la rapidité et la concentration de son action (3).

La deuxième qualité du petit chef-d'œuvre de Diderot, et la plus importante, est la vérité. Là, nous ne pouvons nous étonner de voir se rencontrer les deux écrivains français qui ont le mieux compris le réalisme. Pour Balzac, le vrai doit se manifester sur deux plans. L'un, général, est celui sur lequel se place le fond de l'histoire : il dépend de l'interprétation par l'auteur des faits généraux concernant l'homme ou la société. L'autre plan est celui du détail : il faut que les personnages agissent selon ce qu'ils sont et que l'écrivain sache les placer dans le milieu qui leur convient exactement. On voit tout de suite qu'au coup d'œil infaillible de l'observateur doit s'allier la réflexion philosophique. Le fait *vrai* sur lequel Diderot base *Ceci n'est pas un conte* est le caractère incontrôlable de l'amour, qui échappe à toute morale.

(1) *La muse du département*, CFL, t. 9, p. 185.
(2) *Lettres sur la littérature*, CFL, t. 14, p. 1131.
(3) M. Maurice Bardèche a étudié avec le maximum d'attention la technique de Balzac dans ses romans et dans ses nouvelles. Il n'y a pas lieu ici de s'y étendre. Rappelons aussi que Diderot et Balzac ont tous deux fréquemment médité sur la théorie du conte et que celui-ci s'est certainement assimilé les idées de celui-là. Mais il n'en parle nulle part ; nous ne sommes donc pas autorisée à en parler non plus. La question des influences de Diderot sur Balzac est très vaste et aussi très délicate ; elle a été traitée dans la thèse de M. Stephen Gendzier, *The Diderot and Balzac affinity*, Columbia University, 1959.

Balzac, on s'en doute, reconnaît là une de ses propres vérités :
« L'amour est l'amour, il est ingrat et cruel, il s'en va comme il est
venu, sans qu'on puisse savoir pourquoi. Ce n'est le plus prisé
de tous les sentiments que parce qu'il est involontaire (1). »

Le soin apporté par Diderot dans la peinture des caractères
en action provoque l'admiration de Balzac. Est-ce effet de l'art
du conteur, est-ce effet de l'imagination fougueuse de son lecteur,
il faut avouer que celui-ci voit beaucoup plus que le texte même
ne dit. Citons en exemple les conclusions déterministes tirées
par Balzac sur la conduite de Gardeil d'après le simple portrait
physique peint par Diderot : « Un petit homme bourru, taciturne
et caustique ; le visage sec, le teint basané ; en tout, une figure
mince et chétive ; laid, si un homme peut l'être avec la physionomie de l'esprit » (2), tel nous apparaît Gardeil. De là, Balzac
conclut : « Gardeil, chez Diderot, est bien tout ce que devait
être cette nature méridionale (3). »

L'individualité des personnages, l'harmonie de leur caractère
et de leurs actes, ne sont cependant pas suffisantes pour satisfaire à l'exigence de vérité. Si Balzac préfère de beaucoup la
nouvelle de Diderot à celle d'Ourliac, c'est que chez le premier, on
ne trouve pas une reproduction exacte de la réalité (bien que
l'histoire soit une histoire vécue), mais un choix esthétique qui
transpose « le vrai de la nature » en « vrai de l'art ». Il est inutile
d'insister sur l'importance pour Balzac de cette transposition.
Ourliac au contraire peint un caractère qui *pourrait* exister mais
qui serait trop une exception pour être vrai artistiquement : « Si
l'art et la nature se rencontrent exactement dans une œuvre,
c'est que la nature, dont les hasards sont innombrables, est alors
arrivée aux conditions de l'art. Le génie de l'artiste consiste
à choisir les circonstances naturelles qui deviennent les
éléments du Vrai littéraire (4). » Chez Diderot, Balzac salue un
réalisme dans lequel la nature est soumise à l'art et non l'art à la
nature. C'est également le réalisme balzacien.

De la simplicité du récit et de la vérité des peintures sort une
œuvre complète. En quelques pages, le conteur, s'il est aussi
grand artiste que Diderot, parvient à donner à son sujet une
valeur universelle qui ne laisse rien d'essentiel dans l'ombre. On

(1) *Ibid.*, p. 1131. A ce propos, Balzac reprend presque mot pour mot quelques-unes des idées sur l'amour, le mariage, la société déjà exprimées à la première page de *La physiologie du mariage.*
(2) Diderot, *Œuvres romanesques*, édit. Garnier, p. 801.
(3) *Lettres sur la littérature*, CFL, t. 14, p. 1132.
(4) *Ibid.*, p. 1134.

voit combien la vérité de chaque phrase est nécessaire, et aussi combien cette conception de l'œuvre relève de l'esthétique classique. *Ceci n'est pas un conte* constitue un chapitre en soi d'un traité sur l'amour. Ajoutons y quelques autres grandes œuvres et nous avons le traité tout entier : « *Manon Lescaut, La courtisane amoureuse, Ceci n'est pas un conte, Adolphe, Werther Clarisse, Phèdre* et *René* vous donnent la clé de presque toutes les situations du cœur humain en amour (1). » Comment une œuvre aussi courte que le conte de Diderot peut-elle rendre compte d'une manière complète d'une situation ? Là encore, l'art de l'écrivain intervient ; c'est à lui de choisir pour ses personnages des attitudes et des réactions assez caractéristiques pour que le lecteur puisse s'en imaginer beaucoup d'autres qui ne figurent pas dans le récit. Là encore, Balzac se sert de Diderot pour montrer les défauts d'Ourliac : dans *Suzanne*, un épisode voit l'héroïne, ruinée par la faute de son amant, puis abandonnée, acheter des fleurs et les porter à l'infidèle plutôt que de se procurer le pain dont elle a besoin. Le commentaire de Balzac est intéressant : « Il est clair que Mlle Delachaux comporte le sentiment qui pousse Suzanne à sacrifier son dernier morceau de pain pour donner des fleurs à l'ingrat (2). » Diderot a su en dire juste assez pour compléter son personnage, sans avoir recours à beaucoup d'incidents.

Jusqu'ici les remarques de Balzac ne peuvent qu'être approuvées par leur justesse et leur compréhension des difficultés de la nouvelle. Mais nous ne pouvons plus le suivre lorsqu'il affirme que Diderot « a conclu pour la belle Rymer et pour Gardeil, tout en plaignant Mlle Delachaux et Tanié » (3). Négligeant de suivre la pensée de Diderot de près pour se laisser emporter une fois de plus par son imagination, il a tendance à faire des personnages autre chose que ce que leur créateur les voulut. Si nous relisons le texte de Diderot, nous remarquons que chacune des deux histoires composant la nouvelle est annoncée par « Il faut avouer qu'il y a des hommes bien bons, et des femmes bien méchantes » (4), pour la première, par « Et puis, s'il y a des femmes méchantes et des hommes très bons, il y a aussi des femmes très bonnes et des hommes très méchants » (5) pour la deuxième. La prise de position de Diderot se précise encore par les qualificatifs qu'il applique à tel ou tel personnage et qui ne laissent

(1) *Ibid.*, p. 1132.
(2) *Ibid.*, p. 1136.
(3) *Ibid.*, p. 1131.
(4) *Op. cit.*, p. 794.
(5) *Ibid.*, p. 799.

aucun doute sur sa sympathie. Gardeil n'est à aucun moment présenté sous un jour favorable ; il est sincère, c'est sa seule qualité peut-être, mais d'une sincérité cruelle. Quel serait-il en d'autres circonstances ? Diderot ne le dit pas, cela ne l'intéresse pas, mais sa dureté ne peut pas être suscitée uniquement par son ancienne maîtresse. Or, Balzac va bien au delà de ce que Diderot nous montre et voit en Gardeil un homme qui « pour ne pas aimer Mlle Delachaux, n'en est pas moins un homme qui peut inspirer de l'estime. Qu'un tiers l'ennuie un peu trop à propos de Mlle Delachaux, il mettra l'épée à la main » (1). De plus, il voit les deux amants comme « également malheureux », alors que seule Mlle Delachaux est malheureuse et que Gardeil est tout au plus indifférent. Absolument rien dans le texte ne justifie une telle interprétation. Balzac refait le personnage et le conte, à sa façon. Il donne trop d'importance finalement au fait de base, à savoir que l'amour est ingouvernable et que quand on n'aime plus, on n'y peut rien. La pensée de Diderot est plus subtile. Il retrace un drame, et montre successivement deux victimes de l'amour, leur accorde à toutes deux toute sa sympathie sans pour cela résoudre le problème de base. Tout Diderot se trouve dans cette dualité des choses : presque toujours, ses œuvres ne sont qu'une discussion, qu'un dialogue avec lui-même, et on retrouve dans tous ses romans ou ses nouvelles l'ambiguïté de la position de l'auteur. Il ne prend pas parti. C'est pourquoi sa technique de narration par la conversation est si bien adaptée à sa pensée. Balzac, lui, est plus entier et il a tendance à ignorer chez Diderot cette réticence continuelle à trancher. On se souvient que, à propos du *Misanthrope*, il soulignait l'art de Molière à présenter les deux aspects d'une question. Cet art, Diderot le possède au plus haut point, et Balzac en a pleine conscience. Mais il semble voir surtout le dualisme en ce qu'il a de plus superficiel. Dans *Ceci n'est pas un conte* il souligne l'équilibre externe des deux récits plutôt que l'équilibre interne des personnages : « Tout est double, même la vertu. Aussi Molière présente-t-il toujours les deux côtés de tout problème humain ; à son imitation, Diderot écrivit un jour : *Ceci n'est pas un conte*, le chef-d'œuvre de Diderot peut-être, où il offre la sublime figure de Mlle Delachaux immolée par Gardanne, en regard de celle d'un parfait amant tué par sa maîtresse (2). »

---

(1) *Lettres sur la littérature*, CFL, t. 14, p. 1132.
(2) Dédicace des *Parents pauvres*, CFL, t. 9, p. 709. Balzac n'a probablement pas relu le conte de Diderot depuis 1840 et s'obstine à appeler Gardeil Gardanne ou Gardane ; cf. *La muse du département*, CFL, t. 9, p. 185.

Malgré ces légers écarts d'interprétation, l'analyse de *Ceci n'est pas un conte* est très riche et révèle chez Balzac une grande compréhension de l'art de Diderot. On y sent le technicien ayant beaucoup réfléchi déjà aux problèmes de l'esthétique, mais on y sent aussi tout le plaisir que le simple lecteur Balzac a dû avoir en lisant ce conte. Bien que le réalisme de Diderot vienne en grande partie de Richardson, où Balzac a pu le puiser directement, il est certain que les possibilités offertes par l'emploi de la conversation comme technique de récit n'ont pas été négligées de Balzac, puisqu'il l'a reprise à son profit dans nombre de ses œuvres, notamment dans *Échantillon de causerie française*, dans *L'envers de l'histoire contemporaine*, dans *Une conversation entre onze heures et minuit*. Nous ne ferons que signaler cette reprise de procédé. Son étude n'entre pas dans notre sujet, mais elle manifeste à coup sûr de la part de l'auteur de *La comédie humaine* un intérêt plus grand pour le Diderot des œuvres romanesques qu'il ne veut bien l'avouer.

Seul du groupe des Encyclopédistes, Voltaire mis à part bien entendu, Diderot semble avoir assez intéressé Balzac pour s'imposer à sa pensée lorsqu'il écrivait. Et c'est plus l'art de l'écrivain que l'originalité du penseur qui retient son attention. Aux autres « philosophes » : d'Alembert, Grimm, Helvetius, d'Holbach, nous ne trouvons que de très rares et très banales références, car les points de contact entre leur pensée et celle de Balzac semblent inexistants. Nous les laisserons donc dans l'ombre pour en venir tout de suite à l'autre géant du xviiie siècle, à celui qui suit Voltaire de tout près dans le nombre des références et à qui Balzac accorde certainement autant d'importance, à Jean-Jacques Rousseau.

Nous avons déjà signalé le caractère courant et non contradictoire à l'époque de Balzac de cette coexistence entre Rousseau et Voltaire. Ajoutons que, même si la synthèse entre rousseauisme et voltairianisme n'avait pas déjà été faite, et même si Balzac ne l'avait pas trouvée chez son père, un jeune écrivain ambitieux comme il l'était devait nécessairement chercher chez deux prédécesseurs aussi illustres une formation et un exemple à suivre. Cette explication est cependant insuffisante pour rendre compte et de l'abondance et de la constance des références à Rousseau. Chez le jeune écrivain qui se cherche, il est facile de discerner les influences de ceux qu'il a consultés comme ses maîtres, et *Sténie*, par exemple, éclate autant d'influence rousseauiste que de voltairianisme. Mais tenter de mettre le doigt sur ce qui a pu, chez

Rousseau, retenir Balzac, une fois dépassée la période des tâtonnements et des imitations, est une entreprise ardue. L'admiration pour Voltaire et les regards sans cesse jetés sur l'homme qui réussit indiscutablement à « conduire son siècle » et dont l'activité se retrouve dans tous les domaines, littéraire, social, politique, scientifique, s'expliquent aisément, car le seigneur de Ferney représentait idéalement ce que Balzac, n'en doutons pas, aurait voulu être, compte tenu des différences de caractère et de points de vue. Mais chez Rousseau, chez ce révolté recherchant plutôt les humiliations que les honneurs, chez ce solitaire amoureux de la nature, chez ce romancier oscillant entre les excès de la passion et le moralisme raisonneur, que peut bien trouver Balzac pour qu'il vienne et revienne à lui, et que son nom ou des allusions à ses œuvres émaillent l'œuvre balzacienne pendant vingt-sept années?

Chercher une affinité de tempérament entre les deux hommes reste effort vain. Peu de vraie sympathie s'exprime chez Balzac pour ce Jean-Jacques pauvre et fier d'être pauvre, logeant comme Diderot « au quatrième étage » (1), « faisant des lacets » (2), ou se livrant, pour faire face à l'indigence où il se trouvait, à des « travaux de patience admirable par lesquels il suppléait au procédé typographique de l'*épreuve* » (3), acceptant, recherchant même, cette indigence avec « cynisme » : « Rousseau s'était résigné à vivre avec une cuisinière et tout le monde n'a pas le caractère jeté dans le moule du cynisme (4). » Combien différent, en effet, le Balzac rêvant de sa riche princesse lointaine. Le mieux qu'il puisse faire est d'admettre cette différence, sans pour cela faire bénéficier Rousseau d'autre chose que d'un invincible orgueil : « Personne n'osera décider si la volontaire infortune de Jean-Jacques est ou n'est pas spéculation d'orgueil, un cas de fierté maladive », écrit-il dans la *Lettre aux écrivains* (5). Spéculation couronnée de succès, puisque « Jean-Jacques Rousseau fit de son désintéressement en matière de littérature un des plus grands véhicules de sa gloire » (6), peu enviable cependant pour un tempérament batailleur comme celui d'Honoré : « Au prix de la gloire de Jean-Jacques, je ne voudrais pas exciter la commisération dont l'accablent les cœurs généreux (7). » La « poésie de

---

(1) *Louis XV*, Con., t. 40, p. 160.
(2) *Une heure de ma vie*, fragments inédits, p. 247.
(3) Préface de la 1re éd. de *La femme supérieure*, CFL, t. 15, p. 283.
(4) *Ibid.*, p. 284. Ce cynisme de Jean-Jacques est d'ailleurs présenté à la page suivante comme une des alternatives pour les grands hommes nés pauvres.
(5) Con., t. 39, p. 654.
(6) *De la propriété littéraire*, Con., t. 40, p. 423.
(7) Historique du procès du *Lys dans la vallée*, CFL, t. 15, p. 192.

l'orgueil » chez Rousseau, avec toutes ses conséquences, n'échappe certes pas à Balzac ; certaines de ses héroïnes la ressentent profondément, telle Mme de Bargeton adorant « lord Byron, Jean-Jacques Rousseau, toutes les existences poétiques et dramatiques » (1) ; telle encore la tendre Modeste qui « composait les baumes, [...] inventait les recherches, les musiques, les mille moyens par lesquels elle aurait calmé la féroce misanthropie de Jean-Jacques » (2).

L'opinion personnelle de Balzac est autre, dénuée de tout emportement romanesque. Lorsqu'elle s'exprime librement, elle ne laisse aucun doute sur l'absence de toute affinité de tempérament entre les deux écrivains. Dans la préface du *Lys dans la vallée*, nous lisons :

> Si quelque poète entreprend ainsi sur sa double vie, que ce soit par hasard et non par un parti pris comme chez J.-J. Rousseau. L'auteur, qui admire l'écrivain dans *Les confessions* a horreur de l'homme. Comment ce Jean-Jacques, si fier de ses sentiments, a-t-il osé libeller la condamnation de Mme de Warens, quand il savait si bien plaider pour lui-même ? Entassez toutes les couronnes de la terre sur sa tête, les anges maudiront éternellement ce rhéteur qui put immoler sur le triste autel de la Renommée, une femme en qui s'étaient trouvés pour lui le cœur d'une mère et l'âme d'une maîtresse, le bienfait sous la grâce du premier amour (3).

Le parallèle entre Rousseau-Mme de Warens et Balzac-Mme de Berny, saute aux yeux et l'auteur du *Lys dans la vallée* se félicite évidemment, par contraste sous-entendu, de sa propre délicatesse. Il faut relire toute cette préface pour bien comprendre le point de vue de Balzac : il ne refuse pas à l'œuvre littéraire le droit de trouver sa source dans l'expérience personnelle de l'artiste, mais il s'élève contre la « prostitution » pure et simple, que seuls pratiquent « les esprits impurs ». Son opposition à Rousseau est sur le plan moral et humain, non sur le plan littéraire. Le divorce entre l'admiration de Balzac pour Rousseau écrivain et son manque de sympathie pour Rousseau homme se retrouve comme une constante. L'on se souvient de sa distinction, dès 1825, entre Voltaire et Rousseau : beaucoup plus d'esprit que de génie chez le premier, tandis qu' « il n'y avait presque pas d'esprit chez Rousseau, et beaucoup de génie » (4). L'envers du

---

(1) *Illusions perdues*, CFL, t. 4, p. 391.
(2) *Modeste Mignon*, CFL, t. 7, p. 379.
(3) CFL, t. 15, p. 191.
(4) *Lettre à Mme d'Abrantès*, CFL, t. 16, p. 20.

génie chez Rousseau, c'est l'homme, le misanthrope, l'orgueil-
leux maladif, l'égoïste cynique : « Rousseau fut sombre et quasi
fou », comme La Fontaine fut distrait, comme Buffon fut
lourd (1).

Balzac, qui se met si volontiers à la place des grands écrivains,
ou plutôt qui échange si volontiers leur rôle pour le sien, ne
semble guère en trouver l'occasion lorsqu'il s'agit de Rousseau.
Signalons pourtant un rapprochement, le seul. L'on sait les difficultés rencontrées par Balzac dans le monde littéraire, les jalousies qu'il excita, les haines qu'il suscita. Dès 1833, à une époque
pourtant où sa gloire était encore toute jeune et pleine d'éclat, il
écrivait à Mme Hanska : « Il n'y a personne que je ne connaisse
à Paris, comme artiste ou littérateur, et, depuis dix ans j'ai su
bien des choses et des choses si tristes à savoir, que le dégoût de
ce monde m'a pris au cœur. (Ces gens-là m'ont fait comprendre
Rousseau) (2). » Identification naturelle, peut-être, mais passagère
sans aucun doute, née surtout d'un désir d'impressionner la
nouvelle correspondante. Le sentiment de persécution de Rousseau n'a probablement jamais eu que de faibles échos chez
l'auteur de *La comédie humaine*, même aux plus profonds
des désespoirs, car son tempérament vigoureux réagissait
différemment.

C'est donc sur un plan autre que le plan humain qu'il nous
faut rechercher les raisons de l'importance de Rousseau pour
Balzac. Le « génie » qu'il lui accorde si largement, comme un don
divin avec lequel la personnalité de l'homme a peu de rapports,
est une notion trop vague pour nous guider et la question reste
la même : en quoi le génie de Rousseau se manifeste-t-il aux
yeux de Balzac ? Sur quel plan les deux écrivains se rencontrent-
ils ? celui des idées ? celui de l'art ? La diversité des œuvres de
Rousseau, l'absence chez celui-ci d'un « genre » pur augmente
la difficulté de notre investigation.

Ni la pensée politique de Rousseau, républicaine par raison
mais fondamentalement anarchique, ni sa pensée religieuse où
le sentiment l'emporte sur le dogme ou la religion formelle, ne
semblent pouvoir se rapprocher en quoi que ce soit de la pensée
politique et religieuse de Balzac, à tout le moins du Balzac de la
maturité pour qui les cadres traditionnels de la monarchie et de
l'Église sont seuls garants du bonheur de la masse. Tout en ayant

(1) *Splendeurs et misères des courtisanes*, CFL, t. 5, p. 248.
(2) *Lettres à l'étrangère*, t. 1, p. 20.

sans doute beaucoup lu Rousseau (1), dont son père était imprégné et lui avait transmis le culte, il semble que Balzac se soit peu intéressé à ce qui pour nous, avec le recul du temps, fait la grandeur et l'originalité de Jean-Jacques. De toutes les références que nous avons relevées, moins d'une dizaine seulement se rapportent directement aux idées politiques ou religieuses de Rousseau, et d'une manière presque toujours assez vague. Le rapprochement avec Montesquieu s'imposerait même s'il n'était pas fait par Balzac lui-même. Chez Rousseau comme chez l'auteur de *L'esprit des lois*, Balzac semble plus intéressé par les démarches de la pensée que par le contenu même de cette pensée ; des remarques comme : « il pensait comme J.-J. Rousseau, Hobbes et Locke, qui, consultés sur une forme de gouvernement, indiquaient la monarchie comme la meilleure » (2) ; ou : « Je ne pense pas d'aujourd'hui, avec Hobbes, Montesquieu, Mirabeau, Napoléon, J.-J. Rousseau, Locke et Richelieu, que, si le bien-être des masses doit être la pensée intime de la politique, l'absolutisme ou la plus grande somme de pouvoir possible, de quelque nom qu'on l'appelle, est le meilleur moyen d'atteindre ce grand but de sociabilité » (3), manifestent de la part de leur auteur soit de l'ignorance, ce dont nous doutons, soit un désir trop hâtif de généralisation, qui le pousse à défigurer la pensée des auteurs qu'il cite. Lorsque Balzac considère les idées de Rousseau pour ce qu'elles sont, elles lui apparaissent comme un rêve utopique menant fatalement ceux qui les suivent à un échec ; le père Niseron, des *Paysans*, « poète de la Révolution » (4), en est un exemple : « Il crut à la république de Jean-Jacques Rousseau, à la fraternité des hommes, à l'échange des beaux sentiments, à la proclamation du mérite, aux choix sans brigues, enfin à tout ce que la médiocre étendue d'un arrondissement, comme Sparte, rend possible, et que les proportions d'un empire rendent chimériques (5). » Balzac, lui, se flatte de réalisme et de lucidité politique lorsqu'il écrit quelques pages auparavant : « On a beaucoup crié contre la tyrannie des nobles, on crie aujourd'hui contre celle des financiers, contre les abus du pouvoir qui ne sont peut-être que les inévitables meurtrissures du joug social appelé Contrat par Rousseau, Constitution par ceux-ci, Charte par ceux-là, ici

(1) Balzac possédait une édition en 29 vol. in-8º des *Œuvres complètes* de J.-J. Rousseau, suivies d'un *Supplément à l'histoire de sa vie et de ses ouvrages*, par Musset-Pathay, parue en 1825, à Paris (nº 25 au Catalogue de vente).
(2) *Lettres sur Paris*, Con., t. 39, p. 107.
(3) *Le départ*, Con., t. 39, p. 468.
(4) CFL, t. 3, p. 1143.
(5) *Les paysans*, CFL, t. 3, p. 1142.

Czar, là Roi, Parlement en Angleterre (1). » « Inévitables meurtrissures », mais combien plus souhaitables, pour lui, que la « médiocratie » où « le nivellement commencé par 1789 et repris en 1830 » (2), a mené la France. On pourrait citer page après page de ce roman des *Paysans*, le plus violemment anti-démocratique et anti-rousseauiste par le portrait sordide qu'il nous donne de la classe paysanne. N'oublions pas que, pris et repris mais jamais achevé, il reflète la pensée du Balzac des dernières années, et que l'influence rousseauiste de M. Balzac père est effacée depuis longtemps. Le roman s'achève sur le tableau d'Émile Blondet et sa femme, l'ex-comtesse de Montcornet, revisitant les lieux où se trouvait autrefois le domaine de Montcornet, et n'y trouvant plus qu'un lotissement couvert de maisonnettes misérables : « Voilà le progrès ! s'écria Émile. C'est une page du *Contrat social* de Jean-Jacques ! Et moi, je suis attelé à la machine sociale qui fonctionne ainsi (3). » Si les mots ne sont peut-être pas de Balzac, mais de sa femme qui acheva elle-même le roman sur le canevas qu'il avait laissé, ils n'en expriment pas moins le dégoût de Balzac pour la démocratie à la Rousseau.

On ne peut en somme imaginer plus grandes divergences de vue entre ces deux écrivains, tous deux pourtant intensément préoccupés dans leur œuvre littéraire de problèmes sociaux. Et c'est là que peut-être nous allons enfin trouver une des raisons de l'intérêt de Balzac pour Rousseau.

Chez tous les deux, les idées politiques ou religieuses sont subordonnées à la pensée sociale et découlent d'elle. S'ils vont dans des directions à peu près opposées, ils n'en partent pas moins d'une idée fondamentalement semblable. Qu'il s'agisse des *Discours* ou de *La nouvelle Héloïse*, de *L'Émile* ou du *Contrat social*, le souci constant de Rousseau est de réconcilier l'individu avec la société. La Société, tel est le personnage central de l'œuvre de Rousseau, dont il s'attache à retracer les origines ou à essayer de limiter les pouvoirs destructifs, qu'il essaie de réorienter vers une action bienfaisante. Tout ceci, dans un seul but : rendre à l'homme un bonheur qu'elle lui a pris. Regardons maintenant *La comédie humaine* : que nous montre Balzac, sinon essentiellement, sous mille aspects différents, le conflit de l'individu avec la Société et les forces qu'elle déchaîne ? On pourrait reprendre l'un après l'autre les grands personnages balzaciens, on retrouverait toujours

(1) *Ibid.*, p. 1086.
(2) *Ibid.*
(3) *Ibid.*, CFL, t. 3, p. 1321.

les mêmes données : l'individu soit corrompu, soit détruit, par la
Société. L'art de l'écrivain mis à part, dont nous nous préoccupe-
rons plus loin, ce que Balzac a donc sans aucun doute le plus
admiré chez Rousseau est ce système de pensée où tous les problèmes humains peuvent se réduire à la dualité individu contre
société. Ce serait donc les *Discours* avant tout qui auraient dû
attirer l'attention de Balzac. Or, il en parle très peu. Ne concluons
pas trop vite, cependant. La substance de la pensée initiale de
Rousseau nous semble avoir été absorbée si complètement par
Balzac qu'elle est devenue sienne et que les idées qui en découlent
ne s'imposent plus à lui comme venant d'ailleurs. Nous retrouvons pourtant des signes certains de cette assimilation, ici et là,
et en des moments essentiels.

*La physiologie du mariage* est le premier ouvrage important
auquel Balzac ait apporté quelque soin et dont, à juste titre, il
ait espéré tirer quelque gloire. C'est aussi, de toutes ses œuvres,
celle où les lectures énormes auxquelles se livrait le jeune écrivain
se retrouvent le plus clairement, car elles ne sont qu'à moitié
assimilées. Les grandes influences qui s'exercèrent sur la pensée
de Balzac y transparaissent : Sterne, Rabelais et tant d'autres,
parmi lesquels Jean-Jacques Rousseau. Pour bien comprendre
l'intention de Balzac en écrivant la *Physiologie*, relisons ce passage d'une lettre à Mme Hanska :

> Les enfants, considérés dans leur avenir vital, est *(sic)* une des
> grandes monstruosités sociales. Il y a peu de pères qui se donnent
> la peine de réfléchir à leurs devoirs. Mon père avait fait de grandes
> études à ce sujet ; il me les a communiquées (je veux dire les résultats),
> de bonne heure, et j'ai des idées arrêtées qui m'ont dicté la *Physiologie
> du mariage*, livre plus profond que moqueur et frivole, mais qui sera
> complété par mon grand ouvrage sur l'*éducation* prise dans un sens
> large et, que je fais remonter avant la génération, car l'enfant est dans
> le père (1).

Bien que ce soit Sterne dont il cite ensuite les opinions à ce
sujet, il est difficile de ne pas penser à Rousseau pour plusieurs
raisons : d'abord, la dette qu'il reconnaît envers son père ; puis,
le sens profond de la *Physiologie*, plaidoyer en faveur des femmes,
contre les mœurs imposées par une société absurde. Si les femmes
sont coquettes, trompeuses, sans vertu, c'est que les conventions

---

(1) *Lettres à l'étrangère*, t. 1, p. 317. Cf. aussi : *Lettre à Zulma Carraud*
(fin 1829) : « Quelques leçons fortes, quelques plaidoyers vigoureux en faveur de
la vertu et de la *femme* », et *Lettre à la marquise de Castries* (1831) : « Livre entrepris pour défendre les femmes. »

sociales et les préjugés les y poussent. Nous trouvons donc dès ce premier ouvrage l'étude des vices créés par la société, d'inspiration rousseauiste. D'autre part, certains passages, notamment l'Épilogue à la première partie *(Méditation IX)*, évoquent infailliblement Montesquieu et surtout Rousseau, et par leur ton et par les idées qui s'y expriment. Balzac s'y fait historien des mœurs et moraliste, réclamant pour la femme les vertus romaines et le rôle de gardienne du foyer et d'éducatrice :

Exclusivement chargées de l'éducation primitive des enfants, la plus importante de toutes les obligations d'une mère, occupées de faire naître et de maintenir ce bonheur de tous les instants, si admirablement peint dans le quatrième livre de *Julie*, elles seront, dans leur maison, comme les anciennes Romaines, une image vivante de la Providence qui éclate partout, et ne se laisse voir nulle part (1).

Sur toute cette question du rôle de la femme dans la société, de son éducation, de ses devoirs de mère, Balzac, sous des dehors goguenards et cyniques, suit fidèlement la pensée moraliste de Rousseau. Il signale le danger des lectures trop romanesques qui donnent des idées fausses, utilisant avec un heureux effet comique Rousseau contre lui-même :

Ce que lisent les femmes ? Des ouvrages passionnés, les *Confessions de Jean-Jacques*, des romans, et toutes ces compositions qui agissent le plus puissamment sur leur sensibilité (2).

Qui n'a pas, en lisant les *Confessions de Jean-Jacques*, vu Mme de Warens plus jolie qu'elle n'était (3) ?

Jean-Jacques, par l'organe enchanteur de Julie, ne prouvera-t-il pas à votre femme qu'elle aura une grâce infinie à ne pas déshonorer son estomac délicat et sa bouche divine, en faisant du chyle avec d'ignobles pièces de bœuf, et d'énormes éclanches de mouton (4) ?

Le ton ironique de tous ces textes ne nous échappe pas, mais si l'on admet que la *Physiologie* a un sens sérieux et profond, il faut y reconnaître bien des idées venues tout droit de Rousseau. La *Méditation IX*, qui sert d'Épilogue à la première partie et dont nous parlions plus haut, se termine par une grande page sérieuse sur le mariage, où, encore une fois, Rousseau tient la place d'honneur. Nous n'en citerons qu'une partie :

Les femmes et le mariage ne seront donc respectés en France que par le changement radical que nous implorons pour nos mœurs ?

(1) *Physiologie du mariage*, CFL, t. 12, p. 1001.
(2) *Ibid.*, p. 1019.
(3) *Ibid.*, p. 1020.
(4) *Ibid.*, p. 1036.

Cette pensée profonde est celle qui anime les deux plus belles productions d'un immortel génie. L'*Émile* et la *Nouvelle Héloïse* ne sont que deux éloquents plaidoyers en faveur de ce système. Cette voix retentira dans les siècles, parce qu'elle a deviné les vrais mobiles des lois et des mœurs des siècles futurs (1).

C'est ici la plus franche expression de l'admiration de Balzac pour Rousseau. Elle s'adresse au sociologue et au moraliste. Il est clair que Balzac est moins séduit par les conséquences politiques de la philosophie rousseauiste que par le système même de cette philosophie. Elle s'attache en effet à l'étude de l'homme social et par une analyse raisonnable retrace l'histoire de cet homme, en expose les malheurs et lui propose des remèdes. C'est à Rousseau qu'il faut revenir chaque fois que l'on s'attaque à une question sociale, car il a entrevu tous les problèmes. Les résultats de son analyse sont des faits acquis sur lesquels le créateur de *La comédie humaine* va faire reposer son œuvre. On reconnaît là une des caractéristiques du génie, selon Balzac : être en avance sur son siècle.

Assurément, toutes les idées de Montesquieu, celles de Rousseau, celles de Buffon sont passées dans les masses, sont formulées en lois, en mœurs, en axiomes scientifiques. [...] On achète maintenant ces œuvres pour la forme, pour la beauté qu'y a mise le génie, pour ce qui est propre à l'âme de Jean-Jacques, à l'âme de Montesquieu, à l'âme de Buffon. Ces hommes se sont assimilés, ont formulé par avance les idées de l'avenir. Ils se les sont appropriées, comme je le disais plus haut, en leur imposant la forme de leur âme, et les rendant ainsi sensibles à l'Humanité (2).

L'idée centrale de la *Physiologie du mariage* se trouve tout entière chez Rousseau, et Balzac le sait :

Mais voulez-vous savoir la vérité ? ouvrez Rousseau, car il ne s'agitera pas une question de morale publique de laquelle il n'ait d'avance indiqué la portée. Lisez : « Chez les peuples qui ont des mœurs, les filles sont faciles, et les femmes sévères. C'est le contraire chez ceux qui n'en ont pas. »

Il résulterait de l'adoption du principe que consacre cette remarque profonde et vraie qu'il n'y aurait pas tant de mariages malheureux si les hommes épousaient leurs maîtresses (3).

(1) *Ibid.*, p. 1002.
(2) *De la propriété littéraire*, Con., t. 40, p. 428.
(3) *Physiologie du mariage*, CFL, t. 12, pp. 952-953.

Les préoccupations morales de Balzac, très fortes tout au début de sa carrière, vont disparaître peu à peu avec l'orientation générale de son œuvre, mais non complètement, puisqu'elles réapparaissent brusquement dans l'*Avant-Propos* (1842). Cette évolution nous intéresse, car elle est mêlée étroitement aux rapports de la pensée de Balzac avec celle de Rousseau. Le point de départ de Balzac nous semble incontestablement rousseauiste, nous l'avons dit. Ce sont avant tout les problèmes posés à l'homme par son état social qui s'expriment à travers les romans balzaciens. Balzac prend et reprend ce thème, lui donne des développements infiniment variés : c'est tantôt le combat des faibles, combat sans espoir, dont la tragique histoire de César Birotteau est le meilleur exemple ; tantôt le combat des forts, tel ce Vautrin pour qui Balzac a une tendresse cachée, le révolté social par excellence, qui n'hésite pas à se réclamer de Rousseau : « Un forçat de la trempe de Collin, ici présent, est un homme moins lâche que les autres, et qui proteste contre les profondes déceptions du contrat social, comme dit Jean-Jacques, dont je me glorifie d'être l'élève (1). » Boutade, certes, mais sous laquelle se cache une vérité.

Bien avant d'avoir une vue précise de l'œuvre qu'il appellera *La comédie humaine*, l'importance d'un principe directeur apparaît à Balzac et ce principe, c'est chez Rousseau qu'il le prend. Il est essentiel à la construction de l'édifice qui s'élabore lentement dans son esprit. Ce n'est donc pas par hasard que, à plusieurs reprises, essayant d'expliquer au public son œuvre, directement ou par personne interposée, il revient à Rousseau. Dès 1831, dans l'Introduction aux *Romans et contes philosophiques* signée de Philarète Chasles, très certainement écrite par Balzac, l'auteur nous laisse apercevoir la démarche de sa pensée : les problèmes qui se posent à un conteur moderne sont immenses, car il a affaire à un public blasé, trop instruit, chargé de trop d'expérience. Que lui présenter de nouveau ? L'adroit auteur de *La peau de chagrin* se saisit alors de cette situation pour en tirer le principe déjà illustré par ce roman et qu'il a bien l'intention de continuer à illustrer :

L'analyse, dernier développement de la pensée, a donc tué les jouissances de la pensée. C'est ce que M. de Balzac a vu dans son temps : c'est le dernier résultat de cet axiome de Jean-Jacques : *L'homme qui pense est un animal dépravé.*

(1) *Le Père Goriot*, CFL, t. 4, p. 234.

Assurément, il n'est pas de donnée plus tragique ; car, à mesure que l'homme se civilise, il se suicide ; et cette agonie éclatante des sociétés offre un intérêt profond (1).

L'Introduction aux *Études philosophiques*, datée de 1834, s'inspire de cette première introduction, mais en développant bien davantage la signification de l'œuvre balzacienne existante. La réputation de Balzac s'est établie comme peintre des mœurs, mais l'idée d'un vaste système où chaque œuvre trouverait sa place le hante. Ses œuvres « philosophiques » sont donc présentées ici comme l'étude des causes produisant les effets dépeints dans les *Études de mœurs*. Ainsi le rêve scientifique de Balzac se précise. Pourtant, à l'époque de cette Introduction, nous sommes encore loin des idées de l'*Avant-Propos*, et le noyau de l'œuvre est toujours bel et bien la conception rousseauiste de la société, « cette société corrompue parce qu'elle est éminemment civilisée » (2) :

Les instincts violemment surexcités par les combinaisons factices que créent les idées sociales, peuvent, selon lui, produire en l'homme des foudroiements brusques ou le faire tomber dans un affaissement successif et pareil à la mort ; il croit que la pensée, augmentée de la force passagère que lui prête la passion, et telle que la société la fait, devient nécessairement pour l'homme un poison, un poignard. En d'autres termes et suivant l'axiome de Jean-Jacques, *l'homme qui pense est un animal dépravé* (3).

Ainsi le grand thème de *Louis Lambert*, dont les échos se retrouvent dans maintes autres œuvres, est maintenant exposé pleinement. La pensée personnelle de Balzac a évolué et devient originale, mais sa parenté avec Rousseau reste trop évidente pour ne pas l'admettre (4). D'autres ont d'ailleurs exploité cet

(1) CFL, t. 15, p. 79. Notons que Balzac supprime la première moitié de la phrase de Rousseau dans laquelle celui-ci préparait prudemment son paradoxe par un « J'ose presque assurer que... » (cf. Rousseau, *o. c.*, Dupont, 1823, t. 1, p. 234).

(2) CFL, t. 15, p. 110.

(3) *Ibid.*, p. 117.

(4) S'il fallait une autre preuve de l'importance pour Balzac à cette époque-là de la pensée de Rousseau contenue dans l'axiome en question, nous la trouverions dans la *Théorie de la démarche*, publiée en 1833, où le même thème apparaît, très explicite, bien que traité sur le ton moqueur : « La civilisation corrompt tout ! Elle adultère tout, même le mouvement ! Irai-je faire un voyage autour du monde pour examiner la démarche des sauvages ? [...] Il n'y a pas un animal qui n'intéresse plus qu'un homme quand on l'examine un peu philosophiquement. Chez lui, rien n'est faux ! [...] Un démon moqueur me jeta cette horrible phrase de Rousseau : L'HOMME QUI PENSE EST UN ANIMAL DÉPRAVÉ ! » (CFL, t. 15, pp. 1596-97), et « Donc, la pensée est la puissance qui corrompt

axiome de Rousseau, tels Byron dans *Manfred*, ou Godwin dans
*Caleb Williams*, deux œuvres que Balzac admire profondément.
   Entre 1831 et 1834, la différence de pensée s'accuse par le
fait que, tout en reconnaissant sa dette envers Rousseau, l'auteur
des *Études philosophiques* ne se satisfait plus de montrer par
quelques scènes bien réussies cette action corruptrice de la société.
De l'attitude moraliste de Rousseau, Balzac passe à la démarche
scientifique : « Le fait physico-moral qui meut le monde social
avait été mieux formulé par la sagesse des nations que Rousseau
ne l'a formulé lui-même. *La lame use le fourreau*, dit le peuple.
M. de Balzac, lui, écrit *Louis Lambert* ! Il prouve à la manière
des savants (1). »
   Voilà donc l'auteur du *Discours sur l'inégalité* bien dépassé
par les méthodes scientifiques de la littérature moderne. Sous
l'effet de l'enthousiasme pour ces nouvelles expériences cliniques
dans le roman, Balzac se laisse aller à envisager son œuvre
comme « une œuvre scientifique ». Heureusement, son imagination puissante le préservera d'une telle aberration. En fait, si
Rousseau est vraiment dépassé par Balzac, c'est moins par les
méthodes scientifiques de ce dernier que par sa réflexion qui
pousse jusque dans ses extrêmes conséquences la pensée du
philosophe de Genève et la retourne en quelque sorte contre
elle-même : « Ici nous sommes loin de *l'homme qui pense est un
animal dépravé*. La question est indécise. Quelle est la fin de
l'homme du moment où celui qui ne désire rien, qui vit sous la
forme d'une plante, existe cent ans, tandis que l'artiste créateur
doit mourir jeune (2) ? » Ce texte est capital, car il fait le pont
entre l'époque où Balzac, débutant, partageait le point de vue
de Rousseau sur la société et l'utilisait comme base de son œuvre,
et l'époque de l'*Avant-Propos* où il renie hautement toute appartenance rousseauiste pour se réclamer de la pensée monarchique
catholique. N'oublions pas que nous sommes ici en présence de
textes théoriques, et que le décalage est possible entre ce que
Balzac croit faire et ce qu'il fait. En vérité, jusqu'au bout ses
œuvres restent avant tout l'expression du drame social tel que le
voyait Rousseau. L'intérêt de ces affirmations théoriques est
pourtant très grand, car il nous montre comment, dans une
certaine mesure, la pensée républicaine de Rousseau peut être

notre mouvement, qui nous tord le corps, qui le fait éclater sous ses despotiques
efforts. Elle est le grand dissolvant de l'espèce humaine. Rousseau l'a dit,
Gœthe l'a dramatisé dans *Faust*, Byron l'a poétisé dans *Manfred* » (*ibid.*, p. 1599).
   (1) Introduction aux *Etudes philosophiques*, CFL, t. 15, p. 118.
   (2) *Ibid.*, p. 119.

à l'origine du conservatisme extrême que Balzac revendique. A force de méditer sur le problème fondamental que pose l'homme en société, à force d'en étudier tous les aspects et de se faire le peintre presque exclusif des différentes données du problème, Balzac finit par arriver à ce dilemme : d'une part, plus l'être est civilisé, plus il pense ; et plus il pense, plus il court à sa destruction ; d'autre part, moins l'être pense, plus longtemps il vit, mais aussi plus il se rapproche de la plante ou de l'animal, et non d'un état idéal d'homme. Quel état souhaiter alors ? Devant ce problème, Balzac redevient moraliste, le moraliste que nous trouvons dans l'*Avant-Propos*. Mais sa morale ne va plus dans le sens de celle de Rousseau, car au lieu d'accorder sa confiance à l'individu, elle met son espoir en une organisation sociale autoritaire, capable de modérer l'individu :

> L'homme n'est ni bon ni méchant, il naît avec des instincts et des aptitudes ; la Société, loin de le dépraver, comme l'a prétendu Rousseau, le perfectionne, le rend meilleur ; mais l'intérêt développe alors énormément ses penchants mauvais. Le Christianisme, et surtout le Catholicisme, étant, comme je l'ai dit dans *Le médecin de campagne*, un système complet de répression des tendances dépravées de l'homme, est le plus grand élément d'Ordre social (1).

Balzac ne suit plus Rousseau, il le renie même, parce que d'historien des mœurs il se fait moraliste et que sa morale n'est plus une morale du bonheur comme celle de Rousseau, mais une morale d'ordre.

Nous nous sommes bornée ici à mettre en lumière les principaux points de rencontre entre la pensée de Balzac et celle de Rousseau, là où ils sont explicitement indiqués. Il y aurait une étude fort intéressante à faire et complètement négligée jusqu'ici sur l'influence de Rousseau sur Balzac, influence peut-être pas toujours consciente. M. B. Guyon est le seul à s'en être occupé.

Il nous reste maintenant à établir la position de Balzac vis-à-vis de Rousseau écrivain, et la valeur qu'il attribue aux œuvres de celui-ci en tant qu'œuvres littéraires. Celle qui s'impose le plus naturellement à lui et qui certainement l'a fait le plus réfléchir sur les enseignements à en tirer pour un romancier est *La nouvelle Héloïse*. La vogue de ce roman est grande autour des années 1820 quand Balzac débute dans sa carrière d'écrivain. La jeune génération romantique s'y plonge avec délices et s'en-

---

(1) *Avant-Propos*, CFL, t. 15, p. 374.

thousiasme pour la passion malheureuse de Julie et de Saint-Preux. Bien qu'en vérité cet amour ne constitue qu'une première partie dans le roman, et que Rousseau consacre le gros de l'ouvrage à essayer de prouver la supériorité de la raison sur la passion dans le mariage, *La nouvelle Héloïse* reste avant tout, pour la plupart des lecteurs, l'histoire d'une grande passion contrariée par les conventions sociales. Balzac n'échappe pas à l'envoûtement. Julie, amante passionnée, mais jeune fille vertueuse et sincère, enflamme l'imagination du jeune Honoré, et dans l'univers littéraire que celui-ci se crée dans sa mansarde, c'est elle qui, à côté de l'ami La Fontaine, du juge Boileau, et de l'exemple Racine, est chargée d'incarner l'idéal sentimental : « *La Nouvelle Héloïse* pour maîtresse ! », écrit-il à Laure (1).

Cependant, Balzac, même très jeune, n'est pas un vrai romantique. M. Bernard Guyon a souligné dans *Sténie* les tendances contradictoires d'un roman où, d'une part, par la forme, par la peinture des sentiments, par la trame même, Balzac s'inspire directement de *La nouvelle Héloïse* et en reproduit le ton passionné ; mais où, d'autre part, les raisonnements de l'intelligence abstraite à la Voltaire s'expriment ouvertement. Dans ce roman, Balzac, conscient des possibilités romanesques qu'offrait la peinture d'une passion violente, conscient aussi du pouvoir évocateur et persuasif de Rousseau, ne peut que l'imiter tant bien que mal, en espérant réussir aussi bien que son modèle. Mais son esprit est trop acerbe, son coup d'œil trop juste pour ne pas discerner tout ce qu'une telle apologie des passions dérobe à la vérité. Si Julie apparaît en général comme une victime innocente, la froide ironie de l'auteur du *Vicaire des Ardennes* a vite fait de nous la montrer sous un autre jour : « Le plus grand des hasards fit que j'entrais dans le cabinet secret de ma tante ; j'y trouvai *La nouvelle Héloïse*, je la lus. Dans ce livre je vis l'histoire fidèle de mes sentiments ; l'éloquent auteur de ce chef-d'œuvre me persuada que je resterais noble, pure, candide, malgré mon amour satisfait. Nous étions dans une situation semblable, et j'imitais Julie... en tout (2). » La contradiction interne du roman, écho d'une contradiction profonde chez Rousseau, n'échappe donc pas à Balzac. Souvenons-nous que la *Physiologie du mariage* (3), fait allusion au danger pour les femmes d'être trop facilement persuadées « par l'organe enchanteur de Julie ». Il est vrai, d'autre part, qu'en signalant le danger du roman Balzac

(1) *Lettres à sa famille*, p. 25.
(2) *Le vicaire des Ardennes*, p. 30.
(3) CFL, t. 12, p. 1028.

rend hommage au talent de l'écrivain qui parvient si bien à substituer à la réalité quotidienne une autre réalité artistique plus convaincante. Cette puissance d'évocation et de création, c'est ce que l'auteur de *La comédie humaine* appellera plus tard « faire concurrence à l'état civil ». Par cette formule, bien loin de vouloir, comme on l'a trop souvent prétendu, définir une technique littéraire qui assignerait à l'écrivain le rôle d'un employé de mairie enregistrant avec minutie les faits relatifs à l'identité d'un individu, Balzac établit le seul critérium valable de l'œuvre littéraire : créer des êtres réels « dont l'existence devient plus longue, plus authentique que celle des générations au milieu desquelles on les fait naître » (1). Si nous parcourons la liste de ces créatures revêtues d'une existence qui leur permet de traverser les siècles, nous voyons qu'il ne peut s'agir en effet d'une technique particulière, car les personnages évoqués sortent de tous les genres de littérature. Parmi eux figure Julie d'Étanges. Ce n'était donc pas seulement l'enthousiasme romantique du jeune Balzac qui lui faisait choisir Julie comme maîtresse. Le Balzac de 1842, bien éloigné de tout romantisme, continue à voir dans cette création de Rousseau un être doué d'une existence réelle. Il a longuement médité, tout en écrivant, sur ce qui fait qu'un personnage littéraire sort de l'œuvre où il est né pour exister en soi. Ces personnages, dit-il, « ne vivent qu'à la condition d'être une grande image du présent. Conçus dans les entrailles de leur siècle, il s'y cache souvent toute une philosophie » (2). Les aventures d'un personnage, ses passions, ne sont donc pas suffisantes pour lui assurer une survie. Il faut qu'il incarne une philosophie, qu'il exprime une époque. Revenons à Julie et voyons si Balzac trouve dans l'épaisseur de son personnage de quoi satisfaire une telle exigence.

C'est sur un passage de *La fille aux yeux d'or* qu'il faut nous arrêter. Nous y lisons, à propos de *La nouvelle Héloïse* : « Il [Rousseau] a recommandé son ouvrage à la postérité par des grandes idées qu'il est difficile de dégager par l'analyse, quand dans la jeunesse, on lit cet ouvrage avec le dessein d'y trouver la chaude peinture du plus physique de nos sentiments, tandis que les écrivains sérieux et philosophes n'en emploient jamais les images que comme la conséquence ou la nécessité d'une vaste pensée (3). »

(1) *Avant-Propos*, CFL, t. 15, p. 371.
(2) *Ibid.*, p. 371.
(3) CFL, t. 1, p. 856.

Texte fort intéressant, car il met en lumière deux plans bien distincts dans le roman de Rousseau. D'abord un plan superficiel, où se place le jeu des passions : une première lecture avide se laisse emporter par l'intérêt pour les héros et leurs amours et ne cherche pas plus loin. Telle fut l'expérience de Balzac, nous l'avons vu. Prendre la nouvelle Héloïse pour maîtresse, c'était revivre par l'imagination la passion de Saint-Preux, et reprendre le roman dans son déroulement superficiel, sans plus. Rousseau a donné trop de vivacité à la peinture de l'amour, semble dire Balzac, pour que le lecteur puisse garder la tête froide. Le deuxième plan, atteint par la réflexion, après une deuxième lecture, distingue un roman quelconque d'une œuvre durable. « Les écrivains sérieux et philosophes », écrit Balzac : le jeune auteur de *Sténie* et de tant d'autres romans bien pires n'atteignait pas ce deuxième plan. Il imitait de Rousseau les sentiments exaltés, l'amour inguérissable, inventait mille péripéties, mais ne soutenait pas son œuvre par une réflexion « philosophique ». Au contraire, Rousseau ne dépeint pas l'amour pour le seul plaisir de peindre une passion violente qui intéressera son lecteur ; et le Balzac de la maturité voit dans *La nouvelle Héloïse* une œuvre composée, solidement assise sur une pensée réfléchie. Les épisodes du roman, les personnages : Saint-Preux, Julie, M. de Wolmar, lord Bromston sont alors revêtus d'une signification. Balzac a raison de revendiquer de la part du romancier plus qu'une série d'aventures, si passionnantes soient-elles. Il faut que l'œuvre exprime une vision personnelle, ce que nous appelons souvent « l'univers du romancier ». Il a aussi parfaitement raison d'affirmer les rapports nécessaires entre cette vision particulière à un écrivain et l'époque dans laquelle il vit. La création artistique devient ainsi l'expression originale d'une réalité commune à tous dans une époque donnée. Le grand problème de l'écrivain est donc de créer des personnages qui nous apparaissent faits de chair et d'os, et qui en même temps incarnent des idées, ou représentent des types. C'est tout le problème de *La comédie humaine*, presque toujours résolu avec succès. Pour Rousseau, qu'en est-il ? Lorsque nous lisons, dans la *Physiologie du mariage* :

Les femmes et le mariage ne seront donc respectés que par le changement radical que nous implorons pour nos mœurs. Cette pensée profonde est celle qui anime les deux plus belles productions d'un immortel génie. L'*Émile* et *La nouvelle Héloïse* ne sont que deux éloquents plaidoyers en faveur de ce système. Cette voix retentira dans les siècles, parce qu'elle a deviné les vrais mobiles des lois et des mœurs des siècles futurs. En attachant les enfants au sein de leurs mères, Jean-Jacques rendait déjà un immense service à la vertu ; mais son siècle était trop profondément gangrené pour comprendre les hautes leçons que renfermaient ces deux poèmes ; il est vrai d'ajouter aussi que le philosophe fut vaincu par le poète, et qu'en laissant dans le cœur de Julie mariée des vestiges de son premier amour, il a été séduit par une situation poétique plus touchante que la vérité qu'il voulait développer, mais moins utile (1).

nous sommes tentée d'objecter à Balzac qu'un roman qui n'est qu'un éloquent plaidoyer en faveur d'un système ne peut guère être un bon roman, selon sa propre esthétique. La notion même de « vérité utile », très rousseauiste, a toute chance d'aller contre les exigences de l'œuvre d'art. Et c'est l'écueil que Rousseau n'a pu éviter : quand il laisse ses personnages vivre de leur vie propre, il écrit un roman passionné où la morale a peu de place ; quand il cherche à exprimer une « vérité utile », il écrit un roman où les personnages se désincarnent, entrent en contradiction avec eux-mêmes, et ne sont plus que des prédicateurs. Le poète chez Rousseau l'emporte malgré tout sur le moraliste, Balzac a raison, et Julie reprend une dimension humaine lorsque nous apprenons que son prétendu bonheur ne cachait qu'ennui et regret de ce qui aurait pu être. La morale en souffre, l'œuvre littéraire y gagne. Nous n'avons malheureusement aucun texte où Balzac s'explique clairement sur *La nouvelle Héloïse*. Les deux passages que nous venons de citer sont les plus explicites et peut-être pouvons-nous à la lumière d'autres remarques plus rapides, combler certaines lacunes.

Le décalage que nous venons de signaler entre le plan où les personnages vivent et celui où s'exprime la pensée profonde de l'auteur est si évident dans le roman de Rousseau, particulièrement en ce qui concerne Julie, qu'il constitue un des grands reproches que la critique lui ait adressé. Balzac en est parfaitement conscient, mais tantôt il semble regretter que l'amour l'emporte sur le raisonnement *(Physiologie du mariage)*, tantôt il critique Rousseau pour avoir mêlé trop de raisonnement à l'amour et n'avoir pas su peindre ce sentiment : « Je n'ai jamais lu de livre où l'amour heureux ait été peint. Rousseau est trop imprégné de rhétorique (2). » Reproche auquel font écho plusieurs de ses personnages. Ici, Louise de Chaulieu : « Il y aurait quelque chose de sinistre à recommencer *La nouvelle Héloïse*

(1) CFL, t. 12, p. 1002.
(2) *Lettres à l'étrangère*, t. 1, p. 476.

de J.-J. Rousseau, que je viens de lire, et qui m'a fait prendre
l'amour en haine. L'amour discuteur et phraseur me paraît
insupportable. [...] L'ouvrage de Rousseau me fait l'effet d'un
sermon philosophique en lettres (1). » Là, Raphaël : « Je ne sais
pas bien ce que nous appelons, en poésie ou dans la conversation,
*amour* ; mais le sentiment qui se développa tout à coup dans ma
double nature, je ne l'ai trouvé peint nulle part : ni dans les
phrases rhétoriques et apprêtées de J.-J. Rousseau..., etc. (2). »

L'alternance de ces reproches souligne le manque d'unité de
l'ouvrage de Rousseau. Ni simple roman d'amour, ni simple
ouvrage de philosophie morale, l'idéal pour Balzac eût été, n'en
doutons pas, qu'il soit simultanément, et non pas alternativement, l'un et l'autre. Cependant, à tout prendre, les qualités de
l'œuvre l'emportent sur ses défauts. Ces qualités, quelles sont-
elles pour un Balzac ? Contrairement à la masse des lecteurs,
c'est le côté « philosophique » du roman qui l'intéresse surtout,
beaucoup plus que la peinture de l'amour dont il n'est guère
satisfait, nous l'avons vu. Certes, il nous est difficile de rapprocher
la conception balzacienne de l'étude de mœurs de celle de Rousseau : l'un s'est très vite orienté vers une peinture vraie, sans
discrimination du bon ou du mauvais, la morale devant jaillir
d'elle-même ; l'autre attache une grande importance au choix
des tableaux à peindre, et leur donne le rôle d'une morale appliquée. Malgré cette divergence, Balzac a su voir l'intérêt des
scènes de la vie à Clarens décrites par Rousseau. Il ne faut que
songer au *Médecin de campagne* ou au *Curé de village* pour voir
l'utilisation qu'il a pu en faire. Ce qui rebute certains lecteurs
chez Rousseau : les digressions de l'auteur, les intermèdes ralen-
tissant le cours du récit, les chapitres de description de la vie
quotidienne, les lettres écrites dans le seul but de discuter d'un
problème de morale, ne peuvent qu'intéresser Balzac dont
l'esthétique romanesque est bien loin d'exclure de tels procédés.

---

(1) *Mémoires de deux jeunes mariées*, CFL, t. 6, p. 88. Notons en passant
l'adresse de cette remarque placée par Balzac dans un roman qui est évidemment inspiré de *La nouvelle Héloïse*. Elle semble destinée à souligner le contraste
entre Julie et Louise et à donner en quelque sorte une leçon posthume à Rousseau. Nous retrouvons ce même genre de comparaison dans *La cousine Bette*,
où le baron Hulot écrit à Valérie Marneffe : « En lisant ta lettre, mille fois plus
brûlante que celles de *La nouvelle Héloïse*, elle a fait un miracle » (CFL, t. 9,
p. 1016). Mais en rapprochant la sordide Valérie de la vertueuse Julie, Balzac
n'a d'autre but qu'une cruelle ironie.
(2) *La peau de chagrin*, CFL, t. 7, pp. 1086-87. Cf. aussi *Béatrix*, CFL, t. 9,
p. 590 où il est question des « pères à cœur de verglas » qui ont conçu Othello,
Orosmane, Saint-Preux, René, Werther et « autres amoureux en possession de la
renommée », mais qui n'ont pas su ce qu'était l'amour.

Quant aux personnages mêmes, si Saint-Preux semble avoir peu de réalité pour lui (1), Julie est par contre une réussite assez certaine pour qu'il la place, nous l'avons vu, parmi les personnages littéraires immortels, et, qui plus est, pour qu'il tente d'en rapprocher ses héroïnes : « Dans les trois chants fraternels de ce poème exquis *Le message, La femme abandonnée, La grenadière,* la femme est élevée à une hauteur qui la place d'autant mieux à côté des héroïnes de Richardson et de Rousseau, que les traits principaux en sont empruntés à une nature perceptible pour tous (2). » Voici donc ce qui fait de Julie un être réel, qui continue à vivre bien après son créateur, et aussi, peut-être, bien après que le souvenir des péripéties du récit s'est effacé dans nos mémoires : une « nature perceptible pour tous ». *La nouvelle Héloïse,* qui fait rêver les imaginations romantiques, attire Balzac par ce qu'elle a de classique. Car n'est-ce pas avant tout une définition classique que celle qu'il nous en donne ? Devant un tel paradoxe, on peut se demander si Balzac voit très clair. Il est incontestable qu'il exprime là un des principes fondamentaux de son esthétique. Mais est-ce bien parce qu'il retrouve ce principe chez Rousseau qu'il admire le personnage de Julie d'Étange ? Balzac n'est pas romantique : chaque fois qu'il en a l'occasion il critique ou raille le romantisme. Jusqu'à quel point cependant échappe-t-il à son époque ? Chez ce soi-disant réaliste, combien de traits romantiques peut-on relever ! Si donc le romantisme s'est glissé dans son œuvre presque à son insu, il est permis de supposer qu'en lisant *La nouvelle Héloïse,* Balzac n'est pas aussi indifférent qu'il le croit à tout ce que le personnage de Julie comporte de romantisme, à l'attrait du lyrisme éthéré d'une passion très physique, au spectacle de cette vertu sublimisée mais toujours équivoque. C'est possible. La réflexion consciente de Balzac sur le roman de Rousseau ne porte cependant pas sur l'aspect romantique de l'œuvre, mais bien plutôt sur son aspect philosophique, c'est-à-dire moral et social.

Des autres œuvres de Rousseau, Balzac ne parle guère. *L'Émile* se signale avant tout à l'attention par son plaidoyer, « éloquent plaidoyer », on s'en souvient, en faveur de l'allaitement maternel : « En attachant les enfants au sein de leurs mères, Jean-Jacques rendait déjà un immense service à la vertu (3). »

(1) Il ne l'utilise que deux fois comme référence à un de ses propres personnages : *Le bal de Sceaux,* CFL, t. 2, p. 785 ; *La cousine Bette,* CFL, t. 9, p. 923.
(2) Introduction aux *Études de mœurs,* CFL, t. 15, p. 153.
(3) *Physiologie du mariage,* CFL, t. 12, p. 1002.

On reconnaît le ton moralisateur de la *Physiologie*. Mais voici l'auteur du *Traité des excitants modernes* qui nous déclare, au sujet de son ouvrage projeté sur l'*Analyse des corps enseignants* :

Il embrassera l'éducation humaine, fouillée sur un plan plus étendu que ne l'ont tracé mes prédécesseurs en ce genre. *L'Émile* de Jean-Jacques Rousseau n'a pas sous ce rapport embrassé la dixième partie du sujet, quoique ce livre ait imprimé une physionomie nouvelle à la civilisation. Depuis que les femmes des hautes classes ont nourri leurs enfants, il s'est développé d'autres *sentimentalités*. La Société a perdu tout ce que la Famille a gagné. Comme la nouvelle législation a brisé la famille, le mal est plein d'avenir en France. Je suis du nombre de ceux qui considèrent les innovations de Jean-Jacques Rousseau comme de grands malheurs ; il a plus que tout autre poussé notre pays vers ce système d'hypocrisie anglaise qui envahit nos charmantes mœurs, contre lequel les bons esprits doivent réagir avec courage, malgré les déclamations de quelques singes de l'école anglaise et genevoise (1).

Nous reconnaissons ici le projet dont il faisait part à Mme Hanska. Malheureusement rien ne vient dissiper l'obscurité de ce projet, puisque l'œuvre en question n'a jamais été écrite. *L'Émile* lui a donné, semble-t-il, une idée. Il espère, comme Rousseau, avoir une influence morale sur les mœurs. Il est clair pourtant qu'il a en tête des idées différentes de celles de Rousseau. Sa notion d' « éducation » concerne surtout la famille et non l'enfant. L'ouvrage qu'il aurait écrit se serait donc rapproché de *L'Émile* seulement dans la très petite partie de cette œuvre où l'enfant n'est pas encore confié à un précepteur. Et c'est probablement pourquoi les seules mentions de *L'Émile* faites par Balzac se rapportent au chapitre de l'allaitement maternel. Que reproche-t-il exactement à Rousseau sur les autres chapitres ? De quelles « innovations » s'agit-il ? Nous ne pouvons ici que deviner. Il semble voir en Rousseau une grave inconséquence : d'une part, celui-ci a travaillé à resserrer les liens entre parents et enfants ; d'autre part, sa pensée l'a entraîné vers un système social et politique libéral qui n'a plus besoin de s'appuyer sur la famille comme cellule sociale. L'individu existe en lui-même, chacun revendique ses droits. Les nombreuses lamentations de Balzac sur l'abolition du droit d'aînesse, à propos des nouvelles lois sur l'héritage, sur la division des domaines que celles-ci entraînaient, confirment cette opposition à Rousseau. Mais pourquoi cette attaque virulente contre « l'hypocrisie anglaise », ou les « singes de l'école anglaise et genevoise » ? Nous savons que

(1) CFL, t. 12, p. 1516.

Balzac n'aime pas les Anglais et que l'anglomanie de Rousseau, particulièrement dans *La nouvelle Héloïse* n'était pas faite pour lui plaire. Et pourtant, il n'en parle jamais au sujet de ce roman. Il s'agit ici surtout, croyons-nous, de sa grande querelle avec le protestantisme, auquel il fait remonter tous les maux de la démocratie et de la démoralisation sociale. Luther, Calvin, Bayle, le doute, Voltaire, Rousseau, l'éclatement de la structure sociale traditionnelle, la « médiocratie », tout se tient pour lui : c'est un enchaînement de conséquences. Mais pourquoi cette rancune se manifeste-t-elle au sujet de *L'Émile* ? Il est clair que Balzac n'aime pas *L'Émile*. Et c'est compréhensible. Le Rousseau envers lequel Balzac a quelque dette, c'est le révolté social, le critique de la société, le peintre des malheurs que celle-ci fait naître chez l'homme. *L'Émile*, au contraire, ne cherche que le bonheur et a pour but ultime de former un bon citoyen. La société ne disparaîtrait pas, elle serait renouvelée et ne comporterait plus les vices profonds qui la rendent si redoutable. Pour Balzac, une telle société n'aurait plus aucun intérêt, la poésie en serait morte, et les hommes seraient comme Émile, « de la chair à citoyen » (1) poursuivant tout uniment une carrière, vivant vertueusement, sans histoire. Finies les passions, finies les injustices sociales, mais finis aussi la vie élégante, les rutilements du grand monde, les existences désordonnées mais fascinantes ; on sait où va la préférence de Balzac.

Nous avons déjà eu l'occasion de citer quelques remarques de Balzac sur les *Confessions*. Nous ne les répéterons donc pas ici. L'antipathie que lui inspire Rousseau, tel qu'il se révèle au lecteur, n'entame en rien l'admiration qu'il éprouve pour l'écrivain. Et cette admiration ne varie guère. Dans le fragment intitulé *Une heure de ma vie*, Rousseau figure parmi « les plus fameux maîtres » à qui leur muse ait dicté « l'histoire secrète du génie humain, l'inventaire de tous ses sentiments » (2), entreprise que Balzac reconnaît comme une des plus difficiles dans les genres littéraires. En 1830, le Rousseau des *Confessions* est cité, à côté de Montaigne, du cardinal de Retz, de Saint-Simon et de Casanova, pour les « documents importants » qu'ils « ont laissé sur l'âme humaine » (3). On se souvient de la remarque de la *Physiologie du mariage* où Balzac constate le pouvoir évocateur de Rousseau permettant au lecteur d'imaginer Mme de Warens

---

(1) *La fille aux yeux d'or*, CFL, t. 1, p. 815.
(2) *La femme auteur*, p. 243.
(3) *Mémoires de lord Byron*, Con., t. 38, p. 397.

plus jolie qu'elle n'était. Et il ajoute : « Lire, c'est créer peut-être
à deux (1). » Dans la *Théorie de la démarche*, méditant sur le
problème qui se pose à l'écrivain moderne, et à lui en particulier,
désireux d'allier le littéraire au scientifique, il écrit : « Être un
grand écrivain et un grand observateur, Jean-Jacques et le
Bureau des Longitudes, tel est le problème, problème insoluble (2). » Venant de définir les matériaux de l'écrivain comme
la forme, la poésie et les accessoires de l'art, il est intéressant
qu'il choisisse Rousseau comme parfait exemple. Et ce n'est
pas un hasard, puisque les jeunes littérateurs d'*Illusions perdues*,
par la bouche de Lousteau, résument ainsi les nécessités du
métier pris au sérieux, devant lesquelles ils se dérobent : être
« aussi instruit que Bayle et aussi grand écrivain que
Rousseau » (3).

Lorsque M. Paul Barrière écrit : « Si Balzac a en somme passablement hésité sur son compte entre l'admiration et la critique, c'est pourtant celle-ci qui l'emporte et il attaque Rousseau
pour les mêmes raisons qu'il attaque les romantiques » (4), nous
sommes obligée de le contredire, car l'étude serrée des textes
portant sur Rousseau nous force à reconnaître que, s'il y a en
effet hésitation, c'est sur le terrain de la pensée sociale et de ses
conséquences politiques, non sur le terrain purement littéraire.
Balzac suit volontiers Rousseau dans sa misanthropie et dans
son pessimisme. Il le désavoue dans son optimisme et ses tentatives de reconstruction sociale. Sur le plan littéraire, nous ne
trouvons aucun texte qui nous permette de penser que les critiques acerbes qu'il adresse aux romantiques s'adressent aussi à
Rousseau. M. Le Breton est plus près de la vérité lorsqu'il déclare :

S'il a eu raison d'admirer le réalisme bourgeois de *La nouvelle
Héloïse* et s'il a eu raison de l'imiter, Jean-Jacques lui a été funeste
par son emphase sentimentale, par ses abus de la description, surtout
par sa misanthropie, ses paradoxes, son humeur prédicante, qui ont
passé dans *La comédie humaine*, et que n'y viennent pas racheter,
comme chez Jean-Jacques, les effusions d'une âme de poète (5).

Bien loin de reprocher à Rousseau un excès de romantisme,
Balzac lui reprocherait plutôt de n'avoir pas assez su exprimer
les effusions du cœur, d'avoir « habillé des raisonnements et des

(1) CFL, t. 12, p. 1020.
(2) CFL, t. 12, p. 1573.
(3) CFL, t. 4, p. 670.
(4) *Op. cit.*, p. 75.
(5) *Balzac, l'homme et l'œuvre*, Paris, Colin, 1905, p. 110.

systèmes » (1) et de n'avoir écrit que des lettres de « rhéteur » (2). À notre grande surprise, jamais il ne place Rousseau dans cette littérature des images qui représente pour lui le romantisme. La *Profession de foi du vicaire savoyard* est au contraire un des exemples cités de la littérature à idées, « pleine de faits, serrée ». Rousseau d'ailleurs n'est jamais dissocié des écrivains de son siècle. Nombreux sont les textes, déjà cités à propos d'autres écrivains, où Rousseau voisine avec Voltaire, Montesquieu, Buffon, Diderot. Le style même de Rousseau est rapproché, dans ses plus belles pages, on s'en souvient, de la prose du Racine de l'*Histoire de Port-Royal* (3).

Nous avons déjà été amenée à rappeler à plusieurs reprises le passage d'*Une heure de ma vie* où Balzac cite les écrivains qui ont su faire l'inventaire de tous les sentiments humains. Tout de suite après Molière et Tacite, et avant Cervantès, Rabelais, Montaigne, Rousseau, La Rochefoucauld, viennent Sterne et Richardson, deux Anglais du xviiie siècle, deux romanciers, deux hommes d'une seule œuvre (*Pamela* et *Grandison* sont, pour Balzac, « horriblement ennuyeux et bêtes » (4), et seul *Clarisse Harlowe* justifie la gloire de Richardson). Dans *Tristram Shandy*, comme dans *Clarissa*, se lit l'histoire secrète du génie humain à laquelle pense Balzac en écrivant ce texte. L'éloge mérite de nous arrêter.

M. Balzac père avait dû faire lire à son fils le roman de Richardson que la traduction de l'abbé Prévost en 1751 avait mis à la mode, traduction assez libre où le côté larmoyant du roman était très accentué, mais qui n'en permit pas moins à Richardson de remporter en France un succès considérable. Balzac, fier de ses connaissances, dirige les lectures de sa sœur Laure et lui conseille *Clarisse, Julie* et *Kenilworth* (5). Il relira lui-même *Clarisse Harlowe* une première fois en 1838 à Ajaccio, où son voyage en Sardaigne l'obligera à passer une semaine désœuvrée pendant laquelle il prendra ce qu'il trouvera à la bibliothèque municipale, puis une deuxième fois, tout entier, souligne-t-il, en 1844, alors que la maladie l'empêchera de rien faire d'autre. Une telle constance envers les quatorze volumes de *Clarisse Harlowe* parle suffisamment en faveur de l'attrait que peut exercer cette œuvre

(1) *Illusions perdues*, CFL, t. 4, p. 764.
(2) *Lettres à l'étrangère*, t. 2, p. 127.
(3) *Lettre sur Sainte-Beuve*, Con., t. 40, p. 297.
(4) *Lettres à l'étrangère*, t. 1, p. 471.
(5) *Lettres à sa famille*, p. 48.

sur Balzac. Celui-ci ne semble pas avoir été rebuté par la longueur du roman. Bien loin de la reprocher à Richardson, il en a découvert la nécessité en considérant l'œuvre du point de vue technique. Comme tous les romanciers habiles, dit-il, Richardson a mis dans *Clarissa* peu de faits (Balzac cite à ce propos *Werther*, *Adolphe*, *Paul et Virginie*) (1). Cette constatation semblerait, de prime abord, condamner d'autant plus les dimensions de l'œuvre, en disproportion flagrante avec sa sobriété d'action, alors que *Werther*, *Adolphe*, *Paul et Virginie* sont, au contraire, des ouvrages de dimensions réduites. Lorsque Bixiou, interrompu avec impatience par Blondet en plein milieu d'une description minutieuse, lui rétorque : « C'est toute la littérature, mon cher. *Clarisse* est un chef-d'œuvre, il a quatorze volumes et le plus obtus vaudevilliste te le racontera dans un acte » (2), il ne fait que souligner cette disproportion sans l'expliquer vraiment. Son « Pourvu que je t'amuse, de quoi te plains-tu ? », ne satisfait pas la curiosité du technicien. Comment peut donc se justifier « un livre aussi long que le magnifique poème appelé *Clarisse Harlowe* » (3) ?

Pour arriver au vrai (écrit Balzac dans la préface du *Lys dans la vallée*), les écrivains emploient celui des artifices littéraires qui leur semble propre à prêter le plus de vie à leurs figures. Ainsi, le désir d'animer leurs créations a jeté les hommes les plus illustres du siècle dernier dans la prolixité du roman par lettres, seul système qui puisse rendre vraisemblable une histoire fictive. [...] A chaque œuvre sa forme. L'art du romancier consiste à bien matérialiser ses idées. *Clarisse Harlowe* voulait sa vaste correspondance (4).

Ainsi chez Richardson, les épisodes du roman, peu nombreux, ne servent que de prétexte à l'exploration psychologique. Le choix de la forme épistolaire permet de poursuivre l'analyse de plusieurs personnages à la fois. Lovelace est aussi important à connaître que Clarisse. Mais cette forme, pour rester convaincante, exige une progression très lente, l'auteur ne disposant pas du moyen commode d'exposer lui-même les sentiments des personnages. Ceux-ci, livrés à eux-mêmes, doivent exprimer, dans leurs lettres, toutes leurs hésitations, l'ignorance de leurs propres sentiments, et omettre le moins de détails possible. Car le lecteur aussi est livré à lui-même, chargé de rassembler les

(1) *Lettres sur la littérature*, CFL, t. 14, p. 1053.
(2) *La maison Nucingen*, CFL, t. 6, p. 375.
(3) *Pierrette*, CFL, t. 6, p. 722.
(4) CFL, t. 14, p. 190.

éléments épars, de comparer, de juger, de conclure. Balzac a donc raison en principe. Cependant, nous ne pouvons nous empêcher de songer aux *Liaisons dangereuses* où l'analyse psychologique est poussée à fond sans que l'auteur s'abandonne à la prolixité désespérante de Richardson. Le caractère de Valmont permet, sans doute, plus de concision que celui de la vertueuse Clarisse, aux prises avec une situation qui la dépasse. Il n'en reste pas moins que Balzac ne nous convainc pas de la nécessité des quatorze volumes de *Clarisse*. Contentons-nous de savoir qu'elle est, à ses yeux, parfaitement justifiée, et que la longueur de l'œuvre la rend « colossale » et fait d'elle une véritable « épopée bourgeoise » (1).

En dehors de la forme même du roman, l'intérêt de Balzac pour *Clarisse* se concentre sur trois points. Le roman est tout d'abord une étude de l'amour, sujet primordial, dont nous connaissons l'importance pour l'auteur de *La comédie humaine*. Clarisse est au rang des grandes œuvres « clé de presque toutes les situations du cœur humain en amour » (2). Le rapprochement entre Clarisse et Julie, qui s'impose, pousse Balzac à identifier ces deux héroïnes plus que leurs situations respectives, très différentes, ne permettent de le faire en réalité. Voir en Julie une « fille séduite », n'est-ce pas la confondre avec Clarisse ? Inversement, Balzac semble parfois perdre de vue qu'à l'amour pour Lovelace se mêle, dans les motifs qui poussent Clarisse à s'enfuir, la répulsion d'un mariage imminent avec un homme qui lui déplaît. Julie, Clarisse, Modeste Mignon, « âmes remplies comme des coupes trop pleines et qui débordent sous une pression divine » (3), soit. Mais Julie peut obéir à sa famille parce que celle-ci est digne de sa confiance. Clarisse ne le peut pas. L'amour de Julie pour Saint-Preux est plus simple, moins équivoque que celui de Clarisse pour Lovelace. Les deux héroïnes se retrouvent pourtant dans leur commune vertu et dans leur mutuelle tendance à raisonner leur passion à l'infini, que leur communiquent leurs créateurs : « Je n'ai jamais lu de livre où l'amour heureux ait été peint [...] Richardson est trop raisonneur », écrit Balzac en 1838 (4). L'année suivante, il s'émerveille de trouver chez Stendhal la passion décrite à l'état pur, alors que « la phrase est le défaut de *Clarisse* » (5). « L'amour discuteur et phraseur

---

(1) *Lettre à M. Hippolyte Castille*, Con., t. 40, p. 651, et *Modeste Mignon*, CFL, t. 7, p. 410.
(2) *Lettres sur la littérature*, CFL, t. 14, p. 1132.
(3) *Modeste Mignon*, CFL, t. 7, p. 437.
(4) *Lettres à l'étrangère*, t. 1, p. 476.
(5) *Études sur M. Beyle*, CFL, t. 14, p. 1212.

me paraît insupportable », répète Louise de Chaulieu en écho,
« Clarisse est aussi par trop contente quand elle a écrit sa longue
petite lettre » (1).

La peinture de l'amour chez Clarisse se dissocie beaucoup plus
difficilement de celle de la vertu que chez Julie. Chez l'héroïne
de Rousseau, le conflit se développe par phases d'alternances,
plus commodes pour l'auteur, moins tragiques pour le personnage. Clarisse au contraire reste déchirée sans répit possible
entre son amour et la conscience du péché. « Clarisse, dans Richardson, est une fille chez qui la sensibilité est à tout moment
étouffée par une force que Richardson a nommée vertu (2). »
Cette force, Balzac essaiera de la peindre plus d'une fois, notamment dans *Le lys dans la vallée*, où nous ne sommes pas surpris de
trouver une invocation à Clarisse : « Génies éteints dans les
larmes, cœurs méconnus, saintes Clarisse Harlowe ignorées,
enfants désavoués... (3). » Il y découvrira une immense difficulté
qui renforcera son admiration pour Richardson, et le mènera à
cette conclusion : « Clarisse, cette belle image de la vertu passionnée, a des lignes d'une pureté désespérante (4). » C'est pourquoi
Clarisse ne peut se refaire, c'est pourquoi Balzac la nomme si
souvent parmi les personnages qui ne peuvent être créés que par
un prodigieux génie, usurpateur de Dieu, insufflateur de vie (5).

M. Baldensperger, sans prouver ses dires, affirme que « Balzac
abomine la doucereuse vertu des héroïnes richardsonniennes » (6).
C'est vrai de Pamela, ce n'est pas vrai de Clarisse. Le *cant* anglais,
contre lequel Balzac n'a pas assez d'anathèmes, ne semble pas
s'appliquer à l'héroïne de Richardson. Son caractère purement
anglais n'est qu'à peine rappelé, une fois par Louise de Chaulieu
qui se fait le perroquet de son père en répétant que « l'ouvrage
de Richardson explique [...] remarquablement les Anglais » (7),
opinion qui n'est pas forcément celle de Balzac ; et une autre
fois dans *La Chine et les Chinois* où Clarisse, « sorte de Vénus
anglaise », sert à prouver que l'esthétique moderne reprend et
agrandit l'esthétique classique (8). Lorsque, nous le verrons,
Balzac reprochera à Walter Scott d'avoir ignoré, dans ses œuvres,

(1) *Mémoires de deux jeunes mariées*, CFL, t. 6, p. 88.
(2) *A Madame la duchesse d'Abrantès*, CFL, t. 16, p. 19.
(3) CFL, t. 1, p. 340.
(4) *Avant-Propos*, CFL, t. 15, p. 380.
(5) Cf. Préface de la 1re éd. de *Ferragus*, CFL, t. 15, p. 91 ; *Illusions perdues*,
CFL, t. 4, pp. 452 et 626.
(6) *Op. cit.*, p. 228.
(7) *Mémoires de deux jeunes mariées*, CFL, t. 6, p. 88.
(8) Con., t. 40, p. 545.

la passion et de n'avoir peint qu'un même type de femme, incarnation du devoir, il y verra, en effet, une conséquence de la pudibonderie anglaise. Mais Clarisse Harlowe ne sera nommée que pour indiquer précisément que le portrait de la vertu a été fait une fois pour toutes. En faisant procéder ses héroïnes de celle de Richardson, Walter Scott tombera dans la monotonie. Seule « la passion a des accidents infinis », dit d'Arthez (1) ; la passion vertueuse d'une Clarisse devait être peinte une fois, elle l'a été. L'admiration de Balzac ne peut être mise en doute.

Il n'en reste pas moins vrai que son attention se porte tout autant sur Lovelace que sur Clarisse. Nous décelons même une évolution à cet égard, les premières allusions à *Clarisse Harlowe* portant essentiellement sur la jeune fille, et les dernières essentiellement sur son séducteur. Il semble que la lecture de 1838 ait amené Balzac à reconsidérer le personnage. Jusque-là, il ne parlait de lui que comme d'un amoureux du type Don Juan : « faire le Lovelace » revient plusieurs fois sous sa plume. Tout à coup, en 1839, apparaît cette étrange phrase, dite par Blondet : « Qui de nous pourrait prononcer entre Clarisse et Lovelace ? [...] Quelle fut l'intention de Richardson ? Le critique doit contempler les œuvres sous tous leurs aspects (2). » Sans mettre l'intention morale de Richardson véritablement en doute, Balzac, par la bouche de Blondet, tient à souligner l'importance de Lovelace en tant que personnage, refusant de voir en lui, comme il semblait le faire jusque-là, un simple instrument de la chute de Clarisse, mais une réalité humaine tout aussi attirante que celle de sa vertueuse victime. Cet attrait ne fera que grandir : de plus en plus, Lovelace remplace Clarisse, devient « une créature dont la célébrité nuit à tout autre » (3), s'installe à côté de Clarisse dans le recensement des créations immortelles (alors que précédemment seule Clarisse y figurait) (4) et finit même par éclipser totalement cette dernière lorsque Balzac confère à lui seul la gloire d'avoir immortalisé Richardson (5). La *Lettre à M. Hippolyte Castille* nous éclaire sur cette évolution : il s'agit pour Balzac, on le sait, de se défendre du reproche d'immoralité. Deux œuvres vont lui servir de bouclier, deux œuvres éminemment morales, *Clarisse Harlowe* et *La divine comédie.*

---

(1) *Illusions perdues*, CFL, t. 4, p. 586.
(2) *Illusions perdues*, CFL, t. 4, p. 762.
(3) *Albert Savarus*, CFL, t. 8, p. 695.
(4) *Avant-Propos*, CFL, t. 15, p. 371.
(5) *La cousine Bette*, CFL, t. 9, p. 951.

Moraliser son époque est le but que tout écrivain doit se proposer, sous peine d'être un *amuseur de gens* [...] Or, le procédé ancien a toujours consisté à montrer la plaie. Lovelace est la plaie dans l'œuvre colossale de Richardson. Voyez Dante. Le *Paradis* est, comme poésie, comme art, comme suavité, comme exécution, bien supérieur à l'Enfer. Le *Paradis* ne se lit guère, c'est l'*Enfer* qui a saisi les imaginations de toutes les époques (1).

Nous avons vu en effet que Balzac s'attarde bien plus volontiers aux visions sataniques de Dante qu'à son extase. Il en est de même désormais pour l'œuvre de Richardson : Lovelace opère sur Balzac la fascination du serpent. Le personnage est entré en lui, a pénétré dans un univers où il coudoie ses semblables, où le satanisme en gants jaunes règne. La morale importe, au fond, bien peu à Balzac. L'essentiel pour lui est la pénétration des secrets de l'âme. Une âme vertueuse n'en possède pas. Lovelace, au contraire, révèle à lui seul, en un personnage qui existe d'autant plus dans la réalité littéraire qu'il n'existe pas dans la réalité quotidienne, l'âme des « cinq cents dandys par génération qui sont, à eux tous, ce Satan moderne » (2). Qui l'emporte, en vérité poétique, de Lovelace ou de Clarisse ? Balzac ne saurait le dire. Richardson lui offre, lui aussi, en un « chef-d'œuvre éternel », les deux faces de l'humanité (3).

Entre Richardson et Sterne, rien de commun, sinon la recherche du détail psychologique qui les mène tous deux, par des voies bien différentes, à l'inventaire des sentiments humains dont parle le texte qui les rapproche. L'affection de Balzac pour Sterne remonte à sa première jeunesse. En 1818 avait paru chez Ledoux et Tenré une nouvelle édition des *Œuvres complètes*, traduites de l'anglais par une société de gens de lettres. Sterne allait devenir à la mode, en même temps que Rabelais. Comme pour Rabelais, cependant, le goût de Balzac pour Sterne n'avait guère besoin d'être encouragé par les articles de critique. Il trouvait chez l'auteur anglais de quoi satisfaire plus d'un aspect de son tempérament et gardera pour lui une admiration fidèle. L'influence de M. Balzac père dut aider, au départ, à développer chez son fils un intérêt pour *Tristram Shandy*. Car disons tout de suite que Sterne est, avant tout, pour Balzac, l'auteur de *Tristram Shandy*. Le *Voyage sentimental* a très peu de part dans les allusions à Sterne. Laure Surville écrit dans la bibliographie de son

(1) Con., t. 40, p. 651.
(2) *Ibid.*, p. 649.
(3) *De la propriété littéraire*, Con., t. 40, p. 426.

frère que leur père « tenait à la fois de Montaigne, de Rabelais et de l'oncle Toby par sa philosophie, son originalité et sa bonté. Comme l'oncle Toby, il avait aussi une idée prédominante. Cette idée était chez lui, la *santé* » (1). Ajoutons que les théories de M. Balzac père sur l'hérédité et l'éducation, théories auxquelles Balzac fait allusion à propos de *L'Émile* de Rousseau, préparaient son fils également à prêter une oreille complaisante à celles de Gauthier Shandy sur l'art de mettre les enfants au monde.

La première trace de Sterne dans l'œuvre de Balzac se découvre en juillet 1822 dans une des épigraphes qui précèdent les chapitres de *L'héritière de Birague*. Une allusion à l'agencement des pièces chez les Shandy, qui permettait aux domestiques de savoir tout ce qui s'y disait, apparaît également dans *Le vicaire des Ardennes*, sorti en novembre de la même année. Or à cette époque, la mère de Balzac se plaignait de l'influence néfaste qu'exerçaient Rabelais et Sterne sur Honoré. La familiarité de celui-ci avec ces deux écrivains remonte donc au plus tard à 1822.

Il ne s'agit pas d'une simple lecture, mais bien d'une sorte de culte dans le genre de celui que nous avons décelé pour Rabelais. Balzac n'écrit-il pas tout naturellement, comme si la chose allait de soi, à la duchesse d'Abrantès : « Vous savez sans doute Sterne par cœur. Souvenez-vous de l'histoire de Marie (2). » L'histoire de Marie, digression entre mille, occupe tout juste deux pages vers la fin de l'ouvrage : se souvenir de la technique employée par Sterne pour la conter (car il s'agit ici de conseils techniques donnés par Balzac à son amie), c'est vraiment savoir Sterne par cœur. Nous touchons là à une des raisons profondes de l'admiration de Balzac pour l'auteur de *Tristram Shandy* : son talent, dans les innombrables anecdotes qui émaillent son récit, à saisir les êtres et les choses sur le vif, à en accentuer le côté humoristique ou touchant, selon l'humeur du moment, mérite la place que Balzac lui assigne parmi les grands conteurs (3). La technique de Sterne, si originale et si variée, utilisant toutes les ressources permises à l'écrivain, y compris la page blanche, offre une infinité de modèles selon qu'on y étudie le dialogue, l'art de la digression, le style épistolaire, le récit à la première personne, et bien d'autres encore. Tout y est. Nous sommes certains que Balzac dut méditer plus d'une fois sur le charme de l'écrivain chez Sterne. La traduction ne lui permettait pas de juger du style à proprement parler,

---

(1) *Balzac, sa vie et ses œuvres*, d'après sa correspondance, Lévy, t. 24, p. IV.
(2) CFL, t. 16, p. 24.
(3) *Pensées, sujets, fragments*, p. 18, et *Petites misères de la vie conjugale*, CFL, t. 12, p. 1390.

plutôt du ton général adopté par l'écrivain, de sa manière d'aborder les portraits de personnages. Ne peut-on voir une preuve de cette connaissance technique de Sterne dans le fait que, dans sa critique de 1830, Balzac prend Sterne comme point de comparaison : « Ici, Sterne et sa touche fine et délicate », écrit-il à propos de *La confession* de Jules Janin (1) ; « Là, c'est une figure dont la grâce la rend digne de Sterne (2). » Lorsque Lousteau expose pour la première fois, avant que Balzac ne le fasse lui-même, la distinction entre littérature des idées et littérature des images, « les romans de Voltaire, de Diderot, de Sterne, de Lesage, si substantiels, si incisifs », serviront de contraste au roman moderne (3). Sterne se rattache donc tout à fait de ce point de vue à la littérature du xviiie siècle français telle que Balzac la conçoit.

Nous n'en finirions pas s'il fallait énumérer toutes les occasions qui se présentent à Balzac d'adopter telle ou telle idée de Sterne, ou de se remémorer un personnage ou un incident (4). Chacune d'entre elles constitue un hommage implicite à un détail de l'œuvre de Sterne. Nous n'en dégagerons que l'essentiel. D'abord, il faut remarquer que Balzac n'insiste absolument pas sur le côté licencieux du roman anglais. Sans douter que l'amateur de littérature gaie ait fort goûté les subtils sous-entendus que Sterne fait surgir malicieusement dans l'esprit de son lecteur sans jamais lui-même prononcer un seul mot impudique, nous devons reconnaître que Balzac, dans l'ensemble, prend Sterne très sérieusement. « L'un de nos écrivains le plus philosophiquement plaisant et le plus plaisamment philosophe », se plaît-il à le définir (5).

Où s'arrête la plaisanterie, où commence la philosophie ? C'est difficile à savoir. Balzac semble parfois un peu trop porté à accepter les idées avancées par Sterne sous le couvert de ses personnages. Les raisonnements de M. Shandy, par exemple, sur l'importance de la conception et de l'accouchement pour les chances de réussite d'un enfant dans la vie s'incorporent tout naturellement aux réflexions de Balzac sur l'inégalité des intelligences. Les idées de Sterne s'accordent avec le déterminisme de Balzac (6). Le constant rapport établi par Sterne entre le

(1) Con., t. 38, p. 513.
(2) *Ibid.*, p. 416.
(3) *Illusions perdues*, CFL, t. 4, p. 744.
(4) L'imitation la plus frappante, peut-être, se rencontre dans les pages incompréhensibles de la *Physiologie du mariage*, CFL, t. 12, pp. 1198-1200.
(5) *Physiologie du mariage*, t. 12, p. 1082.
(6) Cf. *Traité de la vie élégante*, CFL, t. 12, p. 1625, note 1, et *Pensées, sujets, fragments*, p. 158, où BALZAC écrit : « Sterne est le premier qui ait osé parler de l'importance, du sérieux de l'acte sur lequel on plaisante. »

physique et le moral, entre le corps et la pensée, répond chez Balzac à des préoccupations si profondes qu'il ne peut qu'accueillir les idées suggérées par le romancier anglais avec enthousiasme. Le ton humoristique sur lequel celui-ci expose ses théories ne diffère guère du ton adopté par l'auteur de la *Physiologie du mariage* ou des différentes œuvres qui doivent constituer la *Pathologie de la vie sociale.* Le ton de plaisanterie n'est qu'un déguisement agréable pour faire adopter des idées auxquelles Balzac croit fermement. Il est donc normal qu'il adopte pour Sterne l'attitude qu'il attend des lecteurs de ses œuvres analytiques. Ainsi continue-t-il à adopter les théories de Sterne : « Sterne, cet admirable observateur, a proclamé de la manière la plus spirituelle que les idées de l'homme barbifié n'étaient pas celles de l'homme barbu (1). » Deux ans plus tard, l'idée a fait son chemin et réapparaît, agrandie, prolongée dans d'autres actes de la vie : « Ne peut-on pas affirmer hardiment que les dispositions des gens à table ne sont plus celles des gens revenus au salon (2) ? » Nous n'insisterons pas sur le sérieux avec lequel Balzac adopte la fameuse *cognomologie.* Tous ses familiers ont témoigné du soin qu'il apportait au choix des noms de ses personnages. Gobseck, Mme de Listomère, Minoret-Levrault, Félicité, autant de preuves de « l'occulte puissance des noms qui tantôt raillent tantôt prédisent les caractères » (3). Cette facilité étonnante de Balzac à adopter les idées les plus douteuses ramassées dans Sterne, découle de la confiance que lui inspire cet écrivain en qui il salue un des plus fins observateurs que la littérature ait connu : observateur à la loupe, qui décèle les moindres nuances de la personnalité, les étudie, les compare, en tire des hypothèses. Derrière la nonchalance et le décousu se cache un esprit dont la démarche scientifique, semblable à celle d'un naturaliste, enchante Balzac.

Mon oncle Tobie et son dada, sifflant son air de *lillaburello* dans les moments de gêne, la silencieuse Mme Shandy et ses étranges associations d'idées, M. Shandy et ses théories génétiques, autant de personnages qui surgissent à tout moment dans la mémoire de Balzac et se mêlent à sa pensée. Chacun existe dans son originalité, chacun exprime aussi, à sa manière, un des visages de l'homme. Balzac n'hésite pas à placer Sterne aux côtés de Rabelais, non pas pour leur commune grivoiserie,

(1) *Traité de la vie élégante,* CFL, t. 12, p. 1640.
(2) *Autre étude de femme,* CFL, t. 8, p. 75.
(3) *Ursule Mirouet,* CFL, t. 8, p. 360.

mais comme les deux génies dont l'œuvre s'offre à lui avec toute
la richesse et la complexité de la vie humaine. L'épigraphe serpentine de *La peau de chagrin* voulait exprimer la dette de l'auteur envers celui de *Tristram Shandy*, « le plus original des écrivains anglais » (1).

Outre Richardson et Sterne qui, incontestablement, dominent le roman du xviiie siècle dans l'esprit de Balzac, deux
autres Anglais sont connus de lui : Goldsmith et Godwin. *Le
vicaire de Wakefield* lui plaît pour la peinture de ses personnages
simples et pleins de bon sens, la gentille ironie de l'auteur à leur
égard, la réflexion morale et sociale subtilement mêlée à un récit
plein d'épisodes captivants : « Il est impossible de peindre le
sentiment comme il existe au fond des provinces. Il comporte
un mélange de raison, de calculs positifs et de vérités, qui exclut,
en apparence, la poésie que les auteurs cherchent à mettre dans
leurs conceptions. Ce serait un ouvrage tout entier, qui demanderait le génie de Goldsmith, et tout le monde me croira quand
je dirai qu'il me manque (2). »
Ainsi s'exprime en 1830 celui qui songe déjà à orienter son
œuvre vers la peinture des milieux sociaux de son époque.
L'équilibre trouvé par Goldsmith entre le bien et le mal, l'optimisme affectueux qu'il éprouve envers le sort de sa famille
Wakefield, amènent Balzac, une fois qu'il a pris conscience de
sa tendance personnelle vers le pessimisme, à rapprocher *Le
vicaire de Wakefield* de *L'imitation de Jésus-Christ*. Le côté angélique du roman de Goldsmith doit lui servir de modèle pour
écrire le livre qui fera taire les reproches d'immoralité et de
cynisme. Ce livre, nous le savons, est *Le médecin de campagne*,
écrit avec combien de difficultés en 1833 : « Quand on veut atteindre à la beauté simple de l'Évangile, surpasser *Le vicaire de
Wakefield* et mettre en action *L'imitation de Jésus-Christ*, il faut
piocher, et ferme (3). » Le roman de Goldsmith se range donc avec
le *Paradis* de Dante, avec *Don Quichotte*, avec *Clarisse*, parmi
les œuvres qui, pour être bien différentes les unes des autres, ont
ceci en commun qu'elles offrent à Balzac le visage noble de
l'humanité. Même l'humble famille Wakefield reflète à sa manière
l'innocence première de l'homme. Une fois ou l'autre, Balzac
tente de rivaliser avec de telles œuvres et retire de son effort une

(1) *Physiologie du mariage*, CFL, t. 12, p. 939.
(2) *Les deux amis*, CFL, t. 14, p. 699.
(3) *Correspondance avec Mme Z. Carraud*, publiée par M. Bouteron, Paris,
Colin, 1934, p. 129.

conscience de plus en plus vive de la difficulté que présente la peinture du bien. Son dernier effort, inachevé, sera en ce domaine *L'envers de l'histoire contemporaine*, auquel nous retrouvons tout naturellement associé le souvenir de Goldsmith (1).

A l'opposé du *Vicaire de Wakefield*, *Caleb Williams*, l'œuvre de Godwin, s'intègre au monde dominé par le visage de Satan, monde qui s'ouvre, en revanche, tout grand à l'exploration de Balzac. Godwin n'est cité que trois fois, nous ne ferons donc que signaler le rapport évident qui s'établit entre le criminel de Godwin et le révolté byronien auquel Balzac fera une si large part dans sa pensée sociale. Tous deux illustrent « le désordre et le ravage portés par l'intelligence dans l'homme considéré comme individu et comme être social » (2). Nous y reviendrons à propos de Byron. Ajoutons que la structure de *Caleb Williams*, roman où le nombre des personnages est réduit au minimum, ne manque pas d'intéresser l'apprenti romancier qui en 1824 écrivait : « Dans ce genre, *William Caleb (sic)*, le chef-d'œuvre du célèbre Godwin, est, de notre époque, le seul ouvrage que l'on connaisse, et l'intérêt en est prodigieux (3). »

Il est très difficile de distinguer en Balzac, lorsqu'il s'agit de tous ces romanciers anglais, le jugement de valeur pur et simple du désir plus complexe de s'approprier certains de leurs traits. Admiration et imitation (accueil, devrions-nous dire, car il s'agit moins d'imiter que d'incorporer) vont presque toujours de pair chez lui. Ce phénomène ne se retrouve pas, ou à peine, lorsque nous mettons Balzac en présence des romanciers français du xviii⁰ siècle. Ou bien il ne s'en occupe pas du tout, ou bien il les juge objectivement. Passons tout de suite sur les négligés.

Les quelques allusions à Florian ne font que souligner la mièvrerie de ses bergeries. Marmontel, bien qu'il figure au rang des grands conteurs (4) ne suscite aucun commentaire. Les romans de Marivaux ne sont même pas mentionnés.

A Restif de La Bretonne, deux références, toutes deux dans des œuvres d'importance très secondaires (5) : voilà tout ce que nous rencontrons.

Fait plus surprenant, Choderlos de Laclos est presque ignoré ;

(1) CFL, t. 8, p. 1147.
(2) Introduction aux *Romans et contes philosophiques*, CFL, t. 15, p. 79.
(3) Préface d'*Argow le pirate*, CFL, t. 15, p. 47.
(4) *Pensées, sujets, fragments*, p. 18.
(5) Compte rendu de *Souvenirs de la Morée*, Con., 38, p. 434 ; et *Les deux amis*, CFL, t. 14, p. 668.

pas plus de trois allusions aux *Liaisons dangereuses* (1). Si ces allusions ont au moins le mérite d'être dans *La comédie humaine*, et d'y être utilisées consciemment par Balzac comme point de référence pour des personnages balzaciens et avec le caractère corrupteur du roman en vue, elles ne nous donnent par contre aucune autre indication sur l'intérêt particulier de Balzac pour ce roman.

Le sort de l'abbé Prévost est un peu plus honorable, grâce à *Manon Lescaut* qui est nommé dix-sept fois. La grande majorité de ces textes ne considèrent d'ailleurs pas ce roman en lui-même pour ses qualités particulières ; quand Balzac y songe, c'est soit pour le citer parmi les chefs-d'œuvre de la littérature à idées (2) ou les grands ouvrages des XVIIe et XVIIIe siècles (3) ; soit pour mettre Manon aux rangs des créatures éternelles issues d'œuvres littéraires (4) ; soit enfin pour montrer qu'une telle réussite dans la création, même unique, suffit à immortaliser un homme (5). Balzac se range donc à l'opinion générale, puisque parmi les nombreuses et abondantes œuvres de l'abbé Prévost, il ne retient que la brève histoire du chevalier des Grieux (6). Nous aimerions pourtant savoir s'il connaît les autres œuvres de Prévost et si, en mettant *Manon Lescaut* au rang des chefs-d'œuvre, il exprime un goût personnel ou au contraire un jugement accepté. Des autres œuvres de Prévost, seul *Le doyen de Killerine* est cité, une première fois dans *Ferragus* :

C'était une de ces amitiés éternelles fondées sur des liens sexagé-naires, et que rien ne peut plus tuer, parce qu'au fond de ces liaisons il y a toujours des secrets de cœur humain, admirables à deviner quand on en a le temps, mais insipides à expliquer en vingt lignes, et qui feraient le texte d'un ouvrage en quatre volumes, amusant comme peut l'être *Le doyen de Killerine*, une de ces œuvres dont parlent les jeunes gens, et qu'ils jugent sans les avoir lues (7).

---

(1) *Eugénie Grandet*, CFL, t. 5, p. 783 ; *La fille aux yeux d'or*, CFL, t. 1, p. 861 ; *La cousine Bette*, CFL, t. 9, p. 931.
(2) *Etudes sur M. Beyle*, CFL, t. 14, pp. 1153 et 1155.
(3) *Modeste Mignon*, CFL, t. 7, p. 375.
(4) *Illusions perdues*, CFL, t. 4, p. 626 et *Avant-Propos*, CFL, t. 15, p. 371.
(5) *Lettres sur la littérature*, CFL, t. 14, p. 1130 et *La cousine Bette*, CFL, t. 9, p. 951.
(6) Dans une des *Lettres sur Paris* où BALZAC fait l'éloge de la production littéraire de 1830, nous lisons : « *Anatole, Adolphe* et *Corinne* ne sont-ils pas des romans meilleurs que les *Mémoires d'un homme de qualité ?* » (CFL, t. 14, p. 415). Il est difficile de dire s'il s'agit de l'ensemble des *Mémoires*, ou de l'épisode particulier de Manon Lescaut. La comparaison avec *Adolphe* ou *Corinne* semble indiquer qu'il s'agit de *Manon*.
(7) CFL, t. 2, p. 397.

Le sens de ce paragraphe est ambigu : Balzac réhabilite-t-il le roman de Prévost en justifiant sa longueur par la nécessité de l'analyse détaillée ? Malgré l'adjectif « amusant », nous ne sommes pas convaincus. Et si nous lisons l'autre texte où ce même roman est mentionné, nous sommes bien près de croire que l'opinion vraie de Balzac n'est pas très favorable : discutant l'impossibilité d'accorder dans un roman « la place réelle qu'occupent, dans l'état social, les honnêtes gens dont la vie est sans drame » sous peine de faire périr le lecteur d'ennui, il ajoute : « Mais un seul *Doyen de Killerine* écraserait mes galeries (1). » Galeries légères, en vérité, résistant mal même à un personnage d'aussi peu de poids.

C'est dans cette même *Lettre à M. Hippolyte Castille* où Balzac traite de la moralité en littérature, que nous trouvons ce passage déjà cité : « Ce problème de l'opposition du bien et du mal est terminé d'un bout par l'irréprochable *Don Quichotte*, et, de l'autre, par *Manon Lescaut*, ou, si vous voulez, par *Candide*. — Qui ne voudrait être Voltaire ou l'abbé Prévost (2) ? » Choix curieux de la part de Balzac, nous semble-t-il. *Candide*, en effet, est une magnifique illustration du problème du mal et apporte, à sa manière, sa solution ; mais *Manon Lescaut* traite d'un aspect trop particulier de ce problème pour pouvoir occuper la place que Balzac lui assigne. Il est plus juste de dire, comme le fait Balzac ailleurs, que *Manon Lescaut* nous donne « la clé d'une des situations du cœur humain en amour » (3), sans pour cela régler le conflit entre le bien et le mal.

Du point de vue purement littéraire, qu'est-ce qui fait de *Manon Lescaut* une réussite ? Là encore, nous restons dans le vague. Un seul texte traite de cette question. Le voici :

La plupart des livres dont le sujet est entièrement fictif, qui ne se rattachent de près ou de loin à aucune réalité, sont mort-nés ; tandis que ceux qui reposent sur des faits observés, étendus, pris à la vie réelle, obtiennent les honneurs de la longévité. C'est le secret des succès obtenus par *Manon Lescaut*, par *Corinne*, par *Adolphe*, par *René*, par *Paul et Virginie*. Ces touchantes histoires sont des études autobiographiques, ou des récits d'événements enfouis dans l'océan du monde et ramenés au grand jour par le harpon du génie (4).

---

(1) *Lettre à M. Hippolyte Castille*, Con., t. 40, p. 649.
(2) Con., t. 40, p. 651.
(3) *Lettres sur la littérature*, CFL, t. 14, p. 1132.
(4) Préface de la 1ʳᵉ éd. du *Cabinet des antiques*, CFL, t. 15, pp. 299-300.

En gros, Balzac donne ici une définition du réalisme. Mais combien incomplète et ambiguë, puisqu'il l'illustre justement par des romans dont le romantisme ne peut être mis en question. Que ces romans soient basés ou non sur une expérience vécue, le secret de leur succès n'est peut-être pas là. Ce qui frappe, c'est que Balzac parle de *succès* et non de valeur réelle. Dans le cas de *Manon Lescaut*, nous avons bien l'impression que le succès de ce roman est accepté par Balzac comme un fait accompli, et que les raisons qu'il donne sont des raisons *a posteriori*, tirées de son esthétique personnelle, sans vraie confrontation avec le roman lui-même. D'ailleurs, le réalisme tel que le comprend Balzac est moins une affaire d' « histoires vécues » ou d'événements réels que de vérité dans le détail et l'analyse des caractères. Nous n'avons, bien sûr, aucune raison de supposer que Balzac n'a pas aimé le roman de Prévost, bien au contraire. Toutefois, nous ne trouvons aucun signe que ce roman l'ait marqué ou ait retenu son attention, après l'attrait de la première lecture. Il ne vit pas avec *Manon Lescaut* comme il vit avec certaines autres grandes œuvres. Preuve en est l'absence à peu près totale d'intrusion des héros de Prévost dans *La comédie humaine*. Le conte de *La Bourse* nous offre le seul exemple de ce procédé, si courant chez Balzac, d'identification d'un de ses personnages à un héros connu (1). Encore, l'exemple est-il médiocre, car ni le jeune peintre ni Adelaïde n'ont en réalité quoi que ce soit de commun avec des Grieux et Manon.

Les rapports de Balzac avec Bernardin de Saint-Pierre sont plus simples qu'avec l'abbé Prévost. Sa place, plus avancée dans l'échelle des fréquences (29 citations), ne doit pas nous tromper. *Paul et Virginie*, aussi célèbre soit-il, reste pour Balzac ce qu'il est : une idylle romanesque, pleine de poésie et de charme, mais non un grand roman. Tous les textes concordent, bien que selon la date où ils furent écrits, la sévérité ou l'indulgence dominent vis-à-vis de cette œuvre trop romantique pour pouvoir vraiment plaire à Balzac. Le tout jeune écrivain désinvolte qu'est Balzac en 1822, prenant son bien où il le trouve sans se faire grande illusion sur la valeur de ce qu'il écrit, pense évidemment à *Paul et Virginie* quand il s'apprête à décrire les amours de Clothilde de Lusignan. La muse qui inspira les romans de Mme de Staël ou de Chateaubriand est celle qui inspira Bernardin. *Le vicaire des*

---

(1) Cf. *La Bourse*, CFL, t. 2, p. 841.

*Ardennes*, paru la même année, imite servilement et sans scrupules Bernardin de Saint-Pierre dans toute la description de
l'enfance de Mélanie et de Joseph à la Martinique. Il s'agit là
bien entendu d'un emprunt dû, non au désir d'imiter ce qu'on
admire, mais à celui d'imiter ce qui plaît au public (1).

A partir de 1830, il n'est plus question pour Balzac de s'inspirer de *Paul et Virginie*. Le livre n'est pourtant pas oublié et
réapparaît ici et là quand l'occasion se présente, c'est-à-dire surtout quand il s'agit de l'adolescence. *Paul et Virginie*, en effet,
est avant tout pour Balzac le livre qui retrace « les émotions de
l'enfance et les premiers désirs de cœur chez toutes les
nations » (2). On peut se moquer de cette sentimentalité juvénile,
et Balzac ne s'en fait pas faute, tel ce passage où il parle de
l'adolescence : « Temps de délicieuse niaiserie, pendant lequel
toutes les femmes sont des Virginies, que nous aimons vertueusement, comme aimait Paul. Nous apercevons plus tard une
infinité de naufrages, où, comme dans l'œuvre de Bernardin de
Saint-Pierre, nos illusions se noient ; et nous n'amenons qu'un
cadavre sur la grève (3). » Le chapitre intitulé « Le Paul et Virginie des animaux » dans *Les amours de deux bêtes* est une amusante transposition entomologique de l'idylle de Paul et Virginie.
Césarine Birotteau, dont le goût n'est guère éduqué, se délecte
à la lecture des œuvres de Mmes Cottin et Riccoboni et de Bernardin de Saint-Pierre (4), et pour se mettre au niveau des esprits
vulgaires qui l'entourent, Théodose de La Peyrade, dans *Les
petits bourgeois*, professe les goûts suivants : « Son peintre était
Pierre Grassou et non Joseph Bridau ; son livre était *Paul et
Virginie*. Le plus grand poète actuel était Casimir Delavigne (5). »
Ces remarques ne laissent guère de doute sur l'opinion que Balzac
se fait de *Paul et Virginie*. Et pourtant, il ne le rejette pas non
plus totalement. « Le charmant roman de *Paul et Virginie* » (6),
n'est pas qu'une mièvre histoire d'amour. Il est tout imprégné
de poésie et le pouvoir d'évocation de son auteur est celui d'un
grand artiste. L'enchantement sous lequel tombe la jeune
Véronique du *Curé de village* en lisant « ce roman, l'un des plus

(1) Cf. George Barnum, *Saint-Pierre and Balzac*, *Modern Language Notes*,
1916, vol. XXI, pp. 343-346, où les deux textes sont confrontés de manière
fort concluante. L'imitation de Balzac frise le plagiat.
(2) *Lettres sur la littérature*, CFL, t. 14, p. 1147.
(3) *Théorie de la démarche*, CFL, t. 12, p. 1562.
(4) *César Birotteau*, CFL, t. 2, p. 104.
(5) CFL, t. 10, p. 298.
(6) *Pierrette*, CFL, t. 6, p. 719.

touchants livres de la langue française » (1), donne à Balzac l'occasion de définir assez bien les qualités de l'ouvrage :

La peinture de ce mutuel amour, à demi-biblique et digne des premiers âges du monde, ravagea le cœur de Véronique. [...] Le lendemain, Véronique montra le livre au bon prêtre qui en approuva l'acquisition, tant la renommée de *Paul et Virginie* est enfantine, innocente et pure. Mais la chaleur des tropiques et la beauté des paysages ; mais la candeur presque puérile d'un amour presque saint avaient agi sur Véronique (2).

Évidemment, il s'agit ici d'une « modeste et naïve Véronique » (3), facilement amenée « par la douce et noble figure de l'auteur vers le culte de l'Idéal » (4) ; mais les termes employés par Balzac (amour à demi-biblique, beauté des paysages, candeur presque puérile, amour presque saint), ne s'appliqueraient pas à une œuvre mièvre. En combinant la pureté de l'enfance avec la beauté de la nature, Bernardin de Saint-Pierre a créé un poème plus qu'un roman. Y a-t-il contradiction entre cette interprétation poétique de l'œuvre et son point de départ réaliste que Balzac accepte sur la foi des déclarations de Bernardin dans son *Avant-Propos* (5) ? Si nous nous reportons à l'*Avant-Propos* de *La comédie humaine*, nous y lisons : « Presque toujours ces personnages dont l'existence devient plus longue, plus authentique que celle des générations au milieu desquelles on les fait naître [et Paul et Virginie sont de ces personnages] ne vivent qu'à la condition d'être une grande image du présent. Conçus dans les entrailles de leur siècle, il s'y cache souvent toute une philosophie (6). » Rapprochons ce texte de la remarque suivante : « Y a-t-il là quelque grand et vaste symbole comme dans *Adolphe*, comme dans *Paul et Virginie*, comme dans telle ou telle page qui devient un monument au milieu des ruines d'une littérature (7) ? » La contradiction apparente se résout alors par la transposition d'un fait réel particulier en symbole universel. Bernardin le fait en langage poétique. La romanesque aventure de Paul et de Virginie prend valeur philosophique. Le passage de la *Théorie*

(1) CFL, t. 7, p. 663.
(2) *Ibid.*, p. 664.
(3) *Ibid.*, p. 672.
(4) *Ibid.*, p. 664.
(5) SAINTE-BEUVE, dans ses *Portraits littéraires*, rejette presque entièrement les prétentions de Bernardin à retracer une histoire vécue. « Ces êtres si vivants sont sortis tout entier de la création du peintre », dit-il.
(6) CFL, t. 15, p. 371.
(7) *Lettres sur la littérature*, CFL, t. 14, p. 1147.

*de la démarche* que nous citions plus haut, pour ironique qu'il
soit, doit être alors pris au sérieux. Le naufrage de Virginie,
juste avant de retrouver Paul, met un point final à toutes les
illusions de la jeunesse. Sans ce naufrage, le roman perdrait tout
son sens, et ne serait plus qu'un roman à l'eau de rose. Grâce à
cette valeur symbolique que, à tort ou à raison, Balzac attribue
à *Paul et Virginie*, c'est en somme, de sa part, le respect qui
l'emporte sur la moquerie.

L'intérêt de Balzac pour Lesage ne nous étonne pas, puisque
nous retrouvons avec lui la tradition comique, issue de « ce bon
Panurge », dont la tâche est « de livrer bataille à toutes les sottises
qui débordent » (1), et la lignée des grands conteurs au rang
desquels Balzac ne manque jamais de le placer (2). Nous retrouvons aussi son nom parmi ceux des auteurs qui, pour être féconds,
n'en ont pas moins été profonds et habiles : « la réflexion et le
faire », telles sont les qualités de *Gil Blas* (3). Peut-être la réflexion,
cachée sous la légèreté, séduit-elle Balzac avant tout ici, car nous
allons voir qu'il a quelques réserves à exprimer quant au « faire ».
*Gil Blas*, pour lui, est un chef-d'œuvre (4) et son personnage
principal vit à jamais (lui aussi est inscrit au tableau des immortelles créations de l'*Avant-Propos*). Aux yeux de Balzac, nous le
savons, un grand conteur est à la fois homme de génie et colosse
d'érudition. L'érudition fait la somme des connaissances
humaines : « étudier l'état de l'atmosphère des connaissances
humaines », « regarder en l'air », « tâter le pouls à son époque »,
« sentir sa maladie », « observer sa physionomie », « étudier
ses humeurs », tels sont les termes dans lesquels il décrit
l'activité préalable de l'écrivain. Le génie intervient alors pour
répondre au besoin de l'époque, une fois le diagnostic établi.
« Leur livre ou leur personnage a été le brillant et sonore appel
auquel ont répondu, dans un temps donné, les idées contemporaines, les fantaisies en germe, les passions inédites (5). » Les
meilleurs exemples que Balzac trouve pour illustrer cette rencontre entre la pensée de l'écrivain et le besoin de l'époque,
d'où jaillit le chef-d'œuvre, sont : Rabelais, Cervantès, Sterne
et Lesage, tous quatre grands observateurs, tous quatre tradui-

(1) *Complaintes satiriques*, CFL, t. 14, p. 302.
(2) Cf. *Pensées, sujets, fragments*, p. 18, et *Petites misères de la vie conjugale*,
CFL, t. 12, p. 1390.
(3) Préface de la 1re éd. de *Pierrette*, CFL, t. 15, p. 329.
(4) *Lettre sur Sainte-Beuve*, Con., t. 40, p. 297.
(5) *Lettres sur la littérature*, CFL, t. 14, p. 1149.

sant en langage comique les résultats de leurs observations. Même si les textes n'abondent pas, qui citent Lesage, ceux que nous avons trouvés s'accordent assez dans leur éloge pour que nous y reconnaissions une opinion sincère de Balzac.

Sur la forme du roman, tout en reconnaissant que « *Gil Blas* voulait le moi », car « l'art du romancier consiste à bien matérialiser ses idées » (1), Balzac admet que Lesage n'a pas su éviter la monotonie et la sécheresse. Ce qu'il nomme « le procédé sévère de la littérature du xviie et xviiie siècles », « pleine de faits, serrée », engendre des romans « substantiels » et « incisifs », certes ; mais aussi le minimum de place accordée à l'image, à la description, au dialogue, finit par trop exiger du lecteur : « Avouons-le franchement, *Gil Blas* est fatigant comme forme : l'entassement des événements et des idées a je ne sais quoi de stérile (2). » L'exemple est bien choisi. Ce que Balzac devrait ajouter est que ce style serré du xviiie siècle demande la concision. Les *Contes* de Voltaire sont une réussite parfaite. Si *Gil Blas* est lassant, c'est à cause des dimensions du roman qui ne conviennent pas au style.

En dépit de cette critique sur la forme, l'admiration de Balzac pour Lesage va très loin et finit par nous étonner un peu lorsque nous lisons dans une lettre de 1844 : « Dieu merci, mes rivaux sont Molière et Walter Scott, Lesage et Voltaire, et non pas ce Paul de Kock en satin et à paillettes [il s'agit d'Eugène Sue] (3). » En 1844, Balzac sait ce qu'il aime et ce qu'il n'aime pas, et ce n'est pas à la légère qu'il nomme Lesage comme un de ses modèles, et non Rabelais, par exemple. La valeur respective que nous attribuons à ces quatre écrivains importe peu. Balzac peut voir Scott ou Lesage plus grands que nous ne les voyons ; mais en tout cas il ne se trompe pas sur l'importance qu'ils ont à ses yeux, ni sur ce qu'ils lui ont enseigné : l'art d'observer, l'art de la peinture de mœurs.

Nous n'avons parlé jusqu'ici, à propos de Lesage, que de *Gil Blas*. Pour bien comprendre l'admiration de Balzac, il ne faut pas oublier que Lesage a réussi ce que Balzac a essayé en vain : faire preuve d'un talent égal dans le roman et à la scène. Lorsqu'il songe à Lesage, ce n'est donc pas seulement à l'auteur de *Gil Blas*, mais aussi (nous serions tentés de dire : mais surtout) au créateur du célèbre *Turcaret*. Car ce financier avide et sans scrupules est presque déjà un personnage de *La comédie humaine*.

---

(1) Préface du *Lys dans la vallée*, CFL, t. 15, p. 190.
(2) *Etudes sur M. Beyle*, CFL, t. 14, p. 1156.
(3) *Lettres à l'étrangère*, t. 2, p. 433.

Il appartient tout autant à la société du xixᵉ siècle qu'à celle de l'époque de Lesage. « Turcaret, Mme la Ressource sont de tous les temps (1). » Nous irons plus loin et dirons que Balzac voit dans le personnage de Lesage un type plus conforme encore à l'époque présente qu'à celle où il fut créé, car Turcaret « est devenu le souverain » (2) ; il se trouve « agrandi de la grandeur de notre siècle, où le souverain est partout, excepté sur le trône, où chacun traite en son nom, veut se faire centre sur un point de la circonférence, ou roi dans un coin obscur » (3). Si le monde balzacien de la finance a maintenant ses personnages originaux, aussi célèbres que Turcaret, c'est un peu grâce à Lesage et au modèle qu'il offrait à Balzac. Nucingen, du Tillet, Mercadet se rattachent sans aucun doute à Turcaret.

Dans la littérature dramatique du xviiiᵉ siècle, seuls Lesage, Beaumarchais et Schiller ont quelque importance pour Balzac. Les tragédies de Crébillon, les comédies de Regnard, celles de Dancourt, ont été lues par lui et peut-être admirées sincèrement dans sa jeunesse. Mais elles ne l'occupent pas (4). De Marivaux, il n'est jamais question (deux allusions aux « Frontin de Marivaux »), ni comme romancier ni comme écrivain dramatique. Beaumarchais par contre est en bonne place avec ses 72 références.

Laure Surville raconte dans *Balzac, sa vie et ses œuvres d'après sa correspondance* que leur grand-mère avait une vieille amie (Mlle de Rougemont) qui habitait dans la même maison que les Balzac et qui avait connu Beaumarchais intimement. Le jeune Honoré ne se lassait pas de l'écouter évoquer ses souvenirs et finit par connaître si bien tous les détails de l'existence du père de Figaro « qu'il eût pu fournir les matériaux de la belle biographie que M. de Loménie vient de publier sur lui » (5). On imagine facilement l'intérêt suscité chez Balzac par ces détails recueillis de première source sur une personnalité aussi riche que celle de Beaumarchais. Nous retrouvons ici et là, au hasard d'associations d'idées, des réminiscences de tel ou tel incident de la vie de Beaumarchais : sa dispute avec Mirabeau (6), ses efforts pour

---

(1) Préface de la 1ʳᵉ édition de *Splendeurs et misères des courtisanes*, CFL, t. 15, p. 354.
(2) *Splendeurs et misères des courtisanes*, CFL, t. 5, p. 231.
(3) Préface de la 1ʳᵉ édition d'*Un grand homme de province à Paris*, CFL, t. 15, p. 265.
(4) Nous trouvons 5 références à Crébillon, 5 à Regnard, dont 4 au *Légataire universel*, et toutes d'avant 1836, et 2 références seulement à Dancourt.
(5) Lévy, t. 24, p. xvi.
(6) *Théorie de la démarche*, CFL, t. 12, p. 1590.

défendre les droits des écrivains dramatiques (1) ; sa vengeance
contre l'avocat Bergasse qui l'avait diffamé et dont il donne le
nom, à peine déguisé, à son Tartuffe de *La mère coupable* (2) ;
l'anecdote de la montre du grand seigneur qu'il laisse tomber
tout exprès (3). Le caractère de Beaumarchais, ce « grand et
immortel adversaire » de Mirabeau, cet écrivain homme d'affaires,
ce courtisan au franc-parler, Balzac le voit ainsi : un « courage
indompté », « joint à l'adresse, à la satire, à l'esprit » (4).

C'est donc une circonstance tout accidentelle, le voisinage
de cette Mlle de Rougemont, qui intéressa Balzac, très jeune, à
Beaumarchais : « On ne sait pas assez », écrit M. Bardèche, « que
Figaro, vers 1830, obséda l'esprit de Balzac presque autant que
le Prudhomme d'Henri Monnier. On sait encore moins que,
vers 1822, au témoignage de Paul Lacroix, qui nous le raconte
dans ses *Mémoires*, l'obscur collaborateur de l'Égreville ennuyait
tout le monde de sa prétention de s'être assimilé la manière de
Beaumarchais » (5). La répartition chronologique des passages
se référant à Beaumarchais confirme les dires de M. Bardèche.
Non pas que les allusions à Figaro soient tellement plus nombreuses autour de 1830 qu'aux autres dates, mais elles sont
*déjà* nombreuses dès les premières années de la carrière littéraire
de Balzac, ce qui n'est pas le cas en général (6). Elles ne contiennent d'ailleurs rien d'original, la plupart d'entre elles étant des
citations (toujours approximatives, par exemple : « Et qui trompe-
t-on donc ici ? » au lieu de « Qui diable est-ce donc qu'on trompe
ici ? ») (7), ou de banales comparaisons : « des précautions à la
Bartholo » (8), « un jeune homme qui voudrait comme Chérubin
tout embrasser » (9), un mari « jaloux comme le comte Almaviva,
encore plus par vanité que par amour » (10), etc. De tels emprunts
continuent à abonder : Figaro vient et revient se mêler aux
personnages balzaciens, et avec lui, mais beaucoup moins, Chérubin, Bartholo ou le comte Almaviva. Nous n'en citerons que
quelques exemples, pris au hasard : « Ce Figaro campagnard »,

(1) *Lettre aux écrivains*, Con., t. 39, p. 643, et Préface de la 1re éd. de *La
femme supérieure*, CFL, t. 15, pp. 281-282.
(2) *Sur Catherine de Médicis*, CFL, t. 11, p. 23.
(3) *Le cousin Pons*, CFL, t. 10, p. 676.
(4) *Code des gens honnêtes*, CFL, t. 14, p. 182.
(5) *Balzac romancier*, Paris, Plon, 1950, p. 67.
(6) Balzac acheta l'édition en 6 vol. in-8°, parue chez Furne en 1826 des
*Œuvres complètes* de BEAUMARCHAIS, n° 27 au catalogue de vente.
(7) *Physiologie du mariage*, CFL, t. 12, p. 918.
(8) *Ibid.*, p. 1047.
(9) *Ibid.*, p. 895.
(10) *Ibid.*, p. 1203.

c'est le teinturier Vernier de *L'illustre Gaudissart* (1) ; « le commandeur avait un vieux Figaro retiré » (2) ; encore un « vieux Figaro villageois » dans *Les paysans* (3). N'insistons pas. Le seul intérêt de ces allusions est de manifester la présence à l'esprit de Balzac des deux pièces de Beaumarchais. Comme on le remarque, il ne s'agit jamais que du *Barbier de Séville* ou du *Mariage de Figaro*. Il faut faire, dans ce phénomène de réapparition fréquente, la part du naturel. Bien peu de personnages fictifs ont acquis la renommée de Figaro : si bien qu'il n'y a pas besoin de bien connaî-tre Beaumarchais ni d'être un de ses admirateurs fervents pour se servir du barbier de Séville comme terme de comparaison. Cependant, la fréquence du procédé chez Balzac dépasse de beaucoup le simple hasard. C'est que, sur le personnage de Figaro en tant que réussite littéraire, se cristallisent plusieurs de ses aspirations personnelles.

C'est d'abord un personnage de théâtre, et le théâtre est une des obsessions constantes de Balzac, que ses échecs successifs ne font qu'exaspérer. Il est curieux que les tentatives dramatiques de Balzac se rapprochent beaucoup plus des pièces oubliées de Beaumarchais, dans ce que celui-ci appelle « le genre dramatique sérieux », que des deux pièces qui l'ont immortalisé et qui, seules, hantent Balzac. Pleinement conscient des qualités dramatiques de Figaro, Balzac a pourtant eu plus d'une fois l'idée de l'utiliser. Le premier en date de ces projets est celui où entrent à la fois Alceste et Figaro, tous deux traités sous un jour politique, pour une pièce (une comédie probablement, puisqu'il s'agit de « s'ins-pirer de Molière et de Beaumarchais, de la plaisanterie âcre de lord Byron ») intitulée *Le Républicain*. Nous trouvons également dans *Pensées, sujets, fragments* le plan suivant : « Il y a une comé-die dans le Piédestal de J. [= J. Janin]. — 1er acte, Figaro ministre. 2e, revanche avec la femme. 3e, tenant les hommes. 4e, réussissant. 5e, brisant l'idole. V. la *Revue de Paris* » (4), repris un peu plus loin : « L'École du monde. — Un homme ayant à se faire jour dans la société ou recueillir un bien qui lui appar-tient et lui est volé par un grand seigneur. Figaro retourné, le type des victimes, qui s'aide de l'argent ou de la promesse ou de la beauté et qui arrive à vaincre tous les obstacles de la société et à y prendre place, *Le piedestal* de Jules Janin pris comi-quement (5). »

(1) CFL, t. 8, p. 37.
(2) *Ferragus*, CFL, t. 2, p. 427.
(3) CFL, t. 3, p. 960.
(4) P. 119.
(5) P. 131.

La première esquisse souffre du même défaut que celles reprenant les personnages de Molière : Balzac ne sait pas rester dans
le domaine comique. Son plan de pièce annonce un drame plutôt qu'une comédie. Le deuxième projet essaie de remédier à ce
défaut en gardant Figaro dans la ligne de son vrai caractère ;
toutefois, le danger de tomber dans le drame n'est pas écarté,
car ce Figaro « qui s'aide de l'argent ou de la promesse ou de la
beauté » risque fort de tourner au cynisme total et de n'être plus
comique du tout.

Un quatrième projet mentionne Figaro, mais il est des plus
obscurs. C'est un sombre drame où le rôle de Figaro est difficile
à imaginer : « Mettre la scène à Venise. — Un Figaro vénitien.
Le vieillard amoureux surprend sa femme, la fait condamner,
veut la reprendre, histoire véritable, lui fait croire que son amant
la trahit et elle le tue. Il vit (1). »

La plus ressemblante réincarnation de Figaro dans l'œuvre
dramatique de Balzac est sans doute Quinola, le valet dévoué
et rusé de l'inventeur Fontanarès, encore que ce personnage
tienne tout autant de Scapin et de tous les valets de la comédie
traditionnelle.

Les qualités essentiellement dramatiques de Figaro rendent
sa transposition dans le domaine du roman à peu près impossible.
Balzac s'y était essayé dans *Jean-Louis*, mais sans succès. Le
roman ne peut pas se contenter des quelques traits saillants
nécessaires et suffisants pour camper un personnage sur la scène.
En développant un personnage comme Figaro, on lui fait perdre
son extraordinaire réalité. Balzac se rend compte, par ailleurs, que
le style de Beaumarchais contribue énormément à rendre ses
personnages vivants selon les exigences du théâtre et non celles
du roman. La rapidité, la concision, l'exactitude du trait sont les
qualités indispensables, combien difficiles à concilier pour un
Balzac. « Le dialogue fin et spirituel comme celui de Beaumarchais » (2), « le dialogue vif et pressé de Beaumarchais » (3),
est essentiellement le style que la scène demande.

Même s'il semble parfois considérer le théâtre comme un
pis-aller de la littérature, comme une façon rapide et facile de se
tailler un succès, même s'il revient à des projets de pièce chaque

---

(1) P. 147. M. Crépet rapproche avec raison cette ébauche du drame en
3 actes intitulé *La Gina* dont Balzac parle à Mme Hanska dans une lettre du
17 septembre 1838. Le sujet s'inspire plus d'*Othello* que de *Figaro*. La pièce
n'alla jamais plus loin que deux petites pages de scénario.
(2) *Une fille d'Eve*, CFL, t. 8, p. 906.
(3) *Etudes sur M. Beyle*, CFL, t. 14, p. 1155.

fois.que les dettes se font plus pressantes, Balzac ne se fait au fond aucune illusion sur la difficulté : « Je n'ai pas l'esprit assez tranquille pour faire du théâtre. Une pièce est l'œuvre la plus facile et la plus difficile de l'esprit humain : ou c'est un jouet d'Allemagne, ou c'est une statue immortelle, un polichinelle ou la Vénus, *Le misanthrope* et *Figaro*, ou *La camaraderie* et *La tour de Nesle* (1). » Nous avons montré comment, pour Balzac, Molière, tout en héritant directement de la tradition comique française issue du Moyen Age et passant par Rabelais, a su la renouveler et atteindre, grâce à la scène, à la forme comique à peu près parfaite. Les rapprochements fréquents de Molière et de Beaumarchais, dans les jugements de Balzac, indiquent nettement qu'il considère le créateur de Figaro comme le digne continuateur de Molière et peut-être le dernier de cette admirable lignée d'écrivains comiques, car maintenant « nos théâtres sont tristes parce qu'ils sont esclaves de la censure » (2). Cette tristesse n'est-elle pas, plus qu'une conséquence de la censure qui existait au temps de Molière et de Beaumarchais, une conséquence du goût de l'époque, comme le dit un directeur de théâtre dans *Illusions perdues* ? « Du Bruel a voulu faire du Beaumarchais. Le public des boulevards n'aime pas ce genre, il veut être bourré d'émotions. L'esprit n'est pas apprécié ici (3). » Peu importe. Le fait est que Balzac ne retrouve aucune œuvre dans la littérature contemporaine qui puisse rivaliser avec un Molière ou un Beaumarchais.

La parenté entre Rabelais et Beaumarchais, plus surprenante à première vue que celle entre Rabelais et Molière, se retrouve dans les personnages de Panurge et de Figaro. « L'idée même du Don Quichotte est dans Rabelais où Beaumarchais a pris Figaro (4). » Si Figaro est lui aussi une des ces « créatures dont la vie devient plus authentique que celle des êtres qui ont véritablement vécu » (5) c'est parce que, comme le Mascarille de Molière, commes les Frontin de Marivaux, et les Lafleur de Dancourt, il est une de « ces grandes expressions de l'audace dans la friponnerie, de la ruse aux abois, du stratagème renaissant de ses ficelles coupées » (6). Mais c'est surtout (car enfin il dépasse de plusieurs coudées en stature les Mascarille, les Frontin et les

(1) *Lettres à l'étrangère*, t. 1, p. 405.
(2) *Complaintes satiriques*, CFL, t. 14, p. 302.
(3) CFL, t. 4, p. 663.
(4) *De la propriété littéraire*, Con., t. 40, p. 426.
(5) *Illusions perdues*, CFL, t. 4, p. 452.
(6) *Splendeurs et misères des courtisanes*, CFL, t. 5, p. 142.

Lafleur), parce que « cette seconde édition de Panurge représente le peuple » (1). Personnage comique, comme Panurge, dont les mille tours font rire, c'est aussi un personnage-type, dont la signification va bien au delà de ses ruses. La statue immortelle que Balzac reconnaissait comme l'œuvre la plus difficile de l'esprit humain, Beaumarchais a réussi à la sculpter, à « y imprimer une âme », à « faire un type représentant un homme. [...] Cette œuvre est si grandiose qu'une statue suffit à l'immortalité d'un homme, comme celles de Figaro, de Lovelace, de Manon Lescaut suffirent à immortaliser Beaumarchais, Richardson et l'abbé Prévost » (2).

En moins grandiose, le personnage de Bartholo est lui aussi une réussite parfaite de « type » : c'est le vieillard amoureux, « cet admirable modèle du genre » qui « sait tout, se défie de tout » (3). C'est ce qui permet à Balzac d'employer des expressions telles que « faire le Bartholo » (4), ou de parler « des » Bartholo (5). Nous en revenons donc toujours au même critérium pour l'œuvre littéraire : sa grandeur vient de l'art avec lequel l'artiste a su à la fois exprimer son époque et créer des types universels. Les deux notions ne sont pas forcément contradictoires, puisque c'est justement dans leur coïncidence que Balzac salue les grands chefs-d'œuvre. Comme Rabelais, comme Molière, Beaumarchais a réussi dans cette entreprise. Avec son Figaro, il « tira le premier bon mot dix ans avant le premier coup de fusil » de la Révolution (6). Mais même une fois les événements dépassés, Balzac retrouve en lui suffisamment de traits familiers pour l'admettre dans son monde intérieur comme un personnage bien vivant. « Dans sa lutte avec les hommes et les choses, Beaumarchais a trouvé ses deux diamants, le *Barbier* et le *Mariage* (7). » Retenons l'image : elle exprime toutes les qualités de beauté, d'éclat, de solidité, et de rareté que Balzac trouve dans les deux grandes pièces de Beaumarchais.

Le goût de Balzac pour la comédie de Beaumarchais est certes plus personnel, plus indépendant des tendances contemporaines, que son intérêt pour Schiller. Le poète tragique allemand, après un succès considérable en France au moment de la Révolution,

(1) *Le cabinet des antiques*, CFL, t. 2, p. 1155.
(2) *La cousine Bette*, CFL, t. 9, p. 951.
(3) *Hernani*, CFL, t. 14, p. 988.
(4) *Ferragus*, CFL, t. 2, p. 459.
(5) *Modeste Mignon*, CFL, t. 7, p. 370 et *Les Marana*, CFL, t. 6, p. 461.
(6) *Boulevards de Paris*, CFL, t. 14, p. 638.
(7) Historique du procès du *Lys dans la vallée*, CFL, t. 15, p. 250.

suivi d'une assez longue éclipse, retrouvait grâce au romantisme une nouvelle gloire. Les œuvres de Schiller font donc partie des lectures de rigueur pour la génération de 1820. Balzac dut les lire assez tôt, car Schiller apparaît dès 1822 dans *Le centenaire*. Plus d'un de ses héros ou héroïnes liront eux aussi le poète allemand : David et Lucien (1), Véronique (2), Modeste (3) et aussi la maîtresse de Rastignac (4). Ne nous attendons cependant pas à trouver une analyse sérieuse du talent de Schiller. Balzac va droit à ce qui peut s'insérer dans le courant de sa pensée, s'enthousiasme de ce qu'il trouve en Schiller un adepte de certaines idées et néglige tout le reste. Il est facile de deviner qu'une fois de plus le conflit de l'individu avec la société va être le point de rencontre. Nous voyons Balzac extraire un à un des œuvres qu'il lit ces types d'individus emportés vers le mal par une révolte contre un ordre social inacceptable. *Les brigands* sont, à ce point de vue, l'œuvre de choix dans le théâtre de Schiller. Charles de Moor le révolté, François son frère, « la plus exécrable conception, la plus profonde scélératesse que jamais dramatiste ait jetée sur la scène » (5), quelles plus belles figures pourraient entrer dans le système de pensée balzacienne lorsque celle-ci médite sur le fameux axiome de Rousseau ? Dès la *Physiologie du mariage*, nous lisons :

> Le génie si lucide et en même temps si vaste de Schiller, semble lui avoir révélé tous les phénomènes de l'action vive et tranchante exercée par certaines idées sur les organisations humaines. Une pensée peut tuer un homme. Telle est la morale des scènes déchirantes, où, dans *Les brigands*, le poète montre un jeune homme faisant, à l'aide de quelques idées, des entailles si profondes au cœur d'un vieillard, qu'il finit par lui arracher la vie (6).

La pensée meurtrière, telle est la première leçon tirée de Schiller. *Guillaume Tell* va fournir à Balzac de quoi étayer une de ses idées favorites. En tant que drame historique, la pièce de Schiller l'intéresse peu. Il la cite en exemple, contre *Hernani*, d'une des trois possibilités du drame : expression d' « un fait avec ses accessoires, hommes, passions, intérêts » (7). C'est tout. Mais une scène a frappé son imagination : celle où Jean le Parricide

---

(1) *Illusions perdues*, CFL, t. 4, p. 377.
(2) *Le curé de village*, CFL, t. 7, p. 682.
(3) *Modeste Mignon*, CFL, t. 7, pp. 365 et 375.
(4) *La peau de chagrin*, CFL, t. 7, p. 1102.
(5) Préface de la 1ʳᵉ éd. de *La peau de chagrin*, CFL, t. 15, pp. 65-66.
(6) CFL, t. 12, p. 1221.
(7) *Hernani*, CFL, t. 14, p. 985.

associe son crime à celui de Tell. Nous reconnaissons immédiatement le thème de la complicité dans le mal, obsession toute balzacienne qui faisait imaginer à Vautrin une avant-scène au *Paradis perdu*, et fait chérir à Balzac le souvenir de Jaffier et de Pierre. C'est elle aussi qui pousse Vautrin vers Lucien et préside à la création de Ferragus. La nostalgie du bien pousse les hors-la-loi à se refaire une société idéale, entre eux ; ils rêvent d'être de nobles bandits. Guillaume Tell, qui n'est pas un bandit, se voit avec horreur assimilé à un meurtrier et est obligé d'accepter partiellement ce rapprochement puisqu'il a bel et bien tué un homme. Cette scène, Balzac la trouva si belle qu'il la refit, en l'accentuant, dans *La femme de trente ans*. Hélène d'Aiglemont avait lu la belle tragédie de *Guillaume Tell*, lisons-nous. Arrivée à la scène entre Guillaume Tell et Jean le Parricide, elle avait été bouleversée. Sa mère avait remarqué, dit Balzac, « le ravage causé par cette lecture dans l'âme d'Hélène » (1). Or, Hélène a, sur la conscience, la mort plus ou moins volontaire de son jeune frère. Nouveau Guillaume Tell, elle n'attend plus que l'apparition du meurtrier pour se lever et partir avec lui. Balzac admet d'ailleurs ouvertement son emprunt dans la préface de *Même histoire* (2). *La femme de trente ans* constitue le plus sûr témoignage de l'intérêt qui fut celui de Balzac, pendant ces années 1830-1834, pour le romantisme de Byron ou de Schiller, intérêt très superficiel dans le cas du poète allemand, qui isole de son œuvre surtout les éléments mélodramatiques.

Dans cette impressionnante galerie d'auteurs du xviiie siècle réunis dans l'œuvre de Balzac, nous cherchons le visage des poètes. Si leur place est modeste, il faut bien avouer cette fois que le siècle des lumières est trop pauvre en vrais poètes pour que nous puissions conclure chez Balzac à une insensibilité à la poésie. Que Jean-Baptiste Rousseau ne soit cité que cinq fois, nous nous en réjouissons : idéal poétique du proviseur du collège d'Angoulême (3), nous savons ce qu'en pense Balzac.

Le seul poète digne de figurer dans cette académie imaginaire des grands écrivains que nous essayons de rassembler est André Chénier. Son cas est d'ailleurs un peu particulier. Son œuvre poétique n'ayant été publiée qu'en 1819 (incomplètement et incorrectement), elle s'offre à Balzac comme une œuvre contem-

---

(1) CFL, t. 6, p. 1100.
(2) CFL, t. 15, p. 64.
(3) *Illusions perdues*, CFL, t. 4, p. 409.

poraine : neuve, libre encore de toute étiquette critique, exigeant
par conséquent un jugement personnel non guidé par la tradition.
Par contre, ce jugement peut-il échapper à la mode ? Et peut-il
s'abstraire du climat émotif créé par la révélation soudaine et
posthume de l'œuvre d'un jeune poète mort sur l'échafaud ?
C'est ce qu'il faut examiner.

Le climat avait été savamment créé par Chateaubriand
d'abord, et surtout par Latouche qui n'avait pas hésité, en
publiant les œuvres de Chénier, à modifier certains poèmes de
façon à donner l'impression d'un arrêt brutal et définitif en
pleine création. Chénier se frappant le front avant de mourir
en disant : « Mourir ? J'avais pourtant quelque chose là », devient
l'image même du génie face à la bêtise et à la brutalité humaines.
Nous rencontrons deux exemples intéressants de l'usage que
peut faire Balzac de cette image romantique entre toutes. Dans
*La peau de chagrin* (1831), Raphaël (qui porte beaucoup de
Balzac en lui), incarne le jeune artiste, génie en puissance, aux
prises avec la dure réalité quotidienne. « Dès mon enfance »,
dit-il, « je m'étais frappé le front en me disant comme André
de Chénier : « Il y a quelque chose là. » Je croyais sentir en moi
une pensée à exprimer, un système à établir, une science à expliquer » (1). Si Balzac a songé à ce rapprochement, c'est parce qu'il
va au delà d'une simple identité de geste. Le génie de Chénier
tire un supplément d'éclat de sa mort prématurée. Et la vie de
Raphaël est modelée par Balzac d'après cette constatation. La
peau de chagrin remplace la guillotine pour le jeune homme
exceptionnellement doué et exceptionnellement avide de vivre
qu'est Raphaël. La destinée de Chénier devient le symbole de
celle de Raphaël et ailleurs de Louis Lambert. Cette conception
du génie est empreinte de beaucoup de romantisme. Elle est
irréconciliable avec une existence tranquille, longue et heureuse.
« Les triomphes destinés au génie étaient l'échafaud ; elle les
décerna, vous le savez, à l'un des plus grands poètes de la France,
à André Chénier, comme à Lavoisier, comme à Malesherbes (2). »
Non moins romantique, cette remarque : « Le sort d'André de
Chénier doit faire pleurer tous les poètes (3). »

Dans *Une fille d'Ève* (1839), ce même geste dramatique de
Chénier se frappant le front réapparaît, associé cette fois à la
silhouette de Nathan : « Nathan ressemblait à un homme de

(1) CFL, t. 7, p. 1058.
(2) *Lettre aux écrivains*, Con., t. 39, p. 644.
(3) *Le monde comme il est*, Con., t. 39, p. 677.

génie ; et, s'il eût marché à l'échafaud, comme l'envie lui en prit, il aurait pu se frapper le front à la manière d'André de Chénier (1). » Si l'on se souvient du portrait minutieux, moral et physique, au milieu duquel Balzac place cette phrase, il ne reste aucun doute sur l'ironie de l'image. Le génie devient alors ambigu, car comment le distinguer de ce qui n'en est qu'une parodie ? Nous sentons que l'enthousiasme soulevé par la destinée tragique de Chénier est tombé. Son œuvre peut alors se dissocier de sa vie et être jugée pour elle-même.

Les premières impressions de Balzac découvrant André Chénier furent-elles semblables à celles de David et de Lucien dans *Illusions perdues* lorsque ceux-ci se plongent dans la lecture du petit volume in-18 fraîchement reçu de Paris ?

David lut, comme savent lire les poètes, l'idylle d'André de Chénier intitulée *Néère*, puis celle du *Jeune malade*, puis l'élégie sur le suicide, celle dans le goût ancien, et les deux derniers ïambes.
« Voilà donc ce qu'est André de Chénier, s'écria Lucien à plusieurs reprises. Il est désespérant, répétait-il pour la troisième fois quand David trop ému pour continuer lui laissa prendre le volume. Un poète retrouvé par un poète, dit-il en voyant la signature de la préface.
— Après avoir produit ce volume, reprit David, Chénier croyait n'avoir rien fait qui fût digne d'être publié. »
Lucien lut à son tour l'épique morceau de *L'aveugle* et plusieurs élégies. Quand il tomba sur le fragment :

« S'ils n'ont point de bonheur, en est-il sur la terre ? »

il baisa le livre, et les deux amis pleurèrent, car tous deux aimaient avec idolâtrie (2).

Bien que Lucien et David soient beaucoup plus romantiques que ne le fut jamais Balzac, bien que Lucien soit plus poète qu'Honoré au même âge, cette scène fait certainement écho à des scènes semblables vécues ou du moins observées par Balzac. L'œuvre de Chénier, bien discrète pour nous qui connaissons les débordements romantiques, apportait aux deux jeunes poètes d'Angoulême comme à la génération de 1820 la révélation d'une poésie d'effusion qui appelle la communion du lecteur. En même temps, l'habileté technique n'échappe pas au poète novice qu'est Lucien puisqu'il s'écrie : « Il est désespérant », comme Balzac l'écrit lui-même, on s'en souvient, de Racine ou de Molière.
Que Balzac ait choisi de révéler André Chénier à Lucien et

(1) CFL, t. 8, p. 855.
(2) CFL, t. 4, pp. 377-378.

David d'abord, au salon de Mme de Bargeton ensuite, rien d'étonnant à cela. La scène se passe à Angoulême en 1821 : le moment est propice pour que la gloire de Chénier, établie à Paris en 1819, fasse enfin son chemin jusqu'à Angoulême. Cependant, son choix n'aurait-il pu se fixer de préférence sur les premières *Méditations* de Lamartine, qui font véritablement date dans l'histoire littéraire bien plus que l'édition des œuvres d'A. Chénier ? Nous touchons ici à une question délicate, celle du droit d'entrée des auteurs contemporains dans *La comédie humaine*. Bien que nombre d'entre eux, nous le verrons, soient nommés ici et là, Balzac semble les utiliser avec circonspection ; ils servent avant tout à actualiser les romans. Tout commentaire direct sur leurs œuvres est évité. Chénier avait sur Lamartine le grand avantage d'être mort. Son œuvre, à la fois ancienne et moderne, pouvait s'offrir à des jeunes gens en 1821 comme une révélation bouleversante. D'autre part, le goût réel de Balzac, qui va à Chénier plutôt qu'à Lamartine, était satisfait. Car ce choix n'est pas uniquement dicté par la prudence. Balzac aime Chénier, et l'aime mieux que Lamartine.

Si l'émotion éprouvée par Lucien et David peut paraître volontairement exagérée par Balzac pour accentuer le caractère tendre et sensible des deux amis, il n'y a pas trace d'ironie ni de ridicule. En faisant réciter à Lucien, devant un public borné, lors de la mémorable soirée chez Mme de Bargeton, les poèmes de Chénier, Balzac ne peut s'abstenir de brefs commentaires qui manifestent clairement son admiration :

Lucien lut d'abord *Le jeune malade*, qui fut accueilli par des murmures flatteurs ; puis *L'aveugle*, poème que ces esprits médiocres trouvèrent long...

Lucien réveilla l'attention, grâce à la verve contre-révolutionnaire des *Iambes*, que plusieurs personnes, entraînées par la chaleur du débit, applaudirent sans les comprendre.

Il lut la sombre élégie sur le suicide, celle dans le goût ancien où respire une mélancolie sublime... Enfin il termina par la suave idylle intitulée *Néère* (1).

Quand Balzac nous montre Lucien et David lisant Chénier et pleurant d'émotion parce que chacun y retrouve l'écho de son amour ; quand il choisit la lecture de Chénier par Lucien pour faire tomber les dernières résistances de Mme de Bargeton et fait s'écrier à celle-ci « Tu me liras tout Chénier, c'est le poète

_____

(1) *Illusions perdues*, CFL, t. 4, pp. 442-44.

des amants » (1), il ne fait pas purement et simplement de la littérature. Il fait passer dans son roman une expérience personnelle, qui est sa propre réaction à André Chénier. En 1833, en effet, alors qu'ayant vu Mme Hanska pour la première fois, il en est éperdument amoureux, il lui écrit : « Je vous apporterai votre *Chénier*, et je vous le lirai au coin d'un rocher, devant votre lac. O bonheur ! » (2), et quelques jours plus tard : « Cette boîte pourra tenir votre *Chénier*, le poète de l'amour, le plus grand des poètes français, dont je voudrais vous lire à genoux tous les vers (3). » Treize ans plus tard, s'accrochant à l'espoir du mariage enfin possible avec l'Ève lointaine, c'est encore Chénier qu'il cite : « Nous resterons dans cette bicoque nos six premières années, sans voir âme qui vive :

*Oubliant tout le monde et du monde oubliés,*

comme dit Chénier (4). » L'année suivante enfin, toujours seul, mais perdant courage, il écrit cette phrase poignante : « A qui faire croire qu'à 48 ans on est atteint comme *Le jeune malade* de Chénier (5) ? » Lorsque nous lisons qu'il n'existait pas, pour Louis Lambert, d'ouvrage qui lui soit plus familier que l'*Iliade*, « sauf Rabelais et André Chénier » (6), nous pouvons donc bel et bien voir dans cette remarque un aveu personnel de Balzac.

Avec Chénier, nous trouvons pour la première fois un poète que Balzac aime et admire assez pour le faire entrer dans son monde intérieur. Monde intérieur de sa vie intime plus que de sa création littéraire, d'ailleurs. Il trouve en Chénier une expérience qu'il peut reconnaître et faire sienne : celle de l'homme, et celle de l'artiste : « Les artistes, sous peine de ne rien faire, sont obligés de commencer plusieurs choses pour en achever une de ci, de là. L'une des plus belles élégies d'André de Chénier peint admirablement l'atelier qu'il portait dans son cerveau (7). » C'est en somme ce qu'exprime l'abbé Chaperon, dans *Ursule Mirouet* : « Vous venez de dire en un seul mot la touchante élégie intitulée NÉÈRE, d'André Chénier. Mais les poètes ne sont grands que

---

(1) *Ibid.*, p. 478.
(2) *Lettres à l'étrangère*, t. 1, p. 38.
(3) *Ibid.*, p. 40.
(4) *Lettres à l'étrangère*, t. 3, p. 336. Ce vers est emprunté à l'élégie qui fit justement tant pleurer Lucien et David.
(5) *Ibid.*, t. 4, p. 339.
(6) Extrait du manuscrit de *Louis Lambert*, cité par M. BARDÈCHE, *Balzac romancier*, Plon, 1940, p. 54.
(7) Préface de la 1re éd. de *La femme supérieure*, CFL, t. 15, p. 290.

parce qu'ils savent revêtir les faits ou les sentiments d'images éternellement vivantes (1).»

Voilà ce que Balzac demande à la poésie, et voilà ce qu'il trouve justement dans celle de Chénier mieux que dans aucune autre :

Si le but de la poésie est de mettre les idées au point précis où tout le monde peut les voir et les sentir (tente d'expliquer Lucien) le poète doit incessamment parcourir l'échelle des intelligences humaines afin de les satisfaire toutes ; il doit cacher sous les plus vives couleurs la logique et le sentiment, deux puissances ennemies ; il lui faut enfermer tout un monde de pensées dans un mot, résumer des philosophies entières par une peinture ; enfin ses vers sont des graines dont les fleurs doivent éclore dans les cœurs, en y cherchant les sillons creusés par les sentiments personnels. Ne faut-il pas avoir tout senti pour tout rendre ? Et sentir vivement, n'est-ce pas souffrir ? Aussi les poésies ne s'enfantent-elles qu'après de pénibles voyages entrepris dans les vastes régions de la pensée et de la société. N'est-ce pas des travaux immortels que ceux auxquels nous devons des créatures dont la vie devient plus authentique que celle des êtres qui ont véritablement vécu, comme la *Clarisse* de Richardson, la *Camille* de Chénier, la *Délie* de Tibulle, l'*Angélique* de l'Arioste, la *Francesca* du Dante, l'*Alceste* de Molière, le *Figaro* de Beaumarchais, la *Rebecca* de Walter Scott, le *Don Quichotte* de Cervantès (2).

Avouons que la diversité des personnages réunis dans cette énumération nous étonne un peu. Car enfin, entre la Camille de Chénier et Alceste ou Figaro, quelle différence d' « authenticité » ! Derrière Lucien, nous reconnaissons Balzac, un Balzac dont l'art se préoccupe avant tout de créer du réel. Sa définition de la poésie est fort acceptable : réconcilier la logique et le sentiment, trouver des images, des couleurs, des expressions nouvelles pour exprimer une vision intérieure. Mais les personnages poétiques tels que Camille ou Délie ou Francesca, connus à travers les sentiments du poète et jamais en eux-mêmes, ne peuvent avoir aucun rapport avec des créations littéraires aussi individualisées et profondément analysées qu'Alceste ou Figaro ou Don Quichotte. Que connaissons-nous de Camille ? Rien, sinon qu'elle fait souffrir le poète. La grandeur de Chénier ne vient pas de ce qu'il a su découvrir après de longues observations le caractère de Camille, mais de ce qu'il a su transposer, en prenant Camille comme prétexte, une expérience réelle en expérience poétique accessible à tous. Balzac, faisant parler un poète, a jugé bon de lui

(1) CFL, t. 8, p. 447.
(2) *Illusions perdues*, CFL, t. 4, p. 452.

faire citer des œuvres poétiques qui illustreraient sa définition. Son erreur a été d'introduire cette notion d'authenticité des personnages qui est tout à fait étrangère à la poésie (1).

Que conclure après avoir ainsi parcouru à la suite de Balzac ce xviiie siècle si riche en talents divers ? Les haltes ont été plus ou moins longues, mais toujours motivées chez Balzac par une recherche passionnée de liens d'amitié entre lui et ses aînés et un désir sincère de profiter de leurs leçons. La diversité de ses intérêts, l'amplitude de ses projets littéraires lui dictent la variété de ses goûts. Tout naturellement il aime davantage ceux qui ont le plus à lui apprendre, à lui romancier. Cependant l'énorme place qu'il accorde à Voltaire, chez qui il ne puise guère d'enseignement direct, prouve combien son admiration peut être gratuite et sincère. Nous trouvons rarement chez Balzac de jugement borné, expression d'un parti pris. Influencé comme tout le monde par son éducation, et par son époque, il est capable néanmoins de saluer des talents fort opposés et fort différents du sien. Certains lui reprocheront d'être passé devant Marivaux sans lui accorder un coup d'œil. Peut-être faut-il voir dans cette négligence une incompatibilité insurmontable de goût. Marivaux représente le xviiie siècle dans ce qu'il a de plus recherché, de plus délicatement poli, de plus éloigné, il faut bien le dire, des êtres de chair et d'os qui passionnent Balzac. Ces figurines de porcelaine que sont les personnages de Marivaux ne pourraient guère entrer dans le monde intérieur tumultueux de l'auteur de *La comédie humaine* sans s'y briser en mille éclats.

---

(1) Rappelons qu'on trouve dans l'*Avant-Propos* une énumération du même genre mais beaucoup plus satisfaisante, car n'y figurent que de véritables héros de romans.

# Chapitre V

# AVANT 1820 : LES INITIATEURS

Nous voici au seuil de ce XIXe siècle dont l'ampleur et la richesse littéraire sont abondamment prouvées par le nombre des écrivains qui figurent sur notre liste de fréquence. Le classement naturel qu'opère le recul dans le temps n'existe plus chez Balzac. Son goût personnel, ses sympathies, ses préjugés, la mode aussi sont désormais nos seuls guides. Cependant, avant de nous aventurer en plein cœur de cette épaisse forêt que constituent les vrais contemporains de Balzac, ceux de sa génération, qu'il côtoie journellement dans la vie littéraire, nous isolerons, un peu arbitrairement peut-être, mais par souci de clarté, la période de transition d'avant 1820, celle des aînés de Balzac, dont les œuvres ont déjà été jugées avant lui, et offrent à sa génération la même nourriture intellectuelle qu'à tant de personnages de *La comédie humaine* : « Les ouvrages des illustres étrangers jusqu'alors inconnus qui se publièrent de 1815 à 1821, les grands traités de M. Bonald et ceux de M. de Maistre, ces deux aigles penseurs, enfin les œuvres moins grandioses de la littérature française qui poussa si vigoureusement ses premiers rameaux (1). »

Aucune fortune littéraire ne représente aussi bien cette période de transition entre le XVIIIe et le XIXe que celle de Gœthe, non seulement à cause de la chronologie des œuvres, à cheval sur les deux siècles, mais surtout du fait que le Gœthe qu'adoptera le romantisme français est le premier Gœthe, celui de *Werther*, du premier *Faust*, qui en Allemagne appartient au XVIIIe siècle.

Pour Balzac, en 1820, comme pour tous les jeunes gens de son âge, Gœthe est avant tout l'auteur de *Werther*, et *Werther* est l'amour mélancolique d'un jeune homme qui ne trouve pas sa place dans la société. Le roman de Gœthe, tour à tour aimé et rejeté par les générations successives depuis sa parution en

(1) *Illusions perdues*, CFL, t. 4, p. 393.

France en 1776, est un des livres-clés où le romantisme va s'alimenter. Or, Balzac en 1820 et dans les premières années de sa vie littéraire n'est pas sentimental. Son esprit railleur va plutôt du côté des petits théâtres qui se complaisaient à parodier le larmoyant Werther qu'à une communion sincère avec la souffrance du héros de Gœthe. M. Baldensperger a brillamment exposé comment, aux tendances personnelles de Balzac vers une conception physiologique de l'amour, Mme de Berny parvint finalement à surimposer le werthérisme qui lui était cher (1). Le vrai Balzac de 1822 se révèle dans *Clotilde de Lusignan*, par exemple, où l'auteur se dissocie volontairement de l'amour romantique qu'il va être obligé de peindre entre Clotilde et le beau Juif et invoque avec ironie la « muse nouvelle, pleine de jeunesse et de grâce » qui présida aux compositions romantiques : Werther, Corinne, Atala, René, Paul et Virginie, le Corsaire (2). Ce romantisme que Balzac rejette pour lui-même, il le prêtera pourtant beaucoup plus tard à ceux de ses héros qu'il voudra doter d'une nature romanesque, héros de choix dont il est bien loin de se moquer : David et Lucien, Véronique Graslin, Modeste Mignon, ardents lecteurs de la « nouvelle littérature », dont Gœthe est, avec Schiller, Byron et Walter Scott, le grand représentant (3).

L'adhésion personnelle de Balzac au personnage de Werther n'est pourtant jamais complète. L'analyste lucide de la *Physiologie du mariage* ou des *Petites misères de la vie conjugale* se sent en opposition avec « les âmes tendres et délicates » des Werther (4) ou les messieurs « du genre Werther » (5) ; le peintre de la société française du xixᵉ siècle ne peut trouver dans l'amoureux de Charlotte qu'un aspect incomplet du véritable amour (6). Werther finira même par ne plus être, dans *Le cousin Pons*, que l'image conventionnelle de l'Allemand romantique telle qu'elle s'offre à la sotte Cécile sous les traits de Frédéric Brunner, « un héros de roman, un vrai Werther, charmant, un bon cœur... » (7). Nous allons voir d'ailleurs que pour peindre cet Allemand, Balzac a recours essentiellement aux personnages de Gœthe (Werther,

---

(1) *Op. cit.*, pp. 48-53.
(2) *Clotilde de Lusignan*, vol. 4, pp. 158-160.
(3) Cf. *Illusions perdues*, CFL, t. 4, p. 377 ; *Le curé de village*, CFL, t. 7, p. 682 ; *Modeste Mignon*, CFL, t. 7, pp. 365 et 375.
(4) *Physiologie*, CFL, t. 12, p. 1138.
(5) *Petites misères*, CFL, t. 12, p. 1426.
(6) Rappelons ici le passage de *Béatrix* où les amoureux célèbres de la littérature, Werther compris, sont tous considérés comme incapables de représenter l'amour absolu, que seul Molière a pressenti, CFL, t. 9, p. 590.
(7) CFL, t. 10, p. 580.

Faust, Méphistophélès) tels qu'il se les représente, c'est-à-dire dans leurs aspects les plus superficiels. Il est clair que la passion de Werther, dévastatrice mais non dynamique, inspire à Balzac un peu du mépris qu'il éprouve pour tous les êtres faibles. Le suicide de Werther ne l'émeut probablement pas plus que ne fera celui de Chatterton. Nous verrons à propos de la pièce de Vigny que la pensée sociale de Balzac lui interdit d'éprouver le moindre regret pour la mort d'un être incapable de faire face à la société. Balzac le théoricien de la volonté pourrait-il, en effet, comprendre les souffrances d'un Werther ? Quelque importante que soit la place faite à l'amour dans l'œuvre de Balzac, ce sentiment, ne l'oublions pas, nous est beaucoup plus souvent dépeint chez la femme que chez l'homme ; et il constitue, au surplus, dans la pensée de Balzac, une dépense d'énergie qui entraîne un être à sa perte en un mouvement descendant, alors qu'une hiérarchie des valeurs très solide lui oppose la pensée ou la volonté, autre dépense d'énergie également fatale, mais qui entraîne l'homme dans un mouvement ascendant, vers le sublime. *Louis Lambert* personnifie cette opposition. Son amour pour Pauline cède à l'intensité de la pensée. Ce n'est donc pas un hasard si, au début de la biographie intellectuelle qu'est ce roman, Balzac oppose les souffrances d'un Werther, type même de la passion malheureuse, à celles de Louis Lambert, enfant déchiré entre son existence physique et les aspirations intellectuelles de son esprit :

> Les soupirs de Lambert m'ont appris des hymnes de tristesse bien plus pénétrants que ne le sont les plus belles pages de Werther. Mais aussi, peut-être n'est-il pas de comparaison entre les souffrances que cause une passion réprouvée à tort ou à raison par nos lois, et les douleurs d'un pauvre enfant aspirant après la splendeur du soleil, la rosée des vallons et la liberté. Werther est l'esclave d'un désir, Louis Lambert était toute une âme d'esclave (1).

L'impossibilité évidente où se trouve Balzac d'adopter en son cœur le malheureux Werther n'empêche pas l'écrivain de reconnaître dans la création de Gœthe la marque d'un grand talent. La coïncidence, dans ce personnage, de l'image particulière à une époque, à une société (et, pour Balzac, Werther est très allemand) et d'une signification universelle lui assure l'immortalité proclamée dans l'*Avant-Propos* (2). Le roman de Gœthe, dans ses dimensions réduites, son dépouillement de faits, revient

---

(1) *Louis Lambert*, CFL, t. 1, p. 54.
(2) CFL, t. 15, p. 371.

plusieurs fois à la pensée du critique de la *Revue parisienne* :
« Werther restera » non pas tant parce que « le génie a un souffle
qui lui est propre et qui passe dans ses moindres créations » (1),
ce qui semble supposer une sorte d'automatisme du génie, mais
parce que Werther représente une des « situations du cœur
humain en amour » (2), et à ce titre ne cessera jamais de toucher
le lecteur.

Lorsqu'en 1830, la nouvelle de la mort possible de Gœthe
atteint Paris, Balzac écrit :

> Gœthe et le Pape sont à toute extrémité : l'auteur de *Faust* et le
> vicaire de Jésus-Christ. [...] Le chef de l'école satanique auquel nous
> devons lord Byron, ainsi que toutes les compositions où le crime en
> gants blancs produit de vigoureux contrastes et jette de fortes émotions
> dans nos âmes blasées par tant de révolutions, Gœthe s'en ira proba-
> blement de ce monde avec le pape [...] l'un divinisé par les hommes et
> l'autre, mal reçu peut-être par les saints... (3).

Rien ne peut mieux définir que ce texte la connaissance
médiocre et fragmentaire que Balzac, comme ses contemporains
français, avait de Gœthe en 1830. L'auteur de *Werther* était
devenu celui de Faust (4) mais d'un Faust où la grande figure était
Méphistophélès et dont les épisodes les plus frappants étaient
ceux qui offraient de violents contrastes ; en d'autres termes, un
Faust proche des romans frénétiques à la mode, où l'odeur de
soufre donnait une délicieuse chair de poule. « L'épouvantable
assemblée du Broken », où Méphistophélès montre à Faust de
« sinistres figures » (5), avait fait irruption dans la *Physiologie du
mariage* et allait reparaître dans l'hallucination de Raphaël
de Valentin au milieu du bric-à-brac de l'antiquaire (6). Le thème
faustien de *La peau de chagrin* est d'ailleurs évident : devant le
vieillard au rire méphistophélique qui lui a vendu le talisman, il
est trop naturel que Raphaël se sente entrer dans le rôle de
Faust (7). Le satanisme de Gœthe semble être à tel point domi-
nant, dans ces premiers contacts de Balzac avec *Faust*, que les
traits du tentateur et du tenté se confondent parfois, nous offrant
le singulier portrait de cette créature qui, « sans être précisément

(1) *Lettres sur la littérature*, CFL, t. 14, p. 1148.
(2) *Ibid.*, p. 1132.
(3) *Lettres sur Paris*, Con., t. 39, p. 99.
(4) A la traduction de Stapfer en 1823 avait succédé celle de Gérard de
Nerval en 1828. C'est surtout par cette dernière que *Faust* se répandit parmi les
romantiques.
(5) *Physiologie du mariage*, CFL, t. 12, p. 859.
(6) *La peau de chagrin*, CFL, t. 7, p. 989.
(7) *Ibid.*, p. 1171.

un vampire, une goule, un homme artificiel, une espèce de Faust
ou de Robin des Bois, participait, au dire des gens amis du fantastique, de toutes les natures anthropomorphes » (1). Ainsi Faust
est-il bel et bien assimilé au vampirisme de Nodier ou au fantastique de Hoffmann.

C'est l'année de la mort de Gœthe, en 1832, que les prolongements philosophiques du poème dramatique allemand semblent
apparaître à Balzac. La réflexion personnelle de celui-ci s'oriente
en effet, depuis *La peau de chagrin*, dans une direction propre à
lui faire reconsidérer *Faust* sous un autre aspect que le simple
satanisme. Sans bien voir combien cette œuvre s'attache à
retracer le drame de toute l'expérience humaine — et comment
pourrait-on bien comprendre le premier *Faust* sans le second,
alors encore à peu près inconnu en France ? — Balzac a-t-il
trouvé l'idée de *Louis Lambert* dans le désir faustien de repousser
les limites de la connaissance au delà du possible ? « Cette *Notice
biographique sur Louis Lambert* », écrit-il en tout cas à sa sœur,
« est une œuvre où j'ai voulu lutter avec Gœthe et Byron, avec
*Faust* et *Manfred*, et c'est une joute qui n'est pas encore finie,
les épreuves ne sont pas encore corrigées » (2). Et M. Baldensperger de citer un passage de *Louis Lambert*, supprimé dans le
texte définitif, où Balzac proclame ouvertement la parenté de
son héros avec celui de Gœthe : « La vie de cet immense cerveau
qui, sans doute, a craqué de toutes parts comme un empire trop
vaste, n'est éloignée du sublime de Faust que par les espaces qui
séparent les fictions du génie des hasards de la nature (3). » Dans
quelle mesure Balzac a-t-il réussi à dépasser Gœthe est une
question qui ne nous intéresse pas ici. L'important pour nous est
la nouvelle signification que revêt, à partir de 1832, l'œuvre
allemande. Faust y prend la première place, et y devient le
symbole de « cette curiosité désespérée » pour les vérités métaphysiques et intellectuelles dont Balzac parle dans sa *Lettre à
Charles Nodier* (4) et que Byron a incarnée également dans
*Manfred*. Cette vue du personnage de Gœthe est encore très
fragmentaire ; elle laisse dans l'ombre le côté humain et vivant
de Faust pour en faire un cerveau à la recherche des vérités
dernières. Balzac n'en est pas moins, parmi ses contemporains,
du petit nombre de ceux qui ont cherché à approfondir le personnage de Faust. A Zulma Carraud, qui déclarait préférer *Louis*

---

(1) *Sarrasine*, CFL, t. 12, p. 796.
(2) *Lettres à sa famille*, p. 107.
(3) *Op. cit.*, p. 196.
(4) CFL, t. 14, p. 1009.

*Lambert* à *Faust* (car Faust lui paraissait « bizarre », poussé par des tentations vulgaires, et l'ouvrage empreint d'une philosophie confuse), Balzac répondait en 1833 : « Vous avez raison sur bien des points dans votre opinion sur *Faust*, mais il y a des poésies que vous n'avez pas aperçues et dont nous causerons quelque jour. Après, vous relirez l'ouvrage, et, sous l'empire d'une pensée, vous le verrez tout nouveau (1). » En insistant, dans la destinée de Faust, sur la curiosité d'un esprit jamais satisfait de ses limites, Balzac devait fatalement le relier à l'axiome de Rousseau dont nous l'avons vu faire le centre de sa pensée en cette époque des *Romans et contes philosophiques* : « L'homme qui pense est un animal dépravé. » En effet, la *Théorie de la démarche* rappelle que la pensée est « le grand dissolvant de l'espèce humaine. Rousseau l'a dit, Gœthe l'a dramatisé dans *Faust*, Byron l'a poétisé dans *Manfred* » (2). L'introduction aux *Études philosophiques* réaffirmera en 1833 que tel est bien le sens de *Faust*.

Moins personnel à Balzac est le rapprochement entre Faust et Don Juan, deux expressions différentes d'une même soif pour l'infini, d'un même espoir de « trouver cette pensée sans bornes à la recherche de laquelle se mettent tant de chasseurs de spectres, que les savants croient entrevoir dans la science, et que les mystiques trouvent en Dieu seul » (3). La même damnation attend celui qui explore la pensée et celui qui explore le cœur des femmes, Faust et Don Juan. Le parallèle s'imposait aussitôt à chacun.

Il est clair que le *Faust* de Gœthe s'offre à Balzac plus comme sujet de réflexion que comme œuvre littéraire. Aucune œuvre, disons-le, ne supporte moins la traduction. Celle de Gérard de Nerval nous laisse tout juste entrevoir assez de poésie pour nous faire regretter tout ce que nous manquons en ne lisant pas le texte original. D'autre part, la structure étrange de ce drame déroute le lecteur. Il ne faut donc pas trop nous étonner de voir Balzac, comme bien d'autres de ses contemporains, extraire de *Faust* tel ou tel élément qui le frappe plus particulièrement. La grandeur de l'œuvre lui apparaît précisément dans cet appel qu'elle sait adresser à chacun selon ses besoins. Le Méphistophélès grimaçant qui l'a arrêté tout d'abord est très vite devenu un personnage dramatique bien inférieur au moindre valet de la comédie traditionnelle. « Examinez bien le rôle. Il est pitoyable »,

(1) *Correspondance inédite avec Zulma Carraud*, Les Cahiers balzaciens, p. 122.
(2) CFL, t. 12, p. 1599.
(3) *La fille aux yeux d'or*, CFL, t. 1, p. 866.

déclare-t-il en 1840. Mais « chacun l'a revêtu de ses propres idées sur le diable, chacun s'est servi de lui pour donner un nom à ses terreurs, à ses doutes, à ses images. Le monde est venu vers le poète qui lui jetait ce nom, et Méphistophélès, en compagnie de Faust surtout, a existé » (1). Il n'y a pas pour Balzac de plus grande preuve du génie que cette intuition de l'écrivain qui lui fait offrir à son époque l'image dont celle-ci a besoin.

Il est une œuvre de Gœthe qui, moins que *Faust* sans doute, mais plus que *Werther*, stimula l'imagination de Balzac et l'habita pendant des années : c'est *Torquato Tasso*. La psychologie de l'artiste, les problèmes que soulève sa sensibilité dans ses rapports avec la société ne cessèrent jamais d'intéresser Balzac. Dès 1830 (c'est l'année de sa série d'articles intitulée *Des artistes*), il notait dans son carnet que des analogies comiques pouvaient être trouvées avec le Tasse de Gœthe pour faire la comédie *L'artiste*, dont, on s'en souvient, le grand modèle devait être Don Quichotte : le génie, et l'envers du génie avec ses faiblesses, ses petitesses, beau contraste réussi pas Gœthe auquel Balzac voudrait bien aussi s'essayer. *Illusions perdues* aurait pu lui en offrir l'occasion, mais il préféra la peinture des faux génies. Pourtant, le Tasse de Gœthe est présent à son esprit au moment où il confronte Lucien avec le groupe des amis de d'Arthez : « Lis *Le Tasse* de Gœthe », dit Michel Chrestien, « la plus grande œuvre de ce beau génie, et tu y verras que le poète aime les brillantes étoffes, les festins, les triomphes, l'éclat : eh ! bien, sois le Tasse sans sa folie » (2). *Modeste Mignon* délivrera finalement Balzac de son désir de refaire la pièce de Gœthe. La lecture, à Saint-Pétersbourg, de la correspondance entre Gœthe et Bettina lui procura l'idée qu'il cherchait depuis si longtemps. A l'image du Tasse se mêle celle de Gœthe lui-même acceptant froidement mais complaisamment l'adoration de Bettina. Canalis est créé, et la pauvre Modeste Mignon, déçue dans ses magnifiques illusions sur la noblesse du génie, peut s'écrier : « Je veux que vous lui présentiez tous mes remerciements pour le plaisir que j'ai eu de voir jouer pour moi toute seule une des plus belles pièces du théâtre allemand. Je sais maintenant que le chef-d'œuvre de Gœthe n'est ni *Faust* ni *Le comte d'Egmont*... C'est Torquato Tasso ! [...] Dites à M. de Canalis qu'il le relise (3). » Balzac, de son côté, peut enfin se féliciter et écrire à Mme Hanska : « La troisième partie [de *Modeste Mignon*] si vous la lisez en entier

(1) *Lettres sur la littérature*, CFL, t. 14, p. 1150.
(2) *Illusions perdues*, CFL, t. 4, p. 600.
(3) *Modeste Mignon*, CFL, t. 7, p. 618.

dans votre journal, est un chef-d'œuvre, selon moi. C'est la comédie de Tasse, de Goethe, ramenée à la vérité pure (1). » Grâce à l'exemple de Goethe et Bettina, en effet, la folie du Tasse a passé dans la jeune fille qui l'aime ; c'est Modeste qui la revêt.

L'âme allemande, telle que Balzac la conçoit à travers ses lectures, esquissée ici et là dans *La comédie humaine* à travers un personnage épisodique, trouve finalement une place de choix dans *Le cousin Pons* où se groupent autour de l'inoubliable Schmücke quelques personnages pittoresques et typiques, tel ce Fritz Brunner dont le portrait, tracé avec un curieux mélange de bonne foi et d'ironie, s'inspire de tous les souvenirs littéraires allemands de Balzac :

> Ce héros de l'histoire promise était un de ces Allemands dont la figure contient à la fois la raillerie sombre du Méphistophélès de Gœthe et la bonhomie des romans d'Auguste Lafontaine de pacifique mémoire ; la ruse et la naïveté, l'âpreté des comptoirs et le laisser-aller raisonné d'un membre du Jockey-Club ; mais surtout le dégoût qui met le pistolet à la main de Werther, beaucoup plus ennuyé des princes allemands que de Charlotte. C'était véritablement une figure typique de l'Allemagne : beaucoup de juiverie et beaucoup de simplicité, de la bêtise et du courage, un savoir qui produit l'ennui, une expérience que le moindre enfantillage rend inutile, l'abus de la bière et du tabac ; mais, pour relever toutes ces antithèses, une étincelle diabolique dans de beaux yeux bleus fatigués. [...] Sa figure, jadis belle et fraîche, comme celle du Jésus-Christ des peintres, avait pris des tons aigres que des moustaches rouges, une barbe fauve rendaient presque sinistres. Le bleu pur de ses yeux s'était troublé dans sa lutte avec le chagrin. Enfin les mille prostitutions de Paris avaient estompé les paupières et le tour de ses yeux, où jadis une mère regardait avec ivresse une divine réplique des siens. Ce philosophe prématuré, ce jeune vieillard était l'œuvre d'une marâtre (2).

L'inspiration allemande de Balzac ne se limite pas aux deux noms qu'il cite dans ce portrait. A Gœthe et Auguste Lafontaine viennent se joindre Hoffmann, dont nous reparlerons plus tard, Jean-Paul Richter, et, en général, toute la poésie des « ballades allemandes » dont se réclamait le romantisme français. De Jean-Paul, d'ailleurs, Balzac connaît surtout *Le rêve*, « le chef-d'œuvre de cet étrange génie » (3), auquel il a recours précisément pour renforcer le fantastique de certaines visions (4). *Le Titan*, qu'il lit en 1844, ne provoque aucun commentaire de sa part. Nous

(1) *Lettres à l'étrangère*, t. 2, p. 400.
(2) *Le cousin Pons*, CFL, t. 10, p. 551.
(3) *Ursule Mirouet*, CFL, t. 8, p. 571.
(4) Cf. notamment *Le dôme des Invalides*, CFL, t. 14, p. 728.

verrons que Hoffmann sera pour lui plutôt une déception. Donc, en définitive, Gœthe reste la personnalité dominante, parmi les écrivains allemands que Balzac connaît, le seul qui lui ait apporté autre chose qu'un simple élément de pittoresque ou d'étrange.

Qu'aperçoit un jeune écrivain de 1820 lorsqu'il essaie de faire le tour de l'horizon littéraire français au début de son siècle ? Un fond de médiocrité totale, faite de romans dans le genre de ceux que nous décrit Lousteau dans *La muse du département* :

La littérature de cette époque tenait le milieu entre le sommaire des chapitres de *Télémaque* et les réquisitions du ministère public. Elle avait des idées, mais elle ne faisait part de ses observations à personne, l'avare. [...] Elle vous disait : « Lubin aimait Toinette, Toinette n'aimait pas Lubin ; Lubin tua Toinette, et les gendarmes prirent Lubin, qui fut mis en prison, mené à la cour d'assises et guillotiné. » Forte esquisse ! contour net ! quel beau drame ! (1).

La poésie ne valait pas mieux. Balzac en fait la satire dans *Les paysans* en la personne de Gourdon, rival de Delille : « Une centaine de Gourdons chantaient sous l'Empire, et l'on accuse ce temps d'avoir négligé les lettres. [...] Consultez le *Journal de la librairie*, et vous y verrez des poèmes sur le Tour, sur le jeu de Dames, sur le Tric-Trac, sur la Géographie, sur la Typographie, la Comédie, etc. ; sans compter les chefs-d'œuvre tant prônés de Delille sur la Pitié, l'Imagination, la Conversation (2). »

Au théâtre, les tragédies d'Étienne de Jouy n'offrent plus qu'un classicisme épuisé. Bien que *Sylla* en 1821 ait encore remporté un vif succès, cet auteur pour Balzac ne sera jamais qu'un « astre de la littérature impériale » attardé (3) ; les libelles *L'ermite en prison* et *L'ermite en liberté* seront des spéculations littéraires, car « l'auteur de Sylla est aussi bon marchand que bon poète » (4). Autour de son nom, se rallient pour les jeunes romantiques d'*Illusions perdues*, toutes les vieilles perruques impériales, les « coryphées du parti libéral napoléonien », qui tiennent pour l'idée et le style contre l'image et le bavardage, « continuant l'école voltairienne et s'opposant à l'école anglaise et allemande » (5).

---

(1) CFL, t. 9, p. 120.
(2) CFL, t. 3, p. 1206.
(3) *De la vie de château*, Con., t. 39, p. 59.
(4) *Code des gens honnêtes*, CFL, t. 14, p. 219.
(5) CFL, t. 4, p. 745.

Avec quelle force se dégage alors, d'une telle médiocrité, la silhouette d'un Chateaubriand, d'une Mme de Staël, d'un Benjamin Constant ou d'un Senancour ! Arrêtons-nous un instant avec Balzac devant ces aînés de la génération romantique.

Avec l'*Itinéraire de Paris à Jérusalem en 1811*, la production littéraire de Chateaubriand est à peu près terminée. Sa réputation est pleinement établie à l'époque où Balzac débute. *Atala* et *René* jouissent d'un succès durable et leur auteur est en train d'ajouter à sa couronne les fleurons de la diplomatie.

Il ne nous appartient pas ici d'expliquer comment cet aristocrate dédaigneux, solitaire et mélancolique, a pu atteindre à une telle renommée au travers d'une œuvre qui n'est jamais autre chose que le reflet de lui-même. Constatons le fait : *Le génie du christianisme* avait atteint les couches les plus diverses de la société. C'est pourquoi Balzac peut s'amuser à faire dire à la femme du notaire Roguin (la scène se passe en 1812) : « Je viens dans l'arche de Noé, comme la colombe, avec la branche d'olivier. J'ai lu cette allégorie dans *Le génie du christianisme* [...] la comparaison doit vous plaire, ma cousine » (1), ou à Mme Vauquer (la scène se passe en 1819) : « Vous refusez de voir une pièce prise dans *Le solitaire*, un ouvrage fait par Atala de Chateaubriand, et que nous aimions tant à lire... (2). » Dans *La duchesse de Langeais* (qui se passe également en 1819), Balzac utilise avec beaucoup de finesse cette « mode Chateaubriand ». Il se contente de noter que la duchesse refait pour le malheureux marquis de Montriveau « *Le génie du christianisme* à l'usage des militaires » (3). Mais les scènes qu'il décrit nous montrent une duchesse coquette, cruelle et comédienne, rejouant, avec des motifs bien différents, le rôle d'Atala, que certaines scènes nous rappellent infailliblement sans que Balzac ait besoin de souligner le rapprochement. En voici un exemple : « A la plus ardente supplique d'Armand elle répondait par un regard mouillé de larmes, par un geste qui peignait une affreuse plénitude de sentiments ; elle le faisait taire en lui demandant grâce ; un mot de plus, elle ne voulait pas l'entendre, elle succomberait, et la mort lui semblait préférable à un bonheur criminel (4). » Voici donc l'importance de Chateaubriand admise par Balzac puisqu'il lui donne droit de cité dans *La comédie humaine*. Remarquons pourtant que dans les passages que nous venons de citer, les références à Chateaubriand servent

(1) *La Maison-du-chat-qui-pelote*, CFL, t. 1, p. 203.
(2) *Le Père Goriot*, CFL, t. 4, p. 212.
(3) CFL, t. 2, p. 626.
(4) *Ibid.*, p. 624.

à camper un personnage, et que dans les trois cas, le ton est ironique. Nous pourrions citer d'autres exemples où Chateaubriand est utilisé par Balzac comme mesure pour certains de ses personnages : ici, c'est monsieur Baudoyer, « un génie administratif, le Chateaubriand des rapports » (1), là, c'est Nathan « qui tient habituellement l'une de ses mains dans son gilet ouvert, dans une pose que le portrait de M. de Chateaubriand par Girodet a rendue célèbre » (2) ; là, c'est Canalis, justifiant ses ambitions politiques en se disant : « Après tout, Canning et Chateaubriand sont des hommes politiques » (3), et citant Chateaubriand « en prétendant qu'il serait un jour plus considérable par le côté politique que par le côté littéraire » (4). Il semble que Balzac ne trouve jamais l'occasion (et ne la cherche guère) de placer le nom de Chateaubriand dans un contexte dénué d'ironie. Même dans *Illusions perdues* où les noms des écrivains réels se mêlent aux noms fictifs et où, par contraste, Balzac aurait pu, s'il l'avait voulu, prononcer avec respect celui de Chateaubriand, nous ne trouvons encore que des allusions où pointe le ridicule. Nous n'en citerons que quelques exemples :

Mme de Bargeton, enthousiasmée de la renaissance due à l'influence des lys, aimait M. de Chateaubriand de ce qu'il avait nommé Victor Hugo un enfant sublime (5).

Un livre de M. de Chateaubriand sur le dernier des Stuarts était dans un magasin à l'état de rossignol (6).

« Oui, mon cher, reprit Petit-Claud, j'ai lu *L'archer de Charles IX*, et c'est plus qu'un ouvrage, c'est un livre. La préface n'a pu être écrite que par deux hommes : Chateaubriand ou toi (7). »

Chateaubriand et son influence sur l'époque que Balzac dépeint sont donc traités en tant que phénomène social, et trouvés, en cela, digne de figurer dans *La comédie humaine*. Mais nulle part Balzac ne se hasarde à des jugements personnels comme il le fait pour tant de grands écrivains passés qu'il admire. Nous retrouvons sans doute ici la réticence déjà signalée à l'égard des contemporains lorsqu'il s'agit de les faire entrer dans son œuvre. A la prudence devant un jugement que la postérité risquerait de renier, se mêle le « chacun pour soi » de la lutte pour l'immortalité littéraire.

(1) *Les employés*, CFL, t. 5, p. 1108.
(2) *Une fille d'Eve*, CFL, t. 8, p. 852.
(3) *Modeste Mignon*, CFL, t. 7, p. 390.
(4) *Ibid.*, p. 523.
(5) *Illusions perdues*, CFL, t. 4, p. 398.
(6) *Ibid.*, p. 752.
(7) *Ibid.*, p. 1012.

Si Balzac reconnaît ainsi l'importance de Chateaubriand pour ses contemporains, qu'en est-il pour lui personnellement ? Le jeune Balzac débutant, admirateur des grands classiques, saturé de littérature du xviiie siècle, libéral et antireligieux, est mal préparé pour accueillir l'œuvre de Chateaubriand avec enthousiasme et pour éprouver une sympathie quelconque pour son royalisme intransigeant. S'il partage avec la génération de 1820 une ambition immense, issue de ce que l'on peut appeler le complexe napoléonien, il s'en distingue pourtant en écartant systématiquement le modèle intermédiaire que peut être Chateaubriand, et tandis que Hugo écrivait : « Être Chateaubriand ou rien », Balzac choisira d'écrire sous le buste de Napoléon : « Ce qu'il n'a pu achever par l'épée, je l'accomplirai par la plume », se haussant ainsi directement aux côtés de l'Empereur, sans reconnaître aucun prédécesseur.

Ne nous étonnons donc pas si le jeune auteur des fameuses « cochonneries littéraires », fait plus figure d'iconoclaste que d'admirateur lorsqu'il s'agit de Chateaubriand. Le but de ces romans de jeunesse est double : rapporter de l'argent à leur auteur, et lui apprendre le métier de romancier. M. Bardèche a remarquablement bien montré combien, dans chacune de ces œuvres, on retrouve d'imitation systématique des divers genres en vogue, sous une forme parodique qui permet à Balzac à la fois de s'assimiler les différents procédés et de les critiquer. Nous avons déjà cité l'invocation moqueuse à la Muse romantique dans *Clotilde de Lusignan*, au moment où l'auteur veut peindre les amours de Clotilde et du beau Juif (1). Cet amour impossible s'inspire directement d'*Atala* et de *René*, d'où la comparaison toute naturelle : « On eût dit Atala, transportée par Chactas et le père Aubry vers sa dernière demeure (2). »

Plus que des allusions de ce genre, deux passages de *Falthurne* retiendront notre attention. Cette œuvre est en effet plus authentiquement balzacienne que les autres car, restée inédite, elle a été écrite vraisemblablement par Balzac seul. Le roman est une franche parodie du roman romantique, avec en parallèle des réflexions critiques qui, pour être elles aussi écrites sur le ton plaisant, n'en contiennent pas moins des idées intéressantes où l'on reconnaît l'auteur. Au moment où Balzac écrit ce *Falthurne*, le style de Chateaubriand est à la mode, et tout le monde « chateaubrillante ». Voici ce que donne cette imitation chez Balzac : « La jeune fille paraît avoir vu vingt chutes de feuilles et son

(1) Vol. 4, p. 160.
(2) Vol. 3, p. 186.

complice dix-huit fois fleurir le printemps. » A cette phrase qui évoque de nouvelles *Précieuses ridicules*, est adjointe cette note :

> Je dois avertir que ces belles expressions, ces admirables périphrases ne sont pas de Savonati ; ce grand génie ne se doutait pas de ces images neuves et gracieuses, c'est moi qui les ai insérées, pour d'abord dédommager le lecteur des *bottes* de mon neveu, et pour montrer ensuite qu'on chateaubrillante son style à Claye comme partout ailleurs, mais c'est un bien mauvais genre, venu à tel point que nos paysans ne parlent plus que par adjectifs et périphrases poétiques. Cependant le genre tombe : l'autre jour, à Claye, chez la mercière, Chactas enveloppait un gilet de flanelle. Quelle horreur (1) !

Le ton burlesque de la critique ne lui enlève pas sa part de vérité. Cependant elle s'adresse sans doute moins à la prose poétique de Chateaubriand lui-même qu'aux imitations qui l'ont suivie.

Un peu plus loin, dans ce même roman, toujours en note, Balzac prend à partie le roman romantique, et à travers lui son prototype : *René*. La critique est intéressante pour qui connaît les romans qu'écrira plus tard le jeune écrivain. La voici :

> Ce qui me fait croire à la vérité de ce que nous a transmis le grand Savonati, c'est le soin qu'il met à nous instruire de tout. Dans les romans de nos jours, les auteurs s'inquiètent peu de l'estomac de leurs héros, ils leur font faire des courses, ils les enveloppent dans des aventures qui ne les laissent pas plus respirer que le lecteur, et jamais ils n'ont faim. En cela ils ne ressemblent guère à l'auteur. C'est à mon avis, ce qui décrédite le plus ces ouvrages, mange-t-on dans *René* ?... Peignez donc l'époque, et à chaque époque on a dîné... (2).

Ce texte, qui date probablement de 1820, manifeste une réflexion déjà avancée sur l'esthétique du roman. *René* était en pleine vogue, et continuait, depuis sa parution, à faire pleurer les âmes sensibles. Mais Balzac, qui a vingt et un ans et qui est pourtant sensible, au lieu de pleurer, s'étonne de trouver des héros si désincarnés. Bien des années vont encore s'écouler avant que *La comédie humaine* ne commence à prendre vie, et pourtant son futur auteur songe déjà à ramener le roman vers le réalisme. On mangera, dans les romans de Balzac (3).

---

(1) *Falthurne*, p. 10.
(2) *Falthurne*, p. 34.
(3) Son réalisme sera d'ailleurs encore bien empreint de romantisme. C'est Flaubert qui enchaînera ses héros aux contingences matérielles et n'oubliera plus de les mettre à table. Si bien que l'étude de J.-P. Richard sur cet écrivain peut commencer par : « On mange beaucoup dans les romans de Flaubert ; peu de tableaux plus familiers chez lui que celui de la table garnie sur laquelle s'amoncellent les nourritures, autour de laquelle s'aiguisent les appétits. » J.-P. RICHARD, *Littérature et sensation*, Paris, Éditions du Seuil, 1954, p. 119.

Jusqu'en 1830, Balzac est trop absorbé par ses lectures, ses travaux et ses affaires commerciales pour beaucoup s'occuper de ses contemporains. Et Chateaubriand évolue dans une tout autre sphère que la sienne. La *Physiologie du mariage*, si bourrée de souvenirs livresques, fait une seule allusion à René, « livre plus dangereux pour vous entre les mains de votre femme que *Thérèse philosophe* » (1). Tout en admettant que « Chateaubriand est aussi grand peintre que Raphaël » (2), l'anti-romantique qu'est Balzac montre le bout de l'oreille lorsque dans les *Litanies romantiques*, il fait condamner le grand écrivain par un de ses propres adeptes : « Chateaubriand ?... lui dis-je, un soir, afin de voir si quelque chose était sacré pour lui. Il fit une petite moue et me répondit : — Pas une situation nouvelle !... C'est du style !... travail d'ébéniste ! (3). »

Après 1830, Balzac, lancé dans la vie mondaine à laquelle il aspirait tant et conscient tout à coup des possibilités de gloire qu'offre la vie politique, va rencontrer Chateaubriand sur son chemin. Les *Lettres sur Paris* qu'il écrit pour *Le voleur* analysent la situation politique d'un point de vue qui se veut non partisan et nous y lisons ce paragraphe, écrit après la publication par Chateaubriand de son *De la Restauration et de la monarchie élective* :

Cependant M. de Chateaubriand a publié une brochure. Elle est pleine de mordant, de vigueur juvénile, il y a beaucoup de style ; mais elle n'est pas exempte d'erreurs. Le fidèle défenseur de la légitimité ne voit pour la France aucun gouvernement possible entre la république et l'absolutisme, véritable opinion du poète, par laquelle il résume son *Essai sur les révolutions* (1re éd.) et sa *Monarchie selon la Charte* (4).

La conversion au légitimisme va-t-elle changer cette opinion et rapprocher les deux hommes ? Balzac se rend de temps à autre à L'Abbaye-au-Bois chez Mme Récamier. Connaît-il Chateaubriand personnellement ? Il est peu vraisemblable que la sympathie ait pu naître entre deux tempéraments aussi opposés et la particule dont Balzac se pare doit avoir peu de prestige aux yeux du pur aristocrate. Les idées politiques de Balzac sont confuses et feront dire à Charles Weiss, bibliothécaire à Besançon : « En politique, M. de Balzac se dit légitimiste et parle comme un

---

(1) CFL, t. 12, p. 1021.
(2) *Des artistes*, CFL, t. 14, p. 966.
(3) CFL, t. 14, p. 659.
(4) Con., t. 39, p. 143.

libéral. J'en conclus qu'il ne sait pas trop bien lui-même ce qu'il pense (1). » Une lettre au D<sup>r</sup> Ménière, ami de Balzac chargé du soin de la duchesse de Berry lors de son emprisonnement, fait allusion à une rencontre avec Chateaubriand à L'Abbaye-au-Bois :

> Avant mon départ de Paris, j'ai vu Chateaubriand chez Mme Récamier. Je l'ai trouvé bien maussade, bien chagrin. Pour moi, personnellement, je n'aime pas sa plaidoirie dernière. Il a, selon moi, un peu trop joué avec son sujet. Il y a toujours effroyablement de *moi* dans tout ce qu'il fait ; puis, politiquement parlant, je n'aime pas l'homme. C'est le plus dangereux serviteur qu'aient eu les Bourbons. L'homme qui a fait pendant cinq longues années l'opposition du *Journal des débats*, la plus cruelle de toutes, et qui a contribué aux malheurs de la branche aînée, dont il est le frère Caïn, ne me plaira jamais. J'admire son talent, mais je n'aime pas sa conduite politique. Il est versatile. La postérité sera bien dure pour lui et il ne s'en doute pas. Aussi suis-je de ceux qui préfèrent pour chef actuel le duc de Fitz-James (2).

Il semble que l'adhésion de Balzac au parti de Chateaubriand, bien loin de changer son opinion sur l'homme, l'en éloigne peut-être encore davantage.

Ainsi Balzac sépare nettement, chez Chateaubriand, l'écrivain du politicien. Puisque les deux carrières, littéraire et politique, se sont succédé sans presque se chevaucher, en saluant le talent de l'écrivain et rejetant la grandeur de l'homme politique, Balzac fait de Chateaubriand une gloire qui se survit à elle-même. Il est caractéristique que, d'une part, il le rapproche de Voltaire pour être de ce petit nombre d'hommes qui ont pu « voir, eussent dit nos pères, *soleiller* leur gloire de leur vivant » (3) mais qu'en même temps il l'en dissocie car « parmi les grands hommes, Charlemagne et Voltaire sont deux immenses exceptions. Eux seuls ont vécu longtemps en conduisant leur siècle » (4). Pas Chateaubriand.

« J'admire son talent », écrit Balzac. Pouvons-nous trouver quelques signes tangibles de cette admiration ? Il semble que les œuvres de Chateaubriand pourraient retenir l'attention d'un écrivain qui déclarera en 1842 écrire à la lumière de deux flambeaux : la Monarchie et la Religion. Or, il faut bien constater que, dans nos 77 références à Chateaubriand, une fois mis de côté les commentaires politiques et les remarques sur les difficultés

(1) Cité par André BILLY, *Vie de Balzac*, Paris, Flammarion, 1944, vol. 1, p. 192.
(2) *Lettre à M. le D<sup>r</sup> Prosper Ménière*, CFL, t. 16, p. 130.
(3) *Lettre aux écrivains*, Con., t. 39, p. 645.
(4) *Théorie de la démarche*, CFL, t. 12, p. 1603.

financières dans lesquelles les mœurs des libraires plongèrent un écrivain aussi illustre, il ne reste plus grand-chose sur ses œuvres mêmes. *Les martyrs* sont cités parmi de « belles œuvres » (1) ; « la première édition du *Génie du christianisme, osée* par les frères Ballanche », montre que « là du moins le génie croyait au génie » (2) ; *Atala* n'est signalé que pour les innombrables corrections que son auteur y a apportées entre les différentes éditions : « J'ai lu la préface d'une onzième édition d'*Atala* qu'il dit ne ressembler en rien aux précédentes éditions (3). » La même phrase est reprise dans les *Études sur M. Beyle* où Balzac encourage Stendhal à imprimer à son roman « le caractère de perfection, le cachet d'irréprochable beauté que MM. de Chateaubriand et de Maistre ont donnés à leurs livres chéris » (4). Il s'agit ici uniquement du travail de style : dans ce domaine, Balzac peut parler sans trop de réticence de « perfection » ou d' « irréprochable beauté ». Ceci n'entraîne pas nécessairement un jugement favorable sur *Atala* en tant que roman.

*René* est vraiment la seule œuvre de Chateaubriand qui s'impose quelque peu à l'attention de Balzac. Nous avons vu les défauts qu'y trouvait le jeune auteur de *Falthurne*. Qu'en pense maintenant l'auteur de *La comédie humaine* ? Remarquons tout d'abord que *René* est presque toujours cité parmi d'autres romans ou héros, comme exemple, entre d'autres, d'un point à illustrer. A y regarder de près, on s'aperçoit que Balzac cite à plusieurs reprises le nom de René à faux, en en faisant, par exemple, à côté d'Othello, d'Orosmane, de Saint-Preux et de Werther, un de ces « amoureux en possession de la renommée » (5). Non pas qu'il n'ai pas lu *René*, bien sûr ; mais il ne l'a peut-être pas souvent relu et finit par oublier, par distraction, que René lui-même souffre non pas d'une passion malheureuse mais d'un ennui venant au fond de l'absence d'une vraie passion.

Balzac traite *René* comme il traite *Manon Lescaut*. Nous avons fait remarquer que ce roman de l'abbé Prévost semble le laisser en somme assez indifférent et qu'il l'accepte comme un

---

(1) *Sur les questions de propriété littéraire*, Con., t. 40, p. 21.
(2) *Lettre aux écrivains*, Con., t. 39, p. 645.
(3) Il s'agit de la préface de l'édition de 1805, édition définitive d'*Atala* et de *René*, dont le texte a ensuite été reproduit dans toutes les éditions postérieures. Balzac n'a donc connu que ce texte et n'a pu constater les remaniements. Historique du procès du *Lys dans la vallée*, CFL, t. 15, p. 210.
(4) CFL, t. 14, p. 1216.
(5) *Béatrix*, CFL, t. 9, p. 590. Même erreur dans *Un prince de la Bohême*, où nous lisons : « Figurez-vous Lovelace, Henri IV, le Régent, Werther, Saint-Preux, René, le maréchal de Richelieu, réunis dans un seul homme, et vous aurez une idée de leur amour ! », CFL, t. 9, p. 647.

chef-d'œuvre surtout sur la foi de son succès. Il en est de même pour *René*. Le seul véritable hommage rendu à son créateur se lit dans la préface de *Ferragus* : « Écrire l'*Itinéraire de Paris à Jérusalem*, c'est prendre sa part dans la gloire humaine d'un siècle ; mais faire croire à la vie de René, de Clarisse Harlowe, n'est-ce pas usurper sur Dieu (1) ? » Ce rôle de démiurge, c'est celui que Balzac convoite avant tout. Mais pourquoi avoir choisi Chateaubriand comme exemple ? Probablement parce que sa gloire littéraire, encore fraîche, était encore indiscutée et offrait toutes les garanties d'être durable. Balzac croit-il vraiment à la vie de René ? nous en doutons. Mais les contemporains y ont cru puisque le roman a remporté un si vif succès. C'est donc à l'explication de ce succès plus qu'à l'analyse des qualités du roman ou du talent de son auteur que Balzac s'attache à l'occasion.

Les livres « qui reposent sur des faits observés, étendus, pris à la vie réelle, obtiennent les honneurs de la longévité ». Tels sont, on s'en souvient, *Manon Lescaut*, *Paul et Virginie*, auxquels s'ajoute *René*. « Ces touchantes histoires sont des études autobiographiques (2). » Mais pour que René puisse figurer parmi les héros faisant concurrence à l'état civil, il faut qu'il « soit une grande image du présent » (3). L'étude autobiographique, point de départ nécessaire, doit donc être dépassée. L'individu devient type : « René est le type de la passion impossible, de la mélancolie et de l'incertitude » (4) ; il représente une des « situations du cœur humain en amour » (5). Est-ce assez pour expliquer son succès ? Non. Balzac va beaucoup plus loin. Il faut que le besoin du livre se fasse sentir, que les sympathies entre écrivain et public soient prêtes à s'établir : « Le monde est venu vers le poète. » Méphisto, Panurge, Gargantua, Pantagruel, ont pris vie « en dehors de leur immense valeur réelle. Ainsi de *René*, qui ne ferait pas une feuille de Revue, et qui, si cette Nouvelle paraissait aujourd'hui, semblerait médiocre » (6). Le mot est prononcé. Que Balzac ait, quelques pages avant, cité *René* comme une de ces nouvelles qui suffisent à immortaliser un homme (7), « une de ces pages où l'artiste, l'écrivain, le poète donnent la mesure entière de leur talent » (8), nous restons sur l'impression nette que *René* est,

---

(1) Préface de la 1<sup>re</sup> éd. de *Ferragus*, CFL, t. 15, p. 91.
(2) Préface de la 1<sup>re</sup> éd. du *Cabinet des antiques*, CFL, t. 15, pp. 299-300.
(3) *Avant-Propos*, CFL, t. 15, p. 371.
(4) *Lettres sur la littérature*, CFL, t. 14, p. 1147.
(5) *Ibid.*, p. 1132.
(6) *Ibid.*, p. 1150.
(7) *Ibid.*, p. 1130.
(8) *Ibid.*, p. 1144.

pour lui, démodé, et qu'au fond, son opinion n'a guère changé
depuis l'époque où il trouvait qu'on n'y mangeait pas assez.

Que conclure de tout ceci ? Connaissant Balzac, nous ne pouvons nous étonner de son peu d'attirance pour Chateaubriand.
Tout semble les séparer, malgré des prises de position politiques
et religieuses semblables en apparence. Balzac ne peut rien contre
la gloire de Chateaubriand. Elle est acquise. Mais elle le laisse
indifférent, car sa gloire à lui ne suivra pas les mêmes chemins.
Si nous excluons les *Mémoires d'outre-tombe* que Balzac n'a pu
connaître (1), que reste-t-il pour nous de l'œuvre de Chateaubriand ? Pas plus que Balzac nous ne pleurons sur *Atala* ou *René*.
La puissance d'évocation poétique permet seule à ces œuvres de
survivre. Le grand reproche que nous pouvons donc adresser à
Balzac est d'y être resté insensible. Mais y était-il vraiment insensible ? Ce qu'il appelle « l'école de la littérature des Images »,
« tenue sur les Fonts baptismaux » par Chateaubriand (2),
l'attire certes moins que la « littérature des Idées » ou « l'éclectisme », mais il admet que « la langue française lui doit d'avoir
reçu une forte dose de poésie qui lui était nécessaire, car elle a
développé le sentiment poétique auquel a longtemps résisté le
*positivisme*, pardonnez-moi ce mot, de notre langue » (3). La
division des écoles est pour lui dans la division des intelligences.
Celle de Chateaubriand et celle de Balzac explorent des domaines
différents. Leurs rôles ne peuvent s'intervertir. Balzac le sait, qui,
en pleine ardeur légitimiste, écrivant pour *Le rénovateur* un
article sur la duchesse d'Angoulême, pense à ce que Chateaubriand pourrait tirer d'un tel sujet :

Quel cœur sera assez tendre pour n'offenser ni le présent ni le passé ?...
Le chantre de *René* seul le pourra peut-être un jour : car il y a plus de
religion, plus de poésie imprimée sur cette image que sur toute autre
de ce siècle ; car à ce génie seul appartiennent les poésies de la religion ;
il a depuis longtemps étendu la main sur ce vaste champ, en disant :
« Il est à moi, j'y suis né, j'y mourrai (4). »

Si nous ajoutons à cela les remarques déjà relevées sur le
style, au sujet duquel le mot « perfection » est prononcé, nous
n'avons pas une image de Chateaubriand bien éloignée de la

---

(1) Ils parurent dans *La Presse* du 21 octobre 1848 au 3 juillet 1850, mais
Balzac était parti en Russie en septembre 1848 et n'en revint qu'en mai 1850,
trop malade pour lire quoi que ce soit.
(2) *Etudes sur M. Beyle*, CFL, t. 14, p. 1154.
(3) *Ibid.*
(4) *La vie d'une femme*, Con., t. 39, p. 518.

nôtre et pouvons même penser que Balzac a vu plus juste que la plupart de ses contemporains.

Le nombre relativement élevé des références à Mme de Staël s'explique moins par l'intérêt ou l'admiration que Balzac éprouve pour son œuvre que par la fascination que ce caractère de femme exerce sur lui. Comme George Sand, « elle s'est faite homme et auteur », et représente « une de ces monstruosités qui s'élèvent dans l'humanité comme des monuments, et dont la gloire est favorisée par la rareté » (1). Mais, à la différence de George Sand qu'il connaît bien, elle est pour Balzac déjà un personnage de légende : d'où l'accent sur le côté excentrique de cette « virago du XIXᵉ siècle », lorsqu'il en parle.

Celle qui « tenta grossièrement de s'unir à Napoléon » (2), « qui criait en plein salon à un plus grand homme qu'elle : « Savez-« vous que vous venez de dire quelque chose de bien profond ! » (3), donnant la grande passion comme « mot de l'énigme que la vie offre aux femmes », et « prêchant d'exemple » (4), Ninon et Sapho du siècle (5), intéresse l'observateur des différents genres et sous-genres de l'espèce humaine. Il voit en elle une rencontre, repoussante peut-être, mais non moins étonnante, de traits ordinairement bien distincts. Homme par son « caractère de force » qui lui fait écrire un « livre tout viril, intitulé *De l'Allemagne* » (6), femme par sa vie sentimentale tapageuse, ses relations avec Mme Récamier ajoutent une troisième dimension qui ne laisse pas l'auteur de *La fille aux yeux d'or* indifférent : « Que diriez-vous donc, chère, de la correspondance de *Corinne* (Mme de Staël) avec *Juliette* (Mme Récamier), dont elle était amoureuse ? Mme R... l'a aussi montrée, et cela surpasse tout ce qu'on peut imaginer. Les sens dictent de belles choses (7). »

Devant une personnalité aussi curieuse, Balzac a dû beaucoup rêver. Quel motif le poussa à la faire figurer dans son *Louis Lambert* où sa brève apparition comme bienfaitrice du jeune garçon semble quelque peu incongrue ? S'agit-il seulement de créer l'illusion du vrai en plaçant dans la région un personnage réel qui s'y trouvait effectivement à la date où commence le roman ? Mme de Staël avait laissé un vivant souvenir de son séjour dans le Vendômois où Balzac avait recueilli ce commen-

(1) *Béatrix*, CFL, t. 9, p. 305.
(2) *Physiologie du mariage*, CFL, t. 12, p. 1024.
(3) *Les employés*, CFL, t. 5, p. 977.
(4) *Une fille d'Eve*, CFL, t. 8, p. 849.
(5) *Béatrix*, CFL, t. 9, p. 318.
(6) *Louis Lambert*, CFL, t. 1, p. 38.
(7) *Lettres à l'étrangère*, t. 2, p. 126.

taire local : « C'est une fameuse garce ! » ; « éloge peu compris »,
s'empresse-t-il d'ajouter, malicieusement peut-être (1). Il est
évident que l'idée de Mme de Staël, surgissant à la lisière d'un
parc, telle une marraine de contes de fées, pour découvrir l'enfant
génial et lui permettre de poursuivre ses études, plaît à Balzac
pour le caractère de véracité qu'elle ajoute au récit. Mais elle
lui permet surtout de placer ce récit dès le départ sur un plan
où tout sera exceptionnel : le génie de *Louis Lambert*, qui s'élèvera
bien au-dessus de la compréhension humaine, reçoit, en des
circonstances toutes fortuites, l'investiture du génie féminin
que symbolise Mme de Staël, elle qui a déjà dépassé largement
les bornes habituelles du domaine de la femme. L'envol se fait à
partir de cette rencontre entre deux esprits supérieurs. Inutile
de dire que, l'intelligence de Louis Lambert laissant loin derrière
elle celle de sa marraine, celle-ci devient inutile et Balzac s'en
débarrasse avec désinvolture en alléguant les événements politiques des années 1814 et 1815 où son « âme exaltée rencontra sa
pâture » (2).

Elle ne reparaîtra dans *La comédie humaine* qu'indirectement,
comme inspiration pour les « femmes supérieures » dont Balzac
dotera son monde. Mme Rabourdin *(Les employés)*, Félicité des
Touches *(Béatrix)* ou Dinah Piedefer *(La muse du département)*,
empruntent certains de leurs traits à Mme de Staël. Certaines
des héroïnes balzaciennes essaient, comme elle, de défier la société.
Mais Balzac les laisse vaincues et humiliées. A la question de
Dinah, effrayée tout à coup de son audace à s'afficher à Paris aux
côtés de Lousteau, Balzac donne sa propre réponse : « Je me
demande comment une femme peut dompter le monde ? — Il y
a deux manières : être Mme de Staël, ou posséder deux cent mille
francs de rente (3). » Réponse légèrement rectifiée lorsqu'il fait
écrire à Esther dans sa lettre d'adieu : « Ce monde qui nous
aurait dit *raca* en voyant deux beaux êtres unis et heureux, a
constamment salué Mme de Staël, malgré ses romans en action,
parce qu'elle avait deux cent mille livres de rente (4). » Modeste
Mignon, dans les rêves où l'entraîne son imagination romanesque,
voit déjà celui qui reconnaîtrait « l'étoile que le génie des Staël
avait mise à son front » (5).

Mme de Staël est, au fond, pour Balzac, une héroïne de roman,

(1) *Les Chouans*, CFL, t. 11, p. 656.
(2) *Louis Lambert*, CFL, t. 1, p. 32.
(3) *La muse du département*, CFL, t. 9, p. 173.
(4) *Splendeurs et misères des courtisanes*, CFL, t. 5, p. 446.
(5) *Modeste Mignon*, CFL, t. 7, p. 377.

une Corinne dont le roman de ce nom n'est qu'une des aventures. La fiction se mêle à la réalité et la réalité à la fiction. C'est ce qui explique, nous semble-t-il, que Balzac puisse placer Corinne, non seulement parmi les œuvres auxquelles le caractère autobiographique assure leur longévité (1), mais encore parmi celles dont les héros ou héroïnes rivalisent avec l'état civil (2). En effet, malgré le succès du roman, qui pouvait faire croire que l'œuvre durerait, il est difficile de penser que Corinne ait pu apparaître vraiment comme « une grande image du présent » et comme une création inoubliable, à moins de la revêtir de la personnalité entière de sa créatrice. Prise en elle-même, comme personnage de roman, elle n'a certainement pas la valeur que semble lui attribuer sa place au rang des personnages immortels. Le vrai jugement de Balzac, dur mais lucide, s'exprime dans l'article sur *La Chartreuse de Parme*. Le rapprochement entre les deux héroïnes italiennes, Corinne et la Sanseverina, s'impose à sa pensée, au grand détriment de la première : « Corinne, sachez-le bien, est une ébauche misérable auprès de cette vivante et ravissante créature (3). »

Du point de vue purement littéraire, le roman de *Corinne* (seule des œuvres de Mme de Staël à laquelle Balzac s'arrête un peu) n'est pas sans défauts, dont le principal est la manie de l'improvisation. On sait l'importance que donnait Balzac au polissage du style, à la recherche de l'expression exacte et de la forme parfaite. La confiance totale de Mme de Staël en l'inspiration n'était donc pas pour lui plaire, à lui surtout qui avait l'habitude de ne considérer la première inspiration que comme un canevas sur lequel le véritable travail d'écrivain se faisait ensuite lentement et péniblement. Dépeignant Mme de Bargeton dans son rôle exaltant de mécène envers Lucien, Balzac écrit, non sans une profonde ironie : « De ses blanches mains, elle lui montra la gloire achetée par de continuels supplices, elle lui parla du bûcher des martyrs à traverser, elle lui beurra ses plus belles tartines et les panacha de ses plus pompeuses expressions. Ce fut une contrefaçon des improvisations qui déparent le roman de *Corinne* (4). » Malgré ses rêves secrets d'égaler Mme de Staël, Modeste Mignon se refuse à être prise « pour une Corinne, dont les improvisations l'ont tant ennuyée » (5).

Les sentiments de Balzac vis-à-vis de Mme de Staël sont donc

---

(1) Préface de la 1re éd. du *Cabinet des antiques*, CFL, t. 15, pp. 299-300.
(2) *Illusions perdues*, CFL, t. 4, p. 626 ; *Avant-Propos*, CFL, t. 15, p. 371.
(3) *Etudes sur M. Beyle*, CFL, t. 14, p. 1171.
(4) *Illusions perdues*, CFL, t. 4, p. 410.
(5) *Modeste Mignon*, CFL, t. 7, p. 414.

très mêlés ; ils s'expriment assez bien dans l'idée de « mons-
truosité », avec tout ce qu'un tel phénomène peut susciter de
répulsion et d'admiration. En tant qu'écrivain, la dame de
Coppet occupe peu de place dans la pensée de Balzac, bien que,
cherchant à rassembler sous la bannière de l'éclectisme littéraire
quelques noms significatifs, il n'hésite pas à déclarer : « Walter
Scott, Mme de Staël, Cooper, George Sand me paraissent d'assez
beaux génies » (1), se plaçant ainsi lui-même au milieu d'écrivains
au fond secondaires. Nous verrons que Scott et Cooper ont pour
lui, en tout cas, une autre importance littéraire que Mme de Staël.
L'éclectisme est avant tout ici ce qui ne peut vraiment pas entrer
dans les deux autres groupes (2). Et Balzac ne serait-il pas assez
satisfait de n'y mentionner que d' « assez beaux génies », qui lui
laisseraient ainsi une suprématie incontestée dans le genre ?

Il est difficile de parler de Mme de Staël sans parler de Benjamin Constant. Nous nous y sommes astreinte, cependant,
puisque du strict point de vue littéraire ils doivent rester
distincts.

Contrairement à ce que nous avons constaté pour Mme de
Staël, Balzac accorde plus d'attention, chez Constant, à l'œuvre
qu'à l'homme. La majorité des passages le concernant se rapportent à *Adolphe*. Notons cependant qu'il se dégage des quelques
réflexions sur la personne de B. Constant et sur son rôle politique
une impression de très vive sympathie. Père du libéralisme (3),
créateur même du mot, selon Balzac (4), il semble incarner pour
celui-ci le côté idéaliste du parti, et est peut-être pour quelque chose
dans le fond de libéralisme qui survivra chez lui en dépit des
professions de foi légitimistes. La meilleure description de ce
libéralisme se lit dans *La vieille fille* où le portrait du jeune
Athanase, amoureux en secret de Mlle Cormon, évoque à l'arrière-
plan la silhouette de Benjamin Constant :

Le chevalier avait par un seul regard pénétré depuis longtemps la
nature d'Athanase, il avait reconnu chez lui l'élément peu malléable
des convictions républicaines auxquelles à cet âge un jeune homme
sacrifie tout, épris par ce mot de liberté si mal défini, si peu compris,

_____

(1) *Etudes sur M. Beyle*, CFL, t. 14, p. 1156.
(2) « Quant à la troisième Ecole », écrit Balzac, « qui participe de l'une et
de l'autre, elle n'a pas autant de chances que les deux premières pour passion-
ner les masses, qui aiment peu les *mezzo termine*, les choses composites, et qui
voit dans l'éclectisme un arrangement contraire à ses passions en ce qu'il les
calme », *ibid.*, p. 1155. Mme de Staël peut-elle vraiment servir d'exemple à cette
définition ? C'est très discutable.
(3) *La confession*, Con., t. 38, p. 410.
(4) *La vieille fille*, CFL, t. 1, p. 1020.

mais qui, pour les gens dédaignés, est un drapeau de révolte ; et, pour eux, la révolte est la vengeance. Athanase devait persister dans sa foi, car ses opinions étaient tissues avec ses douleurs d'artiste, avec ses amères contemplations de l'État social. Il ignorait qu'à trente-six ans, à l'époque où l'homme a jugé les hommes, les rapports et les intérêts sociaux, les opinions pour lesquelles il a d'abord sacrifié son avenir doivent se modifier chez lui, comme chez tous les hommes vraiment supérieurs (1).

Ce respect pour l'idéalisme de Constant vaut la peine d'être noté car l'on sait les attaques portées par Balzac au parti libéral et aux vainqueurs de la Révolution de Juillet. A propos de la mort de Constant en décembre 1830, il écrit :

Les ex-ministres doivent être contents, car ils ont eu, cette fois, raison de Benjamin Constant. Ils l'ont enterré. Aujourd'hui des cent mille hommes qui accompagnèrent cet homme d'esprit au Père-Lachaise, pas un ne pense à lui, [sauf] quelques souscripteurs [...] qui portent à la caisse du *Temps* des écus reconnaissants et des pièces de cent sous pleines d'admiration. Il valait mieux honorer B. Constant pendant sa vie (2).

Avec Mme de Staël, Benjamin Constant est le seul écrivain admis dans *La comédie humaine* en tant que personnage et sans déguisement. Personnage bien fugitif, d'ailleurs, qui est là pour ajouter à la véracité historique d'*Illusions perdues*. Mais si Balzac l'a choisi de préférence à tout autre illustre personnage littéraire ou politique contemporain, c'est encore une fois parce qu'il était vivant et célèbre à l'époque où le récit prend place (1821), et mort à l'époque où le roman fut écrit (1839). Sa présence dans la boutique d'un libraire du Palais-Royal, où Lucien l'aperçoit, donne à Balzac l'occasion de faire de lui une esquisse rapide :

Lucien fut entraîné par Lousteau qui ne lui laissa pas le temps de saluer Vernou, ni Blondet, ni Raoul Nathan, ni le général Foy, ni Benjamin Constant dont l'ouvrage sur les Cent-Jours venait de paraître. Lucien entrevit à peine cette tête blonde et fine, ce visage oblong, ces yeux spirituels, cette bouche agréable, enfin l'homme qui pendant vingt ans avait été le Potemkin de Mme de Staël, et qui faisait la guerre aux Bourbons après l'avoir faite à Napoléon, mais qui devait mourir atterré de sa victoire (3).

---

(1) *La vieille fille*, CFL, t. 1, pp. 980-81. Il y a certes également dans ce portrait beaucoup de Balzac. Le libéral de sa jeunesse a précisément trente-six ans quand il écrit ces lignes et est passé au légitimisme.
(2) *Lettres sur Paris*, Con., t. 39, p. 104.
(3) *Illusions perdues*, CFL, t. 4, p. 654.

Nous sommes obligée de constater que la sympathie de Balzac pour Constant dépasse de beaucoup celle qu'il éprouve pour Chateaubriand, bien que les positions politiques respectives des trois hommes dussent laisser prévoir le contraire. L'explication de ce paradoxe se trouve peut-être dans l'antiromantisme foncier de Balzac : antiromantisme qui se constate sur tous les plans. Balzac a bien pris le départ avec la génération romantique, mais pour s'égarer aussitôt en des voies tortueuses qui le sépareront à jamais des jeunes écrivains contemporains. Quand il émerge finalement, vers 1830, Hugo est déjà le chef reconnu du groupe romantique ; Balzac est condamné à faire solitairement son chemin. Sur le plan politique, son évolution va en sens inverse de celle des romantiques : libéral d'abord, il aboutit au légitimisme, alors que Hugo part du monarchisme militant pour aboutir au républicanisme. Chez Benjamin Constant, Balzac trouve un compagnon dans l'antiromantisme qui ne veut pourtant pas se solidariser avec les vieux bonnets classiques. Du point de vue purement littéraire, *Adolphe* lui apparaît comme une œuvre autrement intéressante que *René*, *Atala* ou *Corinne*.

Lorsque, dans la préface du *Cabinet des antiques*, il affirme que « le secret des succès obtenus par *Manon Lescaut*, par *Corinne*, par *Adolphe*, par *René*, par *Paul et Virginie* », réside dans leur caractère autobiographique, il ne considère qu'un aspect du problème. Placer ces cinq romans sur un même plan, c'est essayer d'être objectif et admettre que leur succès (à cette époque en effet très grand), est dû à quelque dénominateur commun : ils sont basés « sur des faits observés, étendus, pris à la vie réelle » (1). Si Balzac avait écouté son goût personnel, il aurait pu prévoir une notable différence dans les « longévités » de ces romans, sinon pour *Manon Lescaut* (ce roman, on s'en souvient, le laisse assez indifférent), du moins pour *Adolphe* qui, nous allons le voir, l'occupe passablement. Cette différence dénote d'autres exigences pour un roman que celle du fait réel. Balzac revient sur ce problème de la durée d'une œuvre, c'est-à-dire de la distinction entre œuvre et chef-d'œuvre, dans une de ses *Lettres sur la littérature*. Après avoir analysé les *Contes* de Musset, il se pose les questions suivantes : « Néanmoins, est-ce un livre ? ces choses resteront-elles ? [...] Qu'est-ce que cela prouve ? A-t-on voulu prouver quelque chose ? Y a-t-il là quelque grand et vaste symbole, comme dans telle ou telle page qui devient un monument au milieu des ruines d'une littérature (2) ? » En

---

(1) Préface de la 1re éd. du *Cabinet des antiques*, CFL, t. 15, p. 299.
(2) CFL, t. 14, p. 1147.

employant ici le mot « prouver », Balzac mêle la moralité d'une œuvre, c'est-à-dire son utilité, à son universalité (1). Mais c'est à cette dernière qu'il songe avant tout, à la transposition d'un fait particulier en fait universel, à la création de situations et de personnages qui ne soient pas « des accidents de notre société actuelle, » mais « toute une face de cette société » (2). *Paul et Virginie*, nous l'avons vu, ce sont les émotions de l'enfance et de l'adolescence ; *René*, c'est la mélancolie et l'incertitude. « On explique par des raisons semblables le succès d'*Adolphe* (3). » Voici qui dépasse de beaucoup la simple autobiographie.

Pourtant, nous ne sommes pas encore satisfaits de voir *René*, *Paul et Virginie* et *Adolphe* sur le même plan. Balzac a raison en principe ; mais il ne juge pas (ou n'ose-t-il pas juger ?), ces trois œuvres dans leur vraie perspective. *René* et *Paul et Virginie* (*Corinne* encore davantage) ne sont guère plus pour nous que des « accidents », et en tant que tels, n'intéressent plus, sinon comme document psychologique ou comme œuvre de style. *Adolphe* au contraire est une face de la société, non pas d'une société déterminée, mais de la société en général, telle que nous la connaissons. Les Adolphe continuent à abonder alors que les René ont depuis longtemps disparu. Sans l'exprimer, Balzac le sent, qui s'intéresse beaucoup plus à *Adolphe* qu'aux autres romans. Car il fait beaucoup plus que de saluer en Adolphe un de ces héros vivants à qui on peut ouvrir les pages de l'état civil (4) ; plus que de reconnaître dans ce roman une des situations-clés du cœur humain (5). A deux reprises, il utilise *Adolphe*, tout à fait ouvertement d'ailleurs, pour écrire un de ses romans. La situation et les sentiments analysés par Benjamin Constant lui semblent si authentiques qu'ils servent de base réelle, en somme, à la construction de certains personnages balzaciens.

(1) Ces deux notions ne se dissocient vraiment que dans l'esthétique moderne. B. Constant emploie le même langage que Balzac : « Je n'ai pas seulement voulu prouver le danger de ces liens irréguliers, où l'on est d'ordinaire d'autant plus enchaîné qu'on se croit plus libre. Cette démonstration aurait bien eu son utilité... » (Préface de la 2e éd. d'*Adolphe*, Pléiade, p. 40). Et : « Une fois occupé de ce travail, j'ai voulu développer quelques autres idées qui me sont survenues et ne m'ont pas semblé sans une certaine utilité » (Préface de la 3e éd., éd. cit., p. 43). Cf. aussi la lettre à l'éditeur qui termine le roman : « Vous devriez, Monsieur, publier cette anecdote. Elle ne peut désormais blesser personne, et ne serait pas, à mon avis, sans utilité. Le malheur d'Ellénore prouve que le sentiment le plus passionné ne saurait lutter contre l'ordre des choses » (*Adolphe*, éd. cit., p. 115).
(2) *Lettres sur la littérature*, CFL, t. 14, p. 1147.
(3) *Ibid.*
(4) *Illusions perdues*, CFL, t. 4, p. 626 et *Avant-Propos*, CFL, t. 15, p. 371.
(5) *Lettres sur la littérature*, CFL, t. 14, p. 1132.

C'est d'abord dans *Béatrix* que Balzac se souvient d'*Adolphe*, par une suite d'associations d'idées aisément reconnaissables. Nous avons déjà remarqué qu'en peignant Camille Maupin, Balzac s'inspire directement de George Sand, mais également un peu de Mme de Staël. Le souvenir de Mme de Staël est inséparable de celui de Benjamin Constant et d'*Adolphe*. Or, Balzac semble habité par l'idée qu'il y a un nouvel *Adolphe* à écrire, portant cette fois sur l'analyse des sentiments d'Ellénore et non d'Adolphe. Nous allons voir, en effet, qu'il juge ce roman plus unilatéral que Constant ne l'a fait. Car les sentiments et les souffrances d'Ellénore ne sont pas ignorés, au contraire.

Après avoir fait le portrait de Camille Maupin et en avoir retracé rapidement les aventures (le tout calqué sur George Sand, mais très idéalisé) Balzac a l'idée de lui faire écrire un roman qui rivalise avec *Adolphe* : « Elle raconta sa passion trompée dans un petit roman admirable, un des chefs-d'œuvre de l'époque. Ce livre, d'un dangereux exemple, fut mis à côté d'ADOLPHE, horrible lamentation dont la contrepartie se trouvait dans l'œuvre de Camille (1). » Si cette idée remonte à une époque antérieure chez Balzac, c'est en tout cas ici la première mention qu'il en fait. Elle ne l'abandonne pas ; car, faire écrire le livre auquel il pense à un de ses personnages ne l'en délivre pas pour autant. Rendre Camille Maupin amoureuse du jeune et faible Calyste, c'est faire un pas de plus dans la direction d'*Adolphe*. Balzac entrevoit les possibilités romanesques qu'offre un tel amour. Mais Camille Maupin ne doit pas occuper la scène centrale de *Béatrix*. Elle ne sert qu'à mettre face à face les deux protagonistes et c'est l'histoire de Liszt et de Mme d'Agoult qui a donné l'idée du roman, non celle de Constant et de Mme de Staël. La contrepartie d'Adolphe reste donc une simple ébauche, bien que l'idée soit là, incontestable. C'est d'abord Claude Vignon qui l'exprime : « Vous vous êtes souvenue d'Adolphe, épouvantable dénouement des amours de madame de Staël et de Benjamin Constant, qui cependant étaient bien plus en rapport d'âge que vous ne l'êtes avec Calyste (2). » Mais c'est surtout Camille Maupin qui entrevoit avec effroi le rôle d'Ellénore que Balzac pourrait lui faire jouer, lorsqu'elle avoue à sa rivale :

Je te l'avoue avec la lâcheté de la passion vraie : me l'arracher, ce serait me tuer. ADOLPHE, cet épouvantable livre de Benjamin Constant, ne nous a dit que les douleurs d'Adolphe, mais celles de la

(1) *Béatrix*, CFL, t. 9, p. 318.
(2) *Ibid.*, p. 383.

femme ? hein ! il ne les a pas assez observées pour nous les peindre, et quelle femme oserait les révéler, elles déshonoreraient notre sexe, elles en humilieraient les vertus, elles en étendraient les vices. Ah ! si je les mesure par mes craintes, ces souffrances ressemblent à celles de l'enfer (1).

Est-ce Camille ou est-ce Balzac qui a mal lu *Adolphe* et qui n'y a pas vu que les douleurs d'Ellénore, pour être au deuxième plan, n'en sont pas moins une partie importante du roman ? Mais l'idée de Balzac serait de les mettre en pleine lumière et de les étudier minutieusement. Il ne le fera pas dans *Béatrix* et enverra Camille Maupin au couvent sans une plainte.

Quatre ans plus tard, l'idée réapparaît. Balzac écrit en toute hâte, dans un but surtout alimentaire, *La muse du département*. Une partie du roman est une reprise de *La grande Bretèche ou les trois vengeances*, écrit en 1837 et lui-même déjà refait sur des récits de 1832. L'autre partie, celle de l'amour pitoyable de Lousteau et de Mme de La Baudraye, s'inspire d'*Adolphe* (2). « J'espère que dans la fin de la *Muse*, on verra le sujet d'*Adolphe* traité du côté réel », écrit Balzac à Mme Hanska (3). Qu'entend-il par là ? S'agit-il toujours de placer le lecteur du côté de la femme et de lui en montrer les souffrances ou s'agit-il de ramener le roman sur un plan où les deux héros, moins nobles, seraient plus « réels » ? Examinons rapidement le sujet tel que Balzac le traite.

Le thème de la deuxième partie est annoncé très tôt par le dialogue suivant :

Bah ! dit Bianchon, les inventions des romanciers et des drama-turges sautent aussi souvent de leurs livres et de leurs pièces dans la vie réelle que les événements de la vie réelle montent sur le théâtre et se prélassent dans les livres. J'ai vu se réaliser sous mes yeux la comédie de *Tartuffe*, à l'exception du dénoûment : on n'a jamais pu dessiller les yeux à Orgon.
— Et la tragi-comédie d'*Adolphe*, par Benjamin Constant, se joue à toute heure, s'écria Lousteau (4).

C'est Lousteau qui parle, non Balzac, un Lousteau méprisable et cynique qui ne voit dans le roman de Constant qu'une tragi-comédie et qui sera à son tour incapable de jouer autre chose qu'un rôle tragi-comique. Le ton est donc donné. L'arrivée

(1) *Ibid.*, p. 413.
(2) Dans *Le messager* où il parut pour la première fois, le roman était divisé en quatre parties dont les deux dernières s'intitulaient : *Une double chaîne*, et *Commentaires sur l'* « *Adolphe* » *de Benjamin Constant*.
(3) *Lettres à l'étrangère*, t. 2, p. 126.
(4) *La muse du département*, CFL, t. 9, p. 100.

inopinée de Didine à Paris marque le début de ce roman-pièce
où Balzac s'acharne sur ses personnages. Bixiou rappelle une
dernière fois le thème : « La société, mon cher, pèsera sur vous,
tôt ou tard. Relis *Adolphe* (1). » Aucun vrai rapport ne peut être
établi entre Adolphe et Lousteau, car ce dernier feint l'amour
dès le début et pour des motifs vils, tandis qu'Adolphe, qui a
sincèrement aimé d'abord, feint l'amour pour des motifs nobles.
Conscient de ce trop grand décalage entre le modèle et l'imitation,
Balzac a recours, pour justifier l'attachement de Lousteau à
Dinah en dépit de son manque d'amour, à un argument psychologique fort discutable et à une interprétation fausse d'*Adolphe*.

Un des traits saillants de la Nouvelle due à Benjamin Constant,
et l'une des explications de l'abandon d'Ellénore est ce défaut d'intimité
journalière ou nocturne, si vous voulez, entre elle et Adolphe. Chacun
des deux amants a son chez-soi, l'un et l'autre ont obéi au monde, ils
ont gardé les apparences. Ellénore, périodiquement quittée, est obligée
à d'énormes travaux de tendresse pour chasser les pensées de liberté
qui saisissent Adolphe au dehors. Le perpétuel échange des regards
et des pensées dans la vie en commun donne de telles armes aux femmes
que, pour les abandonner, un homme doit objecter des raisons majeures
qu'elles ne fournissent jamais tant qu'elles aiment (2).

N'est-ce pas justement en grande partie à cause de ces liens
invisibles formés entre deux êtres qui vivent ensemble qu'Adolphe
a tant de peine à justifier son abandon et ne peut s'y décider ?
Dans le cas de Lousteau, chez qui tout est calcul, ou insouciance,
les armes que Dinah peut se forger paraissent bien inoffensives,
au contraire. Mais Balzac a de toute évidence besoin d'installer
Lousteau dans cette vie pseudo-conjugale, afin de donner à
Mme de La Baudraye le double rôle d'Ellénore et d'Adolphe : elle
sera à la fois celle qui est délaissée et qui délaisse. S'attachant
de toutes ses forces à ne pas être Ellénore, et pour cela lisant et
relisant le roman, se donnant des consignes sévères sur la conduite
à adopter, elle ne réussit qu'à s'avilir de plus en plus, car, à la
faiblesse de l'amour, Balzac lui ajoute cruellement la lucidité
intermittente qui est la part d'Adolphe chez Constant :

Elle préféra les supplices prévus, inévitables, de cette intimité
féroce, à la privation de jouissances d'autant plus exquises qu'elles
naissaient au milieu de remords, de luttes épouvantables avec elle-
même ; de *non* qui se changeaient en *oui* !... Combien de fois joua-t-elle

(1) *Ibid.*, p. 163.
(2) *Ibid.*, p. 184.

la tragédie du *Dernier jour d'un condamné*, se disant : « Demain, nous nous quitterons ! » Et combien de fois un mot, un regard, une caresse empreinte de naïveté la fit-elle retomber dans l'amour (1).

Dans ces quelques pages où Balzac décrit les tourments de la pauvre femme, nous oublions la tragi-comédie et sommes près de cette contrepartie d'*Adolphe* rêvée par Balzac où l'âme d'Ellénore serait scrutée jusque dans ses plus profonds replis. Mais le personnage n'a pas assez de grandeur et son protagoniste la ramène immanquablement sur le plan morne et terne de la médiocrité. La mort d'Ellénore trouve son équivalent dans le « Il n'y a plus de Didine, vous l'avez tuée, mon ami », de Dinah (2). Mais la décision d'Adolphe de rompre, c'est aussi Mme de La Baudraye qui la prend, car comme lui, elle a un rang social à tenir. Lousteau, intelligent lorsqu'il s'agit de littérature, résume l'idée de Balzac en ces termes :

> Vous avez beaucoup lu le livre de Benjamin Constant [...] Ce livre, ma chère, a les deux sexes. Vous savez ? Nous avons établi qu'il y a des livres mâles ou femelles, blancs ou noirs. [...] Dans *Adolphe* les femmes ne voient qu'Ellénore, les jeunes gens y voient Adolphe, les hommes faits y voient Ellénore et Adolphe, les politiques y voient la vie sociale. [...] Vous jouez en ce moment à la fois les deux personnages (3).

Ce sont probablement surtout ces deux faces possibles du roman de Constant qui intéressaient Balzac et dans *La muse du département*, ce qu'il appelle le « côté réel » est peut-être cette possibilité d'intervertir les rôles : Dinah incarne alternativement les deux personnages de Constant, Lousteau n'est là que comme accessoire nécessaire à l'action. Malheureusement, Balzac, en refusant à ses personnages la moindre étincelle de grandeur, en fait plus des personnages de comédie que de roman d'analyse, et la reprise du thème d'*Adolphe* touche plus à la parodie qu'au réel. Il n'est pas impossible, cependant, que Balzac ait cherché consciemment cet effet, voulant reposer les données d'*Adolphe* en des termes quotidiens où la noblesse des personnages de Constant n'a pas de place.

En 1833 parut chez Ledoux la deuxième édition d'*Obermann*, avec une préface de Sainte-Beuve (4). Ce roman qui était resté

---

(1) *Ibid.*, p. 196.
(2) *Ibid.*, p. 202.
(3) *Ibid.*, p. 204.
(4) Elle figure au Catalogue de vente de la bibliothèque de Mme de Balzac, nº 143.

dans l'ombre depuis sa parution en 1804 connut alors un grand succès. « Si l'auteur d'*Obermann* était mort il y a dix ans, il n'aurait pas vu sa gloire, et les libraires se seraient enrichis par son livre », écrit Balzac en 1836 dans *La chronique de Paris* (1). Il peut donc donner à Lousteau des airs de prophète en lui faisant dire dans *Illusions perdues* (dont l'action se passe en 1821) : « Il existe un magnifique livre, le *pianto* de l'incrédulité, *Obermann*, qui se promène solitaire dans le désert des magasins, et que dès lors les libraires appellent ironiquement un rossignol : quand Pâques arrivera-t-il pour lui ? personne ne le sait (2) ? » Personne ne s'y trompe, car ceci est écrit en 1839, époque à laquelle le « magnifique livre » est tout à fait sorti de l'oubli.

Balzac lui-même ne lut très probablement *Obermann* que grâce à cette mode soudaine du roman. La première mention qu'il en fait date en effet de mars 1833, et comme elle est très élogieuse, il est à peu près certain que s'il avait connu l'œuvre de Senancour avant, il en aurait parlé. Il y qualifie ce dernier d' « un des esprits les plus extraordinaires de cette grande époque » et cite, à propos de la vertu, un passage d'*Obermann*, extrait de la lettre LXIV, où l'auteur, reprenant à des fins opposées un argument pascalien, met en balance le peu de poids des plaisirs défendus avec l'infini des récompenses divines promises (3).

L'enthousiasme de Balzac pour Sénancour est sincère. Mais jaillit-il de la même source que celui de ses contemporains romantiques ? Dans sa préface à *Obermann*, George Sand écrit :

Obermann [...] c'est la rêverie dans l'impuissance, la perpétuité du désir ébauché. [...] C'est un ergoteur voltairien qu'un poétique sentiment de la nature rappelle à la tranquille majesté de l'élégie. Si les beautés descriptives et lyriques de son poème sont souvent troublées par l'intervention de la discussion philosophique ou de l'ironie mondaine, la gravité naturelle de son caractère, le recueillement auguste de ses pensées les plus habituelles lui inspirent bientôt des hymnes nouveaux, dont rien n'égale la beauté austère et la sauvage grandeur (4).

On imagine aisément que Balzac se soit senti plus attiré par « l'ergoteur voltairien » que par le rêveur élégiaque. La méditation de Sénancour oscille entre la contemplation de la nature et la discussion philosophique ou morale. Cette dernière l'entraîne dans une variété de sujets dont nous ne citerons que quelques-uns

---

(1) *Sur les questions de la propriété littéraire*, Con., t. 40, p. 18.
(2) *Illusions perdues*, CFL, t. 4, p. 627.
(3) Préface de la 2ᵉ éd. du *Père Goriot*, CFL, t. 15, p. 169.
(4) Préface, *Obermann*, Paris, Charpentier, 1892.

au hasard et que l'on reconnaîtra comme des thèmes tout balzaciens : l'amour, le mariage, le christianisme ; la physiognomonie de Lavater, les effets néfastes de la société, la vie des grandes et des petites villes, l'usage des excitants, etc. Source d'idées inépuisable pour Balzac, s'il avait besoin d'idées. Et en effet, il note dans son cahier : « A faire. — Les Enfants (relire *L'enfant étranger* d'Hoffmann), puis, en suite des *Mémoires d'une jeune femme* un MAUVAIS MÉNAGE. Voir dans l'*Obermann* une ou deux pages où se trouve en germe le sujet des gens médiocres qui ne s'entendent pas (1). »

*Obermann* l'accompagne à Vienne en mai 1835 où, tout en rendant visite à Mme Hanska, il compte travailler au *Lys dans la vallée*. « Je ne crois pas que vous ayez lu *Obermann* », écrit-il de son hôtel à Ève, « je vous l'envoie, mais j'en aurai besoin dans trois ou quatre jours. C'est un des plus beaux livres de l'époque » (2). Or c'est justement quelques jours plus tard qu'il parle de « *se* mettre demain au *Lys dans la vallée* » (3). A côté de *Volupté* de Sainte-Beuve dans lequel on reconnaît généralement le modèle du *Lys dans la vallée*, il faut donc placer *Obermann* dont plusieurs passages font en effet penser au *Lys* (4), et dont le lyrisme devant le spectacle de la nature a pu en effet inspirer Balzac pour un de ses rares romans où la campagne tienne quelque place.

On s'attendrait dès lors à ce que Balzac revienne souvent à ce roman anti-roman de Sénancour. Ce n'est pas le cas. Nous ne retrouvons *Obermann* que dans les *Mémoires de deux jeunes mariées* (aboutissement de ces *Mémoires d'une jeune femme* projetés plus haut), lorsque Louise de Chaulieu écrit : « Je me suis souvenue de cette atroce phrase d'*Obermann*, sombre élégie, que je me repens d'avoir lue : *Les racines s'abreuvent dans une eau fétide !* » (5), et dans *Modeste Mignon* : « Goldsmith, l'auteur d'*Obermann*, Ch. Nodier, Maturin, les plus pauvres, les plus souffrants, étaient ses dieux (6). » Nous avons déjà souvent constaté que ces deux héroïnes, romanesques toutes deux bien que différemment, partageaient les lectures et les goûts de Balzac.

A ces quatre grands prédécesseurs de Balzac, ajoutons, pour simple mention, Xavier de Maistre dont *Le lépreux de la cité d'Aoste*, paru en 1811 à Saint-Pétersbourg, semble avoir intéressé

---

(1) *Pensées, sujets, fragments*, p. 108.
(2) *Lettres à l'étrangère*, t. 1, p. 249.
(3) *Ibid.*, p. 252.
(4) Cf. par exemple Lettre XL, pp. 149-150 ; et Lettre LII, pp. 246-247.
(5) CFL, t. 6, p. 177.
(6) CFL, t. 7, p. 380.

Balzac. Quand l'a-t-il lu ? Nous ne saurions le dire. Si l'on en croit *Louis Lambert*, le livre de Maistre fit écho en lui à une expérience précoce de la solitude : « Ayant joué tous les deux le rôle du *Lépreux de la vallée d'Aoste*, nous avions éprouvé les sentiments exprimés dans le livre de M. de Maistre, avant de les lire traduits par cette éloquente plume (1). » Voici qui est bien difficile à appliquer à la lettre au joyeux vivant que fut Honoré dans sa jeunesse. Il est plus probable qu'il cherche ici des antécédents spirituels à son héros de prédilection ; le choix du lépreux de Maistre n'est pas dépourvu d'intérêt. Cette œuvre lui reviendra à l'esprit, assez bizarrement, au moment où il fera la critique des *Contes* de Musset. A première vue, le rapprochement est quelque peu incongru, et Balzac le sent, qui s'empresse de souligner que la ressemblance n'existe pas. Pourtant, devant un conte comme *Frédéric et Bernerette*, dont le charme et l'esprit ne font aucun doute, la question se pose au critique du poids nécessaire à une œuvre pour survivre. *Le lépreux de la cité d'Aoste* lui apparaît alors comme l'extrême opposé du conte de Musset : dans des dimensions réduites, de Maistre a introduit le maximum de « quintessence » : « Le livre de M. de Maistre est éclairé par une lueur éternelle. La vie lui vient de cette lueur, de ce sens intime et profond que je vois avec douleur manquer dans beaucoup d'ouvrages modernes (2). » Quant à la forme de l'œuvre, nous avons dit tout à l'heure que Balzac offre Chateaubriand et de Maistre en exemple à Stendhal pour le caractère de perfection que ces deux écrivains ont tenu à donner à leurs « livres chéris ». « M. de Maistre avoue avoir écrit dix-sept fois *Le lépreux de la vallée d'Aoste* (3). »

A côté de ces romans personnels auxquels nous voyons Balzac s'intéresser, il est un autre genre de roman dont il fait sa pâture en ses premières années d'initiation littéraire, genre fort en vogue, venu d'Angleterre : le roman noir.

Cette mode, lancée en France par l'apparition en 1797 des romans d'Anne Radcliffe, connut une nouvelle recrudescence lorsqu'en 1819 parut une réédition des œuvres de cet auteur et en 1821 la traduction du *Melmoth* de Maturin. A partir de 1819 également se multiplièrent les imitations du *Moine* de Lewis, ouvrage qui avait été traduit en 1797. Ces trois noms méritent

---

(1) *Louis Lambert*, CFL, t. 1, p. 53.
(2) *Lettres sur la littérature*, CFL, t. 14, p. 1149.
(3) *Etudes sur M. Beyle*, CFL, t. 14, p. 1216.

de nous arrêter un instant car ils ont leur place parmi ceux que Balzac honore.

C'est surtout en technicien que Balzac juge des romans d'Anne Radcliffe. Dans les récits les plus invraisemblables et les plus embrouillés, elle savait maintenir « un perpétuel intérêt de curiosité » (1), et ses descriptions de nuits peuplées de fantômes étaient justement célèbres. Balzac ne place-t-il pas la romancière anglaise, pour son pouvoir de suggestion, à côté de Cervantès et de Beaumarchais (2) ? Sa technique, presque toujours identique à elle-même, de prouver « après quatre volumes [...] par une conclusion, la réalité des faits qui, d'abord, paraissaient magiques » (3), bien qu'adoptée par Balzac lui-même dans son *Héritière de Birague*, lui semble déjà en 1830 une erreur, puisqu'il reproche son emploi à l'auteur de ce *Richelieu* dont il fait la critique dans le *Feuilleton*. Quel plus bel éloge cependant pour la romancière que ce texte où l'auteur de *La peau de chagrin* ne trouve pas de plus grande gloire que d'égaler Anne Radcliffe ?

> *La peau de chagrin* a été jugée comme ont été jugés les admirables romans d'Anne Radcliffe. Ces choses-là échappent aux annalistes et aux commentateurs. L'avide lecteur s'en empare, de ces livres. Ils jettent l'insomnie dans l'hôtel du riche et dans la mansarde du poète ; ils animent la campagne ; l'hiver, ils donnent un reflet plus vif au sarment qui pétille ; grands privilèges du conteur. C'est qu'en effet c'est la nature qui fait les conteurs. Vous aurez beau être savant et grave écrivain, si vous n'êtes pas venu au monde conteur, vous n'obtiendrez jamais cette popularité qui a fait les *Mystères d'Udolphe* et *La peau de chagrin*, les *Mille et une nuits*, et *M. de B...* (4).

Admiration plus durable qu'on ne le pense, car elle trouve son expression dans deux romans de 1843 : *La muse du département*, où Bianchon rappelle « la poésie du rôle de Schedoni, inventé par Mme Radcliffe dans *Le confessional des pénitents noirs* » (5), et *Honorine* où ce même personnage apparaît au narrateur « une création supérieure à celle du Moine » (6). M. Baldensperger remarque avec raison qu'un tel personnage, cachant ses noirceurs sous l'habit ecclésiastique, plaît tant à Balzac que non seulement il l'utilisera pour le vicaire des Ardennes, mais que

(1) *Sarrasine*, CFL, t. 12, p. 795.
(2) Avertissement aux *Chouans*, CFL, t. 11, p. 1103.
(3) *Richelieu*, Con., t. 38, p. 414.
(4) Ecrit en 1831 par Balzac, publié dans *L'amateur d'autographes*, 15 mai 1865.
(5) CFL, t. 9, p. 112.
(6) CFL, t. 6, p. 837.

Carlos Herrera, *alias* Vautrin, en sera encore une réincarnation (1). Une dernière preuve de la profonde impression faite par le roman « frénétique » d'Anne Radcliffe ou de Lewis sur la sensibilité de Balzac nous est fournie par le rapprochement spontané que produit en son esprit la lecture de l'emprisonnement de Fabrice dans *La Chartreuse de Parme* : « L'épisode des voleurs dans *Le moine* de Lewis, son *Anaconda*, qui est son plus bel ouvrage, l'intérêt des derniers volumes d'Anne Radcliffe, celui des péripéties des romans sauvages de Cooper, tout ce que je connais d'extraordinaire dans les relations de voyages et de prisonniers, rien ne peut se comparer à la reclusion de Fabrice dans la forteresse de Parme (2). » La comparaison ne peut sembler peu flatteuse qu'à ceux qui ignorent chez Balzac son goût pour l'aventure et le fantastique. Qu'il suffise de rappeler la place qu'il lui accorde dans *La comédie humaine*, dans certains épisodes de *La duchesse de Langeais*, de *La grande Bretèche*, ou de *La femme de trente ans*, sans parler de *Ferragus* ni d'*Une ténébreuse affaire*.

Balzac éprouve pour le *Melmoth* de Maturin la même sorte de fascination que pour *Le moine* de Lewis. Elle ne se bornera pas à lui faire écrire *Le centenaire*, roman calqué directement sur *Melmoth*. Bien plus que la technique du romancier, Balzac admire chez Maturin le créateur d'un personnage à travers lequel s'exprime une idée. C'est pourquoi il n'hésite pas à placer Melmoth à côté de Faust ou Manfred (3). Il s'en expliquera en 1836, à propos de son *Melmoth réconcilié* :

Ce conte [...] est presque inintelligible pour ceux qui ne connaissent pas le roman du révérend Maturin, prêtre irlandais, intitulé *Melmoth ou l'homme errant*, traduit par M. Cohen.

Ce roman est pris dans l'idée mère à laquelle nous devions déjà le drame de *Faust* et dans laquelle lord Byron a taillé depuis *Manfred* ; l'œuvre de Maturin n'est pas moins puissante que celle de Gœthe, et repose sur une donnée plus dramatique peut-être, en ce sens que la lassitude des sentiments humains y préexiste, et que l'intérêt vient d'une condition dans le pacte qui laisse un espoir au damné. Son salut peut se faire encore, s'il trouve un *remplaçant*, mot technique qui traduit brièvement le sens de cet article secret du pacte. Melmoth passe sa vie et emploie son pouvoir à plonger les hommes dans les plus épouvantables malheurs, sans rencontrer un homme qui veuille changer sa situation contre celle du tentateur. Maturin a fait preuve de bon sens en n'amenant pas son héros à Paris ; mais il est extraordinaire que ce demi-démon ne sache pas aller là où il eût trouvé mille personnes

(1) *Op. cit.*, p. 26.
(2) *Études sur M. Beyle*, CFL, t. 14, p. 1186.
(3) Préface de la 1re éd. de *Ferragus*, CFL, t. 15, p. 90.

pour une qui eussent accepté son pouvoir. Il est encore plus singulier qu'il n'ait pas montré Melmoth essayant d'obtenir par des bienfaits ce que l'on refuse à sa tyrannie. Aussi l'œuvre de l'auteur irlandais est-elle défectueuse en plusieurs points, quoique surprenante par les détails (1).

Balzac se trompe ici à deux points de vue. D'abord, l'œuvre de Maturin est loin d'avoir la valeur poétique et philosophique de *Faust*, bien que son personnage principal soit une création qui mériterait d'être mieux connue (2). Nous avons vu que Balzac était loin de saisir la signification d'ensemble de l'œuvre de Gœthe. Son erreur porte également sur sa critique du roman : permettre à Melmoth de trouver un successeur pour le terrible pacte qui le lie retrancherait à l'œuvre sa signification. Comme toujours, l'imagination de Balzac s'empare ici d'une œuvre et la modifie à sa guise. La faiblesse du dénouement de *Melmoth réconcilié* fait ressortir avec éclat l'erreur de Balzac. Le salut de Melmoth, intéressant par le contraste qu'il apporte, n'offre pas de solution satisfaisante au romancier, puisque le pacte ne peut jamais être définitivement annulé. Balzac ne s'en tire que par des pirouettes qui réduisent le drame au néant. Il n'en est pas moins intéressant de voir comment un personnage aussi fantastique que Melmoth, issu d'une œuvre aussi éloignée de *La comédie humaine*, peut avoir eu sur Balzac une telle emprise que celui-ci n'a pu résister au désir de le faire entrer dans son univers. Maturin, « l'auteur moderne le plus original dont la Grande-Bretagne puisse se glorifier, Maturin, le prêtre auquel nous devons *Eva, Melmoth, Bertram* » (3), a très certainement contribué, lui aussi, entre bien d'autres, à former dans l'esprit de Balzac la fantastique image de Vautrin. L'imagination de l'écrivain anglais stimule celle du romancier français. S'attendrait-on à ce que *Le lys dans la vallée* doive quelque chose à Maturin ? Et pourtant Balzac a noté dans son carnet : « Il y a tout un roman bien neuf dans lady Delphine Orberry de Maturin, dans *Le jeune Irlandais*. Le révérend ne l'a pas vu ...(4). » Or, dans une lettre à sa mère, en juillet 1832, au moment où il commence *Le lys*, Balzac réclame précisément l'envoi de ce *Jeune Irlandais*, car il en a grand besoin, dit-il (5).

(1) Note de la 1re éd. de *Melmoth réconcilié*, CFL, t. 15, p. 175.
(2) Signalons en France récemment un renouveau d'intérêt pour l'ouvrage de Maturin, qui vient d'être plusieurs fois réédité.
(3) Préface de la 1re éd. de *La peau de chagrin*, CFL, t. 15, p. 65.
(4) *Pensées sujets, fragments*, p. 77.
(5) Balzac avait lui-même imprimé ce roman en 1828, rue des Marais.

Ainsi, cette littérature qui précède immédiatement Balzac ne lui offre principalement que des romans. Le théâtre est expirant et attend les tentatives de renouvellement du romantisme. La poésie a fui la lyre de Delille pour se réfugier dans la prose de Chateaubriand ou de Sénancour. Seul, le roman s'est développé, sans lois précises, marqué par l'originalité de chaque écrivain, mais prêt à prendre bientôt le premier rôle dans les genres littéraires. Des écrivains qui ne sont ni romanciers, ni poètes, ni auteurs dramatiques, Balzac ne parle guère. Nous ne pouvons cependant négliger tout à fait Joseph de Maistre, Bonald, P.-L. Courier.

S'il est impossible de supposer que Balzac connaisse mal Joseph de Maistre, nous n'en constatons pas moins que son nom n'apparaît que trois fois sous sa plume. Bonald est légèrement mieux traité. Est-ce pure coïncidence si nous ne rencontrons son nom que dans les années qui précèdent ou suivent immédiatement la grande déclaration catholique et monarchique de l'*Avant-Propos* ? Nous ne pouvons le croire. Balzac a dû lire, ou relire, Bonald à cette époque, comme le fait le vieux Minoret, voltairien en voie de conversion (1) ; comme le fait aussi, sur les conseils de son père, la sage Renée de L'Estrade : « Pendant que tu lisais *Corinne* », écrit-elle à son amie de couvent « je lisais Bonald, et voilà tout le secret de ma philosophie : la Famille sainte et forte m'est apparue » (2). Même Mme Hanska lit Bonald en 1844 ; Balzac en est heureux : « Vos lectures sur Bonald me font assez plaisir ; c'est un grand penseur, à qui le style a manqué, comme à Geoffroy Saint-Hilaire, un géant tardif qui n'a pas su écrire (3). » L'*Avant-Propos*, comme on sait, proclame pour l'écrivain la nécessité du dévouement absolu à des principes, cite Bonald, et range l'auteur de *La comédie humaine* aux côtés de Bossuet et de Bonald. Étrange trinité, en vérité, que nous ne pouvons guère prendre au sérieux, même si, comme Balzac le dit à Mme Hanska, il ne s'agit que d'une prise de position politique (4).

Si l'on ne considère, pour juger d'un écrivain, que le simple plaisir qu'il procure à son lecteur, Paul-Louis Courier devrait être mis, dans l'échelle des valeurs balzaciennes, bien au-dessus de Bonald. Le Tourangeau d'adoption qu'est Balzac ne cesse de rassembler autour de lui avec affection ces esprits fins, polis,

(1) *Ursule Mirouet*, CFL, t. 8, p. 446.
(2) *Mémoires de deux jeunes mariées*, CFL, t. 6, p. 127.
(3) *Lettres à l'étrangère*, t. 2, p. 416.
(4) *Ibid.*, p. 48.

ardents, artistes, poétiques, voluptueux, qui, transplantés hors
de leur Touraine natale « produisent de grandes choses » (1),
comme le prouvent Rabelais, Verville et « feu Courier de piquante
mémoire » (2). Les œuvres complètes de P.-L. Courier, parues
en 1830, donnèrent à Balzac l'occasion d'écrire un de ses premiers
comptes rendus dans le *Feuilleton des journaux politiques*. Il y
juge brièvement la valeur respective des œuvres de « cet homme
remarquable » (3). Les pamphlets, dont il proclamera encore les
qualités littéraires beaucoup plus tard dans la *Monographie de
la presse* (4), lui semblent, une fois vidés de leur actualité, trop
vigoureux, trop ironiques, trop concis pour plaire à beaucoup
d'esprits. Reproche qui n'en est pas un, car il ne fait qu'accuser
la perfection du genre. Les œuvres d'érudition doivent être un
titre de gloire réelle et la Correspondance est « curieuse, instruc-
tive, pleine de ce bon sens à la Franklin qui distinguait ce beau
génie » (5). Sans trop s'aventurer dans ses jugements, le jeune
critique du *Feuilleton* n'éprouve que sympathie pour Courier. Le
libéralisme du pamphlétaire n'est pas pour lui déplaire à cette
époque. D'ailleurs, Courier est mort, son action politique appartient au passé, ce qui permet à Balzac de ne retenir de lui que ce
qui lui plaît toujours chez un écrivain, le sens de la raillerie et du
comique.

Si nous devions, parmi les écrivains de ce début du XIXᵉ siècle,
établir une sorte de hiérarchie selon le cœur de Balzac, nous
accorderions la première place à Benjamin Constant et la dernière
à Chateaubriand, exprimant ainsi l'éternelle contradiction interne, sur le plan des idées sociales et politiques, entre le Balzac
libéral et le Balzac absolutiste, entre celui qui se réclame de
Bonald et lui préfère P.-L. Courier ; exprimant du même coup
chez lui la permanence du goût littéraire qui lui fera toujours
préférer, dans les idées et la forme de l'expression, la clarté, la
précision d'analyse, la vivacité, à la rêverie et aux grandes envo-
lées poétiques.

(1) *L'illustre Gaudissart*, CFL, t. 8, p. 36.
(2) Prologue au 1ᵉʳ dixain des *Contes drolatiques*, CFL, t. 13, p. 47.
(3) Con., t. 38, p. 371.
(4) CFL, t. 14, p. 564.
(5) *Ibid.*

# Chapitre VI

# APRÈS 1820 :
# LES ROUAGES D'UNE GRANDE MACHINE

Si le xixᵉ siècle a vu naître et grandir beaucoup de réputations, si beaucoup d'écrivains ont conquis dans les rangs de la littérature moderne une place élevée, due à leurs succès et à leurs talents, il faut avouer que bien peu de ces réputations, bien peu de ces écrivains sont destinés à franchir les limites de ce siècle, et que la postérité saura réduire considérablement la liste des hommes illustres de notre époque (1).

Nous ne saurions trouver meilleure introduction au dédale d'écrivains et d'œuvres dans lequel nous allons maintenant nous engager. Cette phrase de Balzac nous plaît particulièrement parce qu'en elle se résume toute l'attitude de Balzac devant ses contemporains. Le xixᵉ siècle ne cessera jamais de lui apparaître, littérairement, comme une période privilégiée, où les talents jaillissent de toutes parts. « En aucun siècle, le mouvement littéraire n'a été plus vif, ni plus grand dans ses causes et dans ses effets » (2), telle est sa conviction profonde. L'époque lui apparaît comme un immense chantier où chacun contribue au détail d'un magnifique monument dont il ignore le plan d'ensemble, ou comme une machine formidable dont le prodigieux spectacle échappe à ceux qui en sont les pivots ou les rouages. La conscience aiguë de participer à une œuvre collective le pousse donc, malgré les exigences terribles de la tâche qui lui est échue, à constamment regarder autour de lui pour essayer de connaître ses compagnons et d'évaluer, aussi honnêtement que possible, la contribution de chacun. L'image qu'emploie Balzac, de maçons occupés à bâtir sous la direction d'un architecte inconnu, ne doit pas nous faire conclure à une conception égalitaire du talent. Balzac ne perd

---

(1) Avant-Propos de l'éditeur, *Les comédiens sans le savoir*, CFL, t. 15, p. 359.
(2) Préface de la 1ʳᵉ éd. d'*Une fille d'Eve*, CFL, t. 15, p. 314.

jamais de vue le jugement de la postérité sur l'ouvrage terminé, et il sait qu'alors seul apparaîtra le génie des grands artistes, de ceux qui auront mis toute leur originalité à sculpter tel ou tel détail, ou qui auront édifié telles colonnes superbes. Les casseurs de pierres auront peut-être fait beaucoup de bruit pendant la construction, ils n'en seront pas moins vite oubliés. Ainsi, nous allons trouver chez Balzac la préoccupation constante, devant les œuvres de ses contemporains, de les situer au delà du présent immédiat, de les placer dans la perspective générale du siècle et de devancer le jugement de l'avenir.

Bon gré mal gré, Balzac fait partie de la génération de 1820, génération romantique par excellence. En jugeant ses confrères, il juge très souvent le romantisme. Cependant, l'objectivité étant difficile, par suite des éléments non littéraires qui entrent en jeu, lorsqu'il s'agit des contemporains français, nous nous tournerons tout d'abord vers celui que Balzac ne connaît que par ses œuvres, et qui pourtant occupe le même rang que Rousseau dans la fréquence des citations, le poète romantique entre tous, lord Byron.

Cette place prépondérante du poète anglais dans la pensée de Balzac nous paraît révélatrice. Chez Byron, en effet, œuvre et vie rivalisent de romantisme et on imagine mal un meilleur exemple de la nouvelle école littéraire. Comme tous ceux de sa génération, Balzac est envoûté par ce personnage. En recherchant les raisons de cette admiration, nous mettrons en lumière ce que Balzac accepte dans le romantisme.

Dès la parution en 1818, chez les frères Galignagni, de la première édition en anglais de toutes les œuvres de Byron jusque-là publiées, les articles de critique commencent à abonder (1). L'année suivante, les quatre premiers volumes de la traduction d'A. Pichot et d'E. de Salle mettent Byron à la portée de ceux qui ne lisent pas l'anglais. C'est vraisemblablement grâce à cette traduction, la seule en 1819, que Balzac put prendre connaissance de l'œuvre de Byron (2). En effet, en septembre 1819, il fait allusion, dans une lettre à Laure, à un opéra-comique auquel il travaille, et que les balzaciens s'accordent

---

(1) Cf. Edmond Estève, *Byron et le romantisme français*, Paris, Boivin, 1929, où la fortune de Byron en France pendant la période qui nous intéresse est étudiée minutieusement.

(2) Cette 1re éd. de la traduction Pichot-de Salle parut de 1819 à 1821. Les quatre volumes parus en 1819 contenaient : t. 1er : *Notice sur lord Byron, Le corsaire, Lara, Adieu* ; t. 2 : *Le siège de Corinthe, Parisina, Le vampire, Oscar d'Alve, Mazeppa, Les ténèbres, A Maria* \*\*\*, *Stances* (Le monde n'a plus de plaisirs...) ; t. 3 : *La fiancée d'Abydos, Manfred, Fragments* ; t. 4 : *Le pèlerinage de Childe-Harold*, chants I et II.

pour identifier avec *Le corsaire* dont l'ébauche (liste des person-nages, identique à celle de Byron, et quelques morceaux de scènes, en vers) a été conservée (1). Le choix de ce sujet ne doit pas nous faire conclure trop vite à une conversion immédiate du jeune Balzac au byronisme. Ce que nous connaissons de lui à cette époque nous permet de douter qu'il partage sincèrement l'enthousiasme général : le Balzac de la rue Lesdiguières a une conscience littéraire sévère qui lui interdit pour l'instant toute incursion hors des chemins classiques. Son projet byronien du *Corsaire* est avant tout une tentation : celle de céder tout simple-ment à la mode dans l'espoir d'un succès immédiat. Tentation vite rejetée : « Je délaisse le triste opéra-comique ; à quel compo-siteur veux-tu que je le donne, je ne puis rien dans mon trou ! et je ne dois pas travailler pour le goût actuel, mais comme ont fait les Racine, les Boileau, pour la postérité (2) ! » Cette rigidité de principes ne durera que le temps d'écrire *Cromwell* et de constater son échec. Alors, la rage de la déception au cœur, Balzac s'aban-donnera au « goût actuel » et ce seront les romans de jeunesse. *Le corsaire* réapparaîtra sous les traits d'Argow, d'abord dans *Le vicaire des Ardennes*, puis dans *Annette et le criminel*. Les ressemblances entre Argow et Conrad, Lara, Manfred ou le Giaour ont été déjà amplement soulignées (3). Elles ne nous intéressent ici que pour ce qu'elles nous révèlent de la compré-hension de Byron par Balzac.

En créant son personnage d'Argow, l'auteur du *Vicaire des Ardennes* (1822) ne fait guère mieux qu'exploiter la mode. Il ne semble pas avoir beaucoup réfléchi sur le héros byronien, car il ne lui emprunte pour son personnage que les caractères les plus superficiels : force physique, intrépidité, sang-froid. La révolte contre l'ordre social n'est qu'esquissée et Balzac ne semble pas y attacher d'importance. L'Argow que nous retrouvons dans *Annette et le criminel*, par contre, en 1824, est déjà beaucoup plus évolué et marque une meilleure compréhension de Byron. Assu-rément, l'inspiration est toujours avant tout dictée par la mode, car le héros byronien continue à régner sur les cœurs, et la mort de Byron au rang des combattants pour la liberté en Grèce ajoute encore à son prestige. Nous avons pourtant l'impression que Balzac est déjà beaucoup plus sérieux vis-à-vis de son roman et de ses personnages. Ce second Argow est plus compliqué que sa

---

(1) Cf. D. Milatchitch, *Le théâtre inédit d'H. de Balzac*, pp. 48-49.
(2) *Lettres à sa famille*, p. 9.
(3) Cf. entre autres, E. Estève, *op. cit.*, pp. 491-493, et M. Bardèche, *op. cit.*, pp. 81-82.

première incarnation : le mal et le bien se le disputent, il est
frère de Conrad, violent et tendre, frère de Lara et de Manfred
et de tous ceux qui traînent un passé qu'ils ne peuvent oublier.
Balzac a maintenant mieux compris l'attrait exercé par ce destin
d'homme trop grand pour la société et l'ambiguïté morale que
Byron se plaît à exploiter. Ce progrès dans l'imitation ne peut
venir que d'une meilleure connaissance du poète anglais.

Il faut dire qu'en 1820 s'est ajouté au Byron des corsaires et
des héros solitaires, le Byron du *Don Juan*. La révélation de ce
nouveau Byron plongea les admirateurs du poète dans la stupeur :

> On s'était figuré (écrit E. Estève), un Byron invariablement pâle,
> douloureux et mélancolique, torturé par le remords ou penché sur le
> mystère de la destinée : on retrouvait un Byron épicurien, gouailleur
> et sarcastique. Le sombre pèlerin des grèves méditerranéennes, le cor-
> saire farouche au front basané, le solitaire des glaciers alpestres se
> changeait en une sorte de chérubin, un adolescent trop joli, candide-
> ment vicieux, précocement corrompu et corrupteur, courant les alcôves,
> séduisant les femmes et rossant les maris. L'impiété, de blasphématoire,
> s'était faite ironique : les imprécations de l'archange déchu finissaient
> par un éclat de rire à la Voltaire. Le désappointement fut complet (1).

Seuls, quelques byroniens avancés, ajoute M. Estève, goû-
tèrent le poème : Stendhal, Mérimée, J.-J. Ampère. Nous permet-
tra-t-on de supposer que Balzac fut également de ceux-là et que
le *Don Juan*, loin de lui déplaire, contribua à l'intéresser davantage à Byron ? La synthèse entre les deux aspects de l'œuvre
du lord anglais dut se faire facilement dans un esprit où le romantisme hérité de Chateaubriand n'avait que peu de place. Un an
après *Annette et le criminel*, paraît, en effet, le *Code des gens
honnêtes* (1825), où bien des traits byroniens se retrouvent :
satire sociale, pirouettes moqueuses, légèreté d'une part ; d'autre
part premières ébauches des « forbans policés » (2), que nous
retrouverons souvent dans *La comédie humaine* et qui descendent
directement du corsaire byronien. A la même époque, se prépare
la *Physiologie du mariage* (3), où Byron trouve tout naturellement
sa place parmi les très nombreux auteurs que Balzac y cite, non
plus le Byron des corsaires, mais celui de Don Juan se cachant
sous l'oreiller de dona Julia (4), celui dont la vie privée avait
défrayé toutes les chroniques scandaleuses des journaux, marié

---

(1) *Op. cit.*, p. 69.
(2) Préface du *Code des gens honnêtes*, CFL, t. 14, p. 60.
(3) La première version de la *Physiologie* fut imprimée par BALZAC en 1826.
(4) *Physiologie du mariage*, CFL, t. 12, p. 1050 et p. 1159.

« par gageure » (1), poursuivant de ses moqueries les sociétés anglaises formées pour l'amélioration des mœurs et du mariage (2), celui des paradoxes, n'admettant un fait qu'attesté par deux bons faux témoins (3), enfin le lord anglais dont « les plaisirs, les idées et la morale [...] ne doivent pas être ceux d'un bonnetier » (4). Même Manfred prend le visage ici d'un Don Juan blasé : « Aussi ne nous adressons-nous qu'à tous ces Manfred qui, pour avoir relevé trop de robes, veulent lever tous les voiles dans les moments où une sorte de spleen moral les tourmente (5). »

Ainsi, distinguons-nous dans cette première période de la carrière littéraire de Balzac trois sources d'intérêt le poussant vers Byron : la mode, à laquelle il ne peut échapper, et dont il est parfaitement conscient ; le pessimisme social hérité de Rousseau, qui lui montre l'individu en conflit avec la société et dont Byron et ses héros offrent de fascinantes illustrations ; le scepticisme et le libertinage, hérités de Voltaire, qui se retrouvent dans le *Don Juan*. Nous allons voir le rôle respectif de ces trois éléments dans l'intérêt continu de Balzac pour Byron.

La mode, qui poussait Balzac à emprunter le sujet du *Corsaire* pour un opéra-comique, qui lui faisait imaginer son personnage d'Argow, va l'intéresser, lorsqu'il s'oriente vers ce qui deviendra *La comédie humaine*, en tant que phénomène social. Comme la mode Chateaubriand, il l'utilise pour son caractère d'historicité. Lire Byron est un des attributs de l'élégance ; déjà dans *La dernière fée* (1822) : « Monte-t-il bien à cheval ? connaît-il Rossini, lord Byron (6) ? » étaient les conditions essentielles à la définition d'un jeune homme distingué. Nous les retrouverons à peu près identiques dans *L'auberge rouge* (1831) : « Elle me sera enlevée par un officier mince et pimpant, qui aura une moustache bien frisée, jouera du piano, vantera lord Byron, et montera joliment à cheval (7). » Pastichant le romantisme, dans son conte inachevé (et bien imparfait) des *Deux amis* (1830), Balzac nous décrit son héroïne partagée entre la poésie de Byron (elle relit *Le corsaire*), et celle du soleil couchant (8). L'ironie de Balzac porte d'ailleurs sur l'engouement général pour Byron, dont « les admirateurs ne l'entendent pas toujours » (9), et non pas sur le poète lui-même.

(1) *Ibid.*, p. 874.
(2) *Ibid.*, p. 1083.
(3) *Ibid.*, p. 1258.
(4) *Ibid.*, p. 1024.
(5) *Ibid.*, p. 920.
(6) Cal.-Lévy, t. 3, p. 205.
(7) CFL, t. 12, p. 244.
(8) CFL, t. 14, p. 690.
(9) *Ibid.*, p. 672.

Naturellement, tous les personnages romanesques de *La comédie humaine* sont de fervents admirateurs de Byron : David et Lucien (1), Mme de Bargeton (2), Véronique Graslin (3), Calyste du Guénic (4), Dinah Piedefer (5), Joseph Bridau (6), et, bien entendu, Modeste Mignon (7). En exploitant cette mode byronienne, Balzac n'est plus poussé par un espoir de succès, mais par un besoin de vérité historique. En effet, les romans où figurent ces personnages furent tous écrits entre 1837 et 1844, donc à une époque où la fureur byronienne est bien éteinte à Paris ; mais leurs dates fictives (celles où l'auteur place leur action) vont de 1820 *(Illusions perdues)* à 1837 *(Modeste Mignon)*, donc couvrent assez exactement la période d'épanouissement du byronisme en France, compte tenu du retard de la province sur Paris.

Dans cette mode de Byron se mêlaient, à l'admiration pour sa poésie, la fascination exercée par sa personnalité et l'avidité du public à connaître tous les détails (vrais ou faux), de sa vie intime. Ainsi, imiter Byron dans sa personne et son comportement était le souci de plus d'un jeune homme, artiste ou non, autour de 1830. Ceux de *La comédie humaine* ne font pas exception. Voici Raoul Nathan, « ce Byron mal peigné, mal construit » (8) ; voici Étienne Lousteau, « ce faux Byron » (9), « Manfred du feuilleton » (10) ; « déjà chauve, il avait pris un air byronien en harmonie avec ses ruines anticipées, avec les ravins tracés sur sa figure par l'abus du vin de Champagne » (11). Voici l'étourdi clerc de notaire d'*Un début dans la vie*, Georges Marest, cherchant une mystification : « J'imite si bien les Anglais, je me serais posé en lord Byron, voyageant incognito (12). » Voici enfin le ridicule employé de bureau Poiret qui, ayant « commencé un journal de sa vie où il marquait les événements saillants de la journée », apprend que « lord Byron faisait ainsi. Cette similitude combla Poiret de joie et l'engagea à acheter les œuvres de lord Byron, traduction de Chastopelli à laquelle il ne comprit rien

(1) *Illusions perdues*, CFL, t. 4, p. 377.
(2) *Ibid.*, p. 391 et p. 491.
(3) *Le curé de village*, CFL, t. 7, p. 682.
(4) *Béatrix*, CFL, t. 9, p. 357.
(5) *La muse du département*, CFL, t. 9, p. 55.
(6) *La Rabouilleuse*, CFL, t. 3, p. 92.
(7) *Modeste Mignon*, CFL, t. 7, p. 365 et p. 375.
(8) *Une fille d'Ève*, CFL, t. 8, p. 852.
(9) *La muse du département*, CFL, t. 9, p. 71.
(10) *Ibid.*, p. 105.
(11) *Ibid.*, p. 64.
(12) CFL, t. 3, p. 429.

du tout (1). » La ressemblance avec Byron est parfois, non
cherchée par le personnage, mais imposée par Balzac. Elle a un
effet comique par l'incongruité du rapprochement dans le cas de
Popinot et de son pied bot, « infirmité que le hasard a donnée à
lord Byron, à Walter Scott, à M. de Talleyrand, pour ne pas
décourager ceux qui en sont affligés » (2). Ailleurs, c'est une
simple attitude qui rappelle Byron : « Aucun geste ne démontrait
qu'il eût mis sa face de trois quarts et faiblement incliné sa tête à
droite, comme Alexandre, comme lord Byron, et quelques autres
grands hommes, dans le seul but d'attirer sur lui l'attention (3). »

Donner à un de ses personnages les traits de Byron dispense
le romancier d'un portrait détaillé. C'est le cas de Conti, « homme
de moyenne taille, mince et fluet, aux cheveux châtains, aux
yeux presque rouges, au teint blanc et marqué de taches de
rousseur, ayant tout à fait la tête si connue de lord Byron, que
la peinture en serait superflue » (4) ; et celui du consul général
de France à Gênes dont le récit constitue l'essentiel d'*Honorine* :
« Ce diplomate, homme d'environ trente-quatre ans, marié
depuis six ans, était le portrait vivant de lord Byron. La célébrité de cette physionomie dispense de peindre celle du consul.
On peut cependant faire observer qu'il n'y avait aucune affectation dans son air rêveur. Lord Byron était poète, et le diplomate
était poétique (5). »

Il est permis de se demander ce qui poussa Balzac à donner
à ces deux personnages le visage de Byron. La ressemblance
physique suscite chez le lecteur, à coup sûr, un rapprochement
moral, justifié ou non, sur lequel Balzac compte fort probablement. Dans le cas de Conti, dont le personnage reste secondaire,
ce rapprochement est superficiel : artiste, volage, voyageur, tels
sont les traits qui peuvent l'identifier à Byron. La ressemblance
de Maurice, le consul, avec Byron a un but plus calculé. Il sert
d'ouverture à une œuvre où, nous le verrons plus loin, un thème
byronien va être utilisé et développé avec le plus grand art.

(1) *Les employés*, CFL, t. 5, p. 1079. L'édition Chastopelli est la deuxième
édition, revue et corrigée, de la traduction PICHOT et de SALLE. Elle parut de
1820 à 1822 et resta inachevée après le cinquième volume.

(2) *César Birotteau*, CFL, t. 2, p. 77. Popinot se révélera malgré tout une
sorte de génie commercial et Balzac a bien pu avoir en tête un rapprochement
basé sur la physiognomonie dont il faisait grand cas.

(3) *Le bal de Sceaux*, CFL, t. 2, p. 760. La physiognomonie est ici en défaut,
car dans la *Théorie de la démarche*, écrite trois ans plus tard, nous lisons : « il est
certain que les hommes les plus imposants ont tous légèrement penché leur tête
à gauche. Alexandre, César, Louis XIV, Newton, Charles XII, Voltaire, Frédéric II et Byron affectaient cette attitude » (CFL, t. 12, p. 1590).

(4) *Béatrix*, CFL, t. 9, p. 369.

(5) CFL, t. 6, p. 825.

Des deux cordes du lyrisme byronien, « la corde humide »,
et « la corde métallique et stridente » (1), c'est d'abord la première
qui résonna dans les cœurs français, autour de 1825, pour s'affai-
blir après 1830 et laisser grincer seule la deuxième. Nous avons
supposé, à la lumière d'œuvres telles que le *Code des gens honnêtes*
ou la *Physiologie du mariage*, et de l'état d'esprit de Balzac entre
1820 et 1830, qu'après un intérêt surtout utilitaire pour le héros
byronien du type Conrad, il était du petit nombre qui écoutait
avec plaisir les sarcasmes et les impertinences du poète du *Don
Juan*. Le projet de pièce consigné dans *Pensées, sujets, fragments*
sous le titre *Le républicain* confirme cette hypothèse. M. Milatchitch le date de 1830. En faisant cette comédie, Balzac désire
« s'inspirer de Molière et de Beaumarchais, de la plaisanterie âcre
de lord Byron, et fondre le tout » (2). Mais alors que les jeunes
romantiques de 1830, Musset en tête, transfèrent sur Don Juan
le culte voué jusque-là à Conrad ou à Lara, il semble que Balzac
subisse une évolution inverse. Non pas qu'il s'éprenne soudain
de lyrisme larmoyant ni d'exotisme : ce côté du romantisme ne
suscitera jamais chez lui que des moqueries. Mais sa pensée
s'attache de plus en plus au héros solitaire, avide de puissance
jusqu'au crime, aux facultés trop développées pour entrer dans
les cadres sociaux, auquel Byron a donné tant d'incarnations
successives. Ce déplacement d'intérêt d'un des visages de Byron
vers l'autre se fait progressivement au cours des années 1830,
1831, 1832. Les œuvres de cette période sont les seules en effet à
en renvoyer à la fois les deux images. *La peau de chagrin* en offre
le meilleur exemple.

Nous avons déjà vu l'influence de Rabelais et de Rousseau,
de Gœthe aussi, dans l'élaboration de ce roman. Celle de Byron
mérite également d'être soulignée. Si curieux que cela puisse
paraître, c'est en lui que se synthétisent pour Balzac les pensées
contradictoires héritées du xviiie siècle, et lui seul semble digne
d'assumer pour le xixe siècle le rôle tenu au seizième siècle par
Rabelais : rôle de destruction nécessaire d'un état social en décomposition. On se souvient que Balzac s'attribuera ce rôle à lui-
même un peu plus tard. En 1831, il n'ose pas encore proclamer
cette ambition.

L'ombre de Byron plane sur le roman dès la rencontre provi-
dentielle de Raphaël avec ses amis les journalistes. Le cynisme
affecté d'Émile Blondet fait écho aux ricanements byroniens. Il

(1) Cf. E. Estève, *op. cit.*, p. 245.
(2) P. 104.

faudrait citer toute cette conversation entre les jeunes gens, tandis qu'ils se dirigent vers le lieu de l'orgie. Elle se termine sur ces paroles de Blondet :

Depuis ce matin je n'envie qu'une existence, celle des conspirateurs. Demain, je ne sais si ma fantaisie durera toujours ; mais ce soir la vie pâle de notre civilisation, unie comme la rainure d'un chemin de fer, fait bondir mon cœur de dégoût. Je suis épris de passions pour les malheurs de la déroute de Moscou, pour les émotions du *Corsaire rouge* et pour l'existence des contrebandiers. Puisqu'il n'y a plus de Chartreux en France, je voudrais au moins un Botany-Bay, une espèce d'infirmerie destinée aux petits lords Byron, qui, après avoir chiffonné la vie comme une serviette après dîner, n'ont plus rien à faire qu'à incendier leur pays, se brûler la cervelle, conspirer pour la république, ou demander la guerre (1)...

Le cynisme et la révolte sont les seules réponses au mal du siècle : le blasphème douloureux d'un Manfred rejoint le libertinage impertinent d'un Don Juan, et leur créateur, lord Byron, apparaît aux jeunes intellectuels de 1830, dans son œuvre et dans sa vie, comme l'expression parfaite de leur époque : « Aussi le siècle est-il comme un vieux sultan perdu de débauche. Enfin, votre lord Byron, en dernier désespoir de poésie, a chanté les passions du crime (2). » Sans vouloir attribuer à Balzac des paroles prononcées par des personnages fictifs, nous savons ici, grâce à la Préface de la première édition du roman et à l'Introduction aux *Romans et contes philosophiques* de Ph. Chasles, que sa pensée personnelle n'est pas très différente. Chez Byron, il trouve une transposition, sur le plan poétique, de l'individualisme rousseauiste et du scepticisme voltairien. « Homme de son génie » (3), Byron est aussi essentiellement homme de son époque.

L'importance dans la pensée balzacienne du Byron satirique du *Don Juan* diminue très vite après *La peau de chagrin*. Sans aucun doute, Balzac continue à goûter l'œuvre pour ce qu'elle a de risqué, mais ses idées personnelles l'entraînent loin de la satire sociale, politique et religieuse de Byron. L'auteur de *Don Juan* ne devient plus que le persécuté de la prude Angleterre, la victime du *cant* avec lequel l'auteur des contes drolatiques peut compatir : « Il existe en France un grand nombre de personnes attaquées de ce *cant* anglais dont lord Byron s'est souvent plaint (4). » Ainsi Balzac se détourne du Byron sceptique et

(1) *La peau de chagrin*, CFL, t. 7, p. 1011.
(2) *Ibid.*, p. 1025.
(3) Préface de la 1re éd. de *La peau de chagrin*, CFL, t. 15, p. 65.
(4) Avertissement de l'éditeur aux *Contes drolatiques*, CFL, t. 15, p. 388.

satirique, non sans lui reconnaître une dernière fois une importance que nous ne sommes peut-être pas prêts à admettre. Ne le place-t-il pas en effet aux côtés de Voltaire, de Swift, de Cervantès et de Rabelais parmi ces cavaliers du Doute et du Dédain qui ont laissé leur empreinte « sur la tête des siècles labourés par leurs chevauchées » (1) ?

C'est au moment où s'épuise la grande vogue du héros byronien, sombre, violent et mystérieux, que Balzac semble commencer à s'y intéresser. Les imitations de Byron prolifèrent en France depuis des années. « Je suis sûr qu'il y a dans ce moment en librairie mille volumes de vers proposés qui commencent par des histoires interrompues et sans queue ni tête à l'imitation du *Corsaire* et de *Lara* », dit le libraire Dauriat, d'*Illusions perdues* (2). Balzac lui-même y revient à nouveau, et, après Argow, c'est cet étrange personnage du cinquième épisode de *La femme de trente ans*, réplique exacte de Conrad, sorte d'archange déchu auquel Balzac donne une Médora en la personne d'Hélène d'Aiglemont. L'imitation est flagrante et ne nous étonne pas dans un morceau écrit en 1831. Il est cependant plus étonnant que, dans ses nombreuses tentatives d'unification des divers récits constituant *La femme de trente ans*, Balzac ait toujours gardé tel quel cet épisode fantastique des *Deux rencontres*. En 1835, il écrit à Laure :

... je te prie de m'écrire bien au long, bien en détail, avec toute la glorieuse et pompeuse phraséologie d'une pensionnaire, mais avec le talent de mademoiselle Laure de Balzac, ce que tu m'as dit avoir trouvé par une nuit où tu ne dormais pas, pauvre enfant, ces belles idées à propos des *Deux rencontres*, pour les souder encore un peu mieux aux chapitres précédents de la *Même histoire*. N'omets rien, j'ai tout oublié (3).

Lorsqu'en 1842, *La femme de trente ans* apparaîtra dans *La comédie humaine*, le roman sera, malgré les efforts de Balzac, toujours aussi manqué, en partie parce que celui-ci n'aura pas consenti à se débarrasser d'aventures où le byronisme détonne étrangement dans la symphonie balzacienne.

Dans cette permanence d'intérêt pour le héros de type byronien, en dehors de toute mode, se cache le romantisme de Balzac. Que voit-il exactement dans un Conrad ou un Manfred qui puisse justifier son atttirance ?

La vie de Conrad, comme celle de sa réplique des *Deux*

(1) *Aventures administratives*, CFL, t. 14, p. 834.
(2) CFL, t. 4, p. 652.
(3) *Lettres à sa famille*, pp. 174-75.

*rencontres*, se situe sur deux plans : d'une part, le plan de l'homme en face de la société, de sa révolte, de sa personnalité trop forte pour ses semblables ; d'autre part, celui de l'amour, amour idéal, où s'exprime à nouveau un tempérament exceptionnel, mais dans la douceur et la fidélité absolues, au lieu de la violence. Le bien et le mal, poussés à l'excès, s'équilibrent chez ce personnage surhumain. Conrad est avant tout un personnage poétique. Ni son caractère, ni ses actions, n'ont besoin de justification, et il opère une fascination d'autant plus grande sur le lecteur que les motifs qui font de lui un corsaire redoutable et un amant parfait restent mystérieux. Balzac est sensible à cette poésie, si sensible qu'il essaie de la recréer. Mais un roman n'est pas un poème, et le transfert pur et simple du *Corsaire* dans *La comédie humaine* mène à l'échec de *La femme de trente ans*. Il n'y a guère de progrès depuis Argow. Tout en étant conscient de cet échec, Balzac ne peut abandonner le personnage, car il y trouve des correspondances profondes avec sa vision de l'humanité. Sur lui se cristallisent en effet ses préoccupations pour le destin de l'homme doué d'un tempérament exceptionnel, mental et physique ; son intérêt primordial pour les conflits qui opposent individu et société ; et cette nostalgie pour un amour idéal et éternel qui, malgré les écarts passagers, le hantera jusqu'à sa mort. La tentation de recréer le personnage dans son unité ne sera que passagère. Après *Les deux rencontres*, nous la retrouvons dans *Ferragus* (1833) : « Les Treize étaient tous des hommes trempés comme le fut Trelaway, l'ami de lord Byron, et, dit-on, l'original du *Corsaire* (1). » Cette nouvelle tentative de plier l'imagination poétique de Byron au réalisme balzacien sera un demi-échec, mais amorcera l'idée géniale qui permettra enfin à Balzac de faire pénétrer dans son univers le corsaire byronien : le placer sur la terre ferme, en plein cœur de Paris, et faire de lui un corsaire policé. Dès lors, entre dans *La comédie humaine* la cohorte de banquiers véreux, de spéculateurs, d'intriguants, tous descendants de Conrad. Mais, en chemin, toute ressemblance a été perdue. Nous devrions donc conclure à un nouvel échec, si Vautrin n'était pas là pour nous donner un démenti éclatant. En lui se voient enfin couronnés les efforts successifs de Balzac. Frère de Conrad ou de Lara, il l'est, en vérité : même regard fulgurant, même force surhumaine, même mystère enveloppant son passé, même cruauté, même attirance pour un être faible dont il veut être toute la lumière. Tel est du moins le Vautrin du *Père Goriot* et d'*Illusions perdues*.

_____

(1) Préface de la 1ʳᵉ éd. de *Ferragus*, CFL, t. 15, p. 94.

Car celui de *Splendeurs et misères des courtisanes* s'éloigne de son modèle en accentuant sa cruauté et son cynisme. Pour sortir son personnage du flou poétique dont l'entoure Byron (1), Balzac se voit de nouveau obligé de le transformer. L'amour de Vautrin pour Lucien est un amour égoïste, de possession totale : « Il voyait en Lucien un Jacques Collin, beau, jeune, noble, arrivant au poste d'ambassadeur (2). » Alors que l'amour désintéressé de Conrad pour Médora exprime l'absolu dont le personnage a soif, Vautrin n'est plus qu'un démon appelant un ange à sa perte, thème romantique mais non byronien : « L'ignoble forçat en matérialisant le poème caressé par tant de poètes, par Moore, par lord Byron, par Mathurin, par Canalis (un démon possédant un ange attiré dans son enfer pour le rafraîchir d'une rosée dérobée au paradis) [...] avait renoncé à lui-même depuis sept ans (3). »

Nous avons dit que l'amour idéal de Conrad et de Médora éveillait des échos nostalgiques dans le cœur de Balzac. Peu de personnages de *La comédie humaine* connaissent cet amour absolu, mais que leur créateur décide de leur octroyer, et c'est à celui des personnages byroniens qu'il est aussitôt comparé : « La Rabouilleuse connut donc, à vingt-huit ans, le véritable amour, l'amour idolâtre, infini, cet amour qui comporte toutes les manières d'aimer, celle de Gulnare et celle de Médora (4). » Ne reconnaissons-nous pas également la voix de Balzac à travers ces paroles de Modeste Mignon : « Comment n'accourt-il pas [...] vers chaque homme de génie, une femme aimante, riche, belle, qui se fasse son esclave comme dans *Lara*, le page mystérieux ? Elle avait, vous le voyez, bien compris le *pianto* que le poète anglais a chanté par le personnage de Gulnare (5). »

Le héros du *Corsaire*, qu'il se nomme Conrad ou Lara, tout en séduisant Balzac dans son unité poétique, résiste mal à une analyse détaillée. Son aspect physique, son courage, son ascendant sur ses hommes, son amour infini pour Médora font pressentir un tempérament exceptionnel et la sympathie du lecteur lui est acquise plutôt qu'à la société contre laquelle il est en révolte. Cependant, la réflexion ne peut guère aller plus loin, faute

(1) La difficulté qu'il rencontre à recréer dans le roman un personnage poétique, il la trouvera surmontée par STENDHAL, dans *La Chartreuse de Parme* : « Palla Ferrante est tout un poème, un poème supérieur au *Corsaire* de lord Byron (*Etudes sur M. Beyle*, CFL, t. 14, p. 1193).
(2) *Splendeurs et misères des courtisanes*, CFL, t. 5, p. 513.
(3) *Ibid.*, p. 512.
(4) *La Rabouilleuse*, CFL, t. 3, p. 189.
(5) *Modeste Mignon*, CFL, t. 7, p. 379.

de .données. Mais le héros byronien, pour Balzac, n'est pas seulement Conrad, il est aussi Manfred, héros solitaire, dont la révolte, tout aussi obscure que celle de Conrad, se dirige contre le Ciel et contre lui-même ; dévoré par « cette passion que sentent tous les hommes vraiment grands pour l'infini, passion mystérieuse » (1), il est emporté bien au delà de l'amour dans une quête surhumaine qui le mène à sa perte. L'élément poétique ne gêne plus Balzac dans sa réflexion sur le personnage ; il s'en débarrasse même pour ne conserver que les bases philosophiques de l'œuvre. Nous avons étudié à propos de Rousseau le cheminement de la pensée de Balzac à partir de l'axiome : « l'homme qui pense est un animal dépravé. » Manfred offre de cet axiome une parfaite illustration sur laquelle Balzac vient et revient pendant l'élaboration de ses « romans philosophiques ». Le grand thème balzacien de la pensée destructrice est constamment associé, dans les années 1831 à 1835 où il se développe, à Byron : « Le désordre et le ravage portés par l'intelligence dans l'homme considéré comme individu et comme être social : telle est l'idée primitive qui règne dans les œuvres de Byron et de Godwin (2). » La culpabilité sous-entendue de Manfred, avec le remords qu'elle entraîne, la révolte métaphysique menant au blasphème, sont mis de côté, et Balzac ne voit plus exclusivement que l'individu dévoré par une pensée trop grande. Manfred avec Faust aboutit à Louis Lambert.

De Raphaël à Louis Lambert, à Balthazar Claës, le thème se développe : « La pensée est le grand dissolvant de l'espèce humaine. Rousseau l'a dit, Gœthe l'a dramatisé dans *Faust*, Byron l'a poétisé dans *Manfred* (3). » Et Félix Davin répète encore : « Certes, la phrase de Jean-Jacques, commentée par Godwin, poétisée par lord Byron, atteste combien peu serait neuve la pensée intime de M. de Balzac [...] N'est-ce pas *la pensée tue le penseur* ? fait cruellement vrai que M. de Balzac a suivi pas à pas dans le cerveau et dont *Manfred* est la poésie, comme *Faust* en est le drame (4). » Le personnage de Manfred donnant plus de prise à la réflexion que celui de Conrad, c'est lui qui prend en fin de compte la première place pour Balzac. L'évolution de Vautrin en fait foi ; dans sa dernière incarnation, il se rapproche beaucoup plus du diabolisme de Manfred que de la révolte vague de Conrad. Et c'est Manfred, non Conrad, ni Lara, qui figure au

(1) *La fille aux yeux d'or*, CFL, t. 1, p. 866.
(2) Introduction aux *Romans et contes philosophiques*, CFL, t. 15, p. 79.
(3) *Théorie de la démarche*, CFL, t. 12, p. 1599.
(4) Introduction aux *Etudes philosophiques*, CFL, t. 15, pp. 119 et 123.

rang des personnages littéraires immortels en qui « se cache souvent toute une philosophie » (1).

Dans l'ensemble, qu'il s'agisse du Corsaire ou de Manfred, Balzac ne voit dans le héros byronien que les couleurs violentes, les contrastes saisissants, et laisse de côté le romantisme souffrant qui fait d'eux des êtres obscurément malheureux et tristes. C'est pourquoi *Childe-Harold* tient si peu de place dans sa pensée : à peine mentionné, ce poème n'offre rien de substantiel à l'imagination de Balzac ; ni le mal du siècle, ni l'Italie ni l'Espagne, ne l'intéressent beaucoup. En une seule occasion, dans *Honorine*, Balzac reprend ce thème byronien de la mélancolie incurable, et le développe avec grande habileté en utilisant le procédé également byronien du flou et de l'indécis. Toute l'œuvre baigne dans une atmosphère byronienne, voulue dès les premières pages, dès l'apparition de ce sosie de Byron qu'est le consul général, narrateur et protagoniste du récit. Si Honorine ne voit entre le poète anglais et Maurice qu'une « ressemblance purement physique moins le pied bot » (2), Balzac, lui, entoure son personnage d'une auréole byronienne qui ne peut échapper au lecteur : lui aussi est un exilé, un mélancolique chez qui on devine un passé lourd de souffrance et de passion, sans pouvoir l'élucider. Ce byronisme se communique aux deux autres personnages principaux : le comte Octave est « une espèce de Manfred catholique sans crime, portant la curiosité dans sa foi, fondant les neiges à la chaleur d'un volcan sans issue, conversant avec une étoile que lui seul voyait » (3). Le mystère de sa souffrance se dissipe, mais pour recouvrir d'un voile épais celle d'Honorine, dont Balzac refusera de nous donner l'éclaircissement. Elle souffre également d'une souffrance cachée qu'elle ne peut partager avec personne et elle endosse, à sa manière, le personnage de Byron : « Savez-vous pourquoi j'aime tant lord Byron ? Il a souffert comme souffrent les animaux. A quoi bon la plainte quand elle n'est pas une élégie comme celle de Manfred, une moquerie amère comme celle de Don Juan, une rêverie comme celle de Childe-Harold (4). »

Ainsi, dans ce roman dont l'étude psychologique fait toute la substance, étude en profondeur d'un problème précis : celui du mariage, Balzac réussit le tour de force de concilier l'analyse lucide qui lui est coutumière avec la poésie imprécise de Byron ; il fait alterner la lumière et l'obscurité pour obtenir une transpo-

(1) *Avant-Propos*, CFL, t. 15, p. 371.
(2) *Honorine*, CFL, t. 6, p. 876.
(3) *Ibid.*, p. 841.
(4) *Ibid.*, p. 881.

sition exacte du cœur humain, selon qu'on y atteint des zones plus ou moins explorées. Alors que dans *La femme de trente ans*, le réalisme balzacien et le romantisme byronien sont en complète discordance, ici ils s'harmonisent avec le plus heureux effet.

Si ces fréquentes intrusions de Byron dans la pensée et l'œuvre de Balzac manifestent une admiration évidente, il est pourtant nécessaire de se demander jusqu'à quel point cette admiration va au poète en tant que tel. Balzac est-il sensible à la poésie byronienne ?

Évidemment, la traduction ne lui permettait guère de juger des questions de forme. Mais la poésie de Byron dépasse de beaucoup le cadre formel. Les jugements d'ordre général sur les œuvres de Byron sont très rares, et, avouons-le, ne nous frappent pas par leur originalité. Nous en citerons deux exemples :

Cette mystérieuse famille avait tout l'attrait d'un poème de lord Byron, dont les difficultés étaient traduites d'une manière différente par chaque personne du beau monde : un chant obscur et sublime de strophe en strophe (1).

... des Rembrandt, des Murillo, des Velasquez sombres et colorés comme un poème de lord Byron (2).

Il faut dire, qu'à part de telles comparaisons, très à la mode en ces années 1830-1831, Balzac n'a guère d'occasion de juger la poésie de Byron dans son ensemble. Il est certain pourtant que Byron est pour lui un grand poète (3), et nous avons vu que *Manfred* est toujours mentionné comme transposition poétique d'une idée. Le meilleur argument en faveur de sa sensibilité à la poésie nous semble être la difficulté qu'il éprouve à adapter les héros byroniens à son œuvre. Nous avons montré comment le personnage du *Corsaire*, par exemple, était trop poétique pour entrer tel quel dans un roman. Cette lutte avec l'œuvre de Byron pour l'assimiler à *La comédie humaine* fut, sans aucun doute, la meilleure manière pour Balzac de prendre conscience de son caractère essentiellement poétique.

La fréquence des allusions à Byron et de l'incursion des héros byroniens dans l'œuvre de Balzac, si elle est due à une très sincère admiration pour le poète anglais (4), s'explique également en

(1) *Sarrasine*, CFL, t. 12, p. 795.
(2) *La peau de chagrin*, CFL, t. 7, p. 986.
(3) Cf. *L'illustre Gaudissart*, CFL, t. 8, p. 37.
(4) L'anglophobie de Balzac tolère quelques exceptions : « La différence des deux nations est si grande, que, sauf les compositions remarquables dues au génie d'hommes qui, tels que lord Byron et Walter Scott, sont en quelque sorte cosmopolites, on peut presque toujours préjuger que le succès d'un ouvrage

partie par l'ambition de Balzac à remplacer Byron à la tête de l'Europe littéraire. La gloire de Byron était acquise dès avant sa mort, elle avait franchi toutes les frontières. Sa mort laissait la succession ouverte à une époque où les jeunes talents français se découvraient. Comme Raphaël, plus d'un aurait pu dire : « Moi, j'ai souvent été général, empereur ; j'ai été Byron, puis rien (1). » Balzac n'échappe pas à la règle. Il écrit à sa mère, le 20 juillet 1832 : « Readieu, ma bonne mère. Hein ! l'on met plus d'une fois ses enfans *(sic)* au monde ! Oh, pauvres chéries ! vous aime-t-on jamais assez ! et quand serai-je un génie aussi haut que lord Byron et que Gœthe (2) ? » Aussi quelle n'est pas sa joie lorsqu'il rencontre chez Gérard des Allemands qui ne sont là que pour « dire qu'*il* n'était question que de *lui* chez eux, que de la frontière de France commençait pour *lui* une gloire éternelle, et qu'*il* n'avait qu'à persévérer encore un an ou deux pour être mis à la tête de l'Europe littéraire, remplacer Byron, Walter Scott, Gœthe, Hoffmann (3). »

Le parallèle littéraire se doublait d'un parallèle dans la vie privée. Mme Hanska était une grande admiratrice de lord Byron ; ensemble Balzac et elle avaient visité cette villa Diodati « que maintenant tout le monde va voir, comme Coppet, comme Ferney [...] cette résidence de lord Byron à laquelle la mort récente de ce grand poète donnait encore plus d'attrait : la mort est le sacre du génie » (4). Balzac avait même « essayé de danser un galop dans le salon où se grisait Byron » (5). Est-ce l'importance de ces souvenirs, liés au début de leur amour, qui amène Balzac tout naturellement, au cours de leur correspondance, à se comparer à Byron ? Lui aussi est persécuté par la méchanceté des hommes : « C'est à qui donnera son coup de poignard. Ce qui attristait et colérait lord Byron, me fait rire (6). » Lui aussi est pointilleux, et n'accepte pas les gronderies : « Ne m'en parlez plus ; pas plus qu'à un enfant fier, comme était lord Byron, il ne faut parler d'une faute (7). » Cette curieuse identification, très secrète, car elle ne s'exprime que dans les lettres à Mme Hanska, va si loin que nous sentons Balzac apeuré devant elle quand il

en Angleterre se convertit en chute à Paris » (*Feuilleton des journaux politiques*, compte rendu de *Trémaine ou les raffinements d'un homme blasé*, Con., t. 38, p. 416).
(1) *La peau de chagrin.*, CFL, t. 7, p. 1058.
(2) *Lettres à sa famille*, p. 112.
(3) *Ibid.*, pp. 156-157.
(4) *Albert Savarus*, CFL, t. 8, p. 717.
(5) *Lettres à l'étrangère*, t. 1, p. 212.
(6) *Ibid.*, p. 43.
(7) *Ibid.*, t. 2, p. 105.

s'agit de bonheur conjugal. D'où ce constant besoin de se rassurer, car la vie à la Byron ne le tente pas : « J'aime mieux une de vos lettres que la gloire de lord Byron donnée par des approbations universelles (1). » Ou encore :

Vous avez bien des supériorités et quand je songe aux malheurs du très innocent lord Byron, il y a de quoi faire frémir ; mais lady B. n'était pas femme ; vous êtes femme comme une Parisienne, sans avoir sa légèreté. [...] Il y a dans la profonde égalité de mon caractère un gage de bonheur qui manquait au tempétueux Byron, et son bas-bleu d'horrible femme était un monstre d'hypocrisie. Quand on songe à ce que la calomnie a fait du plus grand poète de l'Angleterre, rien ne doit plus étonner (2).

La vie de Byron, consumée par une trop grande dépense d'énergie, retentit comme un avertissement : « Quand on mène de front la vie intellectuelle et la vie amoureuse, l'homme de génie meurt comme sont morts Raphaël et lord Byron (3). »

L'importance de Byron pour Balzac a déjà été soulignée par maint critique, mais ceux-ci la limitent toujours à quelques tentatives malheureuses d'imitation. M. Estève, suivant M. Le Breton en ce point, écrit : « Il [Byron] est pour sa part, conjointement avec d'autres qui ne le valaient pas toujours, l'un des inspirateurs responsables de ce romantisme qui vient couvrir et gâter d'un faux vernis poétique le solide fond du réalisme balzacien (4). » C'est un jugement injuste, car incomplet. Le romantisme inspiré de Byron n'est pas toujours indésirable, et, en s'alliant au réalisme, il donne à l'œuvre de Balzac son caractère original. Qui donc serait prêt à expulser Vautrin de *La comédie humaine* sous prétexte qu'il descend du héros byronien ? D'autre part, en dehors de toute question d'imitation, l'importance extraordinaire de Byron pour Balzac nous semble capitale. Son rang privilégié dans la hiérarchie que nous avons établie à côté de Hugo mais bien au-dessus de tout autre poète français ou étranger, méritait d'être mis en lumière. Il reflète un intérêt profond qui dépasse de beaucoup un engouement passager, dû à la mode. Et pourtant, en s'abandonnant à ce goût pour Byron, pour certains aspects de son œuvre en tout cas, il semble que Balzac ne se soit jamais tout à fait débarrassé de la mauvaise conscience qu'il exprimait au moment de son projet initial du *Corsaire*. Poète,

(1) *Ibid.*, t. 1, p. 438.
(2) *Ibid.*, t. 2, p. 110.
(3) *Traité des excitants modernes*, CFL, t. 12, p. 1523.
(4) *Op. cit.*, p. 495.

et poète romantique, Byron l'attire et l'effraie en même temps. De même que nous le voyons à la fois désirer et craindre le sort de Byron, de même l'individualisme extrême qui s'exprime dans l'œuvre du poète anglais, tout en forçant son admiration, lui fait soupçonner une erreur, car le principe d'universalité auquel Balzac tient tant lui est étranger. C'est pourquoi il peut écrire à Mme Hanska : « Voilà douze ans que je dis de Walter Scott ce que vous m'en écrivez. Auprès de lui lord Byron n'est rien, ou presque rien. [...] Vous avez raison ; Scott grandira et Byron tombera. L'un a toujours été *lui*, l'autre a créé (1). » Walter Scott, après tout, est un romancier, et Balzac se trouve chez lui en un terrain sûr dont il connaît chaque repli. Et en cette année 1838, il s'intéresse particulièrement à l'écrivain écossais. Même s'il croit sincèrement à sa prédiction, le fait reste pourtant que Byron le hante plus qu'il n'ose l'avouer.

Nous venons de voir que si, à première vue, la grande importance attribuée à Byron par Balzac semble placer celui-ci parmi les adeptes du byronisme en France, un examen plus attentif décèle une évolution personnelle allant à contre-courant de la mode et isolant, par conséquent, Balzac du mouvement romantique en général. Cette indépendance résulte, en partie, nous l'avons déjà souligné, d'un retard pris sur sa génération, sur ceux qui comme lui avaient vingt ans en 1820, mais qui n'ont pas eu à tâtonner et piétiner, comme lui, pendant près de dix ans avant de trouver leur voie.

Ce retard est surtout sensible lorsqu'il s'agit de Hugo, de trois ans plus jeune que Balzac, et pourtant déjà en pleine gloire au moment où Honoré n'est encore qu'un obscur imprimeur. Lorsque finalement celui-ci émerge à son tour sur les hauteurs littéraires, Hugo y règne depuis trop longtemps pour que son titre de chef de la nouvelle littérature puisse lui être contesté. D'ailleurs, Balzac est trop préoccupé de l'œuvre qu'il porte en lui pour même envier ce rôle de porte-parole d'une génération.

Ses relations avec Hugo, d'abord assez distantes, se resserrent vers 1839, car les deux écrivains ont de plus en plus l'occasion de se rencontrer. Malgré des hauts et des bas selon que leurs intérêts se rapprochent ou s'opposent, la plus grande cordialité règne dans l'ensemble et, de la part de Balzac, en tout cas, nous ne relevons aucune trace de vraie jalousie envers la suprématie

---

(1) *Lettres à l'étrangère*, t. 1, p. 454.

établie de Hugo, même s'il ne la croit pas tout à fait justifiée. Il ne nous appartient pas ici de faire revivre dans tous ses détails l'histoire des relations de ces deux géants du siècle. Nous ne chercherons, comme toujours, qu'à dégager l'image que se fait Balzac de Hugo en tant qu'écrivain. Mais l'homme et l'écrivain sont parfois difficiles à distinguer, car les qualités ou les défauts de celui-là se reflètent sur celui-ci. C'est pourquoi nous brosserons d'abord rapidement le portrait de Hugo vu à travers les quelques descriptions qu'en fait Balzac, au cours de sa correspondance surtout. En examinant les jugements sur l'œuvre, nous essaierons ensuite d'user de prudence quant à leur sincérité, en les confrontant, là où il y a lieu, avec l'état des relations des deux hommes à la même époque.

Lorsqu'en 1833, Mme Hanska réclame à son correspondant des détails sur les grands noms du moment, tout ce que Balzac peut lui offrir sur Hugo est un écho de chronique scandaleuse : « H..., marié par amour, ayant de jolis enfants, est aux bras d'une courtisane infâme (1). » Deux mois plus tard, il complète :

Je vous en ai déjà bien dit sur H... ; eh bien ! lui, marié par amour, ayant femme et enfants, s'est épris d'une actrice nommée J..., qui, entre autres témoignages de tendresse, lui a envoyé un mémoire de 7 000 francs de blanchisseuse, et H... a été forcé de souscrire des effets pour payer ce billet doux. Voyez-vous un grand poète, car il est poète, travaillant pour payer la blanchisseuse de Mlle J... ! (2).

Il faut attendre sept ans pour que Balzac, qui connaît alors bien Hugo et dîne souvent en sa compagnie, puisse en faire un portrait complet à Mme Hanska, toujours insatiable :

Vous me demandez des détails sur Victor Hugo. Victor Hugo est un homme excessivement spirituel ; il a autant d'esprit que de poésie. Il a la plus ravissante conversation, un peu à la Humboldt, mais supérieure et admettant un peu plus le dialogue. Il est plein d'idées bourgeoises. Il exècre Racine ; il le traite d'homme secondaire. Il est fou à cet endroit. Il a quitté sa femme pour J..., et il en donne des raisons d'une insigne fourberie (il faisait trop d'enfants à sa femme. Remarquez qu'il n'en fait pas à J...). En somme, il y a plus de bon que de mauvais chez lui. Quoique les bonnes choses soient une continuation de l'orgueil, quoique tout soit profondément calculé chez lui, c'est en somme un homme aimable, outre le grand poète qu'il est. Il a beaucoup perdu de ses qualités, de sa force, de sa valeur, par la vie qu'il a menée. Il a considérablement aimé (3).

(1) *Lettres à l'étrangère*, t. 1, p. 20.
(2) *Ibid.*, p. 26.
(3) *Ibid.*, p. 544.

La sympathie l'emporte nettement sur l'antipathie : « Il y a plus de bon que de mauvais chez lui. » Mauvais, certes, l'orgueil, l'égoïsme, la dissipation surtout, que Balzac voit comme un gaspillage de forces. Les aventures amoureuses de Hugo sont jugées sévèrement par ce célibataire qui toute sa vie rêvera de mariage idéal.

Ah ! cher ange (écrit-il à Mme Hanska en 1843), Victor Hugo a dix ans de plus. Il est possible qu'il ait accepté la mort de sa fille comme une punition des quatre enfants qu'il a de Juliette (1). [...] Ah ! chère, quelle leçon pour nous que ce mariage d'amour, fait à dix-huit ans ! Victor Hugo et sa femme sont un grand enseignement. Je ne serais pas à l'abri des folies de Hugo par ma passion si vive, si sérieuse, si sincère, si inaltérable, et si connue surtout de vous, que je le serais par l'expérience, par l'âge et par les idées que j'ai de la famille (2).

Balzac n'a guère changé depuis qu'il écrivait dans une des toutes premières lettres à l'étrangère : « Ne trouvez-vous pas que je vous parle un peu trop en bien de moi et en mal des autres (3). » Pas toujours aussi vertueux et fidèle que sa lointaine correspondante l'aurait voulu, il juge utile de la rassurer de temps à autre. Ce qui ne l'empêche pas de déplorer sincèrement la dissipation du grand poète, et nous nous laisserions volontiers convaincre par M. J.-B. Barrère que, derrière le baron Hulot de *La cousine Bette*, se distingue la silhouette de Victor Hugo (4).

Quoi qu'il en soit, Balzac pressent chez Hugo un caractère et un tempérament qui dépassent la commune mesure : « Déjà grand poète à l'âge où les hommes sont encore si petits » (5), sa précocité d' « enfant sublime » est à la fois raillée et enviée par Balzac (6).

Pendant ses périodes de sociabilité, Balzac trouve en Hugo un compagnon agréable : malgré des idées et des goûts littéraires souvent divergents, leur don égal pour la conversation brillante et les vives reparties les rapprochait tout naturellement. Lorsqu'il veut impressionner un hôte de passage, Balzac l'invite au

(1) Il est curieux de voir Balzac se faire encore l'écho des médisances des petits journaux à une date où, connaissant bien Hugo personnellement, il semble qu'il aurait dû être plus circonspect quant à la véracité des « ragots » qui circulaient dans Paris sur son ami.

(2) *Ibid.*, t. 2, p. 245.

(3) *Ibid.*, t. 1, p. 20.

(4) Cf. J.-B. Barrère, Hugo jaugé par Balzac, *Mercure de France*, janvier 1950, pp. 103-114.

(5) Dédicace d'*Illusions perdues*, CFL, t. 4, p. 344.

(6) En sorte de revanche sur le destin, Louis Lambert, à qui Balzac a donné beaucoup de lui-même, est, lui, un enfant sublime, plus authentique que Victor Hugo.

Rocher de Cancale « avec Hugo, Léon Gozlan, et un de ses amis qui est aussi spirituel que Gozlan et Hugo, qui sont les deux hommes, avec Nodier, les plus spirituels » (1).

Leurs relations ne sont pourtant jamais intimes au point où Balzac puisse connaître Hugo à fond. Il reste toujours entre les deux hommes une zone d'incertitude, de défiance même, qui explique comment Balzac peut, après maintes marques d'amitié (2), croire à un retournement soudain du poète contre lui : « En présence d'un succès pressenti par tout le monde à l'Odéon, Victor Hugo a changé subitement pour moi. Il ordonne le silence à mon égard à tous ses pages littéraires », écrit-il le 11 janvier 1842 au moment où il prépare la représentation des *Ressources de Quinola* (3). Hugo, pourtant, non seulement assistera à la première, mais reviendra le lendemain : « M. Victor Hugo [...] a, pour ainsi dire, protesté contre le public de la première représentation, en revenant voir la pièce à la seconde (4). » Cependant, la méfiance continue. Quel n'est pas notre étonnement de voir Balzac, sans sourciller, annoncer à Mme Hanska que Hugo est devenu fou : « Au moment où je reprends cette lettre, il arrive un grand malheur à la France. Victor Hugo est dans une maison de santé, après avoir été atteint de trois accès de folie furieuse. Peut-être est-ce une calomnie ; j'irai savoir de ses nouvelles en portant cette lettre (5). » Neuf jours plus tard, il déclare être encore dans l'incertitude quant à la crise, bien qu'il ait vu Hugo au spectacle « absolument comme à l'ordinaire » (6). Balzac devrait, semble-t-il, être plus avisé que d'accréditer une telle rumeur. Il a lui-même assez souffert des bruits les plus divers colportés sur son compte. Sans aller comme M. Billy (7) jusqu'à l'accuser de répandre lui-même la nouvelle, le peu d'étonnement qu'il manifeste est révélateur de l'opinion qu'il se fait de Hugo, opinion peut-être flatteuse au fond, si l'on songe à Louis Lambert, à Balthazar Claës, à Gambara, à Frenhofer, à tous ces personnages chez qui le génie et la folie ne se distinguent plus l'un de l'autre. « Hugo a le crâne d'un fou, et son frère, le grand poète inconnu, est mort fou », écrira-t-il en 1845 (8). Ainsi, Hugo fou plairait presque à

(1) *Lettres à l'étrangère*, t. 2, p. 73.
(2) Entre autres, citons le soutien inefficace, mais répété, apporté par Hugo à la candidature de Balzac à l'Académie Française ; et son appui lors des démarches consécutives à l'interdiction de *Vautrin*.
(3) *Lettres à l'étrangère*, t. 2, p. 4.
(4) Préface des *Ressources de Quinola*, CFL, t. 15, p. 400.
(5) *Lettres à l'étrangère*, t. 2, p. 22.
(6) *Ibid.*, p. 31.
(7) *Op. cit.*, t. 2, p. 51.
(8) *Lettres à l'étrangère*, t. 3, p. 8.

Balzac. Cette hypothèse écartée, les nuages qui passent sur l'amitié des deux écrivains ne peuvent provenir, dans l'esprit de Balzac,
que de la méchanceté et de la jalousie d'auteur :

> J'ai appris quelque chose de bien vilain de Victor Hugo à moi,
> et d'une manière certaine. Un si beau génie avoir des petitesses sem-
> blables ! (1)
> Comment voulez-vous que je vous parle des noirceurs de Hugo ;
> il faut des volumes ! Il m'a fait si horriblement attaquer par un de ses
> critiques ordinaires, Edouard Thierry, du *Messager*, que Durangel,
> le secrétaire de M. Guizot, qui est à la tête du *Messager*, a refusé l'article
> et Thierry l'a porté ailleurs, dans un journal tout dévoué à Hugo.
> C'est affreux, non pas de m'éreinter dans un article, mais d'accepter
> une dédicace comme celle de *Illusions perdues*, de se dire tout à moi,
> et de me faire attaquer ; ce n'est pas d'un grand poète. On est grand
> poète et petit homme. C'est surtout de lui qu'on peut dire : *C'est un
> grand écrivain et un petit farceur* (2).

Opinion passagère, issue d'une certaine défiance naturelle
envers celui que Balzac reconnaît comme plus solidement installé
dans la gloire que lui, et devant lequel il se sentira toujours un
peu petit garçon. Devant une rivalité possible dans leur candidature à l'Académie, Balzac s'était aussitôt retiré (3), trop conscient de l'inégalité des chances. La moindre marque d'amitié
de la part de Hugo semble avoir une importance énorme pour lui :
« Victor Hugo m'a accompagné chez le ministre [...] Dans cette
circonstance, soit pendant la représentation, soit au ministère,
en tout, la conduite de Hugo a été celle d'un véritable ami,
courageux, dévoué, et, quand il m'a su malade, il m'est venu
voir (4). » C'était à l'occasion de l'interdiction de *Vautrin* (5).
Dans la préface de cette pièce, Balzac tient à rendre hommage au
soutien moral apporté par Hugo : « Entre tous, M. Victor Hugo
s'est montré aussi serviable qu'il est grand poète ; et l'auteur
est d'autant plus heureux de publier combien il fut obligeant, que
les ennemis de M. Hugo ne se font pas faute de calomnier son
caractère (6). » De même, Balzac semble toujours flatté de dîner

---

(1) *Ibid.*, t. 2, p. 60.
(2) *Ibid.*, p. 70.
(3) Cf. *Lettres à l'étrangère*, t. 1, p. 523.
(4) *Ibid.*, p. 534.
(5) Il semble que les liens d'amitié entre Balzac et Hugo se soient précisément resserrés à ce moment-là, grâce à la complaisance de Hugo. En effet,
en décembre 1839, Balzac écrivait encore à Hugo : « Mon cher et illustre maître »,
tandis que le 18 mars 1840 (quatre jours après la représentation de *Vautrin*),
il écrit : « Mon bon et grand Victor » (Cf. R. PIERROT, Balzac et Hugo d'après
leur correspondance, *Revue d'histoire littéraire de la France*, oct.-déc. 1953).
(6) Préface de *Vautrin*, CFL, t. 15, p. 394.

en compagnie de Hugo, et les occasions où il ose soutenir devant le « mage » des opinions contradictoires doivent être assez rares, si nous en jugeons par le ton d'extrême satisfaction sur lequel il les rapporte à Mme Hanska : c'est l'altercation au sujet de Racine, déjà signalée, et c'est en 1846 une discussion politique chez Mme de Girardin : « Mme de Girardin avait ses deux grands hommes : Hugo et Lamartine. [...] A la suite d'une tartine politique de Hugo, je me suis laissé aller à une improvisation où je l'ai combattu et battu, avec quelque succès, je vous assure. Lamartine en a paru charmé. Il m'en a remercié avec effusion (1). » Si Balzac est fier de ce succès, il n'en redoute pas moins les conséquences de son audace, témoin son soulagement en revoyant Hugo (trois mois plus tard) et constatant que celui-ci ne lui a aucune rancune : « J'ai tâté Hugo, que je n'avais pas revu depuis notre prise de bec ; il a été tout aussi charmant que je l'ai été, et il m'a induit en présentation à Dupin, en lui disant : « Voilà le premier académicien que nous devons faire. » (2). »

Une constante se remarque dans tous ces visages de Hugo aperçus à travers Balzac : la grandeur du poète. Le soupçonne-t-on de quelque vilainie, le contraste entre la grandeur du talent et la petitesse du caractère est aussitôt souligné. A-t-on quelque raison au contraire de le louer, la grandeur du poète devient alors terme de comparaison avantageux à telle ou telle qualité de l'homme. Du génie poétique de Hugo, Balzac est persuadé. Ce génie inspire son respect, en dépit de toute divergence sur le plan humain, littéraire ou politique.

Fait-il pourtant l'objet d'une réflexion quelconque ? Est-il analysé en fonction de l'œuvre poétique de Hugo ? Trouvons-nous des preuves du retentissement de cette œuvre sur la sensibilité de Balzac ?

Lorsque, dans *Illusions perdues*, Lucien de Rubempré montre à Lousteau son recueil de sonnets, il déclare avoir choisi ce genre de poésie pour être original : « Victor Hugo a pris l'ode », ajoute-t-il, « Canalis donne dans la poésie fugitive, Béranger monopolise la Chanson, Casimir Delavigne accapare la Tragédie et Lamartine la Méditation » (3). Simplification extrême que ce partage des genres entre les poètes. Mais c'est Lucien qui parle, à une époque où Hugo avait tout au plus publié quelques odes, séparées (4).

---

(1) *Lettres à l'étrangère*, t. 3, p. 259.
(2) *Ibid.*, p. 374.
(3) CFL, t. 4, p. 614.
(4) La chronologie exacte du roman est difficile à établir, mais si on essaie de le faire, on s'aperçoit que Lucien, en 1821, parle des *Odes* de Hugo qui

Le plus étrange est que Balzac lui-même semble en être resté à cette conception de Hugo, poète de l'ode. En effet, les allusions qu'il fait à telle ou telle œuvre purement poétique (nous excluons ici le théâtre), peu nombreuses il est vrai, ne concernent que les odes. « Pendant que M. Victor Hugo fait des odes à la Colonne », d'autres mettent Napoléon en vaudeville, rapporte-t-il dans une *Lettre sur Paris* (1). Le ton désinvolte que Balzac aime prendre à cette époque n'est pas fait peut-être pour nous donner une idée juste de son opinion sur la poésie de Hugo : « A qui M. Victor Hugo peut-il vouer son génie ? Il est décoré par Charles X pour avoir chanté le sacre. Aussi s'est-il accroché à la Colonne, pour rester sur un terrain neutre, où il y eût encore une religion, un monarque, une gloire, qui ne jurassent pas trop avec la gloire, la religion et les monarques qu'il a célébrés (2). » Pour un journaliste se donnant mission de renseigner le public sur les événements importants de Paris, c'est disposer bien rapidement, nous sem- ble-t-il, des deux recueils alors parus : le recueil complet des *Odes et ballades*, et *Les orientales*. A vrai dire, le goût et la bonne volonté manquent, à cette époque-là, à Balzac pour apprécier la poésie de Hugo. Ni franchement opposé à la nouvelle poésie et au mouve- ment romantique, ni disciple fanatique, il préfère rester specta- teur, attendre avant de s'engager, et tirer parti de cette impar- tialité quand il peut en se permettant des jugements sévères ; ceux-ci, pense-t-il, lui attireront l'attention du public plus que ne le feraient des louanges qui iraient se fondre dans le chœur des admirateurs. Une telle attitude n'est rendue possible que grâce au manque de sûreté dans le goût de Balzac, en tout cas du Balzac, de 1830, pour la poésie. Nous ne sommes pas très choqués de l'entendre qualifier Hugo de « grosse caisse » (3) : nous pourrions même trouver dans ce jugement une grande part de vérité. Le véritable lyrisme de Hugo ne s'était pas encore révélé. Cependant, le 25 novembre 1831, c'est-à-dire après la parution des *Feuilles d'automne*, Balzac écrit à son libraire Urbain Canel : « Envoyez- moi promptement Barbier ; c'est, avec Lamartine, le seul poète vraiment poète de notre époque ; Hugo n'a que des moments lucides (4). » Nous ne discuterions peut-être pas cette opinion

n'avaient pas encore paru en volume ; que Lousteau, de même, parle la même année, de se servir des *Marguerites* de Lucien « pour rabaisser les *Odes*, les *Ballades*, les *Méditations*, toute la poésie romantique » ; et qu'un article dans le journal d'Angoulême parle, en 1822, de l'auteur d'*Eloa*, œuvre parue en 1824. D'autres anachronismes, politiques ceux-là, se relèvent ici et là.

(1) CFL, t. 14, p. 387.
(2) *Ibid.*, p. 418.
(3) *Lettres sur Paris*, CFL, t. 14, p. 395.
(4) CFL, t. 16, p. 87.

très sévère sur la poésie hugolienne et l'attribuerions simplement à
une nette préférence pour Lamartine s'il ne fallait pas, du même
coup, accepter l'auteur des *Iambes* comme supérieur à Hugo.
Pourtant, le même Balzac, en janvier de la même année, déplorait le peu d'attention accordé aux *Harmonies* de Larmartine et
saluait, comme un tour de force, et non comme une preuve de
vrai talent poétique, le succès remporté par les *Iambes*, parlant de « victoire remportée sur l'indifférence en matière de
poésie par M. Barbier, homme de verve qui a plus fait pour
sa gloire, en deux idées que M. Ancelot en sept tragédies » (1).
Entre un « homme de verve » assez habile pour se tailler
un succès et le « seul poète vraiment poète de notre époque »,
la différence est assez considérable, surtout si l'on tient compte
de la parution des *Feuilles d'automne* entre temps. Et pourtant c'est bien là le jugement de Balzac, contre lequel nous
n'avons aucun recours, puisque, s'il ne reparle plus jamais de
Barbier, il ne parle malheureusement pas davantage des autres
recueils poétiques de Hugo avant le compte rendu des *Rayons
et ombres* dans la *Lettre sur la littérature* du 25 juillet 1840. A
Mme Hanska, à qui il aime faire part des nouveautés littéraires,
il ne mentionnera qu' « un poème sublime, une ode sur le retour
de l'Empereur » (2), dans une lettre écrite le 16 décembre 1840,
c'est-à-dire au lendemain de la cérémonie du retour des cendres.
L'émotion poétique ressentie devant l'ode de Hugo se distingue
mal de l'émotion suscitée par la cérémonie et par ce qu'elle
représente ; elle ne peut donc pas constituer un authentique jugement littéraire.

Ni *Les chants du crépuscule*, ni *Les voix intérieures* ne font
l'objet de la moindre remarque. Enfin, en 1840, Balzac alors rédac-
teur et critique de la *Revue parisienne*, consacre à Hugo quelques
pages à propos des *Rayons et ombres* qui venaient de paraître.
Ce compte rendu semble, à une première lecture, assez superficiel.
Balzac y reste dans les généralités, n'analyse aucunement les
poèmes qui composent le recueil ni n'essaie de juger les différentes
sources d'inspiration de Hugo. Il s'y égare constamment dans des
considérations sur l'auteur, étrangères à l'ouvrage en question.
Les éloges, dispensés avec générosité, n'ont rien de bien original :
Balzac convient que « M. Hugo est bien certainement le plus
grand poète du xix$^e$ siècle » (3) ; sa « vive compréhension de tous

(1) *Lettres sur Paris*, CFL, t. 14, p. 417.
(2) *Lettres à l'étrangère*, t. 1, p. 549.
(3) *Lettres sur la littérature*, CFL, t. 14, p. 1081.

les modes » est étonnante et fait de lui « notre premier lyrique » (1);
« son aptitude est universelle, sa finesse égale son génie » (2).
Grand poète, « admirable prosateur », « un des hommes les plus
spirituels de notre époque et d'un esprit charmant » (3), il possède
également le bon sens et la rectitude de jugement qui convien-
draient à une carrière politique brillante. Le désir de Balzac de
flatter Hugo est très net dans tout ceci. Les louanges adressées
directement au talent du poète, également superlatives, sont
d'abord d'ordre très général : « admirable sentiment des images »,
« richesse de sa palette », « puissance de description » (4). Puis à
notre grande surprise, Balzac se met à confronter Hugo et Racine :
« Jamais, selon moi, M. Hugo n'est arrivé à tant de suavité, de
délicatesse, de fini, de grandeur, de simplicité, que dans plusieurs
morceaux de ce recueil, où, sans vouloir prendre Racine pour
modèle, il l'a de beaucoup surpassé (5). » Et Balzac d'affirmer que
la *Fonction du poète* est « bien supérieure, comme pensée, comme
image, comme expression », aux chœurs d'*Esther* et d'*Athalie*
qui jusqu'à présent ont été « l'arche sainte de la poésie française » (6). Il est difficile, voire impossible, de juger de la sincérité
de Balzac lorsqu'il écrit ces lignes. Nous savons, et en voici encore
une preuve, que pour lui Racine est le premier poète français,
plus pour son talent dramatique que pour son talent lyrique.
Les chœurs d'*Esther* et d'*Athalie* ne sont certainement pas ce
que Balzac préfère chez Racine, c'est pourquoi il peut les abandonner à la supériorité de Hugo. Ce rapprochement, assez surprenant, naît sans aucun doute dans l'esprit de Balzac du ton
prophétique que prend Hugo dans certains des poèmes des
*Rayons et ombres*, notamment dans la *Fonction du poète*. La
poésie française avant Hugo n'avait en effet guère connu cette
majesté quasi religieuse à laquelle le « mage » nous a habitués et
dont nous nous méfions peut-être davantage.

  L'intérêt de ces pages de Balzac sur *Les rayons et les ombres*
réside surtout, à notre avis, dans leur composition et dans ce que
celle-ci nous révèle de l'attitude de leur auteur envers Hugo.
Le caractère décousu des remarques n'est qu'apparent. Balzac,
en réalité, écrit son article en mesurant soigneusement la dose de
louange et de critique : à un éloge succède toujours immédiate-

(1) *Ibid.*, p. 1083.
(2) *Ibid.*, p. 1084.
(3) *Ibid.*
(4) *Ibid.*, p. 1081.
(5) *Ibid.*, p. 1082.
(6) *Ibid.*, p. 1083.

ment une critique, suivie à son tour d'un nouvel éloge, suivi d'une critique, et ainsi de suite. Ceci ne peut être l'effet du hasard, mais plutôt à la fois le résultat d'un calcul prudent pour ne pas heurter Hugo de front (nous sommes bien loin du critique d'*Hernani*) et l'expression naturelle de la pensée de Balzac qui équilibre spontanément des éloges peut-être un peu trop emphatiques par un jugement critique de détail. Ces restrictions ainsi apportées aux qualités de la poésie de Hugo sont d'ailleurs tout à fait pertinentes. Nous éprouvons avec Balzac, bien plus que lui, même, car nous connaissons tellement plus d'œuvres de Hugo que lui, un certain agacement devant la manie énumérative du poète qui fait d'une figure de rhétorique « le moyen de manifester sa pensée », et « engendre la composition même ». Cette « forme absolue, dominatrice », donne « une sorte de monotonie dans la conception » (1). Balzac n'en cite pas d'exemples ; il suffit de feuilleter le recueil pour en rencontrer à chaque page. Certains poèmes, tel *Regard jeté dans une mansarde*, sont presque entièrement construits sur cette forme de pensée répétitive :

> Laisse-toi conseiller par elle, ange tenté !
> Laisse-toi conseiller, guider, sauver peut-être
> Par ce lys fraternel penché sur ta fenêtre,
> Qui mêle son parfum à ta virginité !
> Par toute ombre qui passe en baissant la paupière !
> Par les vieux saints rangés sous le portail de pierre !
> Par la blanche colombe aux rapides adieux !
> Par l'orgue ardent dont l'hymne en longs sanglots se brise !
> Laisse-toi conseiller par la pensive église !
> Laisse-toi conseiller par le ciel radieux.
>                          etc. (2)

Ce procédé oratoire donne à la poésie son rythme et la rapproche en même temps de l'incantation, mais il demanderait à être employé avec plus de mesure, particulièrement dans des poèmes de proportions modestes où le grandiose auquel Hugo atteint trop facilement finit par être une faute de goût.

Les quelques imperfections de détail (syntaxe, assonance ou vraisemblance de tel ou tel vers) relevées par Balzac sont de peu d'importance et il ne s'y attarde pas. Le deuxième point essentiel de sa critique porte sur la préface de l'ouvrage. Hugo s'y livre, en des termes obscurs, à des considérations sur le génie et sur la fonction du poète moderne. Balzac, qui a toujours admiré

---

(1) *Ibid.*, p. 1081.
(2) *Les rayons et les ombres*, o. c., poésie III, Hetzel, Paris, 1880, p. 417.

la prose de Hugo, est obligé ici de s'étonner : « Ordinairement, M. Hugo manifeste sa pensée avec une merveilleuse clarté, sa prose est digne de sa poésie ; il est admirable prosateur ; mais, cette fois, les phrases tour à tour nuageuses et brillantes de la préface, et le ton prophétique, m'ont inquiété (1). » On ne pourrait mieux caractériser cette préface que Balzac ne le fait, y voyant des « résumés empreints d'une grandeur olympienne » dont le sens nous échappe, car l'auteur ne nous fait pas part des réflexions qui y aboutissent. Sous des apparences de grande clarté, malgré des phrases de structure simple et frappante, elle pèche essentiellement par l'imprécision de la pensée, par le goût du mot pour le mot et par son trop lointain rapport avec le recueil de poèmes qu'elle présente. En citant les derniers mots : « L'esprit de l'homme a trois clés qui ouvrent tout : le chiffre, la lettre, la note. Savoir, penser, rêver, tout est là », Balzac fait preuve d'indulgence. Il lui eût été facile de tourner en ridicule presque chaque phrase de cette préface, en effet inquiétante.

Si nous essayons d'évaluer cette critique des *Rayons et ombres* nous y décelons avant tout un effort évident pour ménager la susceptibilité de Hugo ; d'où le dosage savant de louanges et de critiques. Cependant, alors que les éloges, bien que très emphatiques, restent assez vagues, les critiques, plus précises, vont droit aux faiblesses de l'écrivain. Il semble que Balzac trouve plus facilement à reprendre qu'à admirer.

Il réaffirme trop souvent la grandeur du poète chez Hugo pour que nous puissions sérieusement douter de son admiration. Pourtant, son silence, et lorsqu'il rompt ce silence, son incapacité à analyser avec précision les beautés de la poésie hugolienne, posent un problème. Est-ce vraiment indifférence envers la poésie, ou incompétence, comme certains le prétendent ?

Nous allons voir que la critique de Balzac sur les autres parties de l'œuvre de Hugo est de même surtout une critique des défauts. Cette attitude est consciente. Balzac la justifie par l'excès de publicité et d'encensement qui entourent la personne et les œuvres de Hugo : « Cette fois, les journaux ont donné des louanges unanimes au grand poète. Aussi puis-je hardiment le chicaner sur des fautes de grammaire... (2). » S'il y a abondance de louanges, il y a peut-être carence de critiques. Or, celles-ci sont toujours salutaires pour un écrivain, particulièrement pour un écrivain ayant la facilité de Hugo. Nous pourrions donc pres-

---

(1) *Lettres sur la littérature*, CFL, t. 14, p. 1083.
(2) *Ibid.*, p. 1082.

que dire que le silence, ou l'admiration formulée en termes vagues, sont, chez Balzac, reconnaissance implicite du talent poétique de Hugo. Les critiques, plus articulées, plus précises, expriment une dissension d'avec l'opinion générale. Ajoutons que Balzac est plus clairvoyant qu'on ne l'admet d'ordinaire en matière de poésie. Il comprend assez bien l'essentiel du génie de Hugo pour sentir que le poète, si habile soit-il à traiter tous les genres, n'a pas encore trouvé la forme qui lui conviendrait parfaitement : « Si j'avais le pouvoir », écrit-il, « je lui offrirais et des honneurs et des richesses, le conviant à faire un poème épique » (1). Et un peu plus loin : « M. Victor Hugo ne peut plus être en progrès que par un poème. Dans l'exécution de cette œuvre grandiose, qui manque à la France et qu'il peut lui donner, soit dans la forme grotesque prise par Arioste et à laquelle il excellerait, soit dans la forme héroïque du Tasse, il sera bien servi par le tour que prend sa poésie (2). » Nous pouvons être certains que l'entreprise de *La légende des siècles* aurait plu à Balzac et que *Les châtiments* ou *L'âne* l'auraient enthousiasmé.

Beaucoup plus que la publication de ses recueils de poésie, l'apparition des drames de Hugo constituait un événement littéraire trop retentissant pour être ignoré. L'intérêt spontané de Balzac pour le théâtre et son admiration persistante à l'endroit de Corneille et surtout de Racine étaient d'ailleurs assez grands pour le porter naturellement à examiner et juger la production dramatique de son temps.

Si Balzac assista à la lecture de *Marion Delorme* comme le prétend Mme Hugo (3), il n'en parle nulle part, et cette pièce ne retient pas son attention. A la fameuse bataille d'*Hernani*, Balzac se trouvait dans les rangs des défenseurs, recruté sans doute par quelque ami, ardent néophyte du romantisme. On s'est beaucoup récrié à le voir un mois plus tard écrire le fameux « éreintement » du *Feuilleton des journaux politiques*. Rien de très étonnant à cela : il est facile de concevoir que Balzac ait été enchanté de participer à la soirée, qui s'annonçait mouvementée, et de se montrer parmi les jeunes artistes réclamant une place au soleil ; il est tout aussi logique qu'étant donné l'indépendance de goût que nous lui connaissons, et sa position un peu en marge de sa génération, il ait été capable de juger *Hernani* sans passion ni indulgence. Balzac connaissait Hugo à cette époque, mais

(1) *Ibid.*, p. 1081.
(2) *Ibid.*
(3) *Victor Hugo raconté par un témoin de sa vie*, Paris, Ollendorf, 1926.

mal, de très loin, et n'avait donc aucun scrupule d'amitié pour le retenir. D'autre part, le nouveau journal qu'il lançait se flattait d'être un guide éclairé dans tous les domaines touchant à l'art. Les deux articles écrits par Balzac ne sont pas particulièrement originaux, puisque la presque totalité de la presse s'était accordée, au lendemain de la bataille, pour rejeter l'œuvre, et que même les journaux sympathisants, *Le Globe*, par la plume de Ch. Magnin, ou la *Revue française* par la plume de Rémusat, étaient obligés de convenir que le nouveau genre créé, « la tragédie d'imagination », tendait à se confondre avec la tragédie de mensonge (1). Tout en s'offrant le grand plaisir de ridiculiser tout ce qui peut être ridiculisé dans la pièce de Hugo, plaisir de jeune journaliste conscient de la puissance de son arme, Balzac cherche pourtant avant tout à enrayer les dégâts futurs qu'une telle conception du théâtre pourrait causer et à protéger le génie de Hugo en quelque sorte contre lui-même :

Si M. Victor Hugo n'était pas, malgré lui peut-être, le chef de l'école nouvelle, nous n'eussions pas violé pour cette pièce les lois que nous nous sommes imposées de juger sommairement une œuvre littéraire ; mais son nom est un étendard ; son ouvrage, l'expression d'une doctrine, et lui-même un souverain. Il est donc d'autant plus utile que ce drame soit jugé consciencieusement, que, si l'auteur était dans une fausse voie, beaucoup de gens le suivraient, et que nous y perdrions, nous, des chefs-d'œuvre sans doute, et lui son avenir (2).

Il s'agit avant tout de chercher « si cette œuvre fait faire un pas à l'art dramatique et, si cela est, dans quel sens » (3).
Le ton adopté dans ces deux articles est par moments trop systématiquement burlesque pour donner à la justesse des critiques tout le poids qu'elles mériteraient. Bien loin de se poser en défenseur acharné du classicisme, Balzac attaque Hugo sur son propre terrain, avec en tête la préface de *Cromwell*. « Tout ce qui est dans la nature est dans l'art », avait proclamé Hugo. « Le poète [...] ne doit donc prendre conseil que de la nature, de la vérité, et de l'inspiration qui est aussi une vérité et une nature. » — Peut-être, répond Balzac, mais vraisemblance et raison ne peuvent être du même coup rejetées. Vous parlez de vérité et de nature, et vous nous présentez des personnages faux, historiquement et psychologiquement, dans des situations fausses, matériellement et dramatiquement. Son analyse des person-

(1) Cf. Ch.-M. Desgranges, *La presse littéraire sous la Restauration*, Paris, Mercure de France, 1907, pp. 366 et suiv.
(2) *Hernani*, CFL, t. 14, p. 978.
(3) *Ibid.*, p. 979.

nages et des situations relève impitoyablement toutes les invraisemblances et les contradictions, depuis les fameux « phénomènes
d'acoustique » qui font que don Carlos entend ou n'entend pas
selon les besoins de la pièce, jusqu'au manque total d'unité de
caractère chez Hernani, don Ruy ou l'Empereur. « Dans le drame,
tout s'enchaîne et se déduit ainsi que dans la réalité », disait
Hugo. Balzac montre que dans *Hernani* rien ne s'enchaîne au
contraire, et que la recherche des contrastes ne mène qu'à des
contradictions. Prêt à accepter les principes du drame romantique à condition qu'ils soient applicables et donnent un chef-
d'œuvre, Balzac est amené peu à peu à faire une synthèse des
doctrines classique et romantique, et c'est là le principal intérêt,
nous semble-t-il, de ses deux articles.

Conscient de la nécessité d'un théâtre moderne, il l'est tout
autant que Hugo. Les principes énoncés dans la préface de
*Cromwell* lui semblent justes, et pourraient même s'appliquer à
*La comédie humaine* dans une très large mesure (1). C'est peut-
être pourquoi ils sont insuffisants à satisfaire aux exigences de
la scène. *Hernani*, en tant qu'expérience dramatique, lui semble,
à juste titre, un échec complet parce qu'elle est fondée sur une
esthétique mal définie. Les contours psychologiques des personnages y sont aussi lâches que les fils de l'action. Revendiquer
l'entière liberté du poète pour « développer la nature » peut mener
à accorder toute la place à l'imagination, comme le fait Hugo, ou
à contrôler l'imagination par l'analyse, comme le fera Balzac.
De ces deux interprétations de la nature, l'une est essentiellement
fantaisiste et poétique, l'autre est réaliste. C'est ainsi que Balzac
conteste le principe du « vrai » pour revenir au « vraisemblable »
du classicisme. Par deux fois, il montre que le vrai de Hugo
n'est qu'absurde parce qu'il est posé *a priori*, sans justification :
« Avant ce coup de théâtre que le dernier mélodramaturge aurait
essayé de justifier, don Carlos a su attirer dona Sol dans la rue.
Accordons qu'une femme qui a deux galants, et qui, la veille,
a été victime d'une ruse, puisse descendre, comme elle, au premier signal. C'est vrai, peut-être, mais vraisemblable, non (2). »
Il en est de même lorsque don Ruy livre sa nièce à don Carlos
pour sauver la tête d'Hernani qu'il déteste. Ce vrai-là n'est pas
sublime pour Balzac, mais ridicule.

---

(1) Dans son article sur *La Chine et les Chinois*, écrit en 1842, BALZAC
se déclare ouvertement pour une esthétique moderne contre l'esthétique du
beau absolu, et reprend en tous points les idées exprimées par Hugo dans la
préface de *Cromwell* (cf. Con., t. 40, p. 545).
(2) *Hernani*, CFL, t. 14, p. 981.

L'argument constant de Balzac est le suivant : si l'on se détourne de la tradition classique, que ce soit pour faire mieux, et non pire. Or, Hugo n'a même pas su inventer un autre procédé que la traditionnelle exposition où les personnages redisent, pour le bénéfice des spectateurs, ce qu'ils savent déjà : « Nous aurions dû voir partout l'action substituée à la parole. Il était permis d'espérer que nous serions initiés à l'amour d'Hernani et que nous arriverions de nuance en nuance à épouser une passion espagnole. Point. [...] M. Victor Hugo a tristement suivi le sillon classique (1). » De plus, l'usage excessif du monologue lyrique dont Hugo ne se guérira jamais semble à Balzac, non sans raison, interrompre inutilement le cours de l'action. Quand les classiques ont recours à ce monologue, c'est pour approfondir le caractère du personnage, l'éclairer de l'intérieur :

La passion de don Ruy pour la poésie est vraiment curieuse. Ce vieillard semble passer le temps pendant lequel il est hors de la scène, quand il devrait y être, à composer des idylles et des élégies. Il parle en paraboles quand tous les autres personnages affectent un langage brutal. Le moindre défaut de cette scène est qu'elle peut se retrancher, être réduite à quatre vers, et que la pièce n'en souffrirait pas (2).

Nous touchons ici au point le plus vulnérable de la critique de Balzac. Il est traditionnel de lui reprocher une fois de plus son insensibilité à la poésie. Le lyrisme lui échappe. Nous nous permettrons de prendre sa défense : il s'agit avant tout de juger une œuvre dramatique, non une œuvre lyrique. La grandeur de la poésie ne peut effacer les défauts de structure de la pièce. Et l'attaque de Balzac porte contre ces défauts presque exclusivement, car, au lieu de maintenir le lyrisme dans un cadre essentiellement dramatique, ils lui permettent de déborder et de transformer le drame en poème : « Tout cela est bon en ode, en ballade ; mais, à la scène, il faut que les personnages agissent un peu en gens raisonnables (3). »

Balzac admire trop Shakespeare ou Schiller pour condamner la tentative de Hugo en tant que telle. L'auteur, non l'entreprise, est seul responsable de l'échec. Et là, nous serions tentée de marquer notre désaccord, riche de l'expérience que Balzac n'a pas. Ni Hugo ni aucun autre n'a vraiment réussi dans le drame romantique. Si, « entre la préface de *Cromwell* et le drame d'*Her-*

(1) *Ibid.*, p. 986.
(2) *Ibid.*, pp. 987-988.
(3) *Ibid.*, p. 987.

*nani*, il y a une distance énorme » (1), la raison en est moins dans la divergence entre les principes et leur application que dans l'imprécision même des principes. Les lacunes décelées instinctivement par Balzac dans la pièce d'*Hernani* viennent précisément du manque de conscience dramatique dont fait preuve la préface de *Cromwell*.

Hugo est poète avant tout, et pense en poète. Balzac n'en est pas encore peut-être assez sûr. Là encore, notre opinion doit différer de la sienne, car nous avons l'avantage de connaître l'œuvre de Hugo dans sa totalité. Balzac, lui, juge un jeune homme de vingt-huit ans qui n'a encore que relativement peu produit. C'est ce dont il faut nous souvenir, avant de trop lui reprocher d'écrire en conclusion : « L'auteur nous semble, jusqu'à présent, meilleur prosateur que poète, et plus poète que dramatiste (2). » Il est vrai que Balzac ne relève, du style d'*Hernani*, que des bavures, et qu'il fait preuve d'une certaine mauvaise foi quand il écrit : « Nous ferons observer à M. Victor Hugo qu'il y a peu de choses, parmi ce qu'il y a de mieux, qui lui appartienne », car les exemples qu'il donne ne sont certes pas pris dans « ce qu'il y a de mieux ». Ni « le duc de Lutelzbourg est trop grand de la tête », ni davantage : « Nous sommes trois chez vous ! C'est trop de deux, Madame », qui avait déjà soulevé les rires du public à la première représentation, ne sont du meilleur Hugo. Mais il est clair aussi que la critique de Balzac est volontairement négative. Il ne s'en cache pas : « On pourra nous accuser de n'avoir fait ressortir que les défauts de cette œuvre ; nous le devions : tant de journaux en avaient prôné les beautés (3). » L'excès d'enthousiasme des partisans d'*Hernani* entraîne sans doute l'excès de sévérité de ses juges. L'optimisme de Balzac vis-à-vis d'une nouvelle forme dramatique française et du talent de Hugo n'est pourtant pas ébranlé, puisqu'il écrit quelques mois plus tard : « L'art dramatique fut maltraité, car nous savons aujourd'hui dans quel sens *Hernani* lui a fait faire un pas ; mais, si M. Victor Hugo fut puni de sa tentative par une chute triomphale, il y a chez lui l'étoffe de quelque chef-d'œuvre qui le fera oublier. Nous sommes bien supérieurs à nos devanciers malgré cet échec (4). » Il nous reste à voir dans quelle mesure les drames suivants de Hugo ont répondu à cet espoir.

De *Lucrèce Borgia*, jouée en 1833, Balzac ne dit rien. Plus

(1) *Ibid.*, p. 993.
(2) *Ibid.*, p. 993.
(3) *Ibid.*, p. 993.
(4) *Lettres sur Paris*, CFL, t. 14, p. 415.

tard, en lisant dans *La Chartreuse de Parme* les ordres donnés par la Sanseverina à Ludovic pour détourner l'attention de la fuite de Fabrice : énivrer les paysans de Sacca, inonder Parme, la phrase : « Du vin pour mes chers paysans de Sacca, de l'eau pour la ville de Parme ! », lui rappellera *Lucrèce Borgia* : « C'est le génie italien, que M. Hugo a parfaitement mis en scène en faisant dire à Lucrèce Borgia : « Vous m'avez donné une fête à « Venise, je vous rends un souper à Ferrare. » Les deux mots se valent (1). » Cet hommage discret à l'art de Hugo suggère que cette fois, celui-ci a mieux réussi dans la justesse du trait.

Balzac n'alla pas voir *Marie Tudor*, dont les représentations commencèrent le 6 novembre 1833. Il était, à ce moment-là, dans une de ses périodes de travail forcené, voulant finir *Eugénie Grandet* avant d'aller retrouver Mme Hanska à Genève où il aurait dû être déjà le 5 novembre. Pas de théâtre, par conséquent. Mais les journaux le renseignent et son opinion est faite : « Je n'aime pas *Marie Tudor* : d'après les analyses des journaux, cela me semble bien sale. Je n'aurai pas le temps d'aller voir ce drame (2). » Et quatre jours plus tard : « Au jugement de tous les hommes de bon sens, *Marie Tudor* est une infamie et ce qu'il y a de plus mauvais comme pièce (3). » A-t-il au moins lu la pièce ? Est-il allé la voir plus tard ? Nous n'en savons rien. Ce n'est que le 23 janvier 1844 qu'il annonce que, fatigué de trop de travail, il est allé, le soir, voir *Marie Tudor* (4), mais sans en faire aucun commentaire.

*Angelo, tyran de Padoue* fit son apparition à la scène en 1835 au moment précis où la nécessité du travail jointe à celle d'échapper aux créanciers et à l'état-major de la garde nationale, poussaient Balzac à s'enfermer incognito, dans l'appartement de la rue des Batailles. Le drame de Hugo passa inaperçu de lui.

Au fur et à mesure que les années s'écoulent, et que la scène française ne produit toujours aucun chef-d'œuvre, Balzac perd son optimisme de 1830 quant aux possibilités d'un renouvellement du théâtre. Tenté par la possibilité d'un succès rapide, il prend et reprend des projets de pièce, sans jamais y travailler sérieusement. C'est que la difficulté de l'entreprise lui apparaît pleinement et avec elle, l'écart terrible entre les maîtres du passé et les contemporains, entre Molière ou Beaumarchais et Scribe ou Dumas. « Les misérables mélodrames de Hugo m'effraient »,

(1) *Etudes sur M. Beyle*, CFL, t. 14, p. 1200.
(2) *Lettres à l'étrangère*, t. 1, p. 81.
(3) *Ibid.*, p. 85.
(4) *Ibid.*, t. 2, p. 280.

écrit-il à Mme Hanska (1). Ainsi le drame romantique a rejoint dans son esprit le pur et simple mélodrame, forme la plus basse de théâtre. Et Balzac, encore un coup, ne se dérange toujours pas pour aller voir les nouvelles pièces de Hugo.

A propos (écrit-il quelques jours après les débuts de *Ruy Blas*). Ruy Blas est une énorme bêtise, une infamie en vers. Jamais l'odieux et l'absurde n'ont dansé de sarabande plus dévergondée. Il a retranché ces deux horribles vers :

> ... *affreuse compagnonne*
> *Dont la barbe fleurit et dont le nez trognonne,*

mais ils ont été dits pendant deux représentations. Je n'y suis pas encore allé, je n'irai probablement pas. A la quatrième représentation, où le public est arrivé, on a sifflé d'importance (2).

Toute question d'art dramatique mise à part, le sujet même de *Ruy Blas* semble indigner Balzac. Alors que Hugo, toujours épris de contrastes violents, voit une grande poésie à faire aimer un laquais par une reine, le snobisme social de Balzac se révolte devant cette idée vulgaire : « Je n'en voudrais pas trop à une femme d'aimer un roi. Mais si elle aime Ruy Blas, c'est un vice qui la met là où elle descend ; elle n'existe plus, elle ne vaut pas un coup de pistolet (3). »

Pendant dix ans, Balzac a peut-être attendu que la préface de *Cromwell* soit enfin mise en pratique et produise la grande œuvre annoncée. Vaine attente. En 1840, son opinion sur le drame romantique confirme donc ce que sa critique d'*Hernani* faisait déjà ressortir : la Méditation et l'Image, c'est-à-dire le lyrisme pur, ne se prêtent pas aux exigences dramatiques, car le dialogue poétique s'oppose à l'individualité des personnages. Ceux-ci ne vivent pas de leur vie propre ; ils restent le porte-parole de l'auteur : « Le dialogue de M. Hugo est trop sa propre parole, il ne se transforme pas assez, il se met dans son personnage, au lieu de devenir le personnage (4). » De plus, la tradition comique à laquelle Balzac est si attaché ne trouve pas d'expression possible dans un théâtre envahi par le lyrisme. A tout prendre, le drame romantique de Hugo n'a nullement tenu ses promesses de renouvellement :

La lutte finie, on peut dire que les Romantiques n'ont pas inventé de nouveaux moyens, et qu'au théâtre par exemple, ceux qui se plai-

---

(1) *Lettres à l'étrangère*, t. 1, p. 405.
(2) *Ibid.*, p. 503.
(3) *Ibid.*, p. 529.
(4) *Etudes sur M. Beyle*, CFL, t. 14, p. 1154.

gnaient d'un défaut d'action se sont amplement servis de la tirade et du monologue, et que nous n'avons encore entendu ni le dialogue vif et pressé de Beaumarchais, ni revu le comique de Molière, qui procédera toujours de la raison et des idées. Le Comique est l'ennemi de la Méditation et de l'Image. M. Hugo a énormément gagné à ce combat (1).

Beaucoup de bruit, aucun chef-d'œuvre, mais une renommée établie, tel est le bilan de la carrière dramatique de Hugo. Cette carrière devait se terminer avec l'échec retentissant des *Burgraves* en 1843. Nous avons la chance, cette fois, que Balzac ait assisté à la première représentation, et que sa réaction à cette pièce nous soit connue de deux sources : le rapport qu'il en fait à Mme Hanska, et le récit de Gozlan dans son *Balzac en pantoufles*. La confrontation des deux textes est amusante.

Gozlan rapporte qu'il eut beaucoup de peine à faire rester Balzac en place pendant la représentation, et que le romancier demandait incessamment : « Est-ce fini ? quand cela sera-t-il fini ? » « Pourtant, il admirait beaucoup Victor Hugo. Mais il n'aimait pas à accorder une longue attention à un spectacle quelconque », ajoute Gozlan (2). Se retournant, au cours de la soirée, il vit Balzac atteint de l'hilarité générale, « mais sournoisement, en manière de conspirateur » :

« Comment trouvez-vous cela ? » me demanda-t-il. Je lui réponds sérieusement :
— Je trouve cela admirable ! admirable ! Depuis Dante, soyez-en convaincu, il n'a rien été écrit d'aussi beau, d'aussi grand, d'aussi sublime dans aucune langue.
— C'est aussi mon avis, reprend Balzac qui ne s'attendait pas à cette réponse, ou qui, peut-être aussi, l'attendait pour savoir quel parti il prendrait dans la question qu'on égorgeait devant nous. »

A partir de ce moment, *Les Burgraves* allaient aux nues dans son opinion de la soirée. Bien d'autres exemples attesteraient son peu d'aptitude à goûter la pensée sous l'enveloppe féérique du vers (3).

Et voici l'origine de l'insensibilité balzacienne pour la poésie. Feuilletons maintenant les *Lettres à l'étrangère*. Le 21 décembre 1842, c'est-à-dire environ un mois avant la première des *Burgraves*, Balzac écrit : « La nouvelle du moment est la présentation d'une pièce de Hugo, intitulée *Les Burgraves*. On en parle comme de ce qu'il a fait de plus lyrique. Mais le lyrisme à la scène est peu dramatique, et il arrive à faire tout comme Racine

(1) *Ibid.*, p. 1155.
(2) *Balzac en pantoufles*, Paris, Lévy, 1865, p. 4.
(3) *Ibid.*, p. 30.

dont il fait fi (1). » Le 19 mars 1843 (douze jours après la première), il écrit de nouveau :

J'étais à la première représentation des *Burgraves*. Il y a de magnifique poésie, mais Victor Hugo est décidément resté l'*enfant sublime*,
et ne sera que cela. C'est toujours les mêmes enfantillages de prison,
de cercueil, d'invraisemblances de la dernière absurdité. Comme histoire, il n'en faut pas parler ; comme invention, c'est de la dernière pauvreté. Mais la poésie enlève. C'est Titien peignant sur un mur de boue.
Il y a surtout une absence de *cœur*, qui se fait de plus en plus sentir.
Victor Hugo n'est pas *vrai*. Notre pays est fanatique du vrai ; c'est
le pays du bon sens. Il fait, dans un temps donné, justice de ses idoles (2).

Enfin, le 29 mars : « A la première représentation, on a fait
baisser la toile, ce qui ne prouve rien contre un ouvrage. Néanmoins, si j'ai été saisi par l'éclat de la forme, je dois dire, consciencieusement, que le *drame* est d'une stupidité d'enfant (3). » Le
pauvre Gozlan n'eût-il pas été bien étonné de lire cette critique
si pénétrante et si juste dans sa brièveté, et de voir que Balzac,
pour être ami conciliant, n'était pas un benêt attendant qu'on
lui souffle son opinion ? Le rire contenu pendant la représentation,
nous le comprenons lorsque nous savons, d'une part, le désir
de Balzac de ne pas heurter inutilement ses amis, et d'autre
part, son véritable jugement sur l'œuvre. Spontanément, Balzac
reprend les critiques adressées à *Hernani* treize ans auparavant,
employant les mêmes termes : invraisemblances, pauvreté d'invention, manque de vérité. Hugo n'est pas sorti de l'impasse où
il s'était engagé en 1830. La mode a pu cacher son erreur pendant
un temps, mais en fin de compte, c'est Balzac qui avait raison
quand il écrivait que « M. Victor Hugo ne rencontrera jamais un
trait de naturel que par hasard ; et, à moins de travaux conscien-
cieux, d'une grande docilité aux conseils d'amis sévères, la scène
lui est interdite (4). » La chute des Burgraves le montre, et le
long silence qui la suivit.
     Quant à la beauté de la poésie, soyons sûrs que Balzac
n'avait pas non plus besoin de Gozlan pour la lui faire sentir.
Le lyrisme qui, dans *Hernani*, brisait, de l'avis de Balzac, la
structure dramatique de l'œuvre, devient dans *Les Burgraves*,
un torrent tumultueux emportant tout sur son passage. Beaucoup plus encore que pour *Hernani*, Hugo a choisi un sujet qui

(1) T. 2, p. 94.
(2) *Ibid.*, p. 125.
(3) *Ibid.*, p. 132.
(4) *Hernani*, CFL, t. 14, p. 993.

conviendrait à un poème et non à une pièce de théâtre. Et comme toujours, c'est en poète que Hugo l'a traité. A celui-ci, Balzac ne ménage plus son admiration. Envers le dramaturge, il reste de la même inflexibilité.

Quand, peu après *Les Burgraves*, en 1843, Ponsard donne sa tragédie de *Lucrèce*, Balzac y va, attiré par les louanges préparatoires de la presse. Il en revient écœuré ; le classicisme du xixe siècle ne vaut pas mieux que le romantisme : même enfantillage que chez Hugo, sans le génie poétique. « Hugo a bien mérité par ses sottises que Dieu lui envoyât un Ponsard pour rival (1). » Tel est le jugement final sur l'œuvre dramatique de son ami.

Il est peut-être utile de noter que dans la sévérité de Balzac pour les drames de Hugo, nous ne décelons aucune trace de jalousie. La rivalité entre les deux écrivains, nulle évidemment sur le plan poétique, n'existe pas non plus sur le plan dramatique. Les tentatives multiples de Balzac au théâtre, toutes vouées à l'échec, n'ont rien de commun avec le drame romantique tel que Hugo le conçoit. Ce que Thibaudet appelle « la personnalité théâtrocratique » de Hugo faisait sourire Balzac sans éveiller sa jalousie.

En est-il de même sur un plan où les deux hommes se côtoient de beaucoup plus près, celui du roman ? Hugo tenait à s'approprier tous les domaines. Balzac, conscient de son manque de talent pour la versification et pour le théâtre, s'était limité de bonne heure au roman, déterminé à y devenir souverain. La rivalité aurait pu être sérieuse. Il n'en est rien, car la production romanesque de Hugo est complètement interrompue entre *Claude Gueux* (1834) et *Les misérables* (1862), laissant ainsi le champ libre à presque toute la carrière littéraire de Balzac (2).

Les premiers romans de Hugo, *Han d'Islande* et *Bug-Jargal*, parus respectivement en 1823 et 1825, furent certainement dévorés par le jeune Balzac qui faisait sa pâture de toute la littérature romanesque de cette époque. Mais Hugo n'était, après tout, qu'un débutant, imitateur, comme tout le monde, à la fois du roman noir et du roman historique à la Walter Scott. Il n'offrait donc rien de particulier à l'apprenti écrivain qu'était Balzac. Plus tard, une fois son goût formé, ce n'est certes pas à un roman comme *Han d'Islande*, où l'auteur admet lui-même qu'à part l'amour du jeune homme et de la jeune fille, rien n'y est senti

---

(1) *Lettres à l'étrangère*, t. 2, p. 158.
(2) Hugo commença *Les misères* en 1845, mais rien ne nous permet de croire que Balzac ait été au courant de ce roman qui, très certainement, dans l'esprit de l'auteur, devait rivaliser avec *La comédie humaine*.

ni observé (1), que l'auteur de *La comédie humaine* pouvait
s'attarder.

*Le dernier jour d'un condamné*, publié en 1829, toucha-t-il
Balzac ? La parution du roman lui semble en tout cas un événement assez important pour qu'il la mentionne dans deux de ses
romans dont l'action a lieu en cette même année 1829. La
lecture de « cette symphonie de bourreau » produisit sur Modeste
Mignon une profonde impression. « Elle me paraissait folle avec
ses admirations pour M. Hugo », dit la notaresse (2). Dans *Le
curé de village*, l'allusion semble se rattacher à des sentiments
plus profonds chez Balzac. François Tascheron, qui vient d'être
condamné à mort, « était si jeune que les femmes s'apitoyaient
sur cette vie pleine d'amour qui allait être tranchée. *Le dernier
jour d'un condamné*, sombre élégie, inutile plaidoyer contre la
peine de mort, ce grand soutien des sociétés, et qui avait paru
depuis peu, comme exprès pour la circonstance, fut à l'ordre du
jour dans toutes les conversations » (3). Le roman de Hugo n'est
pas évoqué ici comme accessoire historique destiné à créer l'illusion du vrai. 1839, l'année où Balzac fait paraître la première
version du *Curé de village*, est aussi l'année de l'affaire Peytel.
L'histoire tragique et mystérieuse de François Tascheron, la
passion avec laquelle Balzac essaie de sauver la tête de Peytel, le
pathétique plaidoyer de Hugo, ne font qu'un dans l'esprit de
l'auteur : réalité et fiction se mêlent. Une troisième allusion au
roman de Hugo, de ton ironique cette fois, nous montre la pauvre
Dinah de La Baudraye jouant et rejouant « la tragédie du *Dernier
jour d'un condamné*, se disant : « Demain, nous nous quitterons. » (4) ».

Jusqu'à *Notre-Dame de Paris*, le talent de romancier de Hugo
n'était pas vraiment consacré. Quand ce roman sort enfin,
après des mois d'une attente soigneusement entretenue, en
février 1831, c'est le succès. « *Notre-Dame de Paris*, de M. Victor
Hugo, est réellement sous presse », annonçait Balzac dans sa
*Lettre sur Paris* du 31 janvier (5). On s'attendrait à ce que dans
une des lettres suivantes, il en parle à ses lecteurs. Point du tout,
car ses lettres ne traitent que de nouvelles politiques. En mars,
une légère allusion à la cloche du sonneur de Notre-Dame laisse

---

(1) Tout y est « deviné, c'est-à-dire inventé », dit Hugo dans la Préface
de 1833.
(2) *Modeste Mignon*, CFL., t. 7, p. 364.
(3) *Le curé de village*, CFL., t. 7, p. 717.
(4) *La muse du département*, CFL., t. 9, p. 196.
(5) Con., t. 39, p. 122.

supposer que ce roman est connu de tout le monde (1). Nous n'en aurons pas de jugement critique par Balzac. Mais n'en concluons pas que celui-ci ignore ou méprise l'œuvre. Il n'y songe guère en rapport avec ce qu'il écrit (2) ; mais si l'occasion s'en présente, *Notre-Dame de Paris* est classé parmi « la grande littérature », parmi « les œuvres longtemps élaborées » (3). L'honneur n'est pas négligeable étant donné l'immense choix qui s'offrait à Balzac. Il n'indique pourtant pas, à coup sûr, une admiration sans réserve de sa part. Nous serons plus près de la vérité si d'une part nous relisons un passage des *Études sur M. Beyle* où Balzac traite de la littérature des Images, et d'autre part nous écoutons encore une fois Gozlan. Distinguant entre idée et image, celle-là exigeant un travail de réflexion parfois difficile, celle-ci donnant à l'idée ou au sentiment une forme attrayante, aisément assimilable, Balzac remarque : « Aussi l'image est-elle essentiellement populaire, elle se comprend facilement. Supposez que *Notre-Dame de Paris* de M. Victor Hugo naisse en même temps que *Manon Lescaut : Notre-Dame* saisirait les masses bien plus promptement que *Manon* et semblerait l'emporter aux yeux de ceux qui s'agenouillent devant le *Vox populi* (4). » La préférence personnelle de Balzac est claire. L'œuvre non populaire, difficilement comprise du public, est la véritable œuvre d'art. Là-dessus, il a toujours été formel : le succès immédiat à grand tapage, même s'il l'a souhaité souvent pour des raisons financières, n'est pas de bon augure quant à la valeur de l'œuvre : « Il n'y a de grand que ce qui est nié (5). » La popularité de *Notre-Dame de Paris* juge donc l'ouvrage. Écoutons maintenant Gozlan :

Balzac, dont j'ai dit le respect factice pour la poésie en général, ne se sentait pas davantage un goût fort prononcé pour la grande prose colorée, peinte et traitée à la fougueuse manière de Rubens. Artiste au pointillé, il allait plus volontiers vers la prose hachée menu, ménagée avec l'économie flamande, travaillée à froid, limée à facettes, vraie sans doute, mais vraie comme la poudre de diamant et non vraie comme le diamant tout entier. Sans refuser son admiration ni même son extase aux vastes peintures de *Notre-Dame de Paris*, il accordait sa préférence

---

(1) *Ibid.*, p. 139.
(2) Nous ne trouvons que deux allusions seulement, toutes deux insignifiantes : *Chambre des députés*, Con., t. 39, p. 338 ; *Les amours de deux bêtes*, Con., t. 40, p. 480.
(3) *Lettre aux écrivains*, Con., t. 39, p. 650 ; cf. aussi *De la propriété littéraire*, Con., t. 40, p. 21.
(4) CFL, t. 14, p. 1152-53.
(5) *Lettres à l'étrangère*, t. 2, p. 158.

secrète à la prose fine et pilée comme verre de Stendhal, le prototype de toute prose à ses yeux, après la sienne propre (1).

Nous retrouvons ici le même malentendu que pour *Les Burgraves*. C'est avant tout le poète que Gozlan admire chez le romancier comme chez le dramaturge. Et pour lui, la beauté de la poésie justifie l'existence de l'œuvre. Balzac, au contraire, tout en reconnaissant le génie d'imagination et d'expression de Hugo, ne peut s'en satisfaire quand il s'agit de juger non un poème, mais une pièce de théâtre ou un roman. Que Balzac préfère Stendhal à Hugo, nous le savons, et nous nous réjouissons de son discernement courageux, qui va à l'encontre de ses contemporains. Mais Gozlan a tort d'attribuer cette préférence uniquement au style. Il y a, derrière le style, l'art de l'écrivain, la technique du romancier, la vérité de ce qu'il recrée. Il n'est pas sûr que la distinction entre image et idée réponde entièrement à la différence qui existe entre *Notre-Dame de Paris* et *La Chartreuse de Parme*. Peu importe. L'essentiel est la conscience, chez Balzac, des exigences du roman en tant que genre, distinct de la poésie, tout comme il sait que le théâtre ne peut être non plus tout lyrisme. *Notre-Dame de Paris* est une grande œuvre, une belle peinture colorée, qui plaît facilement : ce n'est pas un grand roman. Pour mesurer la différence entre la conception hugolienne et la conception balzacienne, nous n'avons qu'à relire les premières pages des *Proscrits*, et comparer la description que fait Balzac de Notre-Dame et de ses environs avec celle de Hugo. De ces deux Moyen Age si différents, celui de Balzac est de beaucoup le plus vrai.

Le dernier roman de Hugo paru du vivant de Balzac, *Claude Gueux* (1834) n'est nommé qu'une fois, parmi les œuvres contemporaines où « l'artiste, l'écrivain, le poète donnent la mesure entière de leur talent » (2). Roman plus « social » que *Notre-Dame de Paris*, où la réflexion prend le pas sur l'imagination, il a pu plaire davantage à Balzac. Il est probable que *Les misérables* auraient été, de tous les romans de Hugo, de beaucoup le plus satisfaisant pour Balzac. Jamais il ne soupçonna que Hugo aurait besoin de ses leçons pour produire une grande œuvre.

Des ouvrages de Hugo qui ne sont ni poésie, ni drame, ni roman, seul *Le Rhin* fait l'objet d'une remarque flatteuse : « J'ai lu le deuxième volume du *Rhin* qui m'a semblé être un chef-d'œuvre » (3), écrite à un moment où les relations des deux

---

(1) *Op. cit.*, pp. 149-150.
(2) *Lettres sur la littérature*, CFL, t. 14, p. 1144.
(3) *Lettres à l'étrangère*, t. 2, p. 31.

hommes étaient tendues et où Balzac annonçait la folie de Hugo. Dans ces souvenirs et impressions de voyage, la prose hugolienne, que Balzac admire depuis toujours, on s'en souvient, est certes à son mieux, car elle n'est pas entravée par une technique.

En écrivant en 1840 : « De notre temps il n'est que quatre auteurs à qui le hasard ait donné la faculté d'être à la fois poètes et prosateurs ! MM. Victor Hugo, Théophile Gautier, de Musset et de Vigny sont de ces exceptions qui rendent notre époque extraordinaire » (1), Balzac rectifiait le jugement de la fin de l'article sur *Hernani*, en mettant le poète et le prosateur sur un plan de valeur égale. Si le jeune Balzac de 1830 se permettait encore de douter de la grandeur réelle du poète chez Hugo, celui de 1840, qui connaît et l'écrivain et ses œuvres, n'a plus aucun doute, et, sans réticence aucune, place Hugo en tête des talents de son siècle. Qu'il s'agisse de choisir les deux ou trois « grands » de la littérature française moderne, le nom de Hugo seul ne manque jamais à l'appel et figure en première place (2).

Si l'ensemble des jugements que nous venons d'étudier est surtout négatif, c'est d'abord parce que Balzac n'est pas critique professionnel. Il n'a ni l'occasion, ni le désir, ni le temps de rendre compte régulièrement des œuvres de ses contemporains. Selon le mot même de Hugo, dont il n'est pas peu fier, il est « un audacieux architecte », et « ne doit s'occuper que de *La comédie humaine* » (3). Il n'est, en général, poussé à s'exprimer que s'il se sent en trop grand désaccord avec l'opinion telle qu'elle ressort de la critique des journaux, ou pour réparer l'injustice du silence, comme ce sera le cas pour Stendhal. En ce qui concerne Hugo, le talent du poète est assez bruyamment et universellement acclamé pour que Balzac juge inutile de faire entendre sa voix. Il ne prendra la parole que pour se désolidariser de l'admiration générale, là où son goût personnel et son esthétique littéraire rejettent l'œuvre de Hugo. C'est surtout le cas du théâtre. Il suffit de comparer l'opinion de Gozlan et celle de Balzac pour se rendre compte de l'étonnante perspicacité de ce dernier, pour qui le génie de Hugo est avant tout celui d'un « sublime faiseur d'images » (4), et non un génie universel capable de dominer tous les royaumes littéraires, comme il l'aurait voulu et comme trop de ses contemporains se plaisaient à l'imaginer. Quant à la

---

(1) *Lettres sur la littérature*, CFL, t. 14, p. 1056.
(2) Cf. *Procès de la société des gens de lettres*, Con., t. 40, p. 263 ; *Modeste Mignon*, CFL, t. 7, p. 375.
(3) *Lettres à l'étrangère*, t. 2, p. 250.
(4) *Lettres à l'étrangère*, t. 1, p. 562.

personnalité de Hugo, peut-être se résume-t-elle assez bien pour
Balzac dans l'exclamation qui lui échappe en 1848 : « Quel admirable charlatan ! », s'écrie-t-il après avoir rencontré le poète sur
les boulevards et avoir échangé avec lui ses impressions sur les
événements politiques. Affection, indulgence, admiration et
scepticisme s'y mêlent sans qu'aucun de ces sentiments ne prenne
le pas sur l'autre.

En réponse à une lettre de Mme Hanska où celle-ci déplorait
la pénurie de génies au XIXᵉ siècle, Balzac, conscient au contraire,
on le sait, de la grandeur de son époque, se met en devoir de lui
en énumérer les noms illustres : savants, musiciens, écrivains
accourent à son appel. Parmi ces derniers, Byron, Walter Scott,
Cooper, naturellement ; mais aussi Lamennais, George Sand.
Puis vient cette curieuse phrase : « Victor Hugo, Lamartine et
Musset sont, à eux trois, la monnaie d'un poète, car aucun d'eux
n'est complet (1). » Nous avons déjà vu Balzac se livrer à ce genre
d'opération, additionnant ou multipliant des talents divers pour
obtenir la formule d'un vrai génie (Voltaire = Nucingen × Diderot). Nous ne nous livrerons pas au jeu qui consisterait à déterminer l'exact quotient de poésie accordé respectivement à Hugo,
Lamartine ou Musset. La notion de poète est trop vaste et trop
vague pour nous permettre une telle spéculation. Mais nous
pouvons peut-être, une fois examinée l'importance attribuée à
Lamartine et à Musset, voir comment ces trois poètes se complè-
tent dans l'esprit de Balzac.

Le nombre des références à Lamartine, très inférieur à celui
des références à Hugo (82 pour 136) est, par contre, supérieur
à celui des références à tout autre écrivain français contemporain,
George Sand exceptée. Plus que Hugo dont le génie est complexe,
et déborde tous les genres, Lamartine représente pour Balzac le
poète par excellence. C'est pourquoi il le prend comme modèle
pour son Canalis de *La comédie humaine*. Physiquement, Canalis
et Lamartine se ressemblent comme des frères, parce que ce
dernier incarne justement la noblesse et le génie qui doivent être
les attributs d'un poète : « Canalis, crayonné dans une pose assez
byronienne, offrait à l'admiration publique ses cheveux en coup
de vent, son cou nu, le front démesuré que tout barde doit
avoir (2). » Ses yeux ont « l'éclat oriental qu'on demande aux
poètes », il a « une finesse assez jolie dans les manières, une voix

(1) *Lettres à l'étrangère*, t. 1, p. 503.
(2) *Modeste Mignon*, CFL, t. 7, p. 382.

vibrante » (1). L'identité des deux hommes, modèle et copie,
n'est pourtant pas totale, car, en habile créateur, Balzac a vite
fait de faire vivre ses personnages de leur vie propre. Il n'est donc
pas question ici de confondre Lamartine avec Canalis, ni d'utiliser
ce que nous connaissons de celui-ci pour en extraire un jugement
de Balzac sur Lamartine. Tout au plus peut-on considérer Canalis
comme l'envers de Lamartine, ce que l'auteur des *Méditations*
pourrait être, si l'on accentuait ses défauts et réduisait ses qualités. Grand poète, mais aussi poète célèbre, Lamartine comme
Canalis, apparaissait sans doute à Balzac esclave de sa réputation :

Il est comédien de bonne foi. S'il avance un pied très élégant, il
en a pris l'habitude. S'il a des formules déclamatoires, elles sont à lui.
S'il se pose dramatiquement, il a fait de son maintien une seconde nature.
Ces espèces de défauts concordent à une générosité constante, à ce qu'il
faut nommer le *paladinage*, en contraste avec la *chevalerie*. Canalis
n'a pas assez de foi pour être don Quichotte ; mais il a trop d'élévation
pour ne pas toujours se mettre dans le beau côté des questions. Cette
poésie, qui fait ses éruptions militaires à tout propos, nuit beaucoup à
ce poète qui ne manque pas d'ailleurs d'esprit, mais que son talent
empêche de déployer son esprit : il est dominé par sa réputation, il vise
à paraître plus grand qu'elle (2).

Le personnage, tel que Balzac le développe au cours du roman
de *Modeste Mignon*, s'éloigne de plus en plus du modèle initial :
dans ce coureur de dot, cynique et lâche, il y a beaucoup plus
de Tartuffe que de Lamartine. L'évolution du personnage, à
partir d'un modèle vivant, vers une existence indépendante,
se sentira mieux si nous comparons le portrait que Balzac en
fit tout d'abord pour *Illusions perdues* avec celui que nous trouvons dans la version définitive :

Le quatrième était M. de Canalis, un des plus illustres poètes de
cette époque, un jeune homme qui n'en était encore qu'à l'aube de
sa gloire, et qui se contentait d'être un gentilhomme aimable et spirituel ;
il essayait de se faire pardonner son génie. Mais on devinait dans ses
formes un peu sèches, dans sa réserve, une immense ambition qui
devait plus tard faire tort à la poésie et le lancer au milieu des orages
politiques. Sa beauté froide et compassée, mais pleine de dignité,
rappelait Canning (3).

Voici le même portrait, retouché :

Le quatrième était M. de Canalis, un des plus illustres poètes de
cette époque, un jeune homme encore à l'aube de sa gloire, et qui plus

(1) *Ibid.*, p. 388.
(2) *Ibid.*, p. 388.
(3) Cité par Lovenjoul, *op. cit.*, p. 102.

fier d'être gentilhomme que de son talent, se posait comme *l'attentif* de Mme d'Espard pour cacher sa passion pour la duchesse de Chaulieu. On devinait, malgré ses grâces entachées déjà d'affectation, l'immense ambition qui plus tard le lança dans les orages politiques. Sa beauté presque mignarde, ses sourires caressants déguisaient mal un profond égoïsme et les calculs perpétuels d'une existence alors problématique, mais le choix qu'il avait fait de Mme de Chaulieu, femme de quarante ans passés, lui valait alors les bienfaits de la Cour, les applaudissements du faubourg Saint-Germain et les injures des libéraux qui le nommaient un poète de sacristie (1).

Il est évident que les changements opérés par Balzac tendent à faire d'un personnage tout d'abord sympathique un personnage essentiellement hypocrite et calculateur. Si le Canalis première manière nous offre une image ressemblante de Lamartine, l'autre, celui qui vit à travers les pages de *La comédie humaine*, emprunte à l'original des traits trop déformés pour que nous soyons en droit d'en tenir compte.

Les motifs de cette transformation ne peuvent d'ailleurs être dictés par l'opinion de Balzac sur Lamartine, car il ne fit la connaissance du poète qu'en 1839, chez Delphine de Girardin, après la publication d'*Un grand homme de province à Paris*. Lamartine, grand admirateur des œuvres de Balzac, avait demandé à connaître le romancier. Cette première rencontre, et l'impression très favorable qu'elle laissa sur Lamartine, nous est relatée dans les *Souvenirs et portraits* de ce dernier. Les deux hommes se revirent par la suite assez souvent, surtout chez les Girardin. Si Balzac malheureusement ne fait aucune remarque importante sur ses rencontres avec Lamartine (2), rien ne nous porte à croire que ses relations avec lui n'aient pas été de la plus grande cordialité. « Lamartine a un bourg pourri pour moi », annonce-t-il le 5 janvier 1842 (3). L'amitié et l'appui de Lamartine étaient certes précieux dans les moments où les ambitions politiques de Balzac se réveillaient. « Si Lamartine est nommé à Paris, il aurait le siège de Mâcon à lui pour moi », écrit-il encore en 1846 (4). Il est évident aussi que les succès de tribune de Lamartine suscitaient l'admiration de Balzac même si la poésie pure s'en trouvait diminuée. « Cher et illustre poète, si toutes fois

---

(1) *Illusions perdues*, CFL, t. 4, pp. 541-42.
(2) Les seules notations sont de ce genre : « J'ai passé il y a deux jours, une charmante soirée avec Lamartine, Hugo, madame d'Agoult, Gautier et Karr, chez Madame de Girardin. Je n'avais jamais tant ri depuis la maison Mirabaud », *Lettres à l'étrangère*, t. 1, p. 554.
(3) *Ibid.*, p. 572.
(4) *Ibid.*, t. 3, p. 301.

l'orateur n'est pas plus grand encore, vous êtes trop haut placé pour savoir ce qui se passe dans les sphères terrestres », tel est le début d'une lettre où Balzac cache mal sa déception de voir Lamartine l'inviter le jour même de la première de *Vautrin*, alors qu'il avait espéré la présence du poète dans la salle (1). Malgré leurs divergences politiques très nettes, les deux hommes se respectaient. L'on se souvient de la fierté avec laquelle Balzac rapporte à Mme Hanska la prise de bec qu'il eut avec Hugo, devant Lamartine, chez Delphine de Girardin :

> Lamartine en a paru charmé. Il m'en a remercié avec effusion. Il veut plus que jamais que j'aille à la Chambre. [...] J'ai conquis Lamartine par mon appréciation de son dernier discours (sur la Syrie), et j'ai été sincère, comme toujours, car véritablement, ce discours est magnifique d'un bout à l'autre. Lamartine a été bien grand, bien éclatant, pendant cette session. Mais quelle destruction au point de vue physique. Cet homme de cinquante-six ans en paraît avoir au moins quatre-vingt. Il est détruit, fini ; il a quelques années de vie, à peine. Il est consumé d'ambition et dévoré par ses mauvaises affaires (2).

Quand la révolution de 1848 viendra, Balzac observera avec déception le rôle joué par Lamartine et les compromis que celui-ci acceptera. Mais il ne doutera jamais de son honnêteté. La sympathie qu'il éprouve pour lui a peut-être également son origine dans la situation financière précaire où se trouva très vite le poète ; lui aussi savait ce qu'était la vie d'un écrivain accablé de dettes. « Liszt a eu raison : les affaires de Lamartine sont dans un plus mauvais état que les miennes (3). » Qu'aurait pensé Balzac s'il avait pu voir le vieux Lamartine devenu forçat de la plume ?

Il semble que Lamartine ait toujours joui aux yeux de Balzac d'un certain prestige, dû peut-être à ses quelques années de plus, au succès étonnant de ses premières poésies, à son rôle politique et aussi à l'éloignement qu'il professait pour la mêlée littéraire. Tout jeune encore, en juin 1821, Balzac écrivait à sa sœur Laure : « Je t'écrirai une ou deux fois pendant mon voyage de Touraine, où je tâcherai de faire des poésies romantiques pour me faire épouser comme M. de La Martine. Il a composé une rêverie intitulée *Le lac*, et tu sais qu'il était en Italie pour rétablir sa santé (4). » Nous ne citerons pas tout le passage de cette lettre concernant la rencontre de Lamartine avec sa femme, car Balzac

---

(1) CFL, t. 16, p. 306.
(2) *Lettres à l'étrangère*, pp. 259-260. Balzac mourait quatre ans plus tard, tandis que Lamartine vécut jusqu'à l'âge de soixante-dix-huit ans.
(3) *Ibid.*, t. 2, p. 168.
(4) *Lettres à sa famille*, p. 36.

s'y livre à une de ses manies les plus exaspérantes, celle de la transcription phonétique d'un accent étranger, en l'occurrence celui de la future Mme de Lamartine. Si la version fantaisiste du mariage de Lamartine telle que nous la trouvons dans cette lettre est sans intérêt, elle nous indique cependant que pour le jeune Honoré (il a vingt et un ans) l'auteur des *Méditations* était déjà un grand homme, une célébrité, et en ce sens, un modèle à suivre. Ce n'est pas la pure moquerie qui pousse Balzac à écrire qu'il tâchera de faire des poésies romantiques. En fait, M. Bardèche signale que Lamartine a été beaucoup imité par Balzac dans ces premières années, et il cite les poèmes ou fragments de poèmes conservés à la collection Lovenjoul (1). Le poème que Lucien récite chez Mme de Bargeton relève de la même imitation (2). Beaucoup plus que la poésie de Chénier, avec laquelle Lucien essaie de lutter, ce poème s'inspire de la poésie lamartinienne. Tout y est : Jéhova, ses anges et ses chérubins, la femme-archange, les étoiles, l'amour éthéré. Tout, sauf la force d'expression et l'accent de sincérité qui sauvent les effusions de Lamartine de la mièvrerie. Il est probable que Balzac, quand il écrivit ce poème, fit de son mieux pour être sublime. Il est également évident qu'en le donnant dans *Illusions perdues* comme une œuvre de Lucien, il est capable de le juger à sa juste valeur, car, en dépit de toute la sympathie qu'il accorde au jeune poète d'Angoulême, il ne cache pas son ironie. Lucien a une nature de poète, pourrait devenir un grand poète, mais ne l'est pas et ne le sera pas, par faiblesse. M. du Châtelet, le plus intelligent sans aucun doute des auditeurs présents, commente ainsi l'ode de Lucien :

C'est des vers comme nous en avons tous plus ou moins fait au sortir du collège. [...] Autrefois nous donnions dans les brumes ossianiques. C'était des Malvina, des Fingal, des apparitions nuageuses, des guerriers qui sortaient de leurs tombes avec des étoiles au-dessus de leurs têtes. Aujourd'hui, cette friperie poétique est remplacée par Jéhova, par les sistres, par les anges, par les plumes des séraphins, par toute la garde-robe du paradis remise à neuf avec les mots immense, infini, solitude, intelligence. C'est des lacs, des paroles de Dieu, une espèce de panthéisme christianisé, enrichi de rimes rares, péniblement cherchées, comme émeraude et fraude, aïeul et glaïeul, etc. Enfin, nous avons changé de latitude : au lieu d'être au nord, nous sommes dans l'Orient, mais les ténèbres y sont tout aussi épaisses (3).

(1) *Balzac romancier*, Plon, 1940, p. 157.
(2) Il fut écrit par BALZAC vers 1824 en l'honneur d'une fille de Mme de Berny, et parut dans les *Annales romantiques* de 1827-1828.
(3) *Illusions perdues*, CFL, t. 4, pp. 447-448.

Il entre une grande part d'autocritique de Balzac sur son propre poème dans ce jugement. De même que le portrait physique et moral de Canalis représentait l'envers de Lamartine, de même le poème de Lucien (et de Balzac), n'est que l'envers d'un poème de Lamartine, une sorte d'épreuve négative où les blancs et les noirs seraient inversés. Si Balzac prend constamment soin de nommer Lamartine à côté de Canalis, ce n'est pas dans le seul dessein de se protéger contre les conséquences d'un portrait trop caricatural de son contemporain. Nous croyons fermement qu'il tient à distinguer le personnage réel du personnage fictif, parce que la création de celui-ci obéit à d'autres lois que la fidèle reproduction de la réalité. Canalis est le poète romantique par excellence, il est Lamartine, mais il est aussi à la fois plus et moins que Lamartine. Plus, en ce qu'il évolue dans son propre milieu, qui est celui des romans dans lesquels il figure ; moins, en ce qu'il reste toujours en deçà du génie que Balzac reconnaît à Lamartine.

Canalis se distingue de Lamartine, le chef de l'École Angélique, par un patelinage de garde-malade, par une douceur traîtresse, par une correction délicieuse. Si le chef aux cris sublimes est un aigle, Canalis, blanc et rose, est comme un flamant. En lui, les femmes voient l'ami qui leur manque, un confident discret, leur interprète, un être qui les comprend, qui peut les expliquer à elles-mêmes. [...] Canalis ne possède pas le don de vie, il n'insuffle pas l'existence à ses créations ; mais il sait calmer les souffrances vagues, comme celles qui assaillaient Modeste. Il parle aux jeunes filles leur langage, il endort la douleur des blessures les plus saignantes, en apaisant les gémissements et jusqu'aux sanglots. Son talent ne consiste pas à faire de beaux discours aux malades, à leur donner le remède des émotions fortes, il se contente de leur dire d'une voix harmonieuse, à laquelle on croit : « Je suis malheureux comme vous, je vous comprends bien ; venez à moi, pleurons ensemble sur le bord de ce ruisseau, sous les saules. » Et l'on va ! Et l'on écoute sa poésie vide et sonore comme le chant par lequel les nourrices endorment les enfants. Canalis, comme Nodier en ceci, vous ensorcèle par une naïveté, naturelle chez le prosateur, et cherchée chez Canalis, par sa finesse, par son sourire, par ses fleurs effeuillées, par une philosophie enfantine. Il singe assez bien le langage des premiers jours, pour vous ramener dans la prairie des illusions. On est impitoyable avec les aigles, on leur veut les qualités du diamant, une perfection incorruptible ; mais, avec Canalis, on se contente du petit sou de l'orphelin, on lui passe tout. Il semble bon enfant, humain surtout. Ces grimaces de poète angélique lui réussissent, comme réussiront toujours celles de la femme qui fait bien l'ingénue, la surprise, la jeune, la victime, l'ange blessé (1).

(1) *Modeste Mignon*, CFL, t. 7, pp. 385-386.

Il était nécessaire de citer cette longue analyse parce qu'elle fait ressortir le décalage entre la poésie de Canalis et celle de Lamartine. Balzac procède surtout par négation, montrant ce que Canalis n'est pas, ou ne possède pas, ce qui l'empêchera jamais d'être aigle. Ces faiblesses, cette tendance à la sentimentalité, cette poésie de la souffrance superficielle, ce sont celles de Lamartine, sans aucun doute : « On est impitoyable avec les aigles, on leur veut les qualités du diamant, une perfection incorruptible. » Impitoyablement, en effet, Balzac montre en Canalis ce que Lamartine risque d'être, ce qu'il est parfois, lorsqu'il s'abandonne à la facilité et laisse en lui le comédien prendre le pas sur le poète :

N'y a-t-il pas toujours, moralement parlant, un comédien dans un poète ? Entre exprimer des sentiments qu'on n'éprouve pas, mais dont on conçoit toutes les variantes, et les feindre quand on en a besoin pour obtenir un succès sur le théâtre de la vie privée, la différence est grande ; néanmoins, si l'hypocrisie nécessaire à l'homme du monde a gangrené le poète, il arrive à transporter les facultés de son talent dans l'expression d'un sentiment nécessaire, comme le grand homme voué à la solitude finit par transborder son cœur dans son esprit (1).

C'est Balzac qui parle, et nous savons que pour lui la création artistique consiste justement à aller au delà des données sensibles et de l'expérience personnelle, pour atteindre, par le travail de l'imagination et de la réflexion, à une réalité beaucoup plus vaste. Mais il ne s'agit pas simplement de deviner ce qu'on ne connaît pas, il faut le vivre. Là seulement est la marque du génie. Une création non d'abord vécue par son auteur reste œuvre manquée. Chez Lamartine, cet effort surhumain pour étendre son expérience au delà de ce que la vie personnelle lui apporte tout naturellement fait parfois défaut. L'aigle se fait alors flamant rose, Lamartine devient Canalis. Nous ne voyons, par contre, jamais Canalis prendre son envol vers les cimes où plane l'aigle.

Il est possible que les exigences de Balzac envers la poésie se soient accrues au cours des années et que le pur lyrisme de Lamartine n'ait finalement pas suffi à cacher l'absence de pensée solide chez le poète. Lorsqu'en 1831, il écrivait à Canel que Barbier était « avec Lamartine, le seul poète vraiment poète de notre époque » (2), sa conception de la poésie semblait se satisfaire des effusions de cœur et de l'harmonie du langage que l'on trouve dans les *Méditations* et les *Nouvelles Méditations*. Dans le *Feuil-*

(1) *Ibid.*, p. 550.
(2) CFL, t. 16, p. 87.

*leton des journaux politiques*, critiquant les ambitions de réforme littéraire exprimées par un groupe de jeunes écrivains dans le *Cirque littéraire*, Balzac écrit :

> La liberté est un mot de critique et de trouble qui ne s'accorde pas avec l'harmonie inventée par Orphée pour civiliser le monde. [...] Il n'y a pas de bannière pour les poètes ; le poète ne suit personne, il parle, et sa voix est toute-puissante dès qu'elle exprime les sentiments les plus généreux ; il sympathise avec toutes les écoles dès qu'il est, comme M. de Lamartine, l'organe de l'ordre que nous appellerions Dieu, si vous pouviez nous comprendre (1).

Bien plus que Hugo qui brandissait des étendards politiques ou littéraires, Lamartine apparaît alors à Balzac comme le vrai poète : exprimer des sentiments généreux, faire monter sa voix très haut, bien au-dessus des hommes, à côté de Dieu, tel est son rôle. C'est déjà la solitude de l'aigle, car la voix du poète risque de ne pas se faire entendre si le tumulte terrestre est trop grand. Et c'est bien le cas des *Harmonies* :

> Les *Harmonies* de M. de Lamartine ayant été jetées cette année à l'époque orageuse de nos mouvements populaires, cette voix riche et suave s'est perdue dans la tempête, comme les accords d'un rossignol, au milieu d'une bourrasque nocturne. Si le livre de M. de Lamartine n'a pas eu le succès qui l'attendait, c'est qu'il choquait peut-être la disposition des esprits, peu curieux d'une poésie mélodieuse au milieu des calculs contemporains (2).

Un chant mélodieux, une voix riche et suave, est-ce la définition satisfaisante d'une grande poésie ? Si les *Méditations* ont connu un succès foudroyant, les *Harmonies* passent presque inaperçues. La société s'est-elle fermée à la poésie, ou la voix du poète est-elle devenue trop faible pour se faire entendre ? Ce sont des questions que Balzac se pose. Dans une de ses digressions politico-sociales sur le rôle de l'aristocratie en France au temps de la Restauration, il écrit : « Quand Lamartine, La Mennais, Montalembert et quelques autres écrivains de talent doraient de poésie, rénovaient ou agrandissaient les idées religieuses, tous ceux qui gâchaient le gouvernement faisaient sentir l'amertume de la religion (3). » Si l'importance de la poésie lamartinienne est ainsi reconnue, car elle élève les âmes, rend attrayante la religion, son échec est du même coup constaté, car elle n'a pas assez de

(1) Con., t. 38, p. 432.
(2) *Lettres sur Paris*, CFL, t. 14, p. 417.
(3) *La duchesse de Langeais*, CFL, t. 2, p. 579.

vigueur pour s'imposer : ses premiers accents ont charmé les cœurs, mais la voix est restée trop suave pour se faire entendre longtemps. La vie politique de Lamartine, il est vrai, compense cette faiblesse. Deux sphères s'établissent donc chez lui, bien distinctes : celle du sentiment, de la poésie très pure, mais aussi de la « poésie femelle » dès que la profondeur de l'expérience vécue fait défaut ; celle de la pensée, de la temporalité, de la réalité sociale, où le poète se change en homme d'action. Balzac ne conteste pas plus la grandeur du poète chez Lamartine que chez Hugo. Nous avons déjà dit que ces deux noms sont les premiers à venir sous sa plume s'il s'agit de recenser les talents de l'époque. Faisant, dans *Les paysans*, le procès de la poésie de l'Empire, en la personne du greffier Gourdon, Balzac fait du même coup l'apologie du « rival » de Gourdon, à savoir Lamartine :

> Savez-vous une singulière nouvelle ? avait-il dit deux ans aupa-ravant, il y a *un autre poète* en Bourgogne. [...] Oui, reprit-il voyant l'étonnement général peint sur les figures, il est de Mâcon. Mais, vous n'imagineriez jamais *à quoi il s'occupe* ? Il met les nuages en vers. [...] C'est un *embrouillamini* de tous les diables. Des lacs, des étoiles, des vagues !... Pas une seule image raisonnable, pas une intention didac-tique ; il ignore les sources de la poésie. Il appelle le ciel par son nom. Il dit la lune bonacement, au lieu de l'*astre des nuits*. Voilà pourtant jusqu'où peut nous entraîner le désir d'être original ! [...]
> Ce grand poète ignore encore le plus beau de ses triomphes (encore le dut-il à sa qualité de Bourguignon) : avoir occupé la ville de Soulanges, qui de la pléiade moderne ignore tout, même les noms (1).

Cependant, Lamartine, en tant qu'écrivain, reste avant tout pour Balzac l'auteur des *Méditations*, le poète des lacs, des effu-sions sentimentales et religieuses. De *Jocelyn*, il n'est pas question, sauf pour qualifier ce poème d'anti-catholique, « excommunié à bon droit par la cour de Rome », en réfutation de Sainte-Beuve qui le rapprochait du *Théotime* de Saint-François de Sales (2). Ni *La chute d'un ange*, ni les *Recueillements poétiques* ne font l'objet de la moindre mention. En 1840, les souvenirs de la poésie lamartinienne sont si confus chez Balzac qu'il écrit : « La baie de Naples n'est belle qu'avec les yeux de l'*Elvire* de Lamartine » (3), mêlant ainsi deux sources d'inspiration bien distinctes dans les premières *Méditations*.

Connaissant l'admiration de Balzac pour les écrivains qui

---

(1) *Les paysans*, CFL, t. 3, p. 1205.
(2) *Lettre sur Sainte-Beuve*, Con., t. 40, pp. 306-307.
(3) *Etudes sur M. Beyle*, CFL, t. 14, p. 1186.

ont su créer des personnages si vivants qu'ils poursuivent leur existence à travers les siècles, nous ne pouvons trop nous étonner qu'un poète comme Lamartine dont la poésie, toute personnelle, ne cherche qu'à exprimer, et non à créer, lui reste assez étrangère. L'œuvre de Lamartine apparaît à Balzac comme plus purement poétique que celle de Hugo, moins mêlée d'éléments disparates ; mais Hugo lui semble plus poète que Lamartine si nous donnons avec lui à ce mot un sens large englobant toutes les facultés créatrices de l'artiste.

Que va apporter Musset, qui puisse compléter à la fois ces deux poètes ? C'est en 1830 que paraissent les *Contes d'Espagne et d'Italie*, où se révèle déjà tout Musset : romantisme délibérément artificiel, fantaisie, ironie, comique, extraordinaire aisance dans l'expression. Balzca, qui écrit alors ses satires du romantisme *(Les litanies romantiques* et les *Complaintes satiriques)*, ne se laisse pas tromper par ce jeune byronien qu'est Musset à cette époque. S'il classe les *Contes d'Espagne et d'Italie* parmi les œuvres où s'abreuvent les adeptes de la nouvelle école littéraire (à côté du *Mangeur d'opium* de Quincey, du *Melmoth* de Maturin, du *Smarra* de Nodier, du *Giaour*, du *Rêve de Jean-Paul*, etc.) (1), il s'empresse bien vite de distinguer cet ouvrage du fatras faussement poétique où la recherche de l'étrange, du grotesque et du soi-disant vrai entraîne les écrivains de l'époque : « Entre le *vrai* classique et le *vrai* romantique, il semble qu'il n'y ait pas de milieu. Ce sont ou les paillettes du vieux Zéphire de l'Opéra, ou la boue de Paris (2). » Toute la critique d'*Hernani* est basée sur cette conscience aiguë qui est celle de Balzac de l'échec du romantisme à remplacer par une forme valable le classicisme si hautement rejeté. Les « castagnettes » de Musset (3), ont le mérite d'être moins assourdissantes que la « grosse caisse » de Hugo, et Balzac discerne chez le jeune poète un goût de la fantaisie et de la plaisanterie qui le rattache à cette tradition française du comique dont le jeune romancier est si fort épris et dont les deux grands maîtres sont Rabelais et Molière : « Il y a cent mille fois plus de talent dans un conte à rire que dans toutes les méditations, les odes et les trilogies cadavéreuses avec lesquelles on prétend régaler nos esprits. Aussi faut-il louer sans restriction *La Camargo* de M. de Musset et *Clara Gazul* de M. Méri-

(1) *Les litanies romantiques*, CFL, t. 14, p. 658.
(2) *Complaintes satiriques*, CFL, t. 14, p. 299.
(3) *Lettres sur Paris*, CFL, t. 14, p. 395.

mée, parce que ces deux écrivains ont du naturel, et qu'ils accusent un fait sans emphase (1). » Balzac lui-même cite un excellent exemple de la simplicité de Musset, opposée à l'emphase de Hugo :

> « *Nous sommes trois chez vous ! c'est trop de deux, Madame !*

est bien inférieur à

> ... *Nous sommes trois, dit-elle*

dans *La Portia* de M. de Musset (2). » Le vers de Hugo est en effet ridicule ; l'hémistiche de Musset au contraire est du plus parfait naturel. Parler du *naturel* de Musset quand on n'a encore pour en juger que les *Contes d'Espagne et d'Italie*, nous semble d'une grande perspicacité. Montrons-le par un exemple. La forme dramatique des *Marrons du feu* (que Balzac appelle *La Camargo*), son allure vive et pressée, contribuent sans doute à donner à ce conte un ton de naturel que ni le sujet, ni le conventionnel des personnages, ne permettraient de prévoir. Cependant, l'art de Musset va plus loin, car il vise au paradoxe : retrouver le spontané et le naturel par delà l'artificiel, mener ses huit courtes scènes à un dénouement de tragédie où *Andromaque* nous revient à la mémoire et en faire tout au long, jusqu'aux derniers vers, et malgré le meurtre de Raphaël, une pure comédie. Nous savons que tout est faux, truqué, pour rire, et sommes pourtant emportés par la verve et l'aisance naturelle de Musset. Molière n'est pas loin, et Balzac l'y retrouve. C'est à lui qu'il faut rattacher, par exemple, la réplique invariable et stupide de l'abbé Desiderio aux récits de Raphaël : « Triste ! », dont Balzac se souviendra dans *Ursule Mirouet* (3). Mais le comique de l'œuvre vient surtout de la parodie. Le pauvre abbé se trouve dans une situation identique à celle d'Oreste. Il est à la fois jouet et instrument du destin, mais il est englué de ridicule. Aussi, si nous songeons à la folie sublime de l'Oreste de Racine, quel n'est pas l'effet des paroles finales que Musset prête à son personnage :

> Elle est partie, ô Dieu
> J'ai tué mon ami, j'ai mérité le feu.
> J'ai taché mon pourpoint, et l'on me congédie.
> C'est la moralité de cette comédie.

Le naturel de Musset se montre en filigrane, à travers la parodie et les traits comiques. Il est fait de sens des proportions,

(1) *Complaintes satiriques*, CFL, t. 14, p. 299.
(2) *Hernani*, CFL, t. 14, p. 991.
(3) CFL, t. 8, p. 479.

de sobriété, de justesse de coup d'œil, toutes qualités que Balzac admire pour ne pas toujours les posséder. Aussi peut-il écrire sincèrement : « M. de Musset a donné de grandes espérances et s'est placé d'un seul bond au milieu des vieilles réputations impériales, qu'il n'a pas seulement daigné de saluer (1). » Ces espérances vont-elles se réaliser et Musset va-t-il continuer de plaire à Balzac ?

Entre 1830 et 1834, celui-ci ne mentionne plus Musset. La deuxième livraison du *Spectacle dans un fauteuil* a déjà paru lorsque Balzac écrit sa *Lettre aux écrivains français*. Il y cite « la grande littérature » contemporaine, « les œuvres longtemps élaborées », dont « les admirables poésies d'Alfred de Musset » (2). Nous pourrions prendre ce qualificatif élogieux pour un simple effet d'éloquence si nous ne lisions pas dans une lettre à Mme Hanska d'exactement la même époque : « Je suis bien de l'avis de ceux qui aiment Musset ; oui, c'est un poète à mettre au-dessus de Lamartine et de Victor Hugo ; mais ici ce n'est pas encore article d'évangile (3). » Voici donc nos trois poètes réunis, comparés et classés pour la première fois. Mettre Musset en tête n'est en effet pas très courant en cette année 1834 où la critique vient d'accueillir le *Spectacle* par un silence presque total. Aussi différentes que puissent être les œuvres d'un Balzac et d'un Musset, d'un Stendhal ou d'un Mérimée, leurs auteurs n'en appartiennent pas moins à une même famille d'esprit, qui les distingue nettement de Hugo, Lamartine ou Vigny. C'est ce que sentira Balzac quand il fera sa fameuse distinction de littérature des images et littérature des idées en 1840. En dépit de son romantisme superficiel, Musset reste profondément enraciné dans la tradition française. En lui convergent et se mêlent diverses tendances qui lui donnent ainsi son originalité. Poète avant tout, il poétise tout ce qu'il touche. Mais alors que Hugo laisse trop souvent noyer ses œuvres sous le flot incontrôlé de la poésie, Musset, peut-être par un miracle de goût instinctif, plus que par un travail appliqué, sait maintenir les jaillissements poétiques dans un cadre de sobriété et de concision tout français. Le drame hugolien n'est jamais pour Balzac, nous l'avons vu, qu'un poème échevelé. La structure dramatique n'y résiste pas au souffle de l'inspiration poétique. Chez Musset, un phénomène inverse se produit : renonçant au théâtre après l'échec de la *Nuit vénitienne*, il écrit le *Spectacle dans un fauteuil* sans se soucier des

(1) *Lettres sur Paris*, CFL, t. 14, p. 415.
(2) Con., t. 39, p. 650.
(3) *Lettres à l'étrangère*, t. 1, p. 198.

exigences de la scène. Vers ou prose, les pièces qui composent cet ouvrage sont essentiellement poétiques, écrites pour exprimer une vision de poète. Et pourtant, lorsqu'on décida de les jouer, on y découvrit des qualités dramatiques bien autrement solides que dans les drames de Hugo. Musset partageait avec Balzac les mêmes goûts pour les mêmes ancêtres littéraires, sans se soucier de la mode. Le xvii<sup>e</sup> et le xviii<sup>e</sup> siècle ont donné à Musset ce sens de la ligne pure et ferme. Alliée à sa compréhension de Shakespeare, bien supérieure à celle de Hugo, cette tradition française lui a permis de créer un genre de poésie original, tout moderne, qui coïncide sans aucun doute de très près avec l'idée que Balzac se faisait lui-même d'une poésie et d'un théâtre nouveaux. Il est parfaitement logique qu'étant donné sa préférence pour les auteurs comiques d'une part, et les auteurs dramatiques, d'autre part, et son désir que la littérature contemporaine trouve sa forme originale (d'où son admiration pour Byron), Musset lui apparaisse comme bien supérieur à la pure mélodie trop souvent dénuée de sincérité d'un Lamartine, ou aux orgies d'images et d'idées vagues d'un Hugo. La paresse de Musset, sa sincérité totale aussi, qui l'empêcha d'écrire pour le plaisir d'écrire, ont gardé à son œuvre des dimensions réduites et un aspect de fragilité si on la met en regard de celle d'un Hugo. Cette considération ne joue pas pour Balzac en 1834, puisque Musset n'était encore qu'un jeune homme de vingt-quatre ans, et que Hugo avait fait plus de bruit que de chefs-d'œuvre. Elle rend cependant compte dans une certaine mesure du silence de Balzac au sujet de Musset dans les années suivantes. Les « espérances » de 1830 ne se sont peut-être jamais pleinement réalisées. Nous regrettons en tout cas de ne savoir ce que Balzac pensa de la poésie purement lyrique de Musset, en particulier des *Nuits*. Dans sa correspondance avec Mme Hanska, il ne reparlera plus du poète que pour signaler telle ou telle rencontre avec lui.

Rien ailleurs non plus, avant les longues pages de la *Lettre sur la littérature* du 25 septembre 1840 où Balzac analyse minutieusement le recueil de six nouvelles récemment publié par Musset. Elles méritent notre attention, car Balzac, à l'aise dans un domaine qui est le sien, y juge avec pleine autorité, non plus le poète, mais le conteur novice.

Le conte en prose était, en effet, un genre nouveau pour Musset, abordé pour des raisons commerciales surtout, et dont les exigences devaient être particulièrement dures pour sa nature de poète habitué à ne traiter la narration que comme prétexte, sans se sentir tenu d'en suivre le fil. Dans la *Confession d'un enfant du siècle*, parue en 1836, le poète était encore étroitement mêlé au prosateur. A la fois roman d'analyse et confession à la Rousseau, c'est une œuvre complexe, inégale, où les qualités susceptibles d'intéresser Balzac, telles la lucidité, la conscience de l'unité de l'être, de l'interdépendance de l'esprit et des sentiments, de l'individu et de la société, le mouvement et la vie que l'auteur sait recréer, se mêlent à l'emphase, à l'absence de rigueur dans le développement du récit, à l'excessive complaisance envers soi-même, qui deviennent vite irritantes. Musset y « avait conservé quelques allures poétiques », « n'y était pas le maître de son sujet », « s'y laissait porter à quatre pages de dithyrambe sur la valse » et « s'égarait assez complaisamment dans les prairies » (1). Dans les nouvelles, ces défauts devaient disparaître ou mener l'auteur à l'échec total.

Connaissant le goût de Balzac pour les conteurs, depuis les plus anciens jusqu'à Voltaire et Diderot, et l'intérêt qu'il porte à ce genre littéraire du point de vue technique, nous aurons l'assurance de trouver en lui un critique sévère, mais éclairé. Il juge tour à tour de l'ensemble des six nouvelles et de chacun de ces courts récits en particulier, montrant ce qu'il aime, reprenant ce qui lui semble maladroit. La critique des beautés l'emporte de beaucoup sur celle des défauts, empressons-nous de le dire. Parmi ces six nouvelles, Balzac établit une hiérarchie de préférence : *Frédéric et Bernerette* et *Emmeline* sont « deux œuvres remarquables » ; *Le fils de Titien* et *Les deux maîtresses* « ne peuvent être écrites ni pensées par le premier venu » ; *Croisilles* et *Margot* ne lui plaisent pas du tout (2). Essayons de saisir les raisons de ce choix. En vrai technicien, Balzac considère essentiellement les trois aspects suivants : la conception, c'est-à-dire le sujet ; l'exécution, c'est-à-dire la conduite de l'intrigue ou de l'analyse psychologique ; le style. De cette triple épreuve, seul *Frédéric et Bernette* sort victorieux :

L'histoire, car de tels romans arrivent à la valeur de l'histoire, est d'un dramatique horrible, d'une épouvantable vérité, d'un sens cruel, et, par-dessus tout, amusante (3).

C'est un petit roman délicieux, plein de naturel, de goût, de tristesse (4).

La prose de M. de Musset est, dans cette charmante page, leste et

(1) *Lettres sur la littérature*, CFL, t. 14, p. 1141.
(2) *Ibid.*, p. 1147.
(3) *Ibid.*, pp. 1145-46.
(4) *Ibid.*, p. 1145.

découplée. Elle est pleine de faits, de réflexions, d'observations ; elle serre de près celle de M. Mérimée et celle de M. Beyle, et, de plus, a le mérite de la pureté (1).

De ces trois jugements, seul le premier nous étonne : il est vrai que Musset mêle avec un grand bonheur gaieté et drame, insouciance et tristesse. Mais Balzac se laisse aller, nous semble-t-il, à son goût excessif de la péripétie quand il salue comme « dramatique horrible » ce qui est si proche du mélodrame que nous ne saurions l'en distinguer. Dans ce récit forcément bref, Musset nous fait trébucher trois fois sur des cadavres de suicidés. L'amour naissant de Frédéric et Bernerette provoque le suicide de l'amant de la jeune fille, comme le bonheur conjugal de Frédéric se paie de la mort de son ancienne maîtresse. L'art de la composition y gagne peut-être ; la vérité y perd en étant par trop « épouvantable ». Plus de sobriété dans l'invention pourrait exprimer d'une manière plus convaincante cette cruauté de la vie qui fait le thème de *Frédéric et Bernerette*.

Par contraste, *Emmeline* apparaît d'une simplicité et d'une pureté de ligne dignes de louanges. Balzac y voit en effet « une de ces pages où l'artiste, l'écrivain, le poète donnent la mesure entière de leur talent » (2). La nouvelle de Musset en est-elle pour autant un chef-d'œuvre absolu, où la perfection du genre est atteinte ? Non, dit Balzac : « Ces cent pages, car *Emmeline* tient en cent pages, sont pleines. Elles valent un long roman en deux volumes. Si le sujet était original, ce serait le parfait de la Nouvelle moderne (3). » Si nous examinons attentivement l'explication qui suit, nous y découvrons une contradiction dans la critique de Balzac. Il semble tout d'abord reprocher à *Emmeline* uniquement le manque d'originalité du sujet : l'adultère est devenu banal en littérature, « les femmes incomprises sont devenues ridicules » (4). L'originalité de l'écrivain ne peut donc pas se passer de l'originalité du sujet qu'il traite. Le talent peut être tenu en échec par la matière. Alors, Balzac semble pris d'un scrupule, dicté par sa très haute idée du pouvoir créateur de l'artiste. « Je ne prétends pas », s'empresse-t-il d'ajouter, « qu'un grand esprit ne saura pas tirer une belle œuvre de la carrière d'où sont sortis tant de blocs, mais *Emmeline* n'a rien de neuf » (5). En

(1) *Ibid.*
(2) *Ibid.*, p. 1144.
(3) *Ibid.*
(4) *Ibid.*
(5) *Ibid.*

d'autres termes, un grand talent peut faire œuvre originale à partir d'un sujet qui ne l'est pas. Le défaut de la nouvelle de Musset n'est donc pas tellement le choix d'un sujet déjà rebattu, mais l'échec à renouveler ce sujet par une manière originale : « Le public est incapable de sentir les différences que M. de Musset y a mises par son style entre les vulgarités qui nous ont assaillis. Le style n'y triomphe pas des caractères ni des situations vulgaires (1). » Cependant, Balzac abandonne à nouveau cette idée, sans la préciser, pour revenir purement et simplement à la banalité du sujet, ce qui le mène à conclure : « En employant *une même somme de talent* (2) dans un sujet original, l'auteur eût été certes à la hauteur des nouvelles que je viens de citer » (*La marquise* de George Sand, *Matteo Falcone* de Mérimée, *Claude Gueux* de Hugo, *René* de Chateaubriand).

D'une part donc, Balzac voit dans *Emmeline* une réussite parfaite mais un sujet banal ; d'autre part, il suggère que la banalité du sujet aurait pu être compensée par l'originalité du talent et ne l'est pas. La contradiction entre ces deux attitudes ne peut disparaître que si nous dégageons plus nettement la pensée de Balzac de la demi-obscurité où il la maintient. Les deux remèdes proposés devant l'imperfection d'*Emmeline* sous-entendent une distinction entre le talent de Musset, grand mais limité, puisqu'il a donné toute sa mesure dans cette nouvelle, et le talent d'un « grand esprit », c'est-à-dire d'un écrivain de génie. Pour Musset, la nécessité d'un sujet plus original, donc plus facile à traiter, s'impose. L'écrivain de génie, au contraire, parviendrait à traiter un sujet, si banal soit-il, sous une forme parfaitement originale.

Cette distinction, pour subtile qu'elle soit, nous semble judicieuse. Musset avait en effet écrit ces contes sous le coup de la nécessité, avec beaucoup de peine. Il n'était pas à l'aise dans le genre de la nouvelle en prose. Comme le remarque très justement M. Van Tieghem, « s'il est romantique en vers, il est fort classique en prose ; il raconte avec un détachement qui, pour garder toute son aisance, lui interdit de prendre part au récit et de s'intéresser vraiment à l'aventure. Or [...] rien n'est plus contraire à la nature intime de Musset que d'écrire sans une adhésion de l'être entier » (3). Son talent de conteur est donc en effet limité. Nous pourrions cependant dire que, plutôt que d'un sujet à tout prix original, ce talent a surtout besoin, pour donner toute

(1) *Ibid.*
(2) *Ibid.*, c'est nous qui soulignons.
(3) *Musset, l'homme et l'œuvre*, Paris, Boivin, 1944, p. 148.

sa mesure, d'un sujet où l'auteur puisse s'identifier à un ou plusieurs personnages. C'est sans doute pour cette raison que *Frédéric et Bernerette* plaît davantage à Balzac. Les personnages en sont beaucoup plus proches de l'auteur que ceux d'*Emmeline*.

L'extrême difficulté que rencontre Musset à s'intéresser à l'aventure qu'il nous raconte est particulièrement sensible dans *Les deux maîtresses*. Balzac de nouveau est séduit par le charme et l'aisance du style de Musset : « Rien n'est coquet, n'est élégant et pur de dessin, comme cette narration, facile, entraînante, pleine de détails heureux (1). » Le sujet, original cette fois, bien qu'il rappelle beaucoup *Un double ménage* de Balzac, est traité avec légèreté et tendresse (2). Cependant, il critique dans cette nouvelle « une faute impardonnable », digne des plus bas littérateurs : celle qui consiste justement pour l'auteur à se dissocier de ses personnages, à les présenter comme des marionnettes, rompant ainsi l'illusion du vrai. « La foi est, comme la pudeur, une femme ailée qui s'envole au moindre bruit, au moindre soupçon, qui s'effarouche d'un geste (3). » Or, Musset va au devant des critiques possibles en refusant de se prendre au sérieux, en parlant ironiquement de « notre héros », en se disculpant ici et là des actions de ses personnages.

Si cette désinvolture d'auteur choque en effet dans *Les deux maîtresses*, elle devient nettement irritante dans *Margot*, et c'est sans doute une des raisons pour lesquelles Balzac n'aime pas du tout cette nouvelle. De même, dans *Croisilles*, Musset nous peint son personnage avec un certain amusement, sans grand souci de vraisemblance ni de réalisme. Balzac de nouveau s'impatiente devant cette irrévérence pour la vérité et reproche à Musset sa négligence dans le choix du lieu et du milieu social de sa nouvelle. Il est évident que Musset n'y attachait aucune importance. « Quand il n'y a qu'un nom à changer, je ne sais pourquoi se donner le malheur d'une invraisemblance », gronde Balzac (4). Musset eût volontiers changé ce nom, sans avoir besoin de changer une ligne de son récit tant les descriptions extérieures lui importent peu.

Sur la sixième nouvelle, *Le fils du Titien*, Balzac passe vite : elle est « remarquable par le sentiment admirablement peint et bien senti de l'infériorité qui empêche le fils de suivre les traces

---

(1) *Lettres sur la littérature*, CFL, t. 14, p. 1142.
(2) Signalons que Balzac semble surpris du dénoûment où Musset fait choisir à son héros la maîtresse pauvre et aimante. Balzac, lui, aurait peut-être incliné pour la marquise riche et coquette.
(3) *Ibid.*, p. 1143.
(4) *Ibid.*, p. 1145.

de son père, quand ce père est un géant de gloire » (1). La nouvelle est en effet toute concentrée sur l'étude psychologique, en touches très fines, de ce fils du Titien qui refuse de peindre, et soulève sans s'y arrêter quelques-uns des grands problèmes de l'art qui préoccupaient Balzac.

Après avoir ainsi passé en revue chacune des six nouvelles, Balzac considère le recueil dans son ensemble et en résume les qualités et les défauts : qualités de style avant tout. « M. de Musset écrit bien, varie la forme, [...] et mérite les plus grands éloges pour son style (2). » Ce style, nous l'avons dit, doit nécessairement lui plaire par ce qu'il a de classique, de rapide et de précis, de français. Et en effet, chez Musset, Balzac aime les qualités toutes françaises qui le distinguent des autres poètes romantiques : « M. de Musset est une nature française, il a le don des résumés clairs et vifs, il abonde en réflexions pleines de sens, concises, frappées comme des louis d'or, et par lesquelles il rattache un portrait, un événement, une scène à la morale, à la vie humaine, à la philosophie. Ces facultés sont l'apanage des gens d'un talent vrai, fécond, puissant (3). » Ces quelques lignes frappent autant par la justesse du jugement sur Musset que par le rapprochement qu'elles suggèrent aussitôt avec Stendhal d'une part et Balzac d'autre part. Cette préoccupation constante de Balzac pour les rapports entre l'individu et la société, il la retrouve avec plaisir, beaucoup plus discrète, chez Musset. Leurs conceptions de l'art en sont-elles pour autant identiques ?

Nous savons que, pour Balzac, le problème de la création littéraire est celui de l'expression d'une réalité sociale, à la fois dans son moment historique et dans son universalité. Les personnages balzaciens, tout en étant étroitement liés à leur époque et à leur milieu, incarnent aussi un aspect de la vie humaine. Le génie de Balzac réside pour beaucoup dans cette réconciliation de l'esthétique classique et de l'esthétique moderne. Cette synthèse était-elle possible chez Musset qui n'est pas romancier, mais conteur, et conteur par accident ? Nous ne le croyons pas, et pourtant Balzac l'y réclame. A la question : « M. de Musset a-t-il élevé chacune de ces narrations à la hauteur où elles deviennent typiques ? a-t-il présenté l'un de ces sens généraux auxquels s'attachent invinciblement les cœurs (4) ? » il est obligé de répondre négativement. Les nouvelles de Musset sont « des acci-

(1) *Ibid.*, p. 1144.
(2) *Ibid.*, p. 1146.
(3) *Ibid.*, pp. 1146-**47**.
(4) *Ibid.*, p. 1148.

dents de notre société actuelle, et non toute une face de cette société » (1). Ajoutons qu'elles ne visaient à rien d'autre. En les comparant à des bijoux, Balzac a raison : bijoux bien taillés, bien travaillés, distincts les uns des autres. Musset, en se faisant conteur, s'est fait bon artisan. Mais c'est au Musset poète qu'il faut demander des œuvres immortelles, non au prosateur. De plus, en lui opposant les œuvres de Rabelais, Cervantès, Sterne et Lesage, Balzac n'est pas juste, car il ne s'agit plus là d'auteurs de nouvelles, mais d'œuvres longues et complexes. Lui opposer *Werther* n'est pas juste non plus : le succès de cette œuvre n'est-il pas dû autant à la mode qu'à sa valeur propre ? Son grand mérite fut de répondre au besoin de son époque. C'est ce que Balzac finit par admettre. Quant à Musset, s'il n'a peut-être pas offert à son époque une œuvre qui l'exprime tout entière, il est resté fidèle à l'expression d'un tempérament exceptionnellement riche et original qui assure à ses œuvres l'immortalité. Sans jamais parler de génie à propos de Musset, Balzac le reconnaît grand poète et grand écrivain. Il n'y a pas de meilleur portrait que celui qu'il nous en trace avant, précisément, de juger le recueil de nouvelles :

M. de Musset est un poète qui a su se faire sa place entre MM. de Lamartine, Victor Hugo, de Béranger, de Vigny et Casimir Delavigne. Sa muse est une noble muse, gaie, tendre, bouffonne, et quelquefois épique. Elle a de belles idées et de belles images ; elle courtise tous les pays, elle chante une ballade allemande ; elle fait du drame espagnol, elle conte, elle chausse le brodequin ou le cothurne ; elle s'arme de castagnettes et dans un boléro, elle lance des chansons qui sont des chefs-d'œuvre et que le monde répète ; elle se moque de Byron ou l'imite ; elle peut, elle sait être mélancolique ; elle est grande dame ou courtisane ; elle plaît, mais surtout, elle n'a pas la moindre prétention blessante, tout en ne s'abandonnant pas elle-même et se disant amoureuse de la gloire. Je n'ai rencontré personne qui n'aimât pas la littérature de M. de Musset ; quant à moi, je le dis, elle me plaît infiniment (2).

L'importance attribuée par Balzac à Musset est en réalité plus grande que ne le laisserait supposer le nombre de références à cet écrivain (22). Il n'en est pas de même du quatrième de nos grands poètes romantiques, Vigny, dont les 21 références (sans aucun article de critique, ni partie d'article, pour les compléter) indiquent clairement le rôle très secondaire qu'il joue parmi ses

(1) *Ibid.*, p. 1147.
(2) *Ibid.*, p. 1142.

contemporains dans l'esprit de Balzac. Une première remarque s'impose : jamais, lorsque Balzac cite les œuvres marquantes de son époque, ou les artistes capables de se mesurer à ceux des siècles passés, il n'est question de Vigny. Son nom n'apparaît à côté de celui de Hugo et de Lamartine que là où celui de Béranger ou de Delavigne peut aussi figurer, c'est-à-dire dans un recensement pur et simple des poètes contemporains, sans distinction de talent (1). De la poésie de Vigny, Balzac ne parle jamais (2). C'est avant tout à l'auteur de *Cinq-Mars* et de *Chatterton*, donc au prosateur, que Balzac accorde quelque réflexion. Et pourtant, Vigny est l'un des « quatre auteurs à qui le hasard ait donné la faculté d'être à la fois poètes et prosateurs », les trois autres étant, on s'en souvient, Hugo, Gautier et Musset (3). Nous ne pouvons que constater cette lacune, sans chercher à en donner d'autre explication que l'absence totale de points de rencontre entre les deux hommes, qui ne furent jamais amis, et la discrétion d'auteur de Vigny qui n'attirait l'attention ni par une carrière politique brillante comme Lamartine, ni par des campagnes littéraires comme Hugo, ni par un dandysme excentrique comme Musset. Vigny poète n'est guère pour Balzac que l'auteur d'*Eloa* (4). Il se rattache donc à cette « école angélique » à laquelle appartiennent Lamartine et Canalis. Il n'est pas douteux que dans la création de ce personnage, seul poète du monde de *La comédie humaine*, puisque le talent de Lucien ne se développera pas, Balzac ne s'est pas seulement inspiré de Lamartine, mais aussi de Vigny, comme de Hugo (5). Il semble que la poésie de Vigny, par sa forme proche de celle de Chénier, sa profondeur de pensée, son utilisation des mythes, aurait dû attirer Balzac. Ce n'est pas le cas. La différence fondamentale de tempérament entre ces deux écrivains est trop grande pour qu'ils puissent s'apprécier. Elle s'exprime par des attitudes devant la vie dont l'opposition se révèle dans toute sa force à propos de *Chatterton*, c'est-à-dire de la situation du poète dans la société.

(1) Cf. *Lettres sur la littérature*, CFL, t. 14, p. 1141 : « M. de Musset est un poète qui a su se faire sa place entre MM. de Lamartine, Victor Hugo, de Béranger, de Vigny et Casimir Delavigne. »
(2) Une seule allusion, dans *Béatrix*, à « l'hymne horrible qu'un poète met dans la bouche de Moïse parlant à Dieu : Seigneur, vous m'avez fait puissant et solitaire », CFL, t. 9, p. 385.
(3) *Lettres sur la littérature*, CFL, t. 14, p. 1056. Nous avons déjà signalé la similitude de ce texte avec celui de *Modeste Mignon*, CFL, t. 7, p. 390, dont Musset est exclu.
(4) Cf. *Illusions perdues*, CFL, t. 4, p. 997.
(5) Cf. en particulier *Splendeurs et misères des courtisanes*, CFL, t. 5, p. 512, où l'œuvre de Canalis n'est autre qu'*Eloa* : « Un démon possédant un ange attiré dans son enfer pour le rafraîchir d'une rosée dérobée au paradis. »

Comme tous leurs contemporains, Vigny et Balzac considèrent l'écrivain, ou l'artiste en général, comme un être supérieur, possédé par une force qu'il ne comprend pas bien lui-même, mais à laquelle il croit, rejeté par la société pour son inutilité, condamné à la pauvreté et à la solitude, et pourtant souverain car seul il façonne l'avenir. Les mêmes idées que Balzac exprime admirablement dans sa série d'articles intitulée *Des artistes* (1830), nous les retrouvons chez Vigny, dans *Stello* (1). L'accord de pensée entre les deux écrivains se limite pourtant à la conception de la nature du poète, et de son rêve. Il cesse dès qu'il s'agit de déterminer, dans la vie même, les conséquences du génie. A des caractères opposés, correspondent des attitudes fort différentes. La réponse de Vigny est la souffrance silencieuse et solitaire pour lui-même, le suicide pour Chatterton, deux aspects d'une même capitulation que la vitalité de Balzac, son dynamisme, sa force de volonté, son avidité des biens de ce monde, ne peuvent que rejeter violemment :

Tout repousse un homme dont le rapide passage au milieu du monde y froisse les êtres, les choses et les idées. La morale de ces observations peut se résoudre par un mot : *Un grand homme doit être malheureux.*

Aussi chez lui, la résignation est-elle une vertu sublime. Sous ce rapport, le Christ en est le plus admirable modèle (2).

Telle est la pensée de Balzac en son point le plus proche de celle de Vigny. A l'indifférence générale, doit répondre la satisfaction intérieure d'une vocation accomplie : « Tout homme doué par le travail, ou par la nature, du pouvoir de créer, devrait ne jamais oublier de *cultiver l'art pour l'art lui-même* ; ne pas lui demander d'autres plaisirs que ceux qu'il donne, d'autres trésors que ceux qu'il verse dans le silence et la solitude (3). » Écrits en 1830, ces mots prophétisent les longues nuits silencieuses et solitaires au cours desquelles le monde de *La comédie humaine* s'animera peu à peu sous la plume de son créateur devenu indifférent à tout le reste. Moments privilégiés, bien que souvent douloureux, de la création, qui ne peuvent pourtant écarter pour de bon la réalité quotidienne dans laquelle l'artiste doit vivre ou au moins subsister. C'est alors que l'énergie combative est nécessaire. Balzac n'en manquera pas. Chatterton au contraire en est

---

(1) Cf. le Credo du poète : « Je crois en moi, parce que je sens au fond de mon cœur une puissance secrète, invisible et indéfinissable, toute pareille à un pressentiment de l'avenir et à une révélation des causes mystérieuses du temps présent », etc. (*Œuvres complètes*, Pléiade, Gallimard, 1955, vol. 1, p. 638).

(2) *Des artistes*, CFL, t. 14, p. 971.

(3) *Ibid.*, p. 976.

totalement dépourvu et ne peut avoir recours qu'au suicide.
Dans un compte rendu jamais publié d'un roman de Custine où
ce même problème du suicide est étudié, Balzac écrit :

> Les nombreux suicides qui attestent des maux cachés seraient
> souvent basés sur le désespoir des talents méconnus. Nous n'acceptons
> pas cet arrêt, cette donnée nous semble fausse. La masse, soit qu'on
> prenne celle d'en haut ou celle d'en bas, est une nature malléable sur
> laquelle les hommes vraiment forts doivent imprimer leur cachet ; mais
> cette masse a la propriété d'emporter dans son tourbillon les gens dont
> le caractère est incomplet : les uns, trop lourds, vont au fond ; les plus
> légers surnagent. Nous ne croyons ni aux grands hommes inconnus,
> ni aux belles œuvres enfouies. [...] Aujourd'hui, celui qui se tue se
> reconnaît vaincu, la société ne doit rien perdre à son suicide.
>
> En peu de temps, voici donc deux écrivains appartenant aux som-
> mités sociales qui tâchent de justifier le suicide. M. de Custine et
> M. de Vigny. Tous deux ont tort. La souffrance est l'apprentissage des
> grandes volontés humaines. [...] L'homme de foi ne consent à donner
> sa vie que quand il entrevoit un triomphe dans sa mort. Chatterton ne
> mérite pas un regret (1).

Balzac modifie ainsi l'idée de résignation exprimée dans *Des
artistes*. Riche de sa propre expérience, il sait la force de caractère qu'exige la vocation d'artiste. A Chatterton, ainsi condamné,
fera pendant dans *La comédie humaine* le faible Lucien, incapable
de résister au flot des malheurs de la vie parisienne et dont la
seule ressource sera de se pendre dans sa cellule. A la différence de
Vigny, qui fait de *Chatterton* un réquisitoire contre la société,
Balzac abandonnera Lucien à son sort sans regret. La société
est pour lui en effet un organisme dont les réactions, presque
physiologiques, relèvent de l'instinct de conservation. Elle favorise les êtres forts, elle rejette les faibles. C'est une loi naturelle où
la morale ne peut jouer. Nier cette loi, c'est aller à l'encontre
de la nature sociale : « *Le Chatterton* de M. de Vigny », écrira
Balzac en 1836 dans un article de *La chronique de Paris*, « procède
de cette école antisociale, qui voudrait attacher un gardien à
chaque génie maladif, recueillir toutes les infirmités, donner des
rentes à chaque enfant naturel, élever un garde-fou autour de
chaque poète, et mettre des bourrelets fort dispendieux à chaque
monomane » (2).

Ainsi la pièce de Vigny, malgré le vif succès qu'elle remporta,
est condamnée par Balzac au nom d'une certaine philosophie
sociale. Ni ses qualités dramatiques, ni l'intérêt psychologique

---

(1) *Le monde comme il est*, Con., t. 39, p. 677.
(2) *Le cloître au XIX^e siècle*, Con., t. 20, p. 5.

du caractère de Kitty Bell qui retient plus notre attention que les déboires de poète de Chatterton, ne peuvent faire oublier à Balzac son dissentiment. De ceci, Vigny doit être tenu largement responsable, lui qui donna à son drame une forme trop évidente de plaidoyer. Le peu d'estime en laquelle Balzac tient cette pièce n'est que trop clair lorsque, dans un portrait caricatural de l'épicier qu'il s'amuse à tracer, il place *Chatterton* parmi une série d'œuvres médiocres maintenant oubliées, dont l'épicier se régale (1).

L'opinion de Balzac sur Vigny romancier historique n'est guère plus favorable que sur Vigny dramaturge. Rappelons que *Cinq-Mars*, publié en 1826, connut un grand succès et que l'imprimerie Balzac, située rue des Marais, en imprima la troisième édition en 1827. C'est en 1827 également que Vigny écrivit les *Réflexions sur la vérité dans l'art* qui servent de préface à ce roman. C'est avant tout à cette préface, parce qu'elle essaie de justifier les libertés historiques prises par Vigny, que Balzac s'en prend. La vérité dans l'art a été de tout temps la principale revendication des différentes écoles, chacun donnant à ce mot sa propre interprétation. Après Hugo, Vigny s'attache donc à distinguer nature et art, vrai de la nature et vrai de l'art, pour en venir purement et simplement à revendiquer pour l'artiste le droit de transposer la vérité en l'idéalisant, d'augmenter la vertu et le vice, de « rêver que parfois ont paru des hommes plus forts et plus grands qui furent des bons ou des méchants plus résolus » (2). Bien que Balzac ne puisse pas, au fond, être en désaccord avec une telle conception, il a beau jeu de se moquer de la manière dont Vigny détruit lui-même son esthétique en l'appliquant à un roman historique raté si l'on s'en tient aux règles fixées par l'exemple de Walter Scott. Plaisantant sur l'ineptie de son propre conte des *Deux amis*, Balzac remarque que « tout y est vrai, mais vrai à la manière de M. de Vigny, c'est-à-dire que, suivant les doctrines professées par ce poétique écrivain dans la nouvelle préface de *Cinq-Mars*, il y a un vrai qui est faux et un faux qui est vrai » (3). *Hernani*, à qui Balzac reproche l'absence de vérité, rejoint ainsi l'œuvre de Vigny : « Hernani sera dans le vrai, dans le vrai de M. de Vigny, ce vrai poète qu'on arrange, et qui ressemble à la réalité comme les fleurs en pierreries de Fossin ressemblent aux fleurs des champs (4). »

---

(1) *L'épicier*, CFL, t. 14, p. 471.
(2) Préface de *Cinq Mars*, Calmann-Lévy, Paris, 1878, p. 5.
(3) *Les deux amis*, CFL, t. 14, p. 705.
(4) *Hernani*, CFL, t. 14, p. 987.

Le roman de *Cinq-Mars* en effet a le tort de vouloir être à la fois épisode historique dont les personnages ont existé et sont connus, et roman où l'auteur se laisse aller à une refonte des personnages et des événements au nom de l'art. La documentation historique, très réelle, est du même coup rendue inutile, et le lecteur averti s'irrite des entorses continuelles faites à l'histoire. Walter Scott avait su éviter cet écueil en n'utilisant les personnages historiques qu'avec une extrême prudence, après une longue préparation, et toujours pour encadrer les personnages principaux fictifs. L'idéal du roman historique serait peut-être atteint par Balzac dans *Les chouans* où il s'est débarrassé complètement de tout personnage historique et où roman et faits historiques sont étroitement liés, sans se nuire. Lorsque Balzac juge *Cinq-Mars*, il a déjà beaucoup réfléchi sur le roman historique, il a non seulement étudié Walter Scott à fond, mais jugé tous les essais français dans le genre, et y a réussi mieux que personne. Ses critiques sont justes :

Plein de dédain pour la vérité historique, M. de Vigny avait fait vivre le P. Joseph sept ans après sa mort ; il l'avait montré comme la dupe de Richelieu, comme un espion, comme le Tantale du cardinalat Il avait donné dix-huit ans aux princesses qui en avaient quarante. Il avait fait voler le traité signé par Cinq-Mars avec l'Espagne par le fils de Laubardemont. Il avait introduit une folle dans la tente de Richelieu pour y faire de la poésie. Il avait mis Bassompierre à Chaumont quand il était à la Bastille. Enfin, il avait tordu l'histoire comme un vieux linge dont un sculpteur se sert pour draper une jeune statue ; il avait vu quelques scènes poétiques, et il les avait jetées à la face de la vérité, pour nous convaincre que les artistes vivent de mensonge, et qu'il s'agit bien moins de mettre le vrai dans le faux que le faux dans le vrai (1).

En jugeant un poète qui se fait romancier, Balzac décèle, comme c'était le cas pour Hugo et ses drames, une prédominance poétique incompatible, lui semble-t-il, avec les exigences de vraisemblance et de vérité du roman, particulièrement du roman historique. En même temps, Vigny est resté trop attaché à l'histoire pour permettre à son inspiration poétique de s'exprimer librement. D'où le manque d'unité du roman. Balzac connaît trop bien les difficultés du roman historique, et aussi ses limitations, pour condamner complètement la tentative de Vigny. A l'auteur de ce *Richelieu* dont il fait un compte rendu pour le *Feuilleton des journaux politiques*, Balzac signale précisément le danger de

_____

(1) *Richelieu*, Con., t. 38, p. 413.

vouloir reprendre le sujet d'un livre qui « a été pris en goût par le public », « bien que l'ouvrage de M. de Vigny ne soit pas une œuvre très remarquable » (1). Finalement, à côté des innombrables médiocrités inspirées de Walter Scott, *Cinq-Mars* fait figure de réussite : « Ne nous étonnons donc pas s'il est si peu de bons romans historiques, et si, en France, nous n'en comptons que trois ou quatre, en tête desquels il nous faut mettre *Cinq-Mars* de M. Alfred de Vigny (2). » A plus d'un siècle de distance, nous passerions probablement le même jugement, en y ajoutant évidemment *Les chouans*. C'est le Cinq-Mars de Vigny, « ce beau jeune homme auquel, de nos jours, un grand écrivain a donné un éclat romanesque qu'il n'a point dans l'histoire » (3), comme l'écrit Balzac en 1837 avec plus d'indulgence qu'il n'en avait en 1830, qui a survécu à l'oubli, et non pas le vrai Cinq-Mars.

Même si des considérations non littéraires empêchent Balzac de rendre pleine justice à Vigny, même si son goût pour la poésie n'est pas assez développé pour le faire s'arrêter longtemps sur les œuvres des grands poètes qu'il côtoie, nous trouvons malgré tout en lui un profond respect pour tous ceux en qui il sent une parcelle de génie, artistes, écrivains ou savants. Peut-être justement à cause de son manque de don poétique considère-t-il les poètes, en particulier, comme des êtres exceptionnels, à part, envers lesquels il use parfois d'une certaine condescendance comme on le ferait envers des enfants, mais chez qui il ne nie jamais le don de magicien. C'est à propos de Musset qu'il note « une distinction qui n'appartient qu'au poète, et qui se retrouve chez MM. Hugo et de Vigny : rien n'y est commun, ni l'idée, ni la phrase, ni le sujet : tout y porte l'empreinte que les poètes mettent à leurs ouvrages et qui les leur rendent propres, absolument comme chez les grands seigneurs, tout a été fait pour eux, par eux, et ne se retrouve nulle part » (4). Cette aristocratie de la littérature où Balzac place les grands poètes (pourquoi Lamartine en est-il exclu ?), fait oublier les différences sociales peut-être trop souvent senties entre un comte de Vigny imbu de ses origines nobles et un Honoré Balzac à qui la particule n'ajouta jamais la distinction qui lui manquait.

Nous ne pouvons perdre de vue, dans ces jugements de Balzac sur les contemporains, la difficulté à distinguer la véritable

(1) *Richelieu*, Con., t. 38, p. 413.
(2) *Les mauvais garçons*, CFL, t. 14, p. 1000.
(3) *Louis XIII*, Con., t. 40, p. 147.
(4) *Lettres sur la littérature*, CFL, t. 14, p. 1145.

grandeur de la renommée passagère. Nos propres jugements même à un siècle de distance, ne sont pas entièrement dégagés des questions de personnalité ni de mode. Il ne faut donc pas nous étonner de rencontrer plus souvent chez Balzac le nom de Béranger que celui de Vigny, de Musset ou de Gautier, ni de voir G. de Nerval ou M. Desbordes-Valmore à peu près négligés (1). Ne soyons pas non plus surpris qu'en forme de louange, Balzac accorde à Musset une place entre Lamartine, Hugo, Béranger, Vigny et Delavigne (2). Il suffit d'examiner le détail des références à Béranger, cependant, pour s'apercevoir que la seule importance que Balzac lui reconnaisse est due à sa gloire et au succès extraordinaire de ses chansons. Sa place aux côtés de Hugo, de Lamartine ou de Vigny est affaire de célébrité, non de valeur réelle. C'est en tant que succès de librairie que son nom peut figurer dans *Illusions perdues* : « en librairie, jeune homme », explique le libraire Dauriat, « il n'y a que quatre poètes : Béranger, Casimir Delavigne, Lamartine et Victor Hugo » (3). Pas plus que son succès, Balzac ne peut nier l'importance de l'influence de Béranger sur la marche des événements : « Le vrai pamphlétaire fut Béranger ; les autres ont aidé plus ou moins à la sape des libéraux, mais lui seul a frappé, car il a prêché les masses (4). » Mais ses sympathies vont à l'encontre de celles du chansonnier et ni le succès ni la valeur littéraire douteuse de l'œuvre de Béranger n'arracheront à Balzac un jugement de valeur favorable. Les chansons de Béranger sont l'Évangile de l'épicier : « Oui, ces détestables refrains frelatés de politique ont fait un mal dont l'épicerie se ressentira longtemps (5). » « Le grand poète de la religion de Lisette », n'est sublime que pour un Gaudissart (6), ou un père Cardot (7). Bien que Balzac connaisse personnellement Béranger (8) et qu'il ait fait appel à lui pour la chanson écrite par Lucien dans *Un grand homme de province à Paris* (9),

---

(1) Nous reviendrons sur Gautier un peu plus loin. Gérard de Nerval n'est mentionné que trois fois, uniquement en tant qu'ami de Gautier. Quant à Marceline Desbordes-Valmore, vive admiratrice de Balzac, celui-ci lui dédia *Jésus-Christ en Flandre*. Il la connaissait bien et semble avoir admiré son talent, sans s'y être arrêté beaucoup, cependant. « Nous sommes aussi voisins que peuvent l'être en France la prose et la poésie, mais je me rapproche de vous par le sentiment avec lequel je vous admire », lui écrit-il (CFL, t. 16, p. 171).
(2) *Lettres sur la littérature*, CFL, t. 14, p. 1141.
(3) CFL, t. 4, p. 652.
(4) *Monographie de la presse*, CFL, t. 14, p. 564.
(5) *L'épicier*, CFL, t. 14, p. 481.
(6) *Le cousin Pons*, CFL, t. 10, p. 832.
(7) *Un début dans la vie*, CFL, t. 3, p. 505.
(8) Les *Lettres à l'étrangère* mentionnent à plusieurs reprises des rencontres ou des dîners chez des amis communs.
(9) *Illusions perdues*, CFL, t. 4, p. 873.

il est loin d'éprouver pour lui l'admiration de Lamartine ou de Chateaubriand. Entre un chansonnier et un écrivain de génie, aucune commune mesure n'est possible. Il y a plus que du simple dépit dans cette phrase écrite à Mme Hanska en 1848 : « Ainsi je savais que je ne serais pas de l'Assemblée, où ils ont mis un chansonnier, Béranger (1). »

Pas plus que pour Béranger, Balzac ne se trompe sur la grandeur réelle de Casimir Delavigne. Poète dramatique à grand succès depuis ses *Vêpres siciliennes* en 1819, il ne s'impose à la pensée de Balzac que pour sa renommée et peut-être parce qu'il représente pour lui le rêve toujours caressé de la réussite au théâtre. « Ce rêve, quelques audacieux, comme Casimir Delavigne, le réalisaient » (2), pense Lucien. Ni lui ni Balzac n'auront cette chance. En même temps, le succès de Delavigne inspire un certain mépris à Balzac qui ne se méprend pas sur la pauvreté de son talent poétique. Seule la petite bourgeoisie, ignorante et sans goût, peut l'admirer. « Son peintre était Pierre Grassou et non Joseph Bridau ; son livre était *Paul et Virginie*. Le plus grand poète actuel était Casimir Delavigne ; à ses yeux, la mission de l'art était, avant tout, l'utilité », telle est la profession de foi esthétique d'un « esprit vulgaire », c'est-à-dire d'un petit bourgeois (3). Le sentiment personnel de Balzac est trop clair pour qu'il soit besoin de s'y arrêter. Il est d'ailleurs remarquable qu'aucune des seize références à Delavigne ne concerne une de ses œuvres en particulier. De toute évidence, Balzac, pourtant grand amateur de théâtre, ne s'y intéresse nullement.

Son attention va plutôt à ceux qui prétendent renouveler totalement la scène française en s'efforçant d'imiter Shakespeare ou Schiller, à Hugo, à Vigny, et nous avons vu que pour lui les défauts l'emportent de loin sur les qualités dans ces tentatives. Hugo est trop poète, pas assez dramaturge pour un Balzac dont la vision du monde prend volontiers une forme dramatique. Ce qui manque à Hugo, Dumas le possède au plus haut point. Aussi bien dans le drame historique que dans le drame moderne, dont *Antony* est le type, il fait preuve d'une aisance extraordinaire dans le maniement des situations dramatiques. Qu'en pense Balzac ? Ses références à Dumas, avec quelques jugements ici et là, placent très nettement l'auteur de *La tour de Nesle* sur un plan inférieur en littérature, celui d'un habile technicien, d'un

(1) Lettres à l'étrangère, publiées dans *La revue de Paris*, sept. 1954, p. 28.
(2) *Illusions perdues*, CFL, t. 4, p. 568.
(3) *Les petits bourgeois*, CFL, t. 10, p. 298.

travailleur forcené, jamais d'un homme de génie ni même de
vrai talent. Il semble que la réussite de Dumas au théâtre inspire
à Balzac à la fois envie et mépris. Il y a chez lui une étrange
contradiction entre la très haute estime en laquelle il tient l'œuvre
d'art de forme dramatique, son admiration pour Corneille, Racine,
Molière, Beaumarchais, son expérience personnelle des difficultés
du genre, ses jugements sévères sur les réalisations de ses contemporains, et l'idée ancrée en lui et si souvent exprimée dans sa
correspondance que le théâtre est un genre mineur auquel on
peut avoir recours en cas de besoin pour un succès facile et rapide.
Il y a pour lui deux niveaux dans l'art dramatique : celui des
chefs-d'œuvre passés, inspirés par le génie, et celui des œuvres
contemporaines où le seul talent consiste à donner à la foule ce
qu'elle désire. Le succès du vaudeville ou du mélodrame est
responsable de cette conception, sans doute. Il est tout aussi
probable que Dumas, avec son étonnante facilité d'invention et
de travail, son sens inné de l'élément dramatique, inspire à
Balzac cette notion du théâtre comme genre inférieur. Selon ses
propres termes, l'on s'en souvient, une pièce est « un polichinelle
ou la Vénus, le *Misanthrope* et *Figaro* ou la *Camaraderie* et *La
tour de Nesle* » (1). A part une très brève allusion à *Antony*
dans une des *Lettres sur Paris*, Balzac ne mentionne même pas
Dumas avant 1836, c'est-à-dire avant la dispute avec Buloz au
sujet du *Lys dans la vallée*, au cours de laquelle Dumas prit
parti pour le directeur de *La revue de Paris* contre Balzac. C'est
la même année, un peu plus tard, que celui-ci écrit à Mme Hanska :
« De vous à moi, vous savez si dans mes jugements, je suis mû
par les sentiments étroits qui font parler ordinairement les
écrivains, les artistes, de leurs camarades. Moi, je vis loin de
toutes ces affaires. Eh bien, D... est un homme taré, un danseur
de corde, et, pis que cela, un homme sans talent (2). »
    L'appui moral de Dumas lors de l'affaire *Vautrin* ne changera
pas l'opinion de Balzac sur un écrivain qui, pour avoir certains
traits communs avec lui, en particulier la capacité de travail
(« travailler comme un nègre, ou comme un Dumas », deviendra
une plaisanterie courante de Balzac) restera toujours plus ou
moins dans le domaine de la littérature alimentaire, sacrifiant la
qualité à la quantité et se satisfaisant d'un succès facile : « Dans
la fureur de la nécessité, j'écris trois feuillets par heure. C'est ce
que fait aussi Dumas. Mais il faut après, ce que ne fait pas Dumas,

(1) *Lettres à l'étrangère*, t. 1, p. 405.
(2) *Ibid.*, p. 369.

les corriger dix à douze fois (1). » Qu'il s'agisse de pièces ou de romans, la production intarissable de Dumas inspire à la fois mépris et découragement à Balzac qui se trouve forcément en rivalité avec lui pour une place avantageuse dans les journaux. Lorsqu'au milieu des bouleversements de 1848, le théâtre seul semble offrir encore à un écrivain une ressource possible, Balzac songe à entrer sérieusement en concurrence avec Dumas dont l'adaptation théâtrale de *Monte-Cristo* fait grand bruit. Pour s'y préparer, il assiste à la représentation de la première partie de cette pièce et en rentre écœuré : « La première soirée de *Monte-Cristo* est une telle stupidité que c'est à croire qu'un enfant de quinze ans a fait cela (2). » Sur le romancier, l'opinion n'est pas plus flatteuse. *Les trois mousquetaires* qu'il lit alors qu'un rhume l'empêche de travailler, lui apparaissent « exécrables » : « On est fâché d'avoir lu cela. Nous autres, lecteurs instruits, nous connaissons cela par cœur. C'est vulgaire, c'est à donner des nausées (3) ! » Et comme Mme Hanska lui répondait par ses propres remarques sur les défauts de Dumas, Balzac lui écrit un peu plus tard : « Pourquoi te fatiguer à m'écrire des pages sur les absurdités de Dumas, sur des fautes si grossières qui m'ont sauté aux yeux, et qui accusent autant d'ignorance chez ceux qui les publient que chez celui qui les commet (4) ? » Ainsi la technique habile de Dumas, soit à la scène soit dans le roman, ne peut en aucun cas combler les lacunes laissées par le manque de travail profond, la rapidité d'exécution et surtout l'absence de vision originale qui, pour Balzac, à juste titre, marque l'œuvre d'art véritable.

La carrière littéraire de Frédéric Soulié, assez semblable à celle de Dumas, se partage entre le théâtre et le roman populaire. Balzac crut voir en lui, tout d'abord, un talent prometteur. L'échec de *Christine* en 1830 est interprété par l'auteur des *Lettres sur Paris* comme un « assassinat littéraire » commis par les contemporains qui « ne pardonnent plus à ceux qui les sauvent de l'oubli » (5), et le quatrième acte de ce drame est jugé « une conception plus haute qu'*Idoménée* » (6). De tels espoirs furent vite déçus; Soulié passa au rang des écrivains secondaires, exaspérants rivaux de Balzac auprès des directeurs de journaux. En 1844, Balzac

(1) *Ibid.*, t. 2, p. 148.
(2) Lettres à l'étrangère, publiées dans *La revue de Paris*, août 1950, p. 29.
(3) *Lettres à l'étrangère*, t. 3, p. 163.
(4) *Ibid.*, p. 308.
(5) CFL, t. 14, p. 417.
(6) *Ibid.*, p. 415.

rassemble ses forces pour « battre les généraux E. Sue, A. Dumas, Soulié, et autres gens de plume » (1). *La closerie des Genêts* que Soulié fit représenter à l'Ambigu en 1846, arracha des cris de triomphe à Balzac, non pas parce que le drame tomba, mais parce que le nom de Balzac y était mentionné, en une sorte d' « amende honorable » faite publiquement au génie du romancier (2). Cet hommage, si discret fût-il, fit remonter Soulié dans l'estime de Balzac qui déplore quelques mois plus tard sa mort prématurée, due à l'hypertrophie du cœur qui n'allait pas tarder à l'emporter lui aussi.

Du strict point de vue de la facture dramatique, ce n'est pas Dumas qui tient la première place en cette première moitié du xixe siècle, mais bien Scribe. Indifférent aux idées romantiques, cet écrivain ne se souciait que de faire des pièces qui plussent au grand public, et où les ressources de la scène fussent utilisées au maximum. Son énorme production fut couronnée de succès : sa fortune égalait sa renommée. La place que Balzac lui accorde, pour modeste qu'elle soit (30 références), est plus enviable que celle de Dumas, car elle est avant tout basée sur l'estime : « homme d'honneur et de courage » (3), ancien clerc de la même étude que Balzac (4), il possède une qualité que Balzac goûte particulièrement : l'esprit, et il sait en user dans ses œuvres. Celles-ci n'ont d'autre ambition que de plaire et de faire rire, ce qui repose des extravagances romantiques. A propos de l'opéra-ballet *Le Dieu et la bayadère*, Balzac écrit :

... à l'aide de quelques guenilles, de deux airs, d'un beau décor, il [Scribe] nous a remis devant les yeux la vieille idée de *La courtisane amoureuse*. [...] J'ai été enchanté qu'un homme d'esprit comme M. Scribe se soit amusé à nous dire, en langage d'opéra, que nous sommes de grands enfants auxquels les marchands de jouets politiques ou littéraires livrent toujours les mêmes poupées (5).

Cet esprit de Scribe semblait surtout à son aise avant la monarchie de juillet, lorsque la censure le stimulait : « La petite littérature de M. Scribe s'y est noyée. *Bertrand, Suzette, Stanislas*, toutes ces petites grimeries, assez drôles sous le régime des censeurs, n'ont pu supporter le grand air ni le grand jour de la liberté. Le Gymnase n'est plus à la mode (6). » Pourtant, Scribe continue

(1) *Lettres à l'étrangère*, t. 2, p. 396.
(2) Cf. *Ibid.*, t. 4, p. 79 et p. 13.
(3) *Lettres à l'étrangère*, t. 1, p. 20.
(4) *Ibid.*, p. 358.
(5) *Lettres sur Paris*, CFL, t. 14, p. 389.
(6) *De ce qui n'est plus à la mode*, Con., t. 39, p. 253.

à écrire. En 1837, Balzac va voir *La camaraderie*, cette pièce
qu'il cite avec *La tour de Nesle* en opposition aux chefs-d'œuvre
tels que *Le misanthrope* ou *Figaro*. Et pourtant son jugement est
loin d'être tout négatif : « Je suis allé voir hier au soir *La camaraderie* ; et je trouve infiniment d'habileté dans cette pièce.
Scribe connaît le métier, mais il ignore l'art ; il a du talent, il
n'aura jamais du génie (1). » Admirable clairvoyance de Balzac
qui sait à la fois reconnaître les qualités et discerner les limitations
d'un auteur très en vogue. La technique dramatique ne s'impro-
vise pas, il le sait. Le métier qui manque si totalement aux romantiques, Scribe le possède au plus haut point. De plus, Balzac
reconnaît chez Scribe une formule théâtrale plus véritablement
moderne que celle du drame romantique. Alors qu'il ne cesse
de répéter avec raison que le drame romantique est voué à
l'échec, qu'il n'a pas d'avenir, il voit au contraire chez Scribe,
dans ses comédies surtout, une source possible de renouvellement
pour le théâtre français, sans qu'il y ait du même coup rupture
avec la tradition à laquelle il tient tant, nous le savons. Les
essais dramatiques de Balzac ont presque tous pour modèle
idéal Molière ou Beaumarchais, mais se rapprochent, en fait, de
la conception de Scribe. Car lorsque, à la perfection technique,
s'ajoute l'esprit de l'auteur, la vision de la société qu'il nous
propose n'est peut-être pas très vaste, mais elle présente ce
caractère incisif qui plaît à Balzac. Celui-ci ne dédaigne donc pas
de puiser son inspiration chez l'auteur dramatique : c'est le cas
d'*Un grand homme de province à Paris*, issu d'une « spirituelle
ébauche » de Scribe intitulée *Le charlatanisme* et qui « fit concevoir
à l'auteur le mérite d'une peinture plus ample » (2). La très grande
différence d'estime en laquelle Balzac tient Scribe d'une part,
et Dumas ou Delavigne d'autre part, se manifeste clairement dans
un passage de *La muse du département* où l'auteur parlant en son
propre nom, montre le rôle de la volonté dans l'élaboration des
grandes œuvres : « Les hommes d'élite maintiennent leur cerveau
dans les conditions de la production, comme jadis un preux avait
ses armes toujours en état. Ils domptent la paresse, ils se refusent
aux plaisirs énervants, ou n'y cèdent qu'avec une mesure indi-
quée par l'étendue de leurs facultés (3). » Or, quels sont les noms
qui illustrent cette théorie ? « Scribe, Rossini, Walter Scott,
Cuvier, Voltaire, Newton, Buffon, Bayle, Bossuet, Leibniz, Lope

(1) *Lettres à l'étrangère*, t. 1, p. 394.
(2) Préface d'*Un grand homme de province à Paris*, CFL, t. 15, p. 262.
(3) CFL, t. 9, p. 177.

de Vega, Calderon, Boccace, l'Arétin, Aristote, enfin tous les gens qui divertissent, régentent ou conduisent leur époque (1). » Dans cette noble compagnie, seule la présence de Scribe nous surprend. Et pourtant, son nom est le premier sous la plume de Balzac. Divertir son siècle n'est donc pas un vil métier, s'il est bien fait. La reconnaissance de Balzac va à l'écrivain qui selon lui y a le mieux réussi, et peut-être avec plus de modestie que ses confrères.

Nous ne pouvons terminer ce tour d'horizon dramatique sans mentionner Benjamin Antier. Il faudrait plutôt dire Robert Macaire, car le personnage est resté plus célèbre que son créateur. Le succès de cette « grande figure [...] type de Mascarille et de Scapin devenus meurtriers » (2), fut durable. Son importance pour Balzac vient de ce qu'il exprime une réalité sociale :

> *Robert Macaire* est une flatterie immense adressée à notre époque. Le Robert Macaire en gants jaunes se dit : « Tant que la justice ne me priera pas de passer chez elle, je serai un honnête homme. » Le Robert Macaire en paletot déchiré se dit : « Ça finit tout de même par la guillo-tine, prenons garde ! » C'est la seule grande pièce de notre temps, elle est toute aristophanique ; mais elle est immorale en ce sens qu'elle démonétise le pouvoir et la justice, sans la contradiction que tout auteur dramatique doit introduire dans son œuvre, à l'exemple de Molière (3).

Il serait peut-être plus juste de dire que le personnage de Robert Macaire est le plus grand personnage de l'époque, car son existence est très vite devenue indépendante des deux pièces qui l'ont lancé. L'intérêt de Balzac pour lui se rattache à l'affec-tion secrète qu'il porte à son propre personnage de Vautrin.

L'intérêt de Balzac pour le théâtre en tant que genre litté-raire est en somme très peu satisfait par les réalisations de ses contemporains. D'où les multiples tentatives qu'il fit lui-même pour orienter l'art dramatique vers ce qu'il sent être la seule voie possible : le réalisme tel qu'il le conçoit dans le roman : « Il n'y a plus de possible que le *vrai* au théâtre, comme j'ai tenté de l'introduire dans le roman. Mais *faire vrai* n'est donné ni à Hugo, que son talent porte au lyrisme, ni à Dumas qui l'a dépassé pour n'y jamais revenir ; il ne peut être que ce qu'il a été. Scribe est à bout. Il faut chercher les nouveaux talents inconnus et changer les conditions sultanesques des directeurs (4). »

(1) *Ibid.*
(2) *La Chine et les Chinois*, Con., t. 40, p. 546.
(3) *Lettre à M. Hippolyte Castille*, Con., t. 40, p. 651.
(4) *Lettre à M. Armand Pérémé*, 4 décembre 1838, CFL, t. 16, pp. 252-253.

Un domaine reste à explorer, dans notre recherche des sympathies ou antipathies littéraires de Balzac, celui où son jugement peut s'exercer avec le plus de sûreté, mais où plus qu'ailleurs les sentiments personnels risquent d'entrer en jeu, le domaine même où Balzac est roi, celui du roman. Nous ne reviendrons naturellement pas sur les grands romans d'avant 1820 : *Obermann, René, Atala, Adolphe, Corinne* ou *Delphine.* Nous savons ce que Balzac en pense. Nous connaissons également ses jugements sur les essais dans le domaine romanesque de Hugo, Lamartine, Musset ou Vigny, tous quatre poètes avant tout. Nous n'y reviendrons donc pas davantage. C'est vers les écrivains principalement romanciers que nous nous tournerons désormais.

Lorsque Balzac décide de se consacrer à une carrière littéraire vers 1820, le roman est encore un genre très secondaire, dont l'esthétique n'a guère été formulée et où s'essaient d'innombrables talents médiocres. La vogue est avant tout au roman noir, dont les maîtres sont Anne Radcliffe, Maturin, Lewis ; mais le roman gai ou le roman sentimental sont également florissants (1). Balzac a vraisemblablement lu énormément de ces romans. Mais, si l'influence de ces lectures est capitale dans sa formation d'écrivain, peu d'auteurs retiennent assez son attention pour que nous trouvions leur nom sous sa plume.

Du roman sentimental, dont les auteurs sont presque toujours des femmes, aucune trace dans la pensée de Balzac, Mme de Staël mise à part. Ce genre fut d'ailleurs peu imité par le jeune romancier des années 1824-1826.

Le roman gai, dont *Jean-Louis* sera une imitation, est représenté avant tout par Pigault-Lebrun. Sans se faire aucune illusion sur l'ampleur de son talent, Balzac se souvient malgré tout de lui, et du plaisir qu'il trouva probablement dans sa verve et sa gaieté. En 1829, dans l'Avertissement aux *Chouans* (que Balzac ne publia jamais), il le cite comme un « homme auquel on ne rend pas assez de justice » (2). Cependant, quand le roman, en grande partie grâce à Balzac, deviendra un genre littéraire respectable, Pigault-Lebrun restera à jamais romancier de la plus basse classe, se partageant avec ses émules Paul de Kock et Victor Ducange un public illettré. Ces trois noms sont unis dans l'esprit de Balzac par la médiocrité des œuvres qu'ils représentent. Une des fautes impardonnables qu'il relèvera dans les

(1) Nous reprenons ici la classification de M. BARDÈCHE qui nous semble excellente ; cf. son premier chapitre : « L'art du roman en 1820, » pp. 1-52.
(2) CFL, t. 11, p. 1103.

contes de Musset sera précisément celle « de laquelle tout conteur doit se corriger en la laissant à MM. Paul de Kock, Victor Ducange et Pigault-Lebrun » (1) : l'intervention de l'auteur au milieu d'un récit, qui découle d'une faiblesse d'invention et de technique.

Pigault-Lebrun, très âgé, n'inspire pas à Balzac le même dégoût cependant que Ducange et surtout Paul de Kock. C'est leur valeur nulle qui les lui fait choisir comme objet des spéculations des libraires et des critiques dans *Illusions perdues* (2). Balzac, dans un compte rendu dévastateur en sa brièveté, dispose du roman de Ducange *Isaurine et Jean Polh, ou les révélations du château de Gît-au-diable* (3). Il y condamne les « insupportables défauts » de l'auteur, toujours les mêmes : monotonie, bredouillement, ennui. Quant à Paul de Kock, c'est l'auteur préféré de l'épicier, de la femme du rentier, de tous ces personnages médiocres dont Balzac fait la caricature. Ce sont eux qui font son succès. « Belle chose », se lamente Balzac, « que d'entendre de sots compliments sur des œuvres écrites avec notre sang, et qui ne se vendent pas, tandis que M. Paul de Kock se vend à trois mille exemplaires » (4). Ce découragement bien légitime a besoin d'être combattu de temps à autre par la conscience du génie : « Je ne suis jaloux de rien, pas même de l'argent », écrit-il en 1844, « car Paul de Kock ne fait pas envie à Hugo, quoiqu'il gagne plus d'argent que lui, et se vende à un nombre supérieur » (5).

L'ambition de Balzac est en effet bien ailleurs que dans l'imitation d'Anne Radcliffe ou de Pigault-Lebrun. C'est vers le créateur d'un nouveau genre, le roman historique, que ses yeux sont fixés, vers « l'immortel Walter Scott » (6), dont l'astre ne cessera de briller au-dessus de toute la carrière de Balzac romancier. Peut-être jamais écrivain étranger ne fut plus populaire en France que le gentilhomme écossais, pas même Byron dont les œuvres ne touchèrent malgré tout qu'un public restreint. Les romans de Walter Scott étaient au contraire accessibles à tous, et tous en subirent la fascination. Lorsque le romancier fit, en 1826, un voyage à Paris, ce fut un événement national. Si l'on songe que non seulement l'apogée de cette gloire se place à peu près entre 1820 et 1830, c'est-à-dire pendant les années capitales de forma-

_____

(1) *Lettres sur la littérature*, CFL, t. 14, p. 1143.
(2) Cf. CFL, t. 4, pp. 631, 643-44, 778.
(3) *Feuilleton des journaux politiques* du 7 avril 1830, Con., t. 38, pp. 405-406.
(4) *Lettres à l'étrangère*, t. 1, p. 274.
(5) *Ibid.*, t. 2, p. 457.
(6) *Splendeurs et misères des courtisanes*, CFL, t. 5, p. 322.

tion pour Balzac, mais aussi que Scott était le premier vrai romancier moderne, non pas romancier par accident, mais romancier
de métier, créateur d'un genre et d'une technique, il n'est pas
étonnant de le voir occuper dans la pensée de Balzac une place
de tout premier ordre. Walter Scott est incontestablement son
grand maître ès-art du roman, c'est à lui qu'il revient infailliblement chaque fois que sa réflexion se porte sur l'art ou la technique du romancier. Les références à Scott sont remarquables
autant par leur nombre fort élevé que par la richesse inégalée de
leur contenu. Balzac a énormément à dire sur l'écrivain écossais et
nous allons essayer de le laisser parler le plus possible.

Bien plus encore que la mode Chateaubriand quelques
années auparavant, la mode Walter Scott est un phénomène
social qui marque une époque et dont un historien des mœurs
doit tenir compte. *Illusions perdues*, qui retrace le milieu littéraire des années 1820-1822, ne manque pas d'utiliser cette
donnée historique. Les libraires, à l'affût d'une réussite financière,
n'ont qu'une idée : trouver le Walter Scott français, le « faire »
au besoin : « Le succès de Walter Scott éveillait tant l'attention de
la librairie sur les produits de l'Angleterre, que les libraires étaient
tous préoccupés, en vrais normands, de la conquête de l'Angleterre ; ils y cherchaient du Walter Scott, comme plus tard on devait
chercher les asphaltes dans les terrains caillouteux (1). » Aussi
lorsque Lucien se présente avec son roman historique, ses amis
n'ont-ils qu'une idée : le mesurer à Walter Scott. Deux moyens
seront utilisés : trouver un titre scottien : « *Catherine de Médicis*,
ou *La France sous Charles IX*, dit Cavalier, ressemblerait plus
à un titre de Walter Scott » (2), et utiliser la critique des journaux : « Nous t'avons fait deux fois plus grand que Walter Scott.
Oh ! tu as dans le ventre des romans incomparables ! Tu n'offres
pas un livre, mais une affaire ; tu n'es pas l'auteur d'un roman
plus ou moins ingénieux, tu seras une collection (3) ! » Ainsi
projette-t-on la gloire de Lucien qui apprend du même coup de
ses amis les titres de ses ouvrages futurs. Cette mode est trop
significative pour que Balzac néglige de placer Walter Scott parmi
les lectures préférées de tous ses jeunes personnages romantiques.
Ceux qui lisent Byron lisent aussi le romancier écossais : Lucien
et David (4), Véronique (5), Modeste (6), une des convives de

(1) CFL, t. 4, p. 812.
(2) *Ibid.*, p. 814.
(3) *Ibid.*, p. 809.
(4) *Illusions perdues*, CFL, t. 4, p. 377.
(5) *Le curé de village*, CFL, t. 7, p. 682.
(6) *Modeste Mignon*, CFL, t. 7, p. 335, p. 365, p. 375.

*L'auberge rouge* « jeune personne pâle et blonde » (1), Calyste (2), Joseph Bridau (3).

Balzac peut sans peine se mettre à la place de ses personnages en se remémorant ses propres enthousiasmes de jeunesse. En 1821, il écrivait à Laure : « Je t'engage aussi à lire *Kenilworth*, le dernier roman de Walter Scott ; c'est la plus belle chose du monde (4). » Il dévore les œuvres du « conteur du Nord » au fur et à mesure que les traductions, d'ailleurs fort médiocres, paraissent. Son admiration n'est cependant pas soumise uniquement à la mode, car Walter Scott restera pour Balzac, toute sa vie durant, un compagnon précieux. Il le lira et relira : « Hier, j'ai passé toute ma journée à lire *Pévéril du Pic*, pour ne pas penser » (5), écrit-il en 1845, et en août 1846 il note encore : « Je mouille deux chemises par jour à rester dans un fauteuil et à relire Walter Scott (6). » Ainsi son intérêt pour l'auteur de *Waverley* est des plus profonds et des plus durables. Sa familiarité avec les personnages si multiples de Scott est telle que nous les voyons surgir à chaque instant et se mêler à ceux de *La comédie humaine*.

L'influence du romancier écossais sur Balzac a fait l'objet de nombreuses études (7). Nous n'aurons à y revenir ici que dans la mesure où cette influence pourra nous éclairer sur la compréhension de Walter Scott par Balzac à un moment donné.

Il était naturel que pour le romancier débutant des années 1820-1828, Walter Scott dût s'imposer comme le modèle idéal : son originalité, sa productivité, son renom international, l'aisance tranquille dans laquelle il vivait « dans son château d'Abbotsford au milieu d'une magnificence digne de sa royauté littéraire, dotée d'une liste civile de trois cent mille francs » (8), tout en lui s'unissait pour faire rêver un jeune écrivain. La catastrophe financière de 1826, qui plongea d'un coup le paisible Écossais dans des dettes énormes, ne semble même pas altérer

---

(1) CFL, t. 12, p. 204.
(2) *Béatrix*, CFL, t. 9, p. 357.
(3) *La Rabouilleuse*, CFL, t. 3, p. 92.
(4) *Lettres à sa famille*, p. 41.
(5) *Lettres à l'étrangère*, t. 3, p. 35.
(6) *Ibid.*, p. 356.
(7) Cf. notamment : Harry J. GARNAND, *The Influence of Walter Scott on the works of Balzac*, New York, Columbia, 1926 ; Louis MAIGRON, *Le roman historique à l'époque romantique. Essai sur l'influence de Walter Scott*, Paris, Champion, 1912, pp. 141-154, et pp. 227-235 ; F. BALDENSPERGER, *Orientations étrangères chez Balzac*, pp. 59-68 ; et surtout Maurice BARDÈCHE, *Balzac romancier*, où l'influence de Walter Scott est étudiée dans tous ses détails à propos de chaque œuvre de Balzac.
(8) Préface de la 1re éd. de *La femme supérieure*, CFL, t. 15, p. 273.

l'idée que se fait Balzac du bonheur d'un écrivain pouvant écrire « à son aise et à sa guise un ouvrage par six mois, sans autres engagements que ceux qu'il prenait avec la gloire » (1). Geignant sous le bât des obligations de toutes sortes, le romancier français enviait Walter Scott : « Si chacun de mes livres était payé comme ceux de Walter Scott, je m'en tirerais », s'écrie-t-il en 1835. « Walter Scott écrivait deux romans par an et passait pour avoir du bonheur dans son travail ; il étonnait l'Angleterre (2). » En cette année 1835, son émule français produisait cinq de ses plus grands romans sans compter les rééditions. Enviable aussi, et combien, était la gloire de Scott. On se souvient de la joie de Balzac en 1833 (Walter Scott était mort, sa succession était donc ouverte) lorsqu'il apprend qu'au delà des frontières de France commence pour lui « une gloire étonnante » et qu'un ou deux ans de persévérance le mettraient « à la tête de l'Europe littéraire », remplaçant ainsi Byron, Walter Scott, Gœthe, Hoffmann (3). Le plus curieux est que jamais Balzac n'éprouva à l'égard de Walter Scott un sentiment de supériorité pourtant bien légitime, nous semblerait-il. Même après *Le père Goriot*, il parle encore « d'arracher la palme du roman à Walter Scott », avec un roman intitulé *Les Vendéens* (4), et jusque dans les dernières années de sa vie, l'image du « prodigieux Écossais » sera pour lui un stimulant qui le sauvera du découragement et de la tentation de la facilité. « Mes rivaux sont Molière et Walter Scott, Lesage et Voltaire », déclare-t-il en 1844 (5).

Le nom de « l'illustre Écossais » se retrouve partout où Balzac fait l'inventaire du génie. S'agit-il de l'Angleterre, Byron et Scott en sont les deux seuls grands noms (6). S'agit-il des gloires littéraires contemporaines, Gœthe, Byron et Scott se partagent l'honneur d'être toujours présents à l'appel (7). S'agit-il de définir le génie par « l'invention d'une forme, d'un système, d'une force », Walter Scott voisine alors avec Napoléon, Linné, Geoffroy Saint-Hilaire et Cuvier (8). S'agit-il de recenser les grands conteurs, voici encore Walter Scott en bonne place (9). S'agit-il

(1) *Ibid.*
(2) *Lettres à l'étrangère*, t. 1, pp. 269 et 273.
(3) *Lettres à sa famille*, pp. 156-157.
(4) *Lettres à l'étrangère*, t. 1, p. 228.
(5) *Ibid.*, t. 2, p. 433.
(6) *Trémaine*, Con., t. 38, p. 416.
(7) *Illusions perdues*, CFL, t. 4, p. 491 ; *De la propriété littéraire*, Con., t. 40, p. 425 ; *Lettres à l'étrangère*, t. 1, p. 503.
(8) *Modeste Mignon*, CFL, t. 7, p. 538.
(9) *Petites misères de la vie conjugale*, CFL, t. 12, p. 1390 ; *Pensées, sujets, fragments*, p. 18.

enfin d'illustrer le rôle de la volonté dans « la construction de l'immense édifice d'une gloire », Walter Scott est toujours là (1), et bien ailleurs encore, quitte pour Balzac à se contredire : parmi « les grands hommes nés pauvres » qui prennent le parti de « vendre leurs poésies au marché » (2) comme parmi les écrivains qui « ont fait leurs plus belles œuvres quand ils avaient honneur et fortune » (3) ; parmi ceux chez qui la fécondité n'exclut pas « la réflexion et le faire » (4) ; et bien sûr aussi parmi les grands créateurs de personnages immortels faisant concurrence à l'état civil (5).

Tâchons donc de chercher ce que Balzac a à nous dire sur les raisons d'une telle admiration. Il ne suffit pas de constater que les romans de Walter Scott, par leur intérêt, leur vivacité de couleur, leur pittoresque, tranchaient tellement sur la médiocrité du roman de l'Empire ou de la Restauration, que leur auteur n'eut aucune peine à apparaître comme un génie en contraste avec les talents de dernier ordre de ses collègues. Le jugement de Balzac est réfléchi ; il repose sur une connaissance profonde de l'art de Walter Scott et non sur une préférence pour celui qui serait le moins mauvais des romanciers.

Tout d'abord, Scott est le créateur d'un genre littéraire tout nouveau, le roman historique, où une période de l'histoire n'est plus seulement le cadre artificiel choisi pour le déroulement d'une aventure ou d'une intrigue sentimentale, mais devient le sujet même du roman, subordonnant tout le reste à sa recréation. N'eût-il pas eu l'idée de centrer en même temps ses œuvres sur l'histoire de l'Écosse, c'est-à-dire de localiser le plus précisément possible la période historique qu'il choisit de faire revivre, il est probable que Scott n'aurait pas été si heureux dans sa réussite. Pour une telle entreprise, ni l'imagination, ni le talent de conteur ne suffisaient. Il fallait en même temps une connaissance minutieuse du passé, des faits, des lieux, des coutumes. « L'antiquaire fort érudit » qu'est Walter Scott (6), est tout naturellement préparé pour une telle entreprise. Un de ses moindres mérites aux yeux de Balzac ne sera pas d'avoir ainsi revêtu le romancier d'une nouvelle dignité inconnue jusqu'alors, en faisant de lui un « colosse d'érudition ». « W. Scott, ce trouveur (trouvère) moderne

---

(1) *La muse du département,* CFL, t. 9, p. 177.
(2) Préface de la 1re éd. de *La femme supérieure,* CFL, t. 15, p. 284.
(3) *Lettre aux écrivains,* Con., t. 39, p. 654.
(4) Préface de la 1re éd. de *Pierrette,* CFL, t. 15, p. 329.
(5) *Avant-Propos,* CFL, t. 15, p. 371 ; *Illusions perdues,* CFL, t. 4, p. 452.
(6) *Les deux fous,* Con., t. 38, p. 430.

imprimait alors une allure gigantesque à un genre de composition injustement appelé secondaire (1). »

L'effet produit sur Balzac par la lecture de Scott, c'est très certainement celui qu'il attribue à ce Victor Morillon de l'Avertissement aux *Chouans* :

Un roman de Walter Scott tomba entre les mains de M. Victor Morillon, et il demeura ravi de cette composition dans le secret de laquelle il était pleinement entré. Il assura avoir vu plus d'une fois des hommes aussi et quelquefois plus curieux que Wamba et Gurth, Daddy Rat et Caleb, et connaître si familièrement les temps et les mœurs du Moyen Age qu'il raconta le soir même où il finit de lire l'ouvrage, une histoire dans laquelle il encadra le duc de Bourgogne et le roi Charles VI avec tant de vérité que M. Buet resta frappé d'un nouvel étonnement. [...] M. et Mme Buet unirent leurs efforts pour l'engager à lire les œuvres de Sir Walter Scott pour marcher sur ses traces et se pénétrer de la *poétique* et des règles de ce genre de composition (2).

Cette contagion du roman historique saisit en effet Balzac comme elle saisit une multitude de jeunes écrivains. W. Scott devint « le modèle que tous les jeunes auteurs veulent suivre si imprudemment » (3). Mais peu sont attentifs aux sages conseils de M. et Mme Buet, et les mauvaises imitations abondent.

Tandis que la *Clotilde de Lusignan* d'un certain lord R'Hoone se contente d'imiter Scott de la manière la plus superficielle, Honoré de Balzac s'attache pendant les années 1825 à 1828 à étudier patiemment et minutieusement les principaux règnes de l'histoire de France, avec l'intention d'écrire une histoire de France pittoresque, c'est-à-dire de créer un cycle de romans comparable à celui de Walter Scott (4). Ce projet fut abandonné, non sans avoir permis à Balzac de méditer longuement sur l'œuvre de son modèle, de la comprendre mieux qu'aucun de ses contemporains et de le dépasser.

Mettre l'histoire en roman (et non le roman en histoire comme Balzac le reprochera à Amédée Pichot dans son *Histoire du prince Charles-Édouard*) (5), voilà donc l'originalité de Walter Scott : « L'histoire devient domestique sous ses pinceaux, après l'avoir lu, on comprend mieux un siècle, il en évoque l'esprit et dans une seule scène en exprime le génie et la physionomie (6). »

(1) *Avant-Propos*, CFL, t. 15, p. 372.
(2) CFL, t. 11, p. 1101.
(3) *Richelieu*, Con., t. 30, pp. 414-415.
(4) Cf. Introduction à *Catherine de Médicis*, CFL, t. 11, p. 32.
(5) Con., t. 38, p. 438.
(6) Avertissement aux *Chouans*, CFL, t. 11, p. 1103.

Le roman historique tel que Walter Scott le conçoit ne trouvera jamais chez ses imitateurs cet équilibre subtil entre la documentation de l'historien et l'imagination du conteur qui est la marque de l'Écossais. Dans un article de la *Revue parisienne*, Balzac parlera de « la propension qu'ont les imitateurs de Scott à faire *de l'histoire* à peu de frais ; ils trouvent un détail, ils s'en emparent et le plaquent dans leurs livres, ils généralisent des particularités, au lieu de particulariser des généralités, principe essentiel de Walter Scott » (1). A l'érudition se joint donc chez Scott la connaissance du métier de romancier, que Balzac compare à l'art du tisserand (2), et l'observation des hommes qui lui permet de dégager de ces tableaux une signification profonde et de créer des types. La matière purement historique est donc loin d'être seule importante. Scott, d'ailleurs, la modèle parfois à sa guise :

Lorsque Walter Scott viole la vérité historique (et il la viole souvent) c'est toujours pour produire un effet prodigieux ; et il se garde bien de manquer aux idées populaires que tel personnage a créées. Quand il peint Louis XI, Elizabeth, Marie-Stuart ou Jacques Ier, s'il ne les peint pas tels qu'ils étaient, au moins il leur donne une figure qui correspond aux vœux de chaque imagination. Ce savoir faire ne peut convenir qu'à un homme de grand talent : l'imiter c'est vouloir périr (3).

L'on peut se demander ici s'il est possible de peindre une figure historique « telle qu'elle était ». Même armé des faits les plus exacts, l'historien, comme le romancier, imprime forcément à un personnage historique un peu de sa propre manière de voir dès qu'il essaie d'en tracer le caractère. Il n'y a pas d'histoire objective lorsqu'il s'agit de personnes humaines. La meilleure preuve en est que la lecture de *Quentin Durward*, selon le récit de Laure, « causa une grosse colère à Honoré ; contrairement à la foule, il trouvait que Walter Scott avait étrangement défiguré Louis XI, roi encore mal compris selon lui. Cette colère lui fit composer Maître Cornélius » (4). Qui nous persuadera que le Louis XI de Balzac est plus vrai historiquement que celui de Scott ? Balzac ne peut pas rectifier le personnage de Louis XI avec la même absolue objectivité qu'il emploie pour rectifier

---

(1) *Lettres sur la littérature*, CFL, t. 14, p. 1079.
(2) *Ibid.*, p. 1068.
(3) *Richelieu*, Con., t. 38, pp. 414-415.
(4) *Balzac, sa vie et ses œuvres d'après sa correspondance*, Lévy, p. xxxviii.

une erreur de topographie comme c'est le cas à propos de l'emplacement du château royal de Plessis-lès-Tours (1).

Balzac ne cessera jamais de réfléchir sur ce problème des rapports de l'histoire et du roman, car il dépasse de beaucoup le cadre du simple roman historique. C'est à partir de Walter Scott que l'idée de *La comédie humaine*, peinture d'une époque non plus passée, mais présente, dans ses données historiques et sociales, s'est fait jour peu à peu. La philosophie de l'histoire, le sens général d'une époque, ne lui semblent tout d'abord pas compatibles avec la fiction littéraire :

> La forme heureuse et attrayante que Sir Walter Scott a donnée à ses romans dénote, si l'on veut, l'impuissance de chercher dans l'histoire ces grands enseignements dont le passé donne la leçon à l'avenir ; mais au moins l'on y trouve un grand talent de peintre et d'observateur qui assigne à l'auteur un rang remarquable parmi les écrivains de nos jours. [...] Walter Scott a été romancier assez remarquable pour mériter d'être classé au-dessus de quelques historiens (2).

En essayant d'exposer dans l'*Avant-Propos* la construction de son édifice, il revient donc tout naturellement à l'œuvre de Walter Scott et nous en donne une fort intelligente évaluation du point de vue de cette alliance entre histoire et fiction :

> Walter Scott élevait donc à la valeur philosophique de l'histoire le roman, cette littérature qui, de siècle en siècle, incruste d'immortels diamants la couronne poétique des pays où se cultivent les lettres. Il y mettait l'esprit des anciens temps, il y réunissait à la fois le drame, le dialogue, le portrait, le paysage, la description ; il y faisait entrer le merveilleux et le vrai, ces éléments de l'épopée, il y faisait coudoyer la poésie par la familiarité des plus humbles langages (3).

Ainsi le roman, grâce à l'art magique du baronnet écossais, réunit drame, épopée, poésie, et s'affirme comme un genre littéraire supérieur. Nous éprouvons une certaine difficulté à suivre Balzac jusqu'au bout de son hommage à Walter Scott car la silhouette de celui-ci s'efface derrière la stature colossale de son disciple. Balzac a pourtant raison : à Scott revient l'honneur d'avoir su utiliser systématiquement en une synthèse nouvelle des éléments jusque-là presque toujours distincts. De là, en partie, procède son immense succès auprès de la génération romantique

---

(1) *Maître Cornélius*, CFL, t. 10, p. 1052.
(2) *Histoire du prince Charles-Edouard*, Con., t. 38, p. 438.
(3) *Avant-Propos*, CFL, t. 15, p. 372.

à qui elle offrait une inspiration pour le drame et la poésie aussi bien que pour le roman.

L'admiration mène à l'imitation ; l'imitation mène à l'analyse des procédés techniques. C'est à ceux-ci que Balzac consacre une très grande partie de ses commentaires. Pour peindre une époque tout en conduisant une intrigue, c'est-à-dire pour être à la fois historien et romancier, Walter Scott utilise une technique originale qu'il a lui-même comparée à la prise de vitesse progressive d'une grosse pierre qu'un écolier oisif ferait rouler du haut d'une montagne. De longues conversations s'étalent sur plusieurs chapitres fournissant au lecteur tous les renseignements nécessaires pour comprendre l'époque, le lieu de l'action, les circonstances, les personnages. Une fois toutes ces données établies, l'action s'installe et dès lors se déroule très rapidement. Cette technique, nous la retrouvons trop souvent chez Balzac pour qu'elle ne nous soit pas familière ; et quand Lucien de Rubempré compose son roman historique, c'est à elle qu'il a recours :

> Si vous ne voulez pas être le singe de Walter Scott, il faut vous créer une manière différente (lui conseille d'Arthez). Vous commencez comme lui, par de longues conversations pour poser vos personnages ; quand ils ont causé, vous faites arriver la description et l'action. Cet antagonisme nécessaire à toute œuvre dramatique vient en dernier. Renversez-moi les termes du problème. Remplacez ces diffuses causeries, magnifiques chez Scott, mais sans couleur chez vous, par des descriptions auxquelles se prête si bien notre langue (1).

En admettant que d'Arthez soit le porte-parole de Balzac, ses remarques ne constituent pas une critique du plan scottien, mais un avertissement devant le danger d'une imitation servile. La plupart des grands romans balzaciens renverseront en effet les termes et substitueront une description minutieuse et lente à l'exposition dialoguée de Scott. Le rythme général en reste le même : préparation lente, action rapide.

Le roman balzacien peut reposer sur une autre formule ; le roman de Scott ne le pourrait guère sans perdre son atmosphère qui dépend justement de la minutie des préparations :

> Quand Walter Scott sentait la nécessité d'initier son lecteur à une phase historique par des considérations, il les enfermait dans le roman, ou les mettait dans la bouche d'un personnage. C'est à cette profonde

(1) *Illusions perdues*, CFL, t. 4, p. 585.

connaissance des moyens de l'art que nous devons le chapitre des *Deux cousins* dans *Quentin Durward*, les savantes préparations de *Wawerley* et celles de *Pévéril du Pic* (1).

Pas de plaquage, chez Scott, mais un tissage patient et attentif de l'histoire et de la fiction. Ces deux éléments se viennent en mutuelle assistance pour offrir au lecteur une image vivante. De même que « le génie du romancier doit consister à faire croire à ses créations, à confirmer leur existence par quelque courte apparition du personnage historique » (2), de même il doit rendre l'histoire plus réelle par des créations imaginaires auxquelles nous finissons par croire : « Walter Scott emploie la moitié de son drame à vous pénétrer de la vie d'Amy, avant d'aborder Leicester et Élizabeth. Combien de personnages inventés pour donner à la fable la qualité de l'histoire (3) ! »

Plus d'un critique reprochait à Walter Scott la longueur de ses expositions où parfois les personnages secondaires se multiplient et le plan se complique à l'extrême. On y voyait une faiblesse de conception. Balzac s'élève violemment contre cette critique : « Quel que soit le nombre des accessoires et la multiplicité des figures, un romancier moderne doit, comme Walter Scott, l'Homère du genre, les grouper d'après leur importance, les subordonner au soleil de son système, un intérêt ou un héros, et les conduire comme une constellation brillante dans un certain ordre (4). » La préface de la 1re édition de *La femme supérieure* répond encore plus complètement à cette objection. Balzac ne voit pas chez Scott un défaut, tout au plus un aspect de la personnalité de l'auteur. Nous ne citerons que l'essentiel :

Walter Scott aurait pu peut-être éviter ce prétendu défaut qu'il a défini lui-même en répondant à des critiques empressés de convertir ses plus brillantes qualités en vices, éternelle manœuvre de la calomnie littéraire. Ce vice consisterait à ne pas suivre ses plans primitifs, construits d'ailleurs, avec cette profondeur qui distingue le caractère écossais, et dont la charpente se brisait sous les développements donnés aux caractères de quelques personnages... Ce grand génie, dupe de sa propre poésie, furetait avec la déesse [Fantaisie] : il retournait les pierres des chemins sous lesquelles gisaient des âmes de licencié, il se laissait emmener au bord de la mer pour voir une marée, il écoutait les délicieux bavardages de cette fée, et les reproduisait en arabesques feuillues et profondément fouillées, en longs préparatifs, sa gloire aux yeux des

(1) *Lettres sur la littérature*, CFL, t. 14, p. 1069.
(2) *Ibid.*, p. 1072.
(3) *Ibid.*
(4) *Ibid.*, p. 1051.

connaisseurs, et qui doivent ennuyer des esprits superficiels, mais où chaque détail est si essentiel, que les personnages, les événements seraient incompréhensibles si l'on retranchait la moindre page. [...] Sir Walter Scott, homme riche, Écossais plein de loisirs, ayant tout un horizon bleu devant lui, aurait pu, s'il l'avait jugé convenable, mûrir ses plans et les composer de manière à y sertir, les plus belles pierres précieuses trouvées durant l'exécution ; il pensait que les choses étaient bien comme il les produisait, et il avait raison (1).

Quelle est l'œuvre qui, pour Balzac, marque la perfection de cette technique scottienne ? Celle dont le plan est le plus complexe tout en restant admirablement construit : *Kenilworth.* « Relisez cette conception littéraire la plus vigoureuse, comme *plan*, qu'ait forgée Scott (2). » Opinion que Balzac exprimait déjà deux ans plus tôt : « Au gré de tous les *faiseurs*, et au mien, le plan de cette œuvre est le plus grand, le plus complet, le plus extraordinaire de tous. Il est *le chef-d'œuvre* sous ce point de vue (3). » Il faut *La Chartreuse de Parme* pour surpasser encore cette quasi-perfection : « Figurez-vous que les plans les plus savamment compliqués de Walter Scott n'arrivent pas à l'admirable simplicité qui règne dans les récits de ces événements si nombreux, si feuillus, pour employer la célèbre expression de Diderot (4). »

Il est évident que la nécessité de recréer de toutes pièces une époque historique en ses moindres détails détermine non seulement la marche du roman, chez Walter Scott, mais aussi le choix des personnages. Ceux-ci sont de deux catégories : personnages fictifs, et personnages historiques. Nous avons déjà touché au problème du personnage historique à propos de Louis XI dans *Ivanhoe.* Nous avons également vu combien Balzac admire l'art de Scott à préparer l'entrée en scène des personnages historiques. Peu d'imitateurs surent éviter l'écueil que présente la contradiction histoire-roman quand il s'agit d'un personnage réel connu. Deux seules solutions à ce problème : celle des *Chouans*, où il n'y a pas de personnage historique ; celle de Walter Scott où le personnage historique reste de profil et n'est jamais le héros :

Le roman ne peut admettre qu'en passant une grande figure. Ainsi Cromwell, Charles II, Marie Stuart, Louis XI, le Prétendant, Elisabeth, Richard Cœur de Lion, tous les grands personnages que le créateur du

(1) CFL, t. 15, pp. 274-276.
(2) *Lettres sur la littérature*, CFL, t. 14, p. 1073.
(3) *Lettres à l'étrangère*, t. 1, p. 453.
(4) *Etudes sur M. Beyle*, CFL, t. 14, p. 1163.

genre a mis en scène, ne paraissent jamais qu'un moment ou au dénoûment, le drame du conteur marche vers eux, comme dans leur temps
marchaient les hommes et les choses. On a vécu dans le pourpoint des
créations secondaires de Walter Scott, on a épousé les intérêts de tous
les acteurs, quand on s'avance avec eux vers la grande figure historique (1).

L'événement politique n'est donc jamais le sujet d'un roman
de Scott ; il y a sa place entre autres faits significatifs d'une
époque : « Le maître n'a jamais intitulé l'un de ses ouvrages
*Le prétendant*, mais *Wawerley, Olivier Cromwell* mais *Woodstock,
Marie Stuart* mais *L'abbé* (2). » Nous savons combien Balzac
préfère cette méthode à celle de Vigny, par exemple.

Il est facile de deviner qu'une large part de l'affection de
Balzac va aux personnages non historiques de Walter Scott, à
toute cette humanité, humble ou sublime, qui pour la première
fois est peinte par un écrivain avec une telle vivacité de traits
qu'elle prend vie à jamais. L'impression que nous éprouvons
devant le monde de *La comédie humaine*, il l'a certainement
éprouvée devant le monde de Walter Scott. De tous ces personnages, aucun n'est inutile : « Dans les magnifiques compositions
historiques de Walter Scott, le personnage le plus en dehors de
l'action vient, à un moment donné, par des fils tissus dans la
trame de l'intrigue, se rattacher au dénoûment (3). » Le métier,
si habile soit-il, n'est pourtant pas ce qui retient Balzac. Il
trouve chez Walter Scott un homme qui, sous une fine bonhomie,
cache une grande connaissance du cœur humain (4), un observateur attentif capable de récolter autour de lui les matériaux
nécessaires à sa création (5), d'analyser les faits pour en déterminer les causes profondes (tâche essentielle du romancier, on le
sait, pour Balzac), et de dégager derrière les particularités humaines un sens général. Nous ne parlerions pas en d'autres termes
de Balzac lui-même, et c'est un fait frappant qu'il est attiré chez
Walter Scott par des qualités qui seront les siennes exactement,
bien peu développées pourtant chez l'Écossais en comparaison
de ce qu'elles deviendront chez Balzac. Le personnage de roman
ne peut prendre vie que si son créateur sait s'oublier en lui,
devenir pour un temps autre que soi-même. « Il est avare, ou il

---

(1) *Lettres sur la littérature*, CFL, t. 14, p. 1068.
(2) *Ibid.*
(3) *Gambara*, CFL, t. 7, p. 1286.
(4) Cf. Avertissement aux *Chouans*, CFL, t. 11, p. 1103.
(5) Cf. notamment Préface de la 1ʳᵉ éd. du *Cabinet des antiques* où BALZAC
rapporte les données réelles de la *Fiancée de Lammermoor*, CFL, t. 15, p. 300.

conçoit momentanément l'avarice en traçant le portrait *du laird de Dumbiedikes* (1). » « Concevoir l'avarice », n'est-ce pas exactement créer un type ? « La vérité littéraire consiste à choisir des faits et des caractères, à les élever à un point de vue où chacun les croit vrais en les apercevant, car chacun a son vrai particulier, et chacun doit reconnaître la teinte du sien dans la couleur générale du type présenté par le romancier. » Tel Balzac nous définit un des aspects essentiels du roman (2).

Est-ce à dire que tous les personnages de Scott sont des types ? Certes non, ils sont trop nombreux et trop individualisés. Écoutons encore Balzac : « Les exceptions ne doivent jamais jouer dans l'action d'un roman qu'un rôle accessoire. Les héros doivent être des généralités. Dans *Les eaux de Saint-Ronan*, un des chefs-d'œuvre de Walter Scott, le ministre fidèle à un premier amour pour la fille d'un lord presque fou, n'est qu'un détail. Effie, dans *La prison d'Edimbourg*, n'est elle-même qu'un accessoire, l'héroïne est Jeanie Deans (3). » Jeanie Deans ! héroïne chère à Balzac, avec son père, « image de la probité » comparable à l'Alceste de Molière (4), digne d'entrer parmi les trois grandes créations que cite l'*Avant-Propos* ! Individus ou types, il serait vain de citer tous les personnages de Scott qui restent vivants dans l'esprit de Balzac : ils surgissent au hasard de la création ou de la réflexion, manifestant chez lui une familiarité complète avec l'œuvre de l'Écossais.

Deux catégories de personnages retiendront un instant notre attention : les femmes et les personnages comiques. La pure figure de Jeanie Deans symbolise l'héroïne de Walter Scott. Selon les mots de D'Arthez : « Walter Scott est sans passion, il l'ignore. [...] Pour lui, la femme est le devoir incarné. A de rares exceptions près, ses héroïnes sont absolument les mêmes, il n'a eu pour elles qu'un seul poncif, selon l'expression des peintres. Elles procèdent toutes de Clarisse Harlowe ; en les ramenant toutes à une idée, il ne pouvait que tirer des exemplaires d'un même type variés par un coloriage plus ou moins vif (5). » Nous touchons ici à la principale lacune que Balzac discerne chez son maître. Les raisons qu'il en trouve nous font franchement sourire : cœur froid, soumission aux préjugés qui lui font offrir la passion en holocauste aux bas-bleus de son pays (6), peur d'être *impro-*

(1) Préface de la 1re éd. de *La peau de chagrin*, CFL, t. 15, p. 71.
(2) *Lettres sur la littérature*, CFL, t. 14, p. 1054.
(3) *Ibid.*
(4) *Le Père Goriot*, CFL, t. 4, p. 156.
(5) *Illusions perdues*, CFL, t. 4, p. 586.
(6) *Lettres sur la littérature*, CFL, t. 14, p. 1066.

*per* (1), obligation de se conformer aux idées d'un pays essentiellement hypocrite (2), et surtout absence de modèles autres que
des « schismatiques », sans idéal (3). Sans suivre Balzac dans ses
distinctions entre la femme protestante et la femme catholique,
nous pouvons lui accorder que la peinture de l'amour reste chez
Walter Scott singulièrement pareille à elle-même, sans passion,
« tout venu » selon le mot de d'Arthez. Avec Effie Deans et Alice,
« les deux figures qu'il se reprocha, sur ses vieux jours, d'avoir
dessinées » (4), la seule à se distinguer de ses sœurs trop pareilles
est Diana Vernon, « la chasseresse écossaise » dont la vivacité, à
défaut de passion, plaît à Balzac, « un des rares caractères de
femme pour la conception duquel Walter Scott soit sorti de ses
habitudes de froideur » (5). Il suffit de songer aux *Chouans* et à la
place de choix que la passion y occupe pour comprendre que le
roman historique n'est pas un obstacle à la peinture de l'amour.
Mais quel romancier avant Balzac aurait pu être à la fois peintre
de l'amour et peintre de mœurs ? Si Balzac l'a fait, c'est parce
qu'il a eu l'intuition de génie que « la femme porte le désordre
dans la société par la passion » (6). Dès lors, la peinture de la
société entraîne nécessairement la peinture de la passion dans tous
ses « accidents infinis ». Même sans « le désir d'être lu dans toutes
les familles de la prude Angleterre » (7), il est douteux que Walter
Scott eût su introduire dans son œuvre l'élément qui lui manquait.
Il n'en est pas moins vrai que cette lacune l'a vite désigné comme
auteur préféré des enfants et des adolescents.

Le comique chez Walter Scott n'occupe pas une place très
importante, mais intéresse Balzac, d'abord parce que le mélange
de comique et de dramatique est inconnu jusque-là dans le
roman français, ensuite parce que les procédés employés par
Scott sont bons à connaître. Le plus fréquent de ces procédés
est l'usage, pour la caractérisation d'un personnage, secondaire
en général, de manies dans l'expression, de redites (8). Il est

---

(1) *La maison Nucingen*, t. 6, p. 365.
(2) *Avant-Propos*, CFL, t. 15, p. 378.
(3) *Ibid.*
(4) *Ibid.*
(5) *Une ténébreuse affaire*, CFL, t. 11, p. 1361.
(6) *Illusions perdues*, CFL, t. 4, p. 386.
(7) *Ibid.*
(8) Un autre procédé comique, qui, celui-là, ne relève pas directement de la
technique du roman, se retrouve dans l'habitude qu'avait Scott de présenter
ses ouvrages sous des masques divers dans des préfaces où il s'adressait à des
personnages fictifs, fantaisistes (capitaine Clutterbuck, Dʳ Dryedust, etc.).
BALZAC l'imitera, grossièrement d'abord dans son *Falthurne* et dans *L'héritière
de Birague*, puis plus discrètement dans son Avertissement aux *Chouans*, où

intéressant de constater que ce fut le premier élément emprunté à Walter Scott par Balzac. *L'héritière de Birague* fait en effet un emploi abusif de ce procédé. Or, en 1840, le grand romancier qu'est devenu Balzac juge sévèrement de cette forme de comique trop facile et la reproche à Cooper, sans se méprendre sur son origine :

Le premier auteur de cette maladie, qui a dégénéré en épizootie, car un bon nombre de littérateurs français en sont atteints, est Sir Walter Scott. La visite du roi Charles, dont parle sept ou huit fois Lady Bellenden, dans *Les puritains*, et quelques traits semblables, desquels, en homme de génie, Scott a été sobre, ont perdu Cooper. Le grand Écossais n'a jamais abusé de ce moyen, qui est petit, qui accuse l'infécondité, l'aridité de l'esprit. [...] Walter Scott a remarqué ce que nous avons tous observé, le vice assez comique des redites ; mais cette peinture ne fournissait qu'un personnage ou deux au plus, et il s'en est tenu à ce nombre. [...] Dans *Redgaundtlet*, il y a un vieux contrebandier qui répète incessamment : *par suite d'affaires* ; mais Walter Scott a fait de ce mot une source intarissable *d'humour* et ne nous ennuie jamais (1).

Une subtile variante de ce procédé se retrouve dans *César Birotteau* où le parfumeur récemment décoré redit à qui veut l'entendre les hauts faits qui lui valurent un tel honneur. Il est évident que cette sorte de caractérisation est superficielle ; elle peut tout au plus servir de complément aux autres traits.

L'usage intensif du dialogue, que Scott manie avec tant d'habileté dans ses longues préparations à l'action, ne devait pas manquer d'attirer l'attention de Balzac, car là encore l'Écossais était innovateur. Son roman est aussi drame (2). Nous avons vu que d'Arthez recommande à Lucien d'éviter ces « diffuses causeries » pour les remplacer par la description, tout en retenant l'idée du « drame dialogué de l'Écossais ». Nous avons vu également que c'est par le dialogue que se crée l'atmosphère, se dessine l'époque, se développent les personnages. N'est-ce que le souci d'originalité qui pousse d'Arthez à inverser les termes et à substituer la description au dialogue ? Nous ne le croyons pas. Balzac a des idées très nettes à ce sujet. Critiquant la manière

---

tout en inventant son Victor Morillon, il reconnaît que « Walter Scott a eu le bon esprit de se moquer lui-même de ces superfétations qui ôtent de la vérité à un livre » (CFL, t. 11, p. 1094).

(1) *Lettres sur la littérature*, CFL, t. 14, p. 1065.

(2) Rien de plus facile à adapter au théâtre que les romans de Walter Scott, comme le découvrirent vite les contemporains.

artificielle dont Sue, dans son *Jean Cavalier*, fait parler les protestants, il remarque :

> Les paroles des protestants ne font aucun effet parce qu'elles sont
> plaquées et ne sont pas le germe ou le fruit des faits, comme chez les
> personnages de Walter Scott. [...] Le dialogue, disons-le hautement,
> est la dernière des formes littéraires, la moins estimée, la plus facile ;
> mais voyez jusqu'où Walter Scott l'a élevé. Il l'a fait servir à achever
> ses portraits. Deux phrases du gardeur de pourceaux, et du fou dans
> *Ivanhoë*, agrandissent tout, le pays, la scène, et même les nouveaux
> venus, le templier et le pèlerin (1).

A y regarder de près, Balzac distingue deux sortes de dialogue :
celui qui est « le germe ou le fruit des faits », c'est-à-dire qui
précède l'action et la prépare, ou la conclut et en dégage la signification ; et celui, plus dosé, plus concentré, qui ajoute à un
portrait une note frappante en quelques mots. C'est ce dernier
qu'il admire et non tant le long dialogue, nécessairement lent,
chargé de poser toutes les données du roman, qu'il remplacera,
comme le conseille d'Arthez, par la description. Ne perdons pas
de vue pourtant que Balzac lui aussi conçoit ses romans sous une
forme essentiellement dramatique, témoin le titre général de
*Comédie humaine* et la classification en *Scènes*. La découverte
peut-être la plus significative qu'il fit dans Walter Scott est
celle d'une humanité en action dans un cadre historique, mais très
réel. L'intérêt historique est en somme très secondaire. Dès
après *Les Chouans*, Balzac comprend que l'humanité actuelle
pourrait faire l'objet d'une peinture tout aussi vive que celle
de Walter Scott. C'est ce qu'annonce F. Davin dans l'Introduction
aux *Études philosophiques* :

> Ce romancier [Balzac] entreprend pour la société actuelle ce que
> Walter Scott a fait pour le Moyen Age. L'un a résumé en types larges
> et saillants tous les caractères généraux des grandes époques historiques
> de l'Angleterre et de l'Ecosse : hommes et femmes, corporations et
> castes, partis, sectes, courtisans, bourgeois, princes, manants, il a tout
> fait poser devant lui, tout classé, tout mis en relief... (2).

Le titre d'*Études philosophiques* indique déjà cependant que
l'auteur ne se contentera plus « d'admirables tableaux ». Entre
l'Avertissement aux *Chouans* où Balzac écrivait : « Les couleurs
sont là pour tout le monde, car, après tout, l'homme ne peut
mettre que la nature en œuvre et le problème résolu qui constitue

(1) *Lettres sur la littérature*, CFL, t. 14, p. 1075.
(2) CFL, t. 15, pp. 113-114.

l'homme de génie est de sentir mieux que les autres », et l'Introduction aux *Études philosophiques*, sa réflexion sur l'œuvre de
« l'ébéniste écossais », n'a cessé de s'approfondir. Balzac peu à
peu en voit les limitations : admirable peintre, admirable ouvrier,
Walter Scott n'est pas architecte.

Quoique grand, le barde écossais n'a fait qu'exposer un certain
nombre de pierres habilement sculptées, où se voient d'admirables
figures, où revit le génie de chaque époque, et dont presque toutes sont
sublimes ; mais où est le monument ? [...] Le génie n'est complet que
quand il joint à la faculté de créer, la puissance de coordonner ses
créations. Il ne suffit pas d'observer et de peindre, il faut encore peindre
et observer dans un but quelconque (1).

L'élève a désormais dépassé le maître : il sera « Walter Scott
plus un architecte ». On sait la place qu'il accordera dans son
*Avant-Propos* à l'idée de « système ». Il eût été naturel alors qu'il
regardât avec condescendance l'œuvre de Walter Scott, laissée
si loin derrière lui. Balzac au contraire fait preuve d'une singulière
humilité, Walter Scott reçoit une fois de plus l'hommage de son
admirateur : « Quoique, pour ainsi dire, ébloui par la fécondité
surprenante de Walter Scott, toujours semblable à lui-même et
toujours original, je ne fus pas désespéré, car je trouvai la raison
de ce talent dans l'infinie variété de la nature humaine (2). »
L'auteur de *La comédie humaine* se doutait-il qu'en associant
ainsi Walter Scott à son œuvre, il faisait participer celui-ci à
une gloire encore plus solide que celle conquise par les romans de
la vieille Écosse ? Non, sans doute, si l'on s'en rapporte à la
prédiction d'une lettre à Mme Hanska : « Auprès de lui, lord
Byron n'est rien, ou presque rien. [...] Vous avez raison : Scott
grandira et Byron tombera. L'un a toujours été *lui*, l'autre
a créé (3). »

Il est difficile de parler de Walter Scott sans songer à Fenimore
Cooper, car ces deux auteurs se tiennent très souvent dans l'esprit de Balzac. Certes, l'Américain est loin d'y occuper une place
comparable à celle de l'Écossais, et souffre souvent du rapprochement. L'originalité de ses romans intéresse néanmoins passion-
nément Balzac, nous allons voir pourquoi.

Balzac, là comme ailleurs, ne fait tout d'abord que suivre le
mouvement d'intérêt général à l'égard des romans de Cooper.

(1) Introduction aux *Etudes de mœurs au XIXᵉ siècle*, CFL, t. 15, p. 135.
(2) *Avant-Propos*, CFL, t. 5, p. 372.
(3) *Lettres à l'étrangère*, t. 1, pp. 453-454.

C'est vers 1826 que celui-ci devient vraiment célèbre en France, avec la traduction du *Dernier des Mohicans*. Comme le remarque Balzac avec une certaine amertume dans son article sur *Le lac Ontario*, « certes, Cooper ne doit point sa gloire à ses concitoyens, il ne la doit pas non plus à l'Angleterre, il la doit en grande partie à l'admiration passionnée de la France, de notre noble et beau pays, plus soucieux des gens de génie étrangers que de ses poètes. Cooper a été bien compris, il a été surtout apprécié par la France » (1). *La prairie*, publiée durant le séjour de l'auteur en France, en 1827, fut immédiatement traduit en français (2). En 1831, Balzac fait relier neuf volumes in-8° des romans de Cooper ; il est donc un lecteur ardent de l'écrivain américain.

Entre 1828 et 1840, Cooper ne semble rien avoir publié qui plaise particulièrement à Balzac. Gozlan nous rapporte, par contre, son enthousiasme à la lecture du *Lac Ontario* et comment, dans une pâtisserie, il offrit l'exemplaire qu'il venait de lire à une demoiselle de magasin à qui il voulait plaire, en s'écriant : « C'est beau ! c'est grand ! c'est d'un immense intérêt ; il nous devait bien ce chef-d'œuvre après les deux ou trois dernières rapsodies qu'il nous a données : vous lirez cela (3) ! » Vraie ou fausse, l'anecdote est significative. L'article de la *Revue parisienne* la confirme. C'est autour de cet article de 1840 sur *Le lac Ontario* que nous allons grouper les remarques de Balzac sur Cooper, car y sont notés tous les aspects, positifs et négatifs, de l'art de Cooper tel que le comprend l'auteur de *La comédie humaine*.

Balzac commence par féliciter l'auteur d'avoir enfin produit « un beau livre, digne des *Mohicans*, des *Pionniers*, de *La prairie*, auxquels il sert de complément » (4). Toutes les œuvres de Cooper ne sont, en effet, pas égales de valeur, et le critique en distingue sept au total (*Le pilote*, *Le corsaire rouge*, *L'espion* et les autres romans cités ci-dessus), dignes d'exciter l'admiration. Dans ces œuvres, continue Balzac, Cooper n'égale certes pas Walter Scott, « mais il a de son génie ». Or, les deux facultés que Balzac, sur la foi d'une connaissance approfondie de l'écrivain, distingue essentiellement chez lui ne pourraient se retrouver

(1) *Lettres sur la littérature*, CFL, t. 14, p. 1065. La célébrité de Cooper en France est attestée par le buste que sculpta de lui David pour le joindre à sa série d'hommes illustres. Balzac ne fut pas peu fier lorsqu'il apprit que le sculpteur voulait qu'il posât également pour lui ; cf. *Lettres à l'étrangère*, t. 2, p. 84 et p. 224.

(2) Sur la réception par la critique française des œuvres de F. Cooper, voir George D. Morris, *Fenimore Cooper et Edgar Poe d'après la critique du XIXᵉ siècle*, Paris, 1912.

(3) *Op. cit.*, p. 45.

(4) *Lettres sur la littérature*, CFL, t. 14, p. 1060.

chez Walter Scott, puisque c'est la faculté de peindre la mer et les marins, et « celle d'idéaliser les magnifiques paysages de l'Amérique » (1). Si nous essayons de dégager ces facultés du domaine particulier (mer ou brousse américaine), où elles s'appliquent, nous voyons aussitôt que la grandeur de Cooper est avant tout celle d'un paysagiste et que son talent s'exerce à son mieux dans la description. Plutôt qu'une partie du génie de Scott, il faudrait donc attribuer à Cooper un génie complémentaire de celui de l'Écossais. L'art de la description, et plus particulièrement du paysage, a toujours préoccupé Balzac. Certainement supérieur dans son esprit à l'art du dialogue, il demande un talent tout particulier que l'auteur du *Lys dans la vallée*, disons-le, se flattait de posséder. Les romans marins de Cooper, *Le pirate*, *Le pilote*, *Le corsaire rouge*, l'avaient fait reconnaître maître du genre. Sue est en ceci son émule. Mais Cooper, qui « après vous avoir lancé en pleine mer, passionne l'immense étendue de l'Océan » (2), sait également évoquer les paysages sauvages de son pays avec une telle vigueur et une telle poésie que Balzac en reste transporté. Les descriptions de *La prairie* sont évoquées dans *Le curé de village* avec une admiration non déguisée : « Récemment Cooper, ce talent si mélancolique, a magnifiquement développé la poésie de ces solitudes dans *La prairie*. Ces espaces oubliés par la génération botanique, et que couvrent d'infantiles débris minéraux, des cailloux roulés, des terres mortes, sont des défis portés à la Civilisation (3). » Défi également porté par le peintre à tout imitateur. *Le lac Ontario* offre une preuve de plus du talent inimitable de Cooper à décrire ses paysages par une suite de « tableaux merveilleux » : « Il y a là de quoi désespérer tout romancier à qui l'envie prendrait de suivre les traces de l'auteur américain. Jamais l'écriture typographiée n'a plus empiété sur la peinture. Là est l'école où doivent étudier les paysagistes littéraires, tous les secrets de l'art sont là (4). » Balzac est à cette école depuis longtemps, depuis *Les chouans*, où la région de Fougères joue un si grand rôle et où le paysage revit dans ses moindres détails.

La comparaison du talent de Cooper avec celui d'un peintre laisserait supposer que Balzac voit chez l'auteur américain de beaux tableaux immobiles, sortes d'admirables toiles de fond sur lesquelles les personnages seraient ensuite disposés. Or, ce que

---

(1) *Ibid.*
(2) *Ibid.*, p. 1062.
(3) CFL, t. 7, p. 731.
(4) *Lettres sur la littérature*, CFL, t. 14, p. 1062.

Balzac admire et envie au contraire chez Cooper, c'est le paysage
« actif », saisi dans sa vie et son mouvement, personnage principal
de l'intrigue, raison suffisante du roman. Il voit bien que, plutôt
que les batailles d'Indiens ou les intrigues des Blancs, le vrai
sujet de ces romans est le paysage même. Le titre français *Le lac
Ontario* pour *The Pathfinder* en fait d'ailleurs foi. Nous comprenons dès lors son admiration sans réserve : il sait que faire croire
à la vie d'un personnage n'est déjà pas tâche facile ; l'écrivain y
emploie toutes les ressources de son dialogue ; mais communiquer
au lecteur la vie frémissante d'un paysage, lui faire sentir la
fraîcheur de ses ombrages, le plonger dans l'angoisse de la solitude,
le mettre à l'aguet du moindre bruissement, exige les ressources
d'un grand talent d'évocation, assez semblable à celui du poète :
« Vous vous incarnez à la contrée ; elle passe en vous, ou vous
passez en elle, on ne sait comment s'accomplit cette métamor-
phose due au génie ; mais il vous est impossible de séparer le sol,
la végétation, les eaux, leur étendue, leur configuration, des
intérêts qui vous agitent (1). » Si cet enthousiasme nous semble
légèrement outré, n'oublions pas que la découverte de la valeur
littéraire de la nature était chose relativement récente à l'époque
de Balzac et qu'il avait fallu des talents comme Rousseau,
Bernardin de Saint-Pierre ou Chateaubriand pour réussir dans
la description de paysage. L'importance qu'y attache Balzac
nous amuse un peu, car, malgré ses prétentions, il ne sera jamais
aussi grand paysagiste que lorsqu'il décrira non pas un paysage,
mais Paris. Alors, les leçons apprises chez Cooper porteront leur
fruit ; la prairie américaine deviendra une prairie parisienne, non
moins inquiétante, non moins grandiose, non moins vivante.

Quoiqu'en dise Balzac, d'ailleurs, il n'est pas certain que son
attirance pour Cooper soit due principalement au talent descriptif de cet écrivain. En effet, dès le début de l'article sur *Le lac
Ontario*, Balzac n'a pas plutôt défini ce talent qu'il s'empresse
d'ajouter que son admiration est encore accrue par le personnage
qui, à travers quatre romans, anime ces savanes et ces forêts,
l'immortel Bas-de-Cuir, « hermaphrodite moral, né de l'état
sauvage et de la civilisation, qui vivra autant que les littératures » (2). Demi-indien, demi-civilisé, ce Bas-de-Cuir, dit Longue
Carabine, dit le Trappeur, dit le Dépisteur, est une des figures
romanesques qui ont tellement frappé Balzac qu'il ne pourra
jamais les oublier. Nous reconnaissons son « rire à vide » derrière

(1) *Ibid.*, p. 1062.
(2) *Ibid.*, p. 1060.

la « fumée de gaieté » qui s'échappe du visage de Gobseck (1), son impassibilité dans celle de Fromenteau (2), son coup-d'œil perçant est celui du vaurien Maxence Gilet (3), sans parler de ce que lui doit le Marche-à-terre des *Chouans*. L'emprise d'un tel personnage sur l'imagination de Balzac n'est pas uniquement due à son pittoresque ou à son étrangeté. Il représente à sa manière un aspect du conflit entre la société et l'individu dont Balzac fera la base de son édifice. A mi-chemin entre la civilisation et l'état sauvage, trop amoureux de sa liberté et des grands espaces pour désirer retourner à la société des hommes, il est condamné à la solitude et au silence. « Cette figure si profondément mélancolique », a peut-être offert à Balzac un des premiers exemples de ces êtres forts que la société repousse. Là encore, une certaine parenté avec Vautrin s'établit d'elle-même.

Bas-de-Cuir mis à part, les personnages de Cooper sont peu frappants et Balzac l'explique à juste raison par la place primordiale qu'occupe le pays dans ces romans, rejetant ainsi les personnages au second plan. L'intrigue qui les lie importe assez peu, elle n'est au fond que prétexte. Nous savons trop combien Balzac s'intéresse à l'humanité dans ses aspects les plus divers pour nous douter que Cooper n'a rien à lui offrir dès qu'il s'agit du métier de romancier, de la structure dramatique de l'œuvre. Là, Walter Scott redevient pour lui le maître inégalable. Il reproche donc à l'écrivain américain ses piteux efforts pour créer des caractères comiques qui ne réussissent qu'à être « grimaçants » et sa faiblesse dans la préparation du drame. C'est pourquoi les seuls personnages que Cooper ait vraiment su faire vivre sont ceux qui font, en quelque sorte, partie du paysage, à la peinture desquels l'écrivain pourra appliquer son talent d'évocateur, les fameux Peaux-Rouges, Mohicans, Iroquois ou autres que Balzac associera si étrangement à son œuvre. Pourquoi ont-ils fait une pareille impression sur lui ? Question difficile : il y a chez Balzac un grand enfant, toute sa vie passionné d'aventures extraordinaires, chez qui l'imagination est telle qu'il n'éprouve aucune peine à vivre ces aventures, à trembler devant les dangers, à sentir cette « poésie de terreur que les stratagèmes des tribus ennemies en guerre répandent au sein des forêts de l'Amérique » (4) ; le pittoresque du dépaysement ajoute encore à cet attrait des récits de Cooper. Mais il y a aussi chez Balzac le romancier de

(1) *Gobseck*, CFL, t. 6, p. 1330.
(2) *Un espion à Paris*, cité par LOVENJOUL, *op. cit.*, p. 142.
(3) *La Rabouilleuse*, CFL, t. 3, p. 144.
(4) *Splendeurs et misères des courtisanes*, CFL, t. 5, p. 333.

métier, dont la conscience est toujours en éveil, prête à saisir des
analogies, à agrandir son univers. La première de ces analogies
est celle qu'il établira entre les Chouans et les Mohicans, entre la
campagne bretonne et la forêt américaine. Les facultés sensoriel-
les des « sauvages » de Cooper, leur agilité, leur impassibilité mystérieuse sont des éléments dont Balzac a eu vite fait de voir l'utilisation romanesque ou dramatique. L'analogie se poursuit, après
*Les Chouans* et nous assisterons à cette transformation stupé-
fiante des Indiens de Cooper en Parisiens du XIXe siècle. Sous le
masque varié des apparences, ils restent identiques à eux-mêmes :
les batailles continueront, ils auront les mêmes cruautés, les
mêmes héroïsmes. Balzac s'amusera parfois à leur ôter un
instant leur masque : la cousine Bette fait alors figure du « Mohi-
can dont les pièges sont inévitables, dont la dissimulation est
impénétrable, dont la décision rapide est fondée sur la perfection
inouïe des organes » (1) ; Z. Marcas est le Peau-Rouge plein de
dédain et de calme au milieu de ses défaites (2) ; les paysans français deviennent les Peaux-Rouges de Cooper, posant leurs
pièges (3). Balzac avait donc raison en remarquant que « vous vous
incarnez à la contrée ; elle passe en vous ». Avec elle passent aussi
les seuls personnages vrais chez Cooper, Bas-de-Cuir et les Indiens.
Même si Balzac déplore les limitations de Cooper comme romancier, son incapacité anglo-saxonne à peindre la femme, l'absence de
signification générale qui puisse saisir l'esprit humain une fois
l'œuvre achevée, l'isolement dans lequel il plonge le lecteur, son
manque de logique dans l'enchaînement des phrases, nous ne
pouvons nous empêcher de penser que son admiration a dû être
bien réelle pour ce créateur de paysages animés, pour que nous
retrouvions tant de traces de son passage dans *La comédie humaine*.

Nous chercherions en vain parmi les romanciers français
des noms aussi prestigieux pour Balzac que ceux de Walter Scott
ou Fenimore Cooper. Dans l'océan d'ouvrages écrits dans le genre
historique, seuls quelques îlots surnagent pour nous : ils ont pour
nom *Cinq-Mars*, *Notre-Dame de Paris*, la *Chronique du règne de
Charles IX*, *Les Chouans*. La perspective de Balzac est différente.
Aucune de ces œuvres, la sienne exceptée sur laquelle il s'émer-
veillera à juste titre lorsqu'il pourra la relire objectivement (4),

(1) *La cousine Bette*, CFL, t. 9, p. 834.
(2) *Z. Marcas*, CFL, t. 8, p. 987.
(3) *Les paysans*, CFL, t. 3, p. 942 et p. 1011.
(4) Cf. *Lettres à l'étrangère*, t. 2, p. 246 ; « J'ai eu le plaisir de lire enfin
mon ouvrage et de le juger. Il y a là tout Cooper et tout Walter Scott, plus une

ne lui apparaît assez grande pour exciter son admiration ou provoquer beaucoup de commentaires. C'est en tant que critique professionnel, dans le *Feuilleton*, dans *La chronique de Paris*, dans la *Revue parisienne*, qu'il aura à exprimer son opinion sur tel ou tel émule français du romancier écossais. L'esprit qu'il apportera à ces critiques ira de l'ironie cinglante (1) à l'examen attentif et sérieux du roman d'un point de vue technique dont le critère sera toujours Walter Scott. Trois écrivains seulement doivent retenir notre attention un instant, car Balzac les connaît personnellement, et leur consacre plusieurs pages de sa critique. Ce sont Henri de Latouche, Paul Lacroix, dit le bibliophile Jacob, et Eugène Sue.

Il est inutile de retracer ici dans ses détails l'amitié de Balzac et de Latouche (2). Il suffira de rappeler qu'elle fut très vive, bien que de courte durée, et que Balzac en profita largement. Lorsqu'il fit la connaissance de Latouche, en effet, en 1825, celui-ci, beaucoup plus âgé, jouissait déjà d'une réputation établie dans le monde littéraire. L'affection protectrice de Latouche ouvrit maintes portes au jeune et obscur romancier ; son goût et son esprit critique aidèrent sans doute Balzac à faire des *Chouans* une grande œuvre ; son esprit ombrageux et possessif fut la cause de la rupture brutale de leur amitié en 1829, suivie d'une cordialité aigre-douce jusqu'au moment de la brouille finale en 1831. Les deux hommes dès lors nourrissent l'un pour l'autre une haine tenace, plutôt fondée sur des malentendus que sur des faits graves, mais dont aucun d'eux ne voudra sortir. « Latouche est envieux, haineux, méchant ; c'est un entrepôt de venin ; mais il est fidèle à sa foi politique, probe, et cache sa vie privée » (3), écrit Balzac en 1833. La haine que lui porte Latouche finira par lui paraître née du simple désir de se venger de ses propres torts (4). Son jugement littéraire sur Latouche est-il affecté par ces relations houleuses ? C'est ce que nous allons essayer de voir.

Latouche publie *Fragoletta, ou Naples et Paris en 1799* en

---

passion et un *esprit* qui n'est chez aucun d'eux. La passion y est sublime et je comprends maintenant ce qui vous a fait vouer une espèce de culte à ce livre. Le pays et la guerre y sont dépeints avec une perfection et un bonheur qui m'ont surpris. En somme, je suis content. »

(1) Cf. par exemple son compte rendu de *La chemise sanglante*, par A. BARGINET, Con., t. 38, p. 374.

(2) Pour tout ce qui concerne les rapports entre ces deux écrivains, voir F. SÉGU, *Un maître de Balzac méconnu : H. de Latouche*, Paris, Les Belles-Lettres, 1928, et DU MÊME AUTEUR, *H. de Latouche*, Paris, Les Belles-Lettres, 1931. Nous pensons avec M. Bardèche que l'influence littéraire de Latouche sur Balzac est fort exagérée par M. Ségu.

(3) *Lettres à l'étrangère*, t. 1, p. 27.

(4) *Ibid.*, t. 3, p. 280.

janvier 1829 à peu près au même moment où il se charge de
faire éditer *Le dernier Chouan* (paru en mars seulement, après
maints détails et frais supplémentaires dus aux corrections infinies
de Balzac). A la critique du roman de Balzac par Latouche dans
*Le Figaro*, où se mêlent éloge et blâme, répond la critique du
roman de Latouche par Balzac, dans le *Mercure du XIXe siècle*
du mois de juin. C'est son premier article de vraie critique. Son
style y est maniéré et prétentieux, son jugement peu net. Rien
d'étonnant à ce que Latouche n'en ait pas été fort satisfait. On
sent le chroniqueur soucieux de ne pas se compromettre. Après
avoir consacré la moitié de son article à décrire les réflexions
politico-philosophiques suscitées en lui par le roman, il feint de
se décider à en aborder la critique, mais se dérobe à nouveau :
« Tracera qui en aura l'audace, après l'avoir lu, une analyse de
ce livre. Ce n'est pas moi qui l'oserai (1). » Pas un mot sur les
principaux personnages, sur cette Fragoletta qui pourtant a
frappé son imagination (ou la frappera-t-elle plus tard ?), puisque
non seulement elle surgit tout à coup entre Raphaël et Foedora,
dans *La peau de chagrin* (2), mais aussi il en déduit *Séraphita*
comme l'atteste une note de son carnet : « Les deux natures en un
seul être, comme *Fragoletta*, mais un ange à sa dernière
épreuve (3). » C'est à peu près en ces mêmes termes qu'il expliquera son personnage à Mme Hanska en 1833. Nous ne saurons
pas si la pensée de Balzac a dû mûrir pour dégager du personnage
de Latouche une signification qui, d'ailleurs, le dépasse de beaucoup, ou si les généralités dans lesquelles il maintient son article
de 1829 sont systématiques. Le jugement sur la technique est un
peu plus précis : l'on sent que, sans être nommé, l'idéal est Walter
Scott et ses infinies précautions à ne rien laisser au hasard, et que
le mystère qui « pèse à la fois sur la topographie, sur le drame et
sur les héros » chez Latouche relève pour Balzac d'un défaut
d'exécution : « Le laconisme de M. Latouche ressemble trop à
l'éclair. On est ébloui et l'on ne sait où l'on marche. » Pense-t-il
par contraste aux « arabesques feuillues et fouillées », de Walter
Scott ? Ces réserves, Balzac les avait d'ailleurs très certainement

---

(1) CFL, t. 14, p. 953.
(2) « Je pensai tout à coup au livre récemment publié par un poète, une
vraie conception d'artiste taillée dans la statue de Polyclès. Je croyais voir ce
monstre qui, tantôt officier, dompte un cheval fougueux, tantôt jeune fille se
met à sa toilette et désespère ses amants, amant, désespère une vierge douce et
modeste. Ne pouvant plus résoudre autrement Foedora, je lui racontai cette
histoire fantastique : rien ne décela sa ressemblance avec cette poésie de l'impossible » (*La peau de chagrin*, CFL, t. 7, p. 1116).
(3) *Pensées, sujets, fragments*, p. 125.

exprimées à son ami, comme en fait foi une lettre du 25 mai de cette même année 1829, dans laquelle résonnent les échos d'une demi brouille. La susceptibilité d'auteur de Latouche avait déjà été blessée par les critiques amicales de Balzac : « *Pauvre père de* FRAGOLETTA ! », écrit celui-ci, « c'était précisément à cause du peu de réalité de ce personnage qu'il faut que les acteurs de ce drame soient d'autant plus investis, et votre superbe dédain m'a fait quelque peine. Mais enfin, vous avez assez de talent pour opérer sur l'esprit du lecteur, par d'autres moyens, la conviction que je vous demandais d'établir par un tableau naturel » (1). Critique perspicace de la part du jeune romancier novice, qui révèle déjà un sens profond des lois fondamentales du roman. Latouche eût peut-être gagné à être moins rétif devant les conseils de son protégé.

En janvier 1831, une *Lettre sur Paris* annonce que « l'auteur auquel nous devons les ravissantes pages de *Fragoletta* médite une composition où sa poésie se condensera sous une image plus naturelle que celle de la statue de Polyclès » (2). En même temps paraît, toujours au *Mercure du XIXᵉ siècle*, un nouvel article sur *Fragoletta*, signé Félix D. (i.e., Félix Davin), mais de l'avis général écrit par Balzac. Pourquoi ce deuxième article ? Très certainement pour faire preuve de bonne volonté envers Latouche qui avait, pour sa part, écrit en janvier 1830 un article nuancé, mais sympathique, sur la *Physiologie*. Intitulé *Du roman historique et de Fragoletta*, l'article de 1831 semble presque refait sur celui de 1829 : même longueur, même plan. Mais quel progrès a fait le critique dans l'expression, dans la précision des idées, dans la compréhension de la technique du roman ! Les mêmes considérations générales occupent la première moitié de l'article, transposées cette fois sur le plan littéraire : les rapports de la littérature et de la société y sont étudiés. Nous y reconnaissons sans peine l'auteur de *La peau de chagrin*. Après avoir présenté Latouche comme « un des hommes chez qui une haute raison s'unit à une grande puissance d'imagination, et qui ont le plus heureusement interprété notre époque » (3), Balzac semble embarrassé d'avoir à prouver une telle déclaration. A peine, en effet, a-t-il affirmé ce talent, qu'il se laisse emporter dans une analyse de l'art pictural destinée à définir, par analogie, l'art du roman historique. Quand Balzac, ne pouvant plus reculer, en vient finalement à s'occuper de l'œuvre de Latouche, nous le sentons déterminé à l'admiration,

(1) *A M. Henri de Latouche*, CFL, t. 16, p. 41.
(2) CFL, t. 14, p. 418.
(3) CFL, t. 14, p. 956.

coûte que coûte ; les défauts relevés en 1829 sont passés sous
silence : le laconisme devient même un effet de « relief saisissant »
donné par « le ciseau brusque » de l'artiste. Pour éviter une critique technique, Balzac s'intéresse aux personnages uniquement,
en montre l'intérêt, réservant une large place maintenant à
*Fragoletta* lui-même. Si son admiration semble avoir eu un
départ difficile, elle va bon train une fois lancée, et nous laisse
légèrement hors d'haleine quand, après quelques lignes de superlatifs trop réminiscents des *Litanies romantiques* pour être bien
convaincants, le critique conclut : « Je résumerai mon jugement
par un mot : comme l'*Hermaphrodite*, *Fragoletta* restera monument (1). »

Un tel effort de bonne volonté n'empêche pas la rupture définitive quelques mois plus tard entre Balzac et Latouche. Celui-ci
poursuit sa vocation d'écrivain médiocre et de protecteur de
jeunes talents, tandis que Balzac grandit rapidement et continue
à juger les œuvres de son ancien ami. En 1838, il lit *Aymar* :
« C'est décidément un pauvre esprit tombé en enfance (2). »
Notons le bien, cependant, la haine de Balzac pour Latouche
n'est entretenue que par celle que lui porte l'auteur de *Fragoletta*.
Il est capable de jugements favorables à son égard, témoin la
Préface d'*Un grand homme de province à Paris* qui le qualifie
d' « homme d'esprit » et rend hommage à la satire qu'il fit de la
« camaraderie » littéraire (3) ; témoin également ce passage des
*Études sur M. Beyle* où Balzac trouve chez Stendhal « cet esprit
et cette grâce que possèdent, à un haut degré, MM. Charles
Nodier et de Latouche. Il tient même de ce dernier pour la séduction de sa parole », ajoute-t-il (4).

Ceci dit il est tout aussi capable d'une férocité implacable.
L'article de la *Revue parisienne* sur *Léo* en fait foi. Balzac aurait
pu ignorer le roman de Latouche. L'occasion lui sembla sans
doute trop bonne d'inaugurer sa nouvelle revue par un coup de
massue qui le vengerait une bonne fois des « soupes trempées
de fiel » que ce « manteau-bleu de la littérature » lui avait jadis
offertes (5). Autant l'article de 1832 était systématique dans la
louange, autant celui-ci l'est dans la critique. Après avoir retracé
l'intrigue en détail, non sans en faire ressortir l'évident ridicule,

---

(1) *Ibid.*, p. 959.
(2) *Lettres à l'étrangère*, t. 1, p. 458.
(3) CFL, t. 15, p. 262. L'article de LATOUCHE, paru à la *Revue de Paris*,
d'oct. 1829, avait fait grand bruit.
(4) CFL, t. 14, p. 1214.
(5) CFL, t. 14, p. 1059.

Balzac se livre à une critique de technicien fort intelligente, mais malheureusement entrecoupée de considérations personnelles trop flagrantes. Quatre points essentiels font l'objet de ses remarques. L'absence de motivation dans les actions des personnages empêche le lecteur de jamais se laisser prendre par eux : « Dans cette œuvre incohérente, il n'y a ni un sentiment ni une action ni un intérêt qui conduise le lecteur, qui le captive et le mène à un dénoûment souhaité (1). » Le roman, au lieu d'un habile travail de tisserand, n'est qu'une trame où les fils sont trop lâches : la suite des événements est interrompue arbitrairement pour que l'auteur puisse y placer quelque épisode favorable à l'expression de ses idées. Les faits sont entassés sans jamais être préparés ni expliqués : ils ne pourraient avoir aucune vérité littéraire, même s'ils étaient réels. Enfin, la propagande républicaine dont Balzac accuse Latouche avec raison est d'autant plus irritante que le livre est « mal écrit, incohérent », que les figures y sont « folles, impossibles et niaises ». Les dernières pages de l'article sont un relevé impitoyable de toutes les erreurs, maladresses, imprécisions de style des cent cinquante premières pages du roman. La ruse de Balzac consiste à écrire une critique en somme très valable, car elle contient une infinité d'éléments constructifs, tout en évitant de relever une seule qualité chez l'auteur en question. En somme, la critique des défauts semble réservée à sa victime, tandis que la critique des beautés s'applique à Walter Scott qu'il substitue à Latouche chaque fois que c'est nécessaire. Toutefois, Léo eût-il été l'œuvre d'un autre auteur, il y a lieu de penser que la critique de Balzac eût été sensiblement identique dans son fond. La forme seulement aurait été plus courtoise, et l'expression plus nuancée. Dépouillée de toute considération personnelle, son opinion sur Latouche peut se résumer en ces termes : esprit vif, adroit causeur, médiocre écrivain.

Une attitude critique assez semblable en sa contradiction se retrouve chez Balzac lorsqu'il s'agit de Paul Lacroix. Bibliophile érudit, celui-ci avait trouvé dans le roman historique l'expression de son penchant naturel. Il n'a évidemment aucune importance dans la pensée de Balzac, mais puisque celui-ci lui consacra malgré tout deux articles, nous devons lui faire une place, si modeste soit-elle.

Le même jour (5 mai 1830), où paraissait dans le *Feuilleton des journaux politiques* une critique des *Deux fous*, *Le voleur* publiait un « Portrait de P.-L. Jacob ». L'auteur de ces deux arti-

(1) *Ibid.*, p. 1051.

cles était Balzac. L'article du *Voleur* s'efforce de tracer un portrait pittoresque de l'ami de Balzac, en en faisant autant que possible le « type » de l'érudit fouineur. *Les deux fous* n'y sont mentionnés qu'à la fin : « Cette composition tient de la peinture, de la sculpture, du drame et de la magie, C'est un *sièclorama*. On regrette bien vivement que le temps prodigieux réclamé par ces sortes de compositions les rende si rares (1). » Le jargon de journaliste dispense l'éloge sans réserve. Or, l'article du *Feuilleton* est au contraire très sévère. Dès la première phrase, il part à l'attaque de « quelques écrivains, de talent du reste, [...] dont la myopie n'aperçoit dans l'histoire que des faits isolés », et qui se contentent de « chroniquer », c'est-à-dire d'imiter purement et simplement dans leur contenu et leur forme les anciennes chroniques, sans tenir compte du progrès de l'esprit humain. Lacroix avait en effet écrit son roman dans le style et avec le vocabulaire de Froissart. Inévitablement, Walter Scott est alors invoqué et sert à mieux écraser son imitateur. Les termes employés par Balzac sont incroyablement durs : « Le Bibliophile ne semble rechercher que la grossièreté des siècles passés, le cynisme de langage et d'action, M. Jacob n'est pas de son temps, [...] il ne sympathise avec personne (2). » Ce roman que Lacroix n'a su écrire, son critique se met alors en demeure de l'esquisser : « Il y avait cependant dans l'époque que M. Jacob avait choisie de quoi fournir à un écrivain moderne, doué de l'esprit de son temps, des tableaux gracieux... », et voici son imagination lancée. Lacroix n'est plus mentionné que pour souligner son incapacité dans l'invention.

L'article provoqua, l'on s'en doute, la colère de Lacroix, excitée encore, et à juste titre, par la mauvaise foi de Balzac qui lui écrivit le lendemain : « Je dois déclarer que depuis trois ou quatre numéros, je ne coopère plus au *Feuilleton*. Ainsi quoiqu'il y ait dans l'article des *Deux fous* quelques idées que je pourrais partager, je vous préviens que je n'y suis pour rien. » L'amitié cessa alors entre eux. Il est inutile de nier que Balzac se livra en cette occasion à cette critique « binaire » que pratiquent si brillamment les Lousteau ou les Blondet d'*Illusions perdues*. Il y apporte d'ailleurs un art tout particulier, car, la vérité ayant deux visages, ses deux articles sont justes. L'article du *Feuilleton* juge *Les deux fous* en tant que roman : c'est un échec total. L'article du *Voleur* s'occupe au contraire de l'érudition, de

(1) Con., t. 39, p. 23.
(2) *Ibid.*, p. 430.

l'amour du détail historique en soi : l'œuvre de Lacroix est sous ce rapport irréprochable. « Lire ce livre, c'est vivre dans le XVIᵉ siècle », peut dire Balzac sans trop mentir. Walter Scott sut être à la fois érudit et créateur. Balzac considère avec raison que Lacroix est mieux à sa place à fureter dans les bibliothèques qu'à composer des romans.

Avant de devenir le prince du roman-feuilleton, Eugène Sue se fit connaître comme écrivain par des romans ou des contes maritimes, directement inspirés de Cooper, puis par des romans historiques à la Walter Scott. *Les mystères de Paris*, son premier grand roman-feuilleton, qui fit sa fortune et celle du *Constitutionnel*, sont-ils d'ailleurs autre chose qu'une transposition du roman historique à l'époque contemporaine, tout comme *La comédie humaine* ? C'est au romancier historique, auteur de *Jean Cavalier*, que Balzac consacre un article de la *Revue parisienne*. Sa place parmi les imitateurs français de Scott ou de Cooper nous semble donc justifiée. D'autre part l'histoire de ses relations avec Balzac présente quelque similitude avec celle de l'amitié vite aigrie envers Latouche ou Lacroix. L'opinion de Balzac sur le talent littéraire de Sue subit une évolution parallèle à celle de son amitié pour lui, suivant une courbe descendante qui est celle d'une déception toujours grandissante au sujet de l'homme et de l'écrivain. Il nous suffira donc de suivre la chronologie pour en retracer les étapes.

Rencontré dans le milieu journaliste et bohème où évoluait lord R'Hoone ou Horace de Saint-Aubin, Sue inspira aussitôt une très vive amitié à Balzac qui admirait en lui l'élégance, la vivacité d'esprit, la liberté de mœurs, le luxe, l'affectation de cynisme, si fort à la mode alors. Sue cherchait de toute évidence à imiter Byron, et Balzac était ébloui. Il entre une grande part de souvenirs des équipées faites en compagnie de Sue dans le récit de l'orgie qui occupe la première partie de *La peau de chagrin*, ou dans les soupers chez les courtisanes d'*Illusions perdues*. En 1830, les deux jeunes écrivains sont ensemble à *La mode*, où Sue publie son *Kernock*, puis *Le gitano*. Balzac ne manque pas dans ses *Lettres sur Paris* de la même année de louer « cette ravissante marine » qu'est *Kernock*, et « le talent frais et gracieux » de son auteur (1). Ni sa sincérité, ni son jugement ne sont à mettre en doute : pour un débutant, Eugène Sue offrait, en effet, des espoirs littéraires certains. L'on sait, d'autre part, l'intérêt de Balzac pour les aventures mouvementées et pour les

_____

(1) **CFL**, t. 14, p. 415.

descriptions de paysage. « L'adorable peintre de *Kernock* » (1), sera peut-être le Cooper français : *Le naufrage*, annoncé en janvier 1831, devra « lutter de poésie » avec l'écrivain américain (2).

Pourtant dans un coin de l'esprit de Balzac, un doute s'élève déjà sur la trop grande aisance de son ami à s'adapter au goût du jour. *Les deux amis*, satire du conte romantique que Balzac ne publiera pas, contiennent une page « à la manière de Sue » qui aurait sans doute offensé l'auteur de *Kernock* s'il avait pu la lire (3). A la lumière de ce texte, les qualificatifs précieux appliqués à Sue dans les articles officiels se teintent d'une légère touche d'ironie. Du très court article de *La caricature* consacré à *La coucaratcha*, recueil de contes récemment publié par Sue, la même impression se dégage : sous la critique élogieuse de Balzac, d'ailleurs à son pire ici dans le genre superficiel et léger du journalisme à la mode, se décèle la pointe acérée qui se prépare. *La coucaratcha*, cette mouche dont la piqûre fait bavarder ceux qui en sont atteints (et le critique a soin de citer d'amples exemples de cette maladie), a piqué M. Eugène Sue. Les éloges qui suivent ne dissiperont pas l'impression créée par un tel préambule.

Balzac et Sue restent amis, mais tandis que l'un continue dans le genre gracieux et facile, l'autre est déjà entraîné par son génie vers une œuvre monumentale : l'argent, le luxe, le plaisir dont Sue fait son principal souci gardent pour Balzac tout leur prestige, mais n'en passent pas moins au second plan, après la création littéraire. C'est vers 1833 que leurs chemins divergent définitivement : « Eugène Sue est un bon et aimable jeune homme, fanfaron de vices, désespéré de s'appeler Sue, faisant du luxe pour se faire grand seigneur, mais, à cela près, quoique un peu usé, valant mieux que ses ouvrages », écrit Balzac dans une de ses premières lettres à Mme Hanska qui s'inquiète sans doute de l'influence néfaste de Sue sur le romancier qu'elle admire (4). Pour la rassurer, il écrit encore : « Il y a bien dix mois que je n'ai vu Eugène Sue, et vraiment je n'ai pas d'amis, dans le vrai sens du mot (5). » La signature de Sue parmi les collaborateurs de *La revue de Paris* à qui Buloz avait demandé leur soutien contre Balzac fut une pénible surprise. L'amitié est terminée : « M. Sue peut monter sur un vaisseau et s'aller vendre en Grèce (6). » Un

(1) *Les deux amis*, CFL, t. 14, p. 690.
(2) Con., t. 39, p. 122.
(3) CFL, t. 14, p. 690.
(4) *Lettres à l'étrangère*, t. 1, p. 17.
(5) *Ibid.*, p. 32.
(6) Historique du procès du *Lys dans la vallée*, CFL, t. 15, p. 244.

mois auparavant, les deux écrivains, tous deux coupables d'avoir négligé leur service dans la Garde nationale, s'étaient retrouvés, par le plus grand des hasards, en prison. Ils avaient passé quarante-huit heures ensemble, à causer. Toutes les qualités qui avaient naguère fasciné Balzac chez ce viveur qu'était Sue, lui apparaissent maintenant sous leur vrai jour et dans leurs vraies conséquences : « Il est riche, il est à l'abri de tout. Il ne pense plus à la littérature ; il vit surtout pour lui ; il a développé l'égoïsme le plus complet. [...] Il est incapable de ressentir aucun sentiment (1). » Nous ne trouverons dès lors plus aucune marque d'indulgence chez Balzac pour qui l'a ainsi déçu.

Leur amitié était née d'une certaine communauté de goûts et de traits de caractère : Sue et Balzac se ressemblent, mais Sue est comme le double de Balzac vu du mauvais côté. Il représente toutes les tentations auxquelles la conscience de son génie et une volonté de fer ont empêché l'auteur de *La comédie humaine* de succomber. L'importance du nombre des références à Sue est uniquement due à l'image de ce mauvais rival, de cet autre soi-même repoussant qui hantera de plus en plus Balzac. Le succès de Sue, la cour que lui font les journaux, le luxe dans lequel il peut vivre ne peuvent être chassés de l'esprit de Balzac. Dans ses moments de grande fatigue, sa plus grande terreur sera néanmoins de se sentir devenir un Eugène Sue : « Je fais du Sue tout pur. Oh ! combien j'ai besoin de repos... », gémira-t-il en 1843. C'est pourquoi il guette les œuvres que fait paraître « ce Paul de Kock en satin et en paillettes » (2), les lit, les juge, comme s'il éprouvait le besoin de se répéter à lui-même qu'il ne doit pas en être jaloux.

*Latréaumont*, roman historique de l'époque de Louis XIV, paru en 1837, « est un ouvrage *lâché*, comme on dit en peinture ; ce n'est ni fait ni à faire ». Sue n'a pas dominé l'époque, ni ses personnages. Son portrait de Louis XIV ne satisfait pas Balzac (Balzac et Sue ont des vues politiques très contraires, qui ne contribuent pas à les rapprocher). « Sue n'est pas en état de voir l'ensemble. Il vit des miettes du mal, au lieu de l'élever (3). » Quand paraît *Jean Cavalier*, Balzac est à même de faire enfin servir le fruit de tant d'heures de réflexion sur l'art du romancier en disant son fait à l'ancien ami qui considère la littérature comme un moyen d'acquérir fortune et gloire, non comme une vocation

(1) *Lettres à l'étrangère*, t. 1, p. 321.
(2) *Ibid.*, p. 433.
(3) *Ibid.*, t. 1, p. 458.

sacrée. Que Sue en soit encore, en 1840, à écrire des romans historiques à la Walter Scott montre assez combien Balzac a raison.

L'article sur *Jean Cavalier* est écrit sur un ton semblable à celui de l'article sur *Léo*, mais plus modéré. Balzac n'y va pas jusqu'à l'insulte. Nous y trouvons la même perspicacité de jugement sur tout ce qui concerne la technique du roman historique, la même intolérance pour des idées politiques différentes des siennes, la même tactique de se référer à Walter Scott pour accentuer les défauts de l'auteur critiqué, enfin le même refus de trouver quelque mérite à l'œuvre. Nous ne nous arrêterons pas sur les diverses erreurs de technique relevées par Balzac puisqu'elles ont toutes été discutées à propos de Walter Scott : choix d'un personnage historique connu, manque de vérité des personnages, manque de fusion entre le roman et l'histoire, dialogue mal adapté aux personnages, manque de rigueur du plan, pauvreté du comique, fausseté des détails historiques. Comme dans *Latréaumont*, Balzac s'élève également contre l'image de Louis XIV telle que Sue nous la présente.

Aussi étrange que cela paraisse, d'une telle avalanche de critiques ne se dégage pas l'impression de haine que nous avons signalée à propos de Latouche. L'attitude de Balzac envers Sue est un peu celle d'un grand frère qui reprocherait à son cadet sa paresse et son laisser-aller. La phrase peu flatteuse du début de l'article : « Revenir de ces deux colosses [Scott et Cooper], à l'auteur de *Jean Cavalier*, il y a la distance de l'Ontario à la Seine », prend figure de regret lorsque Balzac ajoute : « M. Sue ne manquait pas à son début de qualités, aujourd'hui perdues ; il avait de la grâce et du comique, le travail ne l'épouvantait pas ; mais il n'a pas vu clair dans ses recherches ; mais il n'a pas voulu apprendre cet art de tisserand, dont les préceptes sont dans les œuvres de Walter Scott bien méditées (1). » Sue manque surtout non pas de talent, mais de « foi littéraire » : « le défaut de vérité, d'étude se fait sentir en toute chose » (2), tel est le grand reproche que lui adresse celui qui, parti avec lui dans la carrière littéraire, sait trop bien la dose de sacrifice et d'effort qu'exige la foi littéraire. Le style même de Sue reflète son caractère : « il écrit comme il mange et boit, par l'effet d'un mécanisme naturel ; il n'y a là ni travail ni effort » (3). De nouveau, Balzac revient sur ses pas, retrouve le camarade qu'il admirait : « Dans ses premiers ouvra-

---

(1) CFL, t. 14, p. 1068.
(2) *Ibid.*, p. 1073.
(3) *Ibid.*, p. 1076.

ges, il y avait des personnages comme ceux de *Misère* et de *Grain de sel*, qui ne manquaient ni d'originalité ni de puissance. Leurs discours avaient du comique, et ce comique était tiré de l'action ; mais l'auteur a complètement abandonné cette voie, il a poussé tout à l'extrême, il a pris l'exagération pour le *vis comica* (1). » Balzac ne semble pas pouvoir tout à fait se résigner à un tel gaspillage de talent. La conclusion de son article est une sorte d'ultime encouragement, puisqu'il finit même par laisser échapper un éloge : « Dans ce long ouvrage, il y a quelques pages qui annoncent tout ce que pourrait faire l'auteur bien dirigé, sagement conseillé, châtié par des observations, maintenu dans les limites de l'érudition à laquelle s'astreignait Walter Scott. La bataille de Tréviès est pleine de mouvement, c'est le morceau saillant de cet ouvrage (2). »

Sue ne profitera pas de ces sages conseils et continuera sa route vers la gloire facile, tandis que Balzac s'efforcera curieusement d'offrir à chacune de ses œuvres une contrepartie géniale. Les *Mémoires de deux jeunes mariées* sont destinés à « étouffer les stupidités de Mathilde » (3) ; *Les mystères de Paris* auront *La comédie humaine* tout entière pour les écraser, mais en attendant, l'adaptation théâtrale des *Mystères* devra tomber pour faire place à un drame en cinq actes inspiré à Balzac par *L'espion* de Cooper (4), remplacé à la réflexion par une « étrange comédie d'*Esther* » où l'on verra « un monde parisien bien autre que le faux Paris des *Mystères*, et constamment comique » (5). Ni l'une ni l'autre de ces pièces ne vit le jour, mais Balzac, qui est allé voir les *Mystères* à la Porte Saint-Martin constate que « la plus mauvaise pièce du monde », n'a besoin que d'un acteur sublime comme Frédérick Lemaître pour obtenir un grand succès. Pour une fois, le succès de Sue lui fait plaisir, car il doit lui donner le temps d'achever *Mercadet* (6). Nous ne pouvons que nous sentir le cœur navré devant cette obsession croissante du grand romancier à vouloir battre Eugène Sue sur son propre terrain. Le succès des *Mystères* et du *Juif errant* (« roman d'épicier » que Balzac appelle le *Suif errant*) (7), les sommes que ces œuvres rapportent

(1) *Ibid.*
(2) *Ibid.*, p. 1080.
(3) *Lettres à l'étrangère*, t. 2, p. 4.
(4) *Ibid.*, p. 221.
(5) *Ibid.*, p. 301.
(6) *Ibid.*, p. 307.
(7) *Ibid.*, t. 3, p. 71.

à leur auteur, autant de blessures cruelles pour l'amour-propre de Balzac :

... je ne peux pas, je ne dois pas, je ne veux pas subir la dépréciation qui pèse sur moi par les marchés de Sue et par le tapage que font ses deux ouvrages. Je dois faire voir, par des succès *littéraires*, par des chefs-d'œuvre, en un mot, que ses œuvres en détrempe sont des devants de cheminée, et exposer des Raphaël à côté de ses Dubufe. Vous me connaissez assez pour savoir que je n'ai ni jalousie ni aigreur contre lui, ni contre le public. [...] En frappant deux grands coups, en étant littéraire, de grand style et plus intéressant, en étant vrai, si j'éteins à mon profit cette *furia francese*, qui se porte aux *Mystères* comme à *la polka*, comme à *la Grâce de Dieu*, je puis trouver 200 000 francs pour dix volumes de *Scènes de la vie militaire*, et j'ai du pain (1).

Le besoin criant d'argent où se trouvait Balzac ne put heureusement jamais triompher de son admirable conscience d'écrivain le poussant toujours à l'effort maximum. Jusqu'à la fin de sa vie, il guettera les signes d'un revirement du public en sa faveur ; jusqu'au bout, il continuera à vouloir assommer les feuilletons de Sue à coups de chefs-d'œuvre : « Hier, Servais, le doreur, me disait qu'un critique lui avait dit : « Ah ! je vais « donc enfin lire du Balzac ! », ce qui annonce une grande lassitude des élucubrations des Dumas, Féval, etc. Mme Sand a fait mauvais avec Floriani. Que sera-ce donc quand Sue sera tué sur son propre terrain par l'*Histoire des parents pauvres* (2) ? » En effet, quelques jours plus tard (c'est en 1846), il voit Véron qui lui demande autant de feuilles qu'il en pourra faire. « C'est une bonne nouvelle. Cela veut dire que Sue dégringole. Il n'y a qu'un cri sur sa publication [*M. Martin ou l'enfant trouvé*] ; on trouve cela hideux et honteux. Il est perdu (3). » Après ce cri de triomphe, Balzac ne parlera plus de Sue. Son ami des premiers jours lui aura causé bien des tourments, involontairement d'ailleurs. La postérité s'est chargée de venger définitivement l'auteur de *La comédie humaine*.

Le fourmillement d'écrivains de toutes tailles et de tous genres qui entourent Balzac entre 1820 et 1850 rend de plus en plus difficile le groupement pourtant nécessaire à notre entreprise. Le chemin le plus sûr vers les auteurs qui nous restent à étudier sera, nous semble-t-il, de suivre la classification établie par Balzac lui-même dans l'immense diversité littéraire de son époque. Peu

(1) *Ibid.*, t. 2, pp. 432-433.
(2) *Ibid.*, t. 3, p. 328.
(3) *Ibid.*, p. 354.

nous importe que sa distinction entre *littérature des images, littératures des idées*, et *éclectisme littéraire* ne s'impose pas à notre
esprit avec une extrême rigueur. L'essentiel est qu'elle corres-
ponde à l'idée qu'il se fait, quant à lui, des écrivains ainsi classés.
Puisque George Sand illustre avec Walter Scott, Cooper (et
Balzac) l'éclectisme, école des « intelligences *bifrons* » qui, nous
l'avons vu, « embrassent tout, veulent et le lyrisme et l'action, le
drame et l'ode, en croyant que la perfection exige une vue totale
des choses » (1), c'est vers elle que nous nous tournerons
maintenant.

L'amitié solide qui unit Balzac et George Sand entre pour
beaucoup dans le nombre élevé de références à l'auteur d'*Indiana* (85). Ils furent vraisemblablement présentés l'un à l'autre
par Jules Sandeau à la fin de 1831 ou au début de 1832,
au moment où Aurore Dudevant allait devenir George Sand en
signant de ce pseudonyme, trouvé par Latouche, son premier
roman. George Sand raconte dans *Histoire de ma vie* (2), les
visites de Balzac au quai Saint-Michel ou ses propres dîners
rue Cassini. M. Bernard Guyon remarque très justement la curiosité affectueuse que put éprouver l'auteur de *La femme de trente
ans* (écrit précisément à cette époque), pour la jeune femme
qui avait le courage de braver les lois sociales et dont la vie pré-
sentait d'étranges ressemblances avec celle de Julie d'Aiglemont (3). Lorsque parut *Indiana* en mai 1832, Balzac en reçut
un exemplaire de son amie. Il lui écrivit le 29 mai :

> J'ai été ravi de votre préface, elle est *très* bien écrite, et pleine
> de sens, mais comme j'avais à travailler, j'ai voulu me défendre contre
> mon plaisir, et, jugeant le livre sur l'échantillon, je l'ai trouvé très
> dangereux pour mon imagination. J'ai eu beaucoup de joie de voir mon
> amie Sand dans cette route, et je lui dirai mon opinion sur le livre *lu*,
> ce que maintenant je puis faire pour peu de livres.
>
> Voilà, Madame, ce que j'ai à vous dire, en vous priant de recevoir
> les respectueuses et affectueuses assurances du sentiment que vous
> porte,
>
> H. de Balzac (4).

Le 31 mai, paraissait à *La caricature*, sous le nom d'Eugène
Morisseau, un bref compte rendu du roman de George Sand.
Il était de Balzac, et fort élogieux. Le critique y salue « une réac-

---

(1) *Etudes sur M. Beyle*, CFL, t. 14, p. 1152.
(2) Calmann-Lévy, Paris, 1928, vol. IV, pp. 126-132.
(3) *Op. cit.*, pp. 580-582.
(4) CFL, t. 16, p. 99.

tion de la vérité contre le fantastique, du temps présent contre
le Moyen Age, du drame intime contre la bizarrerie des incidents
à la mode, de l'actualité simple contre l'exagération du genre
historique » (1), en un mot un roman dans la tradition française.
Il est clair que Balzac a vraiment lu le roman, et qu'il lui a plu,
par sa simplicité et son absence de prétention : « Je ne connais
rien de plus simplement écrit, de plus délicieusement conçu.
Les événements se suivent et se pressent sans art, comme dans
la vie, où tout se heurte, où souvent le hasard amasse plus de
tragédie que Shakespeare n'en eût pu faire (2). » Il placera *Indiana*
en 1834 parmi la grande littérature contemporaine (3). Le personnage de Ralph restera en lui comme le type même de l'amour
total et désintéressé. Dans *Béatrix*, nous trouverons Calyste
en train de lire *Indiana* et de se laisser séduire par « la captivante
image d'un jeune homme aimant avec idolâtrie et dévouement,
avec une tranquillité mystérieuse et pour toute sa vie, une femme
placée dans la situation fausse où était Béatrix, livre qui fut d'un
fatal exemple pour lui » (4). Et dans la vie réelle nous trouverons
Balzac en train de comparer son amour pour Mme Hanska à
celui de Ralph (5). D'autre part, bien des idées exprimées par
George Sand dans la préface sont toutes proches de celles de
Balzac, notamment la vision de l'époque contemporaine, comme
« un temps de ruine morale », la conscience aiguë des conflits
créés par la société, le désir de l'écrivain de « dire tout, même ce
qui est fâcheusement vrai ». Au reste, la même accusation d'immoralité sera portée contre les deux écrivains.

La place énorme qu'occupent dans *La comédie humaine* les
problèmes posés à la femme par le mariage montre assez
combien Balzac peut s'intéresser aux idées de son jeune
« confrère ». Leur amitié faillit pourtant sombrer lorsque George
Sand quitta Sandeau. Celui-ci se réfugia moralement et matériellement sous l'aile protectrice de Balzac dont le cœur passionné eut vite fait de se laisser émouvoir par les doléances de
Sandeau. George Sand a tous les torts selon Balzac, qui, retra-
çant brièvement dans une lettre à Mme Hanska l'histoire de ses
deux amis, attribue l'abandon de la jeune femme à un nouvel
amour pour... Latouche ! « Quand je n'en aurais pour preuve que
l'éloignement de Mme Dudevant pour moi, qui la recevais

(1) CFL, t. 14, p. 1004.
(2) *Ibid.*, p. 1005.
(3) *Lettre aux écrivains*, Con., t. 39, p. 650.
(4) CFL, t. 9, p. 464.
(5) *Lettres à l'étrangère*, t. 2, p. 59.

fraternellement avec Jules Sandeau, ce serait assez (1). » Retenons cependant que, malgré la noirceur de son caractère, « Mme Dudevant se trouve avoir un grand talent » (2). Il faudra à Balzac quelques années pour revenir à un jugement plus équitable. En août 1834, le solide défenseur de Sandeau manifeste une certaine curiosité à recevoir les confidences de Mme George Sand, alors de retour d'Italie. Mais l'occasion ne se présente pas et Balzac fait acte d'inimitié officielle devant Mme Hanska qui redoute toutes ses amitiés féminines : « N'ayez peur, Madame, que Zulma Dudevant ne me voie jamais attaché à son char... Je ne vous en parle que parce que l'on fait à cette femme plus de célébrité qu'elle n'en mérite, ce qui lui prépare un automne amer (3). »

Nous ne savons ce que pensait Balzac de *Valentine* ni de *Lélia*, mais *Jacques*, qui vient de paraître en cette année 1834, est bien mal traité : « *Jacques*, le dernier roman de Mme Dudevant, est un conseil donné aux maris qui gênent leur femme de se tuer pour les laisser vivre. Ce livre-là n'est pas dangereux. Vous écririez dix fois mieux si vous faisiez un roman par lettres. Celui-là est vide et faux d'un bout à l'autre (4). » L'irritation de Balzac devant une héroïne qui préfère un « freluquet » à un « homme supérieur » vient moins d'un principe chez lui que de la maladresse chez l'auteur à motiver ce choix. George Sand a un don incontestable de conteur, mais il lui manque le don de créer en profondeur, d'enraciner ses personnages dans la réalité. C'est ce que Balzac exprime lorsqu'il ajoute : « Tous ces auteurs courent dans le vide, sont montés à cheval sur le creux ; il n'y a rien de vrai. J'aime mieux les ogres, le *Petit Poucet* et la *Belle au bois dormant* (5). »

Nous touchons ici au point le plus bas dans l'amitié entre George Sand et Balzac. La raison en est que, malgré ses protestations à Mme Hanska, Balzac est toujours « engoué » de Sandeau et fonde tous les espoirs sur lui, à commencer par celui d'une collaboration active. « Mon Sandeau a fait paraître un livre qui est déjà tout vendu », annonce-t-il triomphalement. « C'est *Madame de Sommerville*. Lisez-le, ce premier livre du jeune homme ! Tendez-lui la main ; ne soyez pas sévère. Gardez-moi vos sévérités ; c'est mon privilège (6). » George Sand subit le

---

(1) *Lettres à l'étrangère*, t. 1, pp. 19-20.
(2) *Ibid.*
(3) *Ibid.*, p. 196.
(4) *Ibid.*
(5) *Ibid.*
(6) *Ibid.*, p. 204.

contre-poids d'une telle indulgence : « Je ne comprends pas que, connaissant mon aversion pour George Sand, vous m'en fassiez l'ami (1). » A lire une telle phrase, on ne peut plus guère attendre un retour d'amitié. Mais Balzac est changeant parce que dominé par ses sentiments. La paresse et l'égoïsme de Sandeau finissent par éclater : son protecteur est planté là avec quelques dettes en plus et le temps de méditer sur les raisons pour lesquelles George Sand avait abandonné Sandeau. En 1837, les yeux de Balzac sont tout à fait déssillés et il n'a plus qu'à s'écrier : « Voilà encore un homme rayé du nombre des vivants pour moi (2). » En effet il n'en reparlera plus (3).

La place est libre désormais pour le retour de George Sand dans l'affection de son confrère. Un séjour à Frapesle en février 1838 en fournira l'occasion : Balzac ira jusqu'à Nohant où George Sand séjournait depuis un an. On connaît le merveilleux récit qu'il fit pour Mme Hanska de cette visite. « Le camarade George Sand » y est dépeint avec une précision de coup d'œil à peu près égale à la sympathie que Balzac retrouve sans peine pour cette femme exceptionnelle. Il admet que douze heures de bavardages trois jours durant lui ont permis de mieux connaître son amie que n'avaient fait les quatre années où elle venait chez lui du temps de sa liaison avec Sandeau. Leur conversation roule naturellement sur l'amour et le mariage. Balzac écoute avec avidité, prend note mentalement de toutes les confidences qu'on veut bien lui faire. Ce sont deux hommes qui causent, deux camarades. Et Balzac observe : « Elle est garçon, elle est artiste, elle est grande, généreuse, dévouée, *chaste*, elle a les grands traits de l'homme ; *ergo*, elle n'est pas femme. [...] Elle a de hautes vertus, de ces vertus que la société prend au rebours. [...] Elle est de ces esprits qui sont puissants dans le cabinet, dans l'intelligence, et fort attrapables sur le terrain des réalités (4). »

Nous sentons le portrait de Camille Maupin se préparer, tandis que George Sand confie à Balzac ses déceptions au sujet de Liszt et de Mme d'Agoult et lui souffle l'idée d'où sortira la

(1) *Ibid.*, p. 266.
(2) *Ibid.*, p. 441.
(3) Une exception : la publication en 1839 de *Marianna*, roman dans lequel SANDEAU retrace sa liaison avec George Sand, provoque l'indignation de Balzac : « Jules Sandeau vient de traîner George Sand dans la boue d'un livre qui s'appelle *Marianna*. Il s'est donné le beau rôle, il est *Henry* ! Lui ! Grand Dieu ! Vous lirez ce livre, il vous fera horreur, j'en suis sûr. Il est anti-français, antigentilhomme » (*ibid.*, p. 509). Sandeau servira de modèle à Balzac pour Lousteau dans *Illusions perdues* et *La muse du département* et pour Conti dans *Béatrix*.
(4) *Ibid.*, p. 463.

première partie de *Béatrix.* Ce renouveau d'amitié qui, cette fois, durera jusqu'à la mort de Balzac, est dû en partie aux circonstances mais aussi à un profond besoin chez le romancier. Un ami lui manque, un véritable ami qui puisse le conseiller, l'encourager, comme avait fait si longtemps Mme de Berny. Mme Hanska en serait capable mais elle est trop loin. Il songe donc à George Sand. « Croyez, chère », lui écrit-il après sa visite, « que je n'oublierai pas de longtemps les six jours que j'ai passés à Nohant et si le Dʳ Piffoël ne s'y oppose pas, j'irai parfois y oublier les mille chagrins d'une vie sans soleil depuis trois ans. Il y a des moments où l'amitié peut faire illusion, et je regrette bien de n'avoir pas été une semaine près de vous trois ans plus tôt (1). » Malheureusement, en ce qui concerne la littérature, il ne lui trouve pas assez de sens critique : « Il lui manque les choses que je chercherais aujourd'hui sans les trouver (2). »

La gracieuse dédicace des *Mémoires de deux jeunes mariées,* datée de juin 1840, consacrera cette amitié :

Ceci, cher Georges, [Balzac écrit toujours George Sand avec un s] ne saurait rien ajouter à l'éclat de votre nom, qui jettera son magique reflet sur ce livre ; mais il n'y a là de ma part ni calcul, ni modestie. Je désire attester ainsi l'amitié vraie qui s'est continuée entre nous à travers nos voyages et nos absences, malgré nos travaux et les méchancetés du monde. Ce sentiment ne s'altérera sans doute jamais. [...] Pour qui vous connaît bien, n'est-ce pas un bonheur que de pouvoir se dire, comme je le fais ici,

Votre ami,

DE BALZAC (3).

Parmi les amis qui venaient de soutenir le malheureux auteur de *Vautrin,* s'était trouvée, quelques semaines auparavant, la destinataire de cette dédicace. Les *Lettres à l'étrangère* des années suivantes mentionnent des visites assez fréquentes de Balzac à son amie, alors installée à Paris avec Chopin. Lorsqu'un article malveillant sur Balzac paraît dans la *Revue indépendante* que dirige George Sand, celle-ci s'empresse d'écrire une lettre d'excuses et manifeste son intention de faire un grand travail sur l'auteur de *La comédie humaine.* Après quelques réticences, Balzac lui demande alors de composer la préface qui ne parut qu'en 1855 en tête de l'édition Houssiaux.

(1) CFL, t. 16, p. 242.
(2) *Lettres à sa famille,* p. 201.
(3) CFL, t. 6, p. 32.

La hausse croissante des œuvres de Sand au marché de la librairie n'inspire pas de jalousie réelle à Balzac. Elle lui semble moins injuste que celle des œuvres de Sue. Mais les opinions politiques et sociales de plus en plus avancées de l'auteur du *Compagnon du tour de France* finiront par l'éloigner pour tout de bon de son ami absolutiste. Balzac voit d'abord le « bousingotisme » de George Sand avec un certain amusement (1). Mais que vienne 1848 et l'écœurement et la détresse qu'il éprouve devant les événements trouveront leur expression dans un jugement que nous ne citerons pas (bien qu'extrait d'une lettre à Mme Hanska) sur le rôle d'Égérie joué par George Sand auprès de « Ledru-Coquin » (2).

Le prestige littéraire de George Sand va-t-il bénéficier chez Balzac du renouveau d'amitié de 1838 ? Balzac commence par lire les *Lettres d'un voyageur* qu'il avait négligées jusque-là et que les confidences de leur auteur lui rendent encore plus intéressantes. Il y trouve des pages qui l'émeuvent profondément, telle l'anecdote du *Moulin-Joli*, dont les échos réveillent en son cœur le rêve impossible de bonheur à deux : « Mon Dieu, mon Dieu, avez-vous lu dans les *Lettres d'un voyageur*, l'endroit du *Moulin-Joli* — cette gravure que j'ai vue chez *elle*, sans savoir encore à quel passage terrible il a donné lieu, terrible pour les gens dépareillés ? [...] Si vous ne connaissez pas cette histoire, lisez-là. C'est ce que George Sand a le mieux conté (3). » Presque dix ans plus tard, ces *Lettres d'un voyageur*, relues, lui procureront la même émotion : « La première m'a si fort ému que j'ai pleuré à diverses reprises (4). » Le souvenir des conversations de Nohant joue certainement un rôle important dans cette sensibilité. Balzac sait de première source les souffrances de la liaison avec Musset et la transposition littéraire dans le genre d'*Obermann* que George Sand nous a donnée de cet épisode de sa vie a pour lui une criante réalité.

A partir de 1838, le nom de George Sand aura sa place pour Balzac à côté de celui de Hugo et Lamartine parmi les grands écrivains contemporains (5). Pourtant les romans, qui conti-

---

(1) Cf. *Lettres à l'étrangère*, t. 2, pp. 285-286, où Balzac raconte comment il a tué George Sand en pleine table en réduisant ses principes à l'absurde, ce qui lui valut ce mot : « Vous êtes un affreux satirique, faites la *Comédie humaine*. »

(2) Lettres à l'étrangère, publiées dans la *Revue de Paris*, septembre 1954, p. 29.

(3) *Ibid.*, p. 487.

(4) *Ibid.*, t. 4, p. 313.

(5) Cf. *De la propriété littéraire*, Con. t. 40, p. 425 ; *Lettre à M. Hippolyte Castille*, Con., t. 40, p. 652.

nuent à couler si facilement de la plume intarissable de cette célébrité féminine, sont loin de tous plaire à Balzac. Que peut-il penser, en particulier, des romans socialistes qui font leur apparition en 1840 avec *Le compagnon du tour de France* ? Tant qu'il s'agissait de défendre les droits de la femme contre la société, Balzac pouvait partager avec son amie un grand nombre d'idées communes, et l'art instinctif avec lequel George Sand donne une forme romanesque à sa pensée était encore acceptable. Mais dès qu'il s'agit d'une prédication sociale allant à l'encontre de toutes les idées les plus enracinées de Balzac, nous ne pouvons nous attendre qu'à un rejet pur et simple de la part de celui-ci. Et en effet, il écrit à propos de *Consuelo* (1843) : « Je viens de lire *Consuelo* ! Après le *Tour de France*, avoir fait cela, c'est une telle chute qu'il n'y a plus rien à attendre de George Sand. *Consuelo* est le produit de tout ce qu'il y a de plus vide, de plus invraisemblable, de plus enfant. C'est la justification de mon opinion sur elle. Et *Consuelo* a 16 volumes ! L'ennui en 16 volumes (1) ! »

En 1845, il envoie à Mme Hanska *Le péché de M. Antoine*, sans commentaire aucun, et l'année suivante les numéros du *Courrier* dans lesquels paraît *Lucrezia Floriani*, bien que ce roman lui semble mauvais et qu'il trouve, pour la romancière, ce mot cruel : « Le talent de Mme Dudevant arrive, comme sa personne, à l'âge critique ; elle a *trop* 48 ans (2). » Mais la future Mme de Balzac est avide de lecture et veut se tenir au courant des dernières publications.

L'opinion de Balzac sur le talent littéraire de George Sand serait donc sans appel si celle-ci n'avait pas, dans le même temps, publié deux romans où la prédication politique cède le pas à la poésie champêtre et où elle rachète, comme dans ses premiers romans, la maladresse technique et la superficialité de ses analyses par une connaissance instinctive de la femme et un don indéniable de paysagiste. C'est pourquoi *Jeanne*, paru en 1844, arrache à Balzac des éloges quelque peu inattendus :

Allons, il vaut mieux souffrir, et vivre un jour dans ce délicieux Paris, où l'on admire le *Juif errant*, et où l'on jette de la boue à *Jeanne* de George Sand qui certes est un chef-d'œuvre. Lisez cela ! C'est sublime ! [...] Je vous envoie *Jeanne* ; je ne ferais pas Jeanne. C'est d'une perfec-

---

(1) *Lettres à l'étrangère*, t. 2, p. 178.
(2) *Ibid.*, t. 4, p. 298.

tion, le personnage s'entend, car il y a bien des ridiculités ; c'est mal composé ; les accessoires sont (quelques-uns) indignes de cette magnifique page. Le paysage est touché de main de maître (1).

*La mare au Diable* (1846), que Balzac lit parce qu'il en est « venu à la triste extrémité, bourré de café, de lire des romans » (2) lui plaît également beaucoup : c'est un chef-d'œuvre. Ainsi entre les romans à tendance socialiste et les romans champêtres, le choix de Balzac est clair : « George Sand n'en peut plus », écrit-il en 1846 « elle n'est sympathique que pour *La mare au Diable*, et elle n'en fait pas souvent. Elle et Sue se sont coulés par la prédication politique » (3).

Une fois de plus, bien que guidé par des motifs divers où entrent des considérations non littéraires (ici les idées politiques), Balzac ne se trompe pas dans son jugement, ou en tout cas, car il n'y a pas d'absolu en matière de goût, ce jugement s'accorde fort bien avec celui que permet le recul du temps. Malgré ses défauts, malgré bien des œuvres manquées ou ennuyeuses, George Sand est pour lui une « femme de génie », génie qui déborde largement le domaine strictement littéraire car il s'étend à toute la vie originale de cette femme-écrivain assez homme pour secouer les entraves sociales et assez femme pour souffrir d'un idéal rêvé et jamais atteint.

En définissant la littérature des images par l'école des « esprits élégiaques, méditatifs, contemplateurs, qui se prennent plus spécialement aux grandes images, aux vastes spectacles de la nature et qui les transportent en eux-mêmes » (4), Balzac en fait une littérature essentiellement de poésie. Les noms qu'il y attache sont en effet ceux de Hugo, Lamartine, Chateaubriand, Sénancour, Barbier, Gautier, Vigny, Sainte-Beuve (le Sainte-Beuve des *Poésies* de Joseph Delorme et de *Volupté*). Tous ces écrivains, sauf deux, ont déjà retenu notre attention soit comme précurseurs de l'époque de Balzac, soit comme poètes. Nous ne nous occuperons donc maintenant que de Gautier et de Sainte-Beuve.

Si nous n'avons pas placé Gautier parmi les poètes contemporains de Balzac, à côté de Hugo, Lamartine, Vigny ou Musset, c'est que les références à cet écrivain (assez peu nombreuses, d'ailleurs), concernent surtout l'ami et le collaborateur de

---

(1) *Ibid.*, t. 2, p. 456.
(2) *Ibid.*, t. 4, p. 156.
(3) *Ibid.*, p. 114.
(4) *Etudes sur M. Beyle*, CFL, t. 14, p. 1152.

Balzac, un peu l'auteur de *Mademoiselle de Maupin*, pas du tout le poète. Pourquoi Balzac le range-t-il dans la littérature des images plutôt que dans l'éclectisme ou dans la littérature des idées ? La faiblesse d'un tel compartimentage saute aux yeux et Balzac fut le premier à la sentir, puisqu'il spécifia qu'il s'agissait surtout de prédominance générale chez un auteur et non de qualités s'excluant l'une l'autre. Or, Gautier est avant tout poète et artiste, même en prose ; c'est un visuel, chez qui l'image sera donc l'expression la plus naturelle. Balzac, qui le connaît bien lorsqu'il écrit l'article sur Stendhal en 1840, prend cependant la peine de spécifier que, contrairement à la tendance générale de la littérature des images, on trouve chez Gautier un vif sentiment du dialogue et du comique. Gautier nous semble donc en somme assez bien défini, du moins le Gautier d'avant *Émaux et camées*.

Dans ses *Portraits contemporains*, Théophile Gautier rapporte comment il fit la connaissance de Balzac en 1835 : celui-ci, enchanté par la lecture de *Mademoiselle de Maupin*, dépêcha son cher Jules Sandeau chez Gautier avec mission de l'amener déjeuner. Ce qui fut fait. Balzac offrit alors au jeune homme de collaborer à *La chronique de Paris*. Tels furent les débuts d'une longue et fidèle amitié, secouée de temps en temps par les impatiences de Balzac, toujours préservée grâce à la patience de Gautier qui eut l'art, semble-t-il, d'être fidèle et dévoué sans devenir esclave. « Ce vif sentiment du dialogue », signalé dans l'article sur Stendhal, fut mis plus d'une fois à contribution lors des projets de pièces de théâtre de Balzac. Gautier acceptait bien de servir de « gâcheur », c'est-à-dire de rédiger les ébauches que lui communiquait l'auteur, mais il arriva souvent que le projet en question fût ou trop vague ou trop urgent pour qu'il puisse s'y engager. Son talent dramatique était-il d'ailleurs si grand ? A entendre Balzac parler de *La juive de Constantine*, pièce de Gautier qu'il alla voir en 1846, accompagné de Mme de Girardin (grande amie de Gautier), nous en doutons : « C'est au-dessous de l'ignoble et du bête, Gautier s'est nommé après trois actes hués et sifflés justement, et pas assez selon leur mérite de platitude (1). »

Un homme spirituel séduisait toujours Balzac. Plutôt que de vraies amitiés profondes, il eut ainsi quelques camarades avec qui il pouvait être sûr de pouvoir passer une soirée divertissante s'il en avait envie. Le besoin de rire était vital chez lui et l'esprit était une qualité essentielle à exiger d'un ami. Ainsi Gautier

(1) *Lettres à l'étrangère*, t. 4, p. 115.

rejoint le groupe de Gozlan, de Méry, de Laurent-Jan, de Hugo
parfois, avec qui Balzac peut être sérieux ou léger selon l'humeur
et dont la compagnie le ravit toujours (1). L'originalité du poète,
sa connaissance en matière d'art, son indépendance en littérature
sont autant de qualités qui attirèrent certainement Balzac. Celui-
ci avait espéré emmener Gautier avec lui lors d'un de ses voyages
en Italie ; il dut partir seul, son ami étant retenu à Paris par ses
obligations de critique d'art : « L'Italie y a perdu, car c'est le seul
homme capable d'en dire quelque chose de neuf et de la
comprendre (2). »

On est en droit de se demander ce qui provoqua chez Balzac
un tel enthousiasme pour *Mademoiselle de Maupin* qu'il dut immédiatement faire la connaissance de son auteur, alors que les
œuvres précédentes de Gautier, aussi bien les *Poésies*, qu'*Albertus*
ou *Les Jeunes-France*, avaient passé assez inaperçues. La préface
d'*Un grand homme de province à Paris* nous éclaire sur ce point.
L'on se souvient que Balzac y rappelle ceux qui l'ont précédé dans
la peinture des mœurs littéraires contemporaines : Scribe dans
*Le charlatanisme*, Latouche dans son article sur la camaraderie
des cénacles, Gautier dans la préface de *Mademoiselle de Maupin*.
Une page est consacrée à Gautier à ce propos, où l'enthousiasme
initial de Balzac nous semble encore intact. A la fois critique et
auteur, Balzac en 1835 avait déjà pleinement conscience des
abus de pouvoir exercés par la presse vis-à-vis des écrivains. Ses
diverses protestations n'avaient été qu'une voix dans le désert.
La courageuse attaque de Gautier ne put dès lors que lui inspirer
sympathie et reconnaissance. Nous comprenons son impatience
à accueillir en ami ce jeune homme « entré, fouet en main, épe-
ronné, botté comme Louis XIV à son fameux lit de justice, en
plein cœur du journalisme » (3), et son empressement à assurer à

---

(1) Comme nous avons relevé, au cours de nos lectures, toutes les allusions,
quelles qu'elles soient, à tout personnage réel littéraire, les noms de Gozlan,
de Méry, de Laurent-Jan, de Delphine de Girardin, de Ph. Chasles, de Ch. de
Bernard, figurent sur notre liste de fréquences, parfois avec un indice assez
élevé. Cependant, nous les laisserons entièrement de côté, car Balzac ne parle
d'eux qu'à propos de stricts rapports d'amitié, jamais à propos de leurs œuvres,
à ces exceptions près : Balzac trouve « stupide » une pièce de GOZLAN intitulée
*Eve* (*Lettres à l'étrangère*, t. 2, p. 237), ainsi que *L'univers et la maison* de MÉRY
(*ibid.*, t. 4, p. 99) ; par contre le roman de celui-ci *Une conspiration au Louvre*
est « ravissant ; il y a trop d'esprit, c'est toujours comme une boutique de cris-
taux » (*ibid.*, t. 3, p. 318). Quant à Delphine de GIRARDIN, son roman *Le marquis
de Pontanges* est signalé à Mme Hanska en 1835 comme le seul depuis six mois
valant la peine d'être lu (*ibid.*, t. 1, p. 267), jugement que Balzac rectifie trois
semaines plus tard en disant que « ce n'est pas une œuvre bien remarquable »,
mais qu' « elle est meilleure que ce qu'elle a fait jusqu'à présent » (*ibid.*, p. 268).
(2) *Lettres à l'étrangère*, t. 1, p. 388.
(3) CFL, t. 14, p. 262.

*La chronique de Paris* la collaboration d'un écrivain doué d'une telle verve comique.

Quant au roman lui-même, Balzac ne trouve pas assez de superlatifs pour le vanter. C'est « une des plus artistes, des plus verdoyantes, des plus pimpantes, des plus vigoureuses compositions de notre époque, d'une allure si vive, d'une tournure si contraire au commun de nos livres » (1). Le plaisir de Balzac était d'autant plus grand en se livrant à ce panégyrique, qu'il avait conscience d'aller contre l'opinion de bien des critiques pour qui *Mademoiselle de Maupin* était un livre immoral. L'esprit d'antagonisme envers la presse dans lequel il se trouve à la veille de la publication d'*Un grand homme de province à Paris* ne fait que renforcer une affection d'autre part sincère pour l'œuvre de Gautier. Tout y est fait pour intéresser Balzac : l'originalité du sujet ; cet étrange personnage si proche de Sarrasine, de la Fille aux yeux d'or, de Séraphitus-Séraphita ; le style à la fois poétique et satirique, toujours impeccable. Balzac ne craint pas de qualifier une telle œuvre de « livre magnifique » :

> Le monde a-t-il honoré, célébré la comique poésie avec laquelle ce poète a dépeint la profonde corruption, l'immoralité de ces sycophantes qui se plaignent de la corruption, de l'immoralité du pouvoir ? [...] Le monde regarde cette délicieuse arabesque comme dangereuse, quand il ne craint pas d'exposer aux regards quelque *Léda* de Gérard, quelque *Bacchante* de Girodet, qui est cependant en peinture ce qu'est le livre en poésie (2).

Ce n'est pas par hasard que Balzac donnera dans *Béatrix* à Félicité des Touches le nom de Camille Maupin. L'héroïne de Gautier, bien qu'inspirée d'un personnage réel, porte les traits de George Sand. Camille Maupin aussi. L'équivoque est certainement voulue (3).

Un portrait de Gautier, brossé pour Mme Hanska en 1838, montre chez Balzac une grande sagacité à l'égard de son ami :

> Théophile Gautier est un garçon dont je croyais vous avoir parlé. C'est un des talents que je reconnais ; mais il est sans force de conception. *Fortunio* est au-dessous de *Mademoiselle de Maupin*, et ses poésies [La Comédie de la Mort] qui vous ont plu, m'ont épouvanté comme décadence de poésie et de langage. Il a un style ravissant, beaucoup d'esprit, et je crois qu'il ne fera jamais rien, parce qu'il est dans le

---

(1) *Ibid.*
(2) *Ibid.*, p. 263.
(3) Cf. à ce sujet, R. JASINSKI, *Les années romantiques de Th. Gautier*, Paris, Vuibert, 1929, pp. 288-291.

journalisme. C'est le fils d'un receveur d'une barrière d'octroi de Paris, la barrière de Versailles précisément. Il est très original, il sait beaucoup, il parle bien des arts, il en a le sentiment. C'est un homme hors ligne, et qui se perdra sans doute. Vous avez deviné l'*homme* ; il aime la couleur et la chair ; mais il comprend aussi l'Italie sans l'avoir vue (1).

Nous ne voyons pas grand-chose à reprendre à cette analyse. Balzac discerne le grand défaut qui, chez Gautier, marque la limite du talent : pas de force de conception. Gautier s'essouffle vite en effet dans la création véritable. Son imagination ne le porte pas. Original, il l'est, mais en superficie. Admirable écrivain, en prose comme en poésie (un des quatre écrivains, on s'en souvient, à qui Balzac reconnaisse cette rare faculté), esprit critique d'une grande finesse, homme de goût, à la fois intelligent et sensible, telles sont les qualités que son aîné aime avec juste raison en lui. Le seul tort de Balzac est de désespérer de Gautier. Il sut se préserver de la corruption où aurait pu l'entraîner son métier de journaliste. Balzac aurait été heureux, n'en doutons pas, de la publication d'*Émaux et camées.*

Bien que Balzac pense aux *Poésies de Joseph Delorme* et à *Volupté* lorsqu'il situe Sainte-Beuve dans la littérature des images, nous n'opérerons évidemment pas de découpage et joindrons aux jugements sur le romancier ou le poète ceux qui concernent le critique. Rarement deux tempéraments furent plus opposés que ceux de Sainte-Beuve et de Balzac ; rarement haine littéraire se développa plus férocement sans qu'aucun apport de relations personnelles y fût nécessaire (2). Les deux écrivains ne se virent pour ainsi dire jamais (deux rencontres en tout, au dire de Sainte-Beuve). La page imprimée suffit largement aux échanges d'insultes. Fait significatif, les *Lettres à l'étrangère* qui sont, d'ordinaire, pour nous une mine de renseignements sur l'attitude de Balzac vis-à-vis de tel ou tel de ses contemporains, sont, lorsqu'il s'agit de Sainte-Beuve, à peu près vides, à partir de la déclaration de guerre officielle que constitue le premier article de Sainte-Beuve sur Balzac à propos de *La recherche de l'absolu*, le 15 novembre 1834. Jusque-là, Balzac ne semble pas se douter des attaques qui se préparent, et traite le critique de

---

(1) *Lettres à l'étrangère*, t. 1, p. 497.
(2) M. Jean Hytier a consacré à cette haine un copieux article auquel nous n'aurons à peu près rien à ajouter. Nous nous excusons de devoir redire, moins bien, ce qu'il a déjà dit ; voir Jean HYTIER, Balzac et Sainte-Beuve : une haine littéraire, *Revista de Estudios Franceses*, 1951, n° 6.

*La revue des deux mondes* comme il traite ses autres collègues : légèrement ou sérieusement, selon le moment et l'occasion.

La poésie intime de Joseph Delorme n'a pas fait grande impression sur lui. Nous ne lui en voulons pas, car Balzac aime la vigueur, même en poésie, et Joseph Delorme n'en a que dans les très rares moments où il annonce Baudelaire. La correspondante imaginaire à qui l'article *De la mode en littérature* est adressé s'est bien sûr éprise « d'une belle passion pour l'infortuné Joseph Delorme ». Balzac lui révèle cruellement que ce poète et « le critique si remarquable » qu'est M. Sainte-Beuve (que la dame en question imagine être « un vieux Rollin »), ne sont qu'une seule et même personne et que cette « castration des noms » est une ruse exigée par la mode des fruits verts en fait d'auteurs (1). L'auteur des *Lettres sur Paris*, oppose en janvier 1831 la suavité de la poésie romantique des *Harmonies* ou des *Poésies de Joseph Delorme* à la gravité des événements contemporains et n'est pas loin d'y voir une sorte d'anachronisme. Il ajoute : « Aussi les râles de la muse poussive et poitrinaire de Joseph Delorme ont-ils peu intéressé (2). » Lamartine est beaucoup mieux traité, on s'en souvient. Si le jugement de Balzac sur la poésie de Sainte-Beuve est déjà d'une telle dureté en 1831, il ne dut éprouver aucune peine à composer en 1842, pour sa *Monographie de la presse parisienne*, cette biographie grotesque de Joseph Delorme, offerte comme échantillon de l'article de petit journal dans lequel se spécialise la variété de journaliste nommée « pêcheur à la ligne » (3). Il n'est pas question de citer ce texte, trop long et de goût douteux. Les plaisanteries s'y succèdent inlassablement, toutes centrées sur le thème de l'écrivain mort-né traînant derrière lui une odeur de cadavre. Sans nous faire aucune illusion sur le plaisir qu'éprouva Balzac à rédiger ce portrait, à une époque où il n'avait plus à ménager Sainte-Beuve, reconnaissons son adresse à s'en justifier par avance, puisqu'il le donne précisément comme exemple de l'esprit que gaspillent en plaisanteries de ce genre les rédacteurs des petits journaux : « A ce métier, le plus vigoureux esprit perd le sentiment du grand, car il a tout amoindri pour lui dans l'état social en s'y moquant de tout (4). »

Quelques pages auparavant, un échantillon des articles pro-

---

(1) CFL, t. 14, pp. 334-335. « Ces plaisanteries, excellentes quand l'incognito se garde, deviennent un peu froides quand, plus tard, l'auteur se montre », remarquera Balzac dans *La muse du département*, CFL, t. 9, p. 58.
(2) CFL, t. 14, p. 417.
(3) CFL, t. 14, pp. 606-607.
(4) CFL, t. 14, p. 605.

duits par la variété de Grand Critique que Balzac nomme
l'Euphuiste (critique « nuageux et cotonneux », qui « procède par
phrases semblables à celles que faisaient les beaux-esprits de la
cour d'Élisabeth ») (1), nous avait déjà fait penser à Joseph
Delorme. L'article s'intitule : *Les printemps de l'âme*, par Abel
Mutin, de Neufchatel. C'est la critique, en un style en effet nuageux et cotonneux, d'un recueil de poésie « murmurante et
domestique, passionnée pour l'intime, pour le pittoresque et
l'imagé » (2), qui rappelle de très près la poésie de Sainte-Beuve
sans qu'il soit besoin de le nommer. Que l'auteur en soit un Suisse
suffirait d'ailleurs à nous mettre en éveil, car la biographie de
Joseph Delorme dont nous venons de parler brode lourdement
sur le fait que le poète est Genevois ; maintes autres allusions au
cours de l'article confirment notre impression : le thème de l'in-
fertilité, de la pensée avortée, du chaos des idées y est repris ;
les « effets de lumière au soir sur les nuages groupés au couchant »
suggèrent *Les rayons jaunes* ; « ces poésies naïves, agrestes, d'une
simplicité irréfléchie, pleines de noblesse dans leur abandon, et
au milieu desquelles se dresse parfois *l'écorché* dans la manière
de Géricault », sont celles de Sainte-Beuve, ancien étudiant en
médecine qui trouve parfois dans ses souvenirs des images
d'ailleurs étonnantes. Le style enfin, avec sa « foule de participes
présents, tour à tour pris et quittés ; ces phrases incidentes
jetées adverbialement ; ces *si*, ces *quand*, ces *mais*, ces *aussi*, qui
passent flot à flot, qui rouvrent coup sur coup des sources
imprévues et nourrissantes ; ces énumérations qui jaillissent
comme un rayon, de la cime aux profondeurs », c'est le style de
Sainte-Beuve. La vulgarité de la conclusion de cet article ne
s'explique, sans se justifier, que par la rancune de Balzac envers le
critique. C'est donc à un pastiche de Sainte-Beuve sur Sainte-
Beuve qu'il s'est amusé ici, car le style même de cet Euphuiste,
plein de réticences, de qualificatifs complémentaires ou contradictoires, de maniérismes, c'est encore une imitation de celui
de Sainte-Beuve. Ainsi, que ce soit avant ou après les hostilités
entre les deux grands écrivains, Balzac n'a que des mots cruels
pour la poésie de Sainte-Beuve. Si c'est la méchanceté pure qui
lui fait écrire : « Les poésies de M. Sainte-Beuve m'ont toujours
paru être traduites d'une langue étrangère par quelqu'un qui ne
connaîtrait cette langue qu'imparfaitement. Il a la prétention
de comprendre sa poésie mais c'est une fatuité d'auteur » (3), il

(1) *Ibid.*, p. 586.
(2) *Ibid.*, p. 587.
(3) *Lettre sur M. Sainte-Beuve*, CFL, t. 14, p. 1116.

n'en est pas moins vrai que cette poésie n'a jamais touché Balzac.

Le véritable ennemi de Balzac n'est pourtant pas le poète, mais bien le critique, qui, il faut l'avouer, déclencha lui-même les hostilités et manifestera jusqu'au bout un entêtement et un aveuglement au sujet de Balzac bien difficiles à pardonner. Nous ne croyons pas que Balzac eût jamais mis sincèrement ses qualités de critique en question s'il n'y avait pas été poussé par un furieux désir de vengeance. L'article de M. Hytier marque soigneusement les coups successifs échangés par les deux adversaires. Nous n'avons que peu de choses à souligner ici, puisque les textes de Balzac jugeant Sainte-Beuve critique sont rares. Nous pourrions chercher parmi les critiques de *La comédie humaine* l'image du critique de *La revue des deux mondes*. Nous nous méfions de tels procédés, car un personnage fictif n'offre jamais la reproduction exacte d'un modèle vivant (1). Balzac fut lent à croire à l'hostilité délibérée de Sainte-Beuve. En rachetant *La chronique de Paris* en 1836, il espère encore s'assurer le concours des deux grands critiques de *La revue des deux mondes* : Planche et Sainte-Beuve (2). Ce n'est véritablement qu'après une longue série d'attaques méchantes et injustes de la part de Sainte-Beuve que Balzac se décide en août 1840 à riposter : la *Revue parisienne*, qui a déjà servi contre Latouche et contre Sue, va maintenant être l'arme vengeresse contre Sainte-Beuve. *Les fantaisies de Claudine* (devenu plus tard *Un prince de la Bohême*), commencent par offrir un pastiche très réussi, bien qu'exagéré, de son style de critique : Nathan y fait le portrait de la Palférine en une langue étrange, à laquelle son interlocutrice ne comprend goutte, et qu'il finit par identifier comme « le Sainte-Beuve, nouvelle langue française » (3). Toutes les manies du critique s'y retrouvent fidèlement : les phrases cheminent prudemment, reviennent sur leurs pas, rectifient, explorent ; la pensée y est obscure à force de vouloir être précise et nuancée ; les expressions précieuses y abondent ; l'allusion historique surgit à tout propos. Ce « style macaronique » finit par fatiguer l'amie de Nathan qui crie grâce : « Laissez ce jargon, dit la

---

(1) M. Bernard GUYON, veut voir dans le Nathan d'*Une fille d'Eve* un portrait déguisé de Sainte-Beuve, plutôt que de Gozlan comme on le fait d'ordinaire. L'évolution politique de Nathan « du saint-simonisme au républicanisme », le désir de pouvoir « aboyer à l'abri des coups et de se rendre redoutable », peuvent en effet suggérer Sainte-Beuve. Nous pensons personnellement que Nathan n'est ni Gozlan ni Sainte-Beuve ni personne, mais une synthèse de bien des traits observés ici et là.
(2) *Lettres à l'étrangère*, t. 1, p. 313.
(3) CFL, t. 9, p. 653.

marquise, cela peut s'imprimer, mais m'en écorcher les oreilles est une punition que je ne mérite point (1). » L'article de la *Monographie de la presse* sur les poésies d'Abel Mutin de Neufchâtel est loin d'être aussi réussi. Balzac a dû beaucoup travailler ces quelques pages de son *Prince de la Bohême*. Faut-il voir une allusion à Sainte-Beuve dans une phrase citée d'après l' « un des plus niais critiques de *La revue des deux mondes* » (2) ? Probablement, car le même roman en contient d'autres. La rancœur de Balzac est telle, cependant, en ces années 1839-1846, contre toute la critique, qui en effet se déchaîne contre lui, que Sainte-Beuve n'est pas nécessairement visé dans les nombreuses allusions des œuvres de cette époque.

L'attaque directe est largement suffisante d'ailleurs à satisfaire chez Balzac le désir de riposte. L'article sur *Port-Royal* en constitue le coup de boutoir, destiné à laisser l'ennemi chancelant. Bien que très long, trop long même, il ne porte que sur le tome I de l'étude de Sainte-Beuve. Balzac s'y délivre de toutes ses colères rentrées et nous assistons à l'attristant déchaînement de sa furie. Se fût-il agi d'un roman, l'auteur de cet article aurait très certainement trouvé le moyen de garder une certaine lucidité d'esprit. Mais en s'aventurant dans un domaine qui n'est plus de sa compétence, il s'expose aux erreurs les plus grossières (3). La personnalité de Sainte-Beuve, la sympathie et l'affection avec lesquelles celui-ci retrace ce mouvement de dissidence contre l'absolutisme ecclésiastique et monarchique qu'est le jansénisme, ne peuvent qu'exaspérer Balzac. L'absence totale de plan, de suite dans les idées, la confusion de la pensée, l'empêchent malheureusement de répondre intelligemment. En donnant libre cours à l'insulte, il annule tout effet possible de ses critiques. Le ton est donné dès le départ : M. Sainte-Beuve, spécialiste du genre ennuyeux, « continue donc avec intrépidité le système littéraire auquel nous devons déjà des pages où l'ennui se développe par une variété de moyens dont il faut lui savoir gré » (4). Sur quoi Balzac déclare que son intention était de rendre compte de l'ouvrage avec « une sorte de déférence littéraire » : « J'avais mes raisons. Je voulais répondre dignement à des attaques sans dignité, je voulais répondre par de la fine médisance à de la grossière calomnie, par de la franchise à de la sournoiserie (5). »

(1) *Ibid.*, p. 657.
(2) *La muse du département*, CFL, t. 9, p. 120.
(3) Nous renvoyons pour le détail, à l'article de M. HYTIER. Nous ne nous occuperons, dans l'article de Balzac, que des jugements purement littéraires.
(4) CFL, t. 14, p. 1086.
(5) *Ibid.*, p. 1087.

Scrupules qui l'honoreraient s'ils étaient écoutés. Mais *puisque* Sainte-Beuve vient d'être nommé à la bibliothèque Mazarine, le critique de *Port-Royal* se décide à passer sa victime par les armes de la plaisanterie. Que nous ne saisissions pas très bien la rigueur d'un tel raisonnement, peu importe à Balzac. Poussant alors un dernier cri de guerre, l'ennemi attaque. Quelques renforts seront amenés au passage : Bayle, Bossuet, Montesquieu.

Serait-il bien nécessaire de déployer tant de forces si la muse de M. Sainte-Beuve était vraiment « de la nature des chauves-souris », si elle aimait autant que le prétend Balzac « les ténèbres et le clair-obscur » (1) ? Au hasard de la poursuite, Balzac lance quelques virulentes critiques de style : « phrase molle et lâche, impuissante et couarde », qui « côtoie les sujets, se glisse le long des idées », « tourne dans l'ombre comme un chacal », « entre dans les cimetières historiques, philosophiques et particuliers », etc. Il est trop évident que certaines de ces insultes ne sont que celles de Sainte-Beuve à l'auteur de *La comédie humaine*. Les deux écrivains se lancent littéralement des cadavres à la tête. Après des pages et des pages de prétendues remises au point, Balzac consacre encore deux ou trois pages à se moquer du style avant de conclure en insistant sur les conséquences chez Sainte-Beuve « d'une faiblesse d'esprit qui l'emporte vers toutes les opinions, vers tous les faits et qui l'en ramène aussitôt vers de tout opposés » (2). Le titre même de l'article *Sur M. Sainte-Beuve à propos de Port-Royal* indique bien que *Port-Royal* n'est qu'un prétexte, et que l'auteur plus que l'œuvre est visé. Nous ne pouvons que constater, avec M. Hytier, « la puérilité de ses attaques, l'incompétence manifeste de ses considérations, ses erreurs de dates, son ignorance du contenu des questions qu'il évoque, ses maladresses doublées de mauvais goût », toutes attestant « d'affligeante façon qu'il s'était aventuré sur un terrain où il ne pouvait lutter » (3).

C'est sur un autre terrain, plus ferme sous ses pieds, celui du roman, que nous allons voir Balzac mesurer Sainte-Beuve, et que nous reprendrons confiance en son jugement. *Volupté*, paru en juillet 1834 avait été annoncé par Balzac dès janvier 1831 dans une *Lettre sur Paris*. D'après Edmond Werdet, Balzac lut ce roman un peu avant sa parution grâce à un exemplaire fourni par cet éditeur, et ne quitta plus le livre pendant des mois (4).

---

(1) *Ibid.*, p. 1091.
(2) *Ibid.*, p. 1116.
(3) *Art. cit.*, p. 74.
(4) Cf. Jean Hytier, *art. cit.*, p. 52. En décembre 1834, en réponse à Laure qui lui demandait des livres, Balzac écrit : « *Les livres nouveaux que j'ai*, tu

Il est certain qu'il produisit sur lui une impression profonde et durable. La *Lettre aux écrivains*, publiée le 2 novembre de cette même année, s'empresse de citer *Volupté* parmi « la grande littérature », « les œuvres longtemps élaborées », qui mériteraient une vente considérable (1). A Mme Hanska, comme à l'ordinaire, Balzac confie, le 25 août, son opinion, encore toute chaude de la lecture du roman :

> Il a paru un livre, très beau pour certaines âmes, souvent mal écrit, faible, lâche, diffus, que tout le monde a proscrit, mais que j'ai lu courageusement et où il y a de belles choses. C'est *Volupté* par Sainte-Beuve. Qui n'a pas eu sa *Madame de Couaën* n'est pas digne de vivre. Il y a dans cette amitié dangereuse d'une femme mariée près de laquelle l'âme rampe, s'élève, s'abaisse, indécise, ne se résolvant jamais à de l'audace, désirant la faute, ne la commettant pas, toutes les délices du premier âge. Il y a dans ce livre de belles phrases, de belles pages, mais rien. C'est le rien que j'aime, le rien qui me permet de m'y mêler. Oui, la première femme que l'on rencontre avec les illusions de la jeunesse, est quelque chose de saint et de sacré. Malheureusement, il n'existe pas dans ce livre ces agaçantes joyeusetés, cette liberté, cette imprudence qui signalent les passions en France. C'est un livre puritain. Mme de Couaën n'est pas assez femme, et le danger n'existe pas. Mais je regarde le livre comme bien perfidement dangereux. Il y a tant de précautions prises pour représenter la passion comme faible, qu'on la soupçonne immense, et la rareté des plaisirs les rend infinis dans leurs apparitions courtes et légères.
>
> Ce livre m'a fait faire une grande réflexion. La femme a un duel avec l'homme, et, où elle ne triomphe pas, elle meurt. Si elle n'a pas raison, elle meurt. Si elle n'est pas heureuse, elle meurt. Cela est effrayant (2).

Un point nous frappe immédiatement, à la lecture de cette page : la rapidité de la réflexion de Balzac à se porter au delà du roman. Une succession d'échos se répondent aussitôt en lui. Son expérience personnelle de jeune homme, son amour pour Mme de Berny, lui permettent de revivre intensément les émotions d'Amaury. Le caractère du héros de Sainte-Beuve, déchiré entre sa passion contenue et ses désirs trop facilement assouvis, s'inscrit profondément dans la mémoire de Balzac, qui l'opposera, deux ans plus tard, au personnage raté d'un roman raté dont il

---

peux tout bonnement les envoyer chercher. J'ai *Volupté*, mais non *Pellico*. J'ai peu de livres, je n'ai que ceux qu'on me donne, et c'est à ton service » (*Lettres à sa famille*, p. 168).

(1) Con., t. 39, p. 650.
(2) *Lettres à l'étrangère*, t. 1, p. 186.

fera la critique à *La chronique de Paris* (1). En 1840, alors que l'encre de l'article sur *Port-Royal* est encore toute fraîche, il oubliera sa rancœur pour réaffirmer la vérité du personnage d'Amaury : « Bien des gens timides et maladroits sentiront comme le héros, comme Amaury, qui se brise sur l'écueil au lieu de le fuir (2). » Mais la lecture d'une œuvre ne se borne pas à provoquer chez Balzac un jugement sur la réussite ou l'échec. Nous savons maintenant, pour avoir constaté ce phénomène si souvent, que son esprit et son imagination saisissent aussitôt les possibilités négligées par l'auteur, s'engagent sur des chemins délaissés et s'abandonnent à leur propre vision du sujet, recréé ainsi par Balzac. Ce « rien » que Balzac aime dans *Volupté*, c'est précisément le champ libre que Sainte-Beuve a laissé à la rêverie du lecteur. Lorsqu'il écrit sa lettre à Mme Hanska, il a déjà refait *Volupté* ; *Le lys dans la vallée* est là, en raccourci, dans ce « Malheureusement il n'existe pas dans ce livre... », qui sert de point de départ à une reconstruction des personnages, dans cette réflexion sur le sort fatal réservé à la femme à moins de victoire totale. Il est d'usage de considérer *Le lys dans la vallée* comme la vengeance de Balzac contre Sainte-Beuve après les attaques de celui-ci. Nous pensons, avec M. Hytier, que *Le lys dans la vallée* ne dépendait nullement d'un besoin de vengeance, qu'il aurait été écrit de toute façon, car il existait déjà dans l'esprit de Balzac le 25 août 1834. Mme de Couaën, pas assez femme pour courir un vrai danger, devait se changer en Mme de Mortsauf dont la passion contenue mais violente provoquera cette explosion, si choquante pour certains, sur son lit de mort. La mort de l'héroïne de Balzac devait être la conséquence nécessaire de sa passion, selon la réflexion à laquelle l'auteur avait été conduit par *Volupté*. Félix de Vandenesse devait avoir à la fois les timidités et les craintes d'Amaury et l'imprudence et la liberté qui, pour Balzac, vont avec la passion chez les Français, d'où le baiser sur l'épaule de Mme de Mortsauf, pendant le bal, au début du roman. Nous ne pouvons pas trouver de plus bel éloge pour l'œuvre de Sainte-Beuve que ce rôle de catalyseur dans la création de Balzac. Refaire *Volupté* ne signifie en aucun cas, pour celui-ci, déprécier *Volupté*. S'il est entendu qu'il espérera faire mieux (« Sainte-Beuve a travaillé quatre ans *Volupté* », écrit-il à Mme Hanska en octobre 1833, « Vous comparerez ») (3). Le roman restera cepen-

(1) *Le cloître au XIX⁰ siècle*, Con., t. 40, p. 7.
(2) *Lettres sur la littérature*, CFL, t. 14, p. 1147.
(3) *Lettres à l'étrangère*, t. 1, p. 278.

dant pour lui un chef-d'œuvre et ni Mme de Berny, qui n'aimait pas le roman (et pour cause), et avait momentanément dégonflé l'enthousiasme de Balzac, ni les blessures d'amour-propre que le critique infligea par la suite au romancier, ni la virulence croissante de la haine qui en découla ne purent le faire revenir sur ce jugement. « *Volupté*, l'un des livres les plus remarquables de ce temps », lisons-nous dans l'article *Sur les questions de propriété littéraire* (1), *Volupté*, encore cité parmi les « belles œuvres » contemporaines (2), que tout le venin de l'article de *Port-Royal* ne suffira pas à tuer, ce « livre où, parmi tant d'ingrates jachères, il y a de belles fleurs, des choses sublimes dans le fouillis de lianes où l'esprit s'enchevêtre et tombe après avoir lutté contre des lacis inextricables » (3), où les fautes de français fourmillent et où la langue est constamment outragée (4), *Volupté* sera définitivement jugé, « malgré ses nombreux défauts, malgré ses entortillages de style », comme un livre ayant de grandes chances de vie littéraire, parce qu'il possède la qualité essentielle pour Balzac à une grande œuvre : celle d'*exprimer* un aspect de l'humanité. Mme de Couaën est un type, à sa manière, elle « représente une des faces du cœur de la femme, l'amour contenu ». Amaury, nous l'avons vu, exprime la faiblesse des timides et des maladroits. « Enfin, la situation du prêtre jugeant au tribunal de la pénitence celle qu'il a aimée n'est pas moindre de celle de Brutus jugeant ses enfants (5). » La compétence de Balzac en la matière ne fait aucun doute. Son honnêteté à déclarer publiquement les mérites de l'œuvre de son pire ennemi ne peut que lui attirer notre estime et le pardon de son aveuglement sur *Port-Royal* (6).

Aux écrivains de prédominance poétique et rêveuse, Balzac oppose ceux « qui aiment la rapidité, le mouvement, la concision, les chocs, l'action, le drame, qui fuient la discussion, qui goûtent peu les rêveries, et auxquels plaisent les résultats ». C'est ce qu'il nomme la *Littérature des idées* (7) dont Stendhal est « l'un des

---

(1) Con., t. 40, p. 19.
(2) *Ibid.*, p. 21.
(3) *Lettre sur Sainte-Beuve*, CFL, t. 14, p. 1087.
(4) *Ibid.*, p. 1113.
(5) *Lettres sur la littérature*, CFL, t. 14, p. 1147.
(6) Nous avons laissé de côté l'article à la manière de Gustave Planche (L'Exécuteur des Hautes Œuvres) sur le roman intitulé *Jouissance* d'un des collaborateurs de sa revue. Il n'apporte rien de nouveau au jugement de Balzac sur *Volupté* .Malgré ses efforts Balzac ne parvient pas à démolir le roman et sa satire touche surtout l'auteur, non l'œuvre. Cf. *Monographie de la presse*, CFL, t. 14, pp. 583-585.
(7) *Etudes sur M. Beyle*, CFL, t. 14, p. 1152.

maîtres les plus distingués », et à laquelle appartiennent également Musset, Mérimée, Gozlan, Béranger, Delavigne, Planche, Mme de Girardin, Karr, Nodier et H. Monnier.

Placer Stendhal en tête de liste ne nous semble que trop naturel. N'oublions pas cependant que peu de ses contemporains en auraient eu l'idée et que jamais, même de ses amis, Stendhal ne reçut de son vivant les éloges que lui prodigua l'article de Balzac sur *La Chartreuse de Parme*. C'est vers 1830 que les deux écrivains firent connaissance, dans le salon du peintre Gérard, peu avant le départ de Stendhal pour son poste de Civita-Vecchia. Le nom de Stendhal, toutefois, était loin d'être nouveau pour Balzac. Les années 1826-1829 avaient vu celui-ci fréquenter un milieu littéraire de petits écrivains libéraux où l'influence de Beyle était très forte. M. Bardèche a mis en lumière les rapprochements possibles entre les deux *Physiologie du mariage* (celle de 1826 et celle de 1829) et *De l'amour*, et M. Guyon signale que le *Code des gens honnêtes* (1828), s'efforce d'imiter le style sec et analytique de Stendhal (1). Malgré des natures bien différentes, certains traits communs rapprochaient les deux hommes : même goût pour la plaisanterie et pour la conversation spirituelle, même recherche de l'interprétation psychologique, même répulsion pour l'épanchement sentimental. Une grande sympathie s'établit aussitôt entre eux, qui n'eut jamais par la suite l'occasion de se développer en véritable amitié par suite des absences trop prolongées de Stendhal. C'est tel qu'il le vit chez Gérard que Balzac nous montre, dans *Échantillon de causerie française* (fragments non utilisés dans *La comédie humaine* d'une *Conversation entre onze heures et minuit* parue d'abord dans les *Contes bruns* en 1832) : « Un homme gros et gras, homme de beaucoup d'esprit et qui devait partir pour l'Italie où l'appelaient des fonctions diplomatiques (2). » Prié de raconter une histoire, celui-ci narre *Ecce Homo*, anecdote assez leste dont il se justifie en invoquant Verville et Rabelais. Le plaisir de Balzac à écouter Stendhal devait être très grand. « Sa conversation n'a point démenti l'opinion que j'avais de lui d'après ses ouvrages », remarque-t-il dans l'article sur *La Chartreuse*. « Il conte avec cet esprit et cette grâce que possèdent à un haut degré MM. Charles Nodier et de Latouche. Il tient même de ce dernier pour la séduction de sa parole, quoique son physique, il est très gros, s'oppose au premier

---

(1) M. Bardèche, Introduction à la *Physiologie préoriginale de 1826*, Paris, Droz, 1940, pp. 53-54 ; B. Guyon, *op. cit.*, p. 205.
(2) Con., t. 39, p. 485.

abord à la finesse, à l'élégance des manières ; mais il en triomphe
à l'instant (1). » Lors du congé de trois ans que Stendhal passa à
Paris de 1836 à 1839, les deux hommes se revirent. Balzac ne
cache pas son estime pour Stendhal, puisqu'il fait à celui-ci
l'insigne honneur de le mentionner ouvertement, et à plusieurs
reprises, dans *La comédie humaine* comme « un des hommes les
plus spirituels et les plus profonds de cette époque » (2), « un des
écrivains les plus ingénieux de ce temps, l'un de ceux qui ont
le mieux observé l'Italie » (3). Nous le reconnaissons aisément
sous les traits de celui qui initia Camille Maupin à l'Italie (4). Ce
« célèbre inconnu » possède en effet comme Stendhal « ce ton
ingénieux et fin, épigrammatique et profond qui est le contraire
de son talent à lui, toujours un peu bizarre dans la forme » ;
il possède également, comme Stendhal, « le goût des œuvres de
la littérature anglaise et allemande » (5). Son *Traité sur l'amour*
continue à occuper la pensée de Balzac qui l'utilise dans *Un
prince de la Bohême* et dans *La muse du département* (6), où
Stendhal est à nouveau nommé comme « un des hommes les plus
remarquables de ce temps, dont la perte récente afflige encore
les lettres » (7). Aucun écrivain contemporain ne fut l'objet
d'un hommage si direct et si constant de la part de Balzac (8).

Alain, dans son bel ouvrage sur Balzac, remarque que celui-ci
fait allusion à certains livres de Stendhal, tels *De l'amour* et les
*Nouvelles italiennes*, mais ignore *Le rouge et le noir*, ce qui lui
semble à juste titre « très étonnant et même incroyable » (9).
L'article sur *La Chartreuse* ne mentionne en effet pas ce roman

---

(1) *Physiologie du mariage*, CFL, t. 12, p. 1095.
(2) *La maison Nucingen*, CFL, t. 6, p. 365.
(3) *Massimilla Doni*, CFL, t. 2, p. 693.
(4) Cette substitution, dans la fiction, de Stendhal à Musset est intéressante.
Balzac choisit pour compagnon de sa transposition romanesque de George Sand
l'écrivain qu'il juge sans doute le plus remarquable : « Cet homme possède un
des esprits les plus originaux de ce temps. Lui-même écrivait sous un pseudonyme, et ses premiers écrits annonçaient un adorateur de l'Italie. [...] Cet
homme sceptique et moqueur emmena Félicité pour connaître la patrie des
arts. »
(5) *Béatrix*, CFL, t. 9, p. 317.
(6) CFL, t. 9, pp. 191 et 193.
(7) CFL, t. 9, p. 648.
(8) Nous ne parlons pas, bien entendu, des nombreuses occasions où les
idées de Balzac nous rappellent celles de Stendhal. Bien que BALZAC déclare,
dans son article sur *La Chartreuse*, n'avoir rencontré Stendhal que trois fois
en tout, la parenté des deux écrivains est parfois troublante. M. S. de SACY,
par exemple, fait un rapprochement intéressant entre *Lucien Leuwen* et *Le
député d'Arcis*, écrits au même moment, l'année de *La Chartreuse*. Est-ce
coïncidence ou échange d'idées ? Le sujet mériterait d'être étudié à fond. Cf.
S. de SACY, Préface au *Député d'Arcis*, CFL, t. 10, pp. 92-93.
(9) *Avec Balzac*, Paris, Gallimard, 1937, p. 170.

expressément. Alain, toutefois, n'a pas lu les *Lettres sur Paris*. En janvier 1831, faisant le tour d'horizon littéraire de l'année qui vient de se terminer, Balzac y distingue quatre ouvrages appartenant à ce qu'il nomme l'École du désenchantement et par lesquels s'exprime « le génie de l'époque, la senteur cadavéreuse d'une société qui s'éteint » (1). Ce sont *La confession* de J. Janin, *L'histoire du roi de Bohême* de Nodier, la *Physiologie du mariage* et *Le rouge et le noir*. Nous connaissons l'importance pour Balzac de cette idée de décomposition d'un siècle, comment elle lui vient de Rabelais et comment *La peau de chagrin* tâchera de répondre aux besoins « d'un vieux peuple qui attend une jeune organisation ». Le rapprochement entre *La physiologie* et *Le rouge et le noir* montre bien d'autre part à quel point Balzac se sentait proche de Stendhal et voyait en lui l'un des modèles de l'analyse froide et lucide seule capable de juger la société expirante.

Si Balzac insiste surtout, à propos du roman de Stendhal, sur le thème de l'ingratitude (« il essaie de nous prouver que la *reconnaissance* est un mot comme Amour, Dieu, Monarque »), nous ne croyons pas que ce soit là l'unique signification qu'il lui ait donnée. En déclarant, quelques lignes plus haut, que *Le rouge et le noir*, « conception d'une sinistre et froide philosophie », offre comme la *Physiologie* « de ces tableaux que tout le monde accuse de fausseté, par pudeur, par intérêt, peut-être », il se montre sensible au caractère de vérité cruelle que Stendhal a voulu imprimer à sa *Chronique de 1830*, moins dans le cynisme de son héros que dans la peinture de la société. Aucun texte, malheureusement, ne nous fait savoir ce que Balzac pensait du roman de Stendhal d'un point de vue technique.

Il est certain que Balzac y a réfléchi, qu'il en a même parlé à Stendhal. Une des lettres écrites à propos de *La Chartreuse* ne fait qu'éveiller un peu plus notre curiosité sans la satisfaire : « Vous savez ce que je vous ai dit sur [Le] *rouge et* [le] *noir*. Et bien, ici, tout est original et neuf (2). » N'est-il pas étrange que nulle part nous ne rencontrions le nom de Julien Sorel chez le créateur de Rastignac ? C'est un fait que Balzac semble avoir été plus frappé par les autres ouvrages de Stendhal, notamment ceux qui concernent l'Italie, que par l'histoire de Julien Sorel. Le caractère de « chronique italienne » qui s'attache à *La Chartreuse de Parme* joue un grand rôle, nous allons le voir, dans l'admiration de Balzac pour ce roman.

(1) CFL, t. 14, p. 416.
(2) CFL, t. 16, p. 269.

Le fragment de *La Chartreuse* (le récit de Waterloo) paru dans *Le Constitutionnel* en mars 1839 enchanta Balzac. En vérité, aucune partie de l'œuvre n'aurait pu l'intéresser davantage. Il y trouvait, réalisé à la perfection, ce qu'il rêvait de faire depuis des années et devant quoi il avait toujours reculé : la peinture d'une bataille. Conscient de toutes les difficultés d'une telle entreprise, personne ne pouvait l'être plus que lui. La solution trouvée par Stendhal en faisant vivre la bataille à son héros et en ne nous la décrivant que vue à travers lui, apparut à Balzac comme un trait de génie. Tout nous porte à croire que l'idée était neuve pour lui, et que pour la première fois il se sentait dépassé sur son propre terrain par un contemporain. Sa réaction est immédiate ; Stendhal lui fait commettre le péché d'envie et il le lui dit : « Oui, j'ai été saisi d'un accès de jalousie, à cette superbe et vraie description de bataille que je rêvais pour les *Scènes de la vie militaire*, la plus difficile partie de mon œuvre ; et ce morceau m'a ravi, chagriné, enchanté, désespéré. Je vous le dis naïvement. C'est fait comme Borgognone et Wouwermans, Salvator Rosa et Walter Scott (1). » Les *Scènes de la vie militaire* ne virent jamais le jour. Dans la même lettre, Balzac acceptait l'exemplaire de *La Chartreuse* que lui avait offert Stendhal et promettait une opinion franche. D'ailleurs, ajoutait-il : « Je suis un lecteur si enfant, si charmé, si complaisant, qu'il m'est impossible de dire une opinion après la lecture ; je suis le plus bénin critique du monde, et fais bon marché des taches qui sont au soleil ; ma froideur et mon jugement ne me reviennent que quelques jours après (2). » Quinze jours plus tard il fait connaître à Stendhal l'enthousiasme définitif qu'il éprouve pour son roman :

Il ne faut jamais retarder de faire plaisir à ceux qui nous ont donné du plaisir. *La Chartreuse* est un grand et beau livre. Je vous le dis sans flatterie, sans envie, car je serais incapable de le faire et l'on peut louer franchement ce qui n'est pas de notre métier. Je fais une fresque et vous avez fait des statues italiennes. Il y a *progrès* sur tout ce que nous vous devons. [...] Mon éloge est absolu, sincère. Je suis d'autant plus enchanté de vous écrire ce qui est dans cette page, que beaucoup d'autres, tenus pour spirituels, sont arrivés à un état complet de sénilité littéraire (3).

Suivent les observations de Balzac sur les améliorations à apporter à l'ouvrage. Ce sont les mêmes critiques que nous allons trouver dans l'article de la *Revue parisienne*. Nous y reviendrons.

(1) *A M. Frédéric Stendhal*, CFL, t. 16, p. 268.
(2) *Ibid.*
(3) *Ibid.*, p. 269.

Quelques jours plus tard, Balzac écrit à Mme Hanska : « Beyle vient de publier, à mon sens, le plus beau livre qui ait paru depuis cinquante ans. Cela s'appelle *La Chartreuse de Parme*, et je ne sais si vous pourrez vous le procurer. Si Machiavel écrivait un roman, ce serait celui-là (1). » La même année, enfin, la préface de la première édition d'*Une fille d'Eve* notait que le seul roman possible de l'Italie « a été fait et admirablement, c'est *La Chartreuse de Parme* » (2).

Stendhal repartit en Italie sans avoir vu Balzac. Celui-ci lut et relut le roman, tandis que Stendhal s'essayait à faire les corrections suggérées. Selon M. Henri Martineau (3), ce fut sur la sollicitation de Romain Colomb, cousin de Stendhal, que Balzac écrivit l'article paru le 25 septembre 1840 dans la *Revue parisienne*. Le romancier ne fut pas difficile à convaincre. On sait l'effet de stupeur mêlé de reconnaissance que produisit cet article chez Stendhal qui pourtant n'ignorait pas l'opinion de Balzac. Sa réponse, rédigée après trois brouillons, ne parvint jamais à son destinataire, car celui-ci se cachait hors de son domicile. Le remaniement de *La Chartreuse* selon les indications de Balzac ne fut jamais terminé et Stendhal mourut en laissant son roman à peu près intact, au plus grand soulagement des stendhaliens qui ne trouvent pas de mots assez durs pour les sacrilèges conseils balzaciens. Nous allons donc tâcher de dégager de ce très long article sur *La Chartreuse* les points précis sur lesquels Balzac base son admiration, et les quelques changements qu'il suggère.

Comme toujours, c'est l'homme de métier qui va juger principalement de l'œuvre. Mais ici, il se double du lecteur « si enfant, si charmé », dont Balzac parlait à Beyle : « Si j'ai tant tardé, malgré son importance, à parler de ce livre, croyez qu'il m'était difficile de conquérir une sorte d'impartialité. Encore ne suis-je pas certain de la garder, tant à une troisième lecture, lente et réfléchie, je trouve cette œuvre extraordinaire (4). » Ce livre « où le sublime éclate de chapitre en chapitre » ne peut malheureusement être compris que par une élite : artistes, diplomates, ministres, observateurs, gens du monde éminents. D'où le devoir pour le romancier de métier qu'est Balzac de faire connaître son opinion : « Moi qui crois m'y connaître un peu, je l'ai lue [*La Chartreuse*] pour la troisième fois ces jours-ci : j'ai trouvé l'œuvre

---

(1) *Lettres à l'étrangère*, t. 1, p. 509.
(2) CFL, t. 15, p. 304.
(3) Préface aux *Romans et nouvelles*, Bibliothèque de la Pléiade, p. 17.
(4) CFL, t. 14, p. 1156.

encore plus belle et j'ai senti dans mon âme l'espèce de bonheur que cause une bonne action à faire (1). »

Balzac procède par la méthode la plus sage et la plus intéressante pour le lecteur non initié : il raconte le roman, longuement, en détail, et glisse ses commentaires au fur et à mesure que lui apparaissent les beautés de l'œuvre. Plutôt que de le suivre pas à pas, nous allons essayer de grouper ces remarques selon qu'elles portent sur l'ensemble du roman, sur la peinture des personnages, sur le développement de l'intrigue, ou sur le style.

Lorsque Balzac écrit à Beyle : « Je fais une fresque et vous avez fait des statues italiennes », il semble penser surtout à la perfection dans laquelle nous apparaissent les personnages de *La Chartreuse* : la Sanseverina, Mosca, Fabrice, et négliger tout ce qui, dans ce roman, les relie les uns aux autres. Pourtant, en insistant sur le caractère essentiellement italien de ces personnages (et il y revient sans cesse), il reconnaît déjà implicitement qu'à la peinture de caractère Stendhal a joint la peinture d'un pays.

Il est intéressant de retrouver, dans l'article de la *Revue parisienne*, ce même terme de *fresque* appliqué cette fois à l'œuvre de Stendhal : « L'esprit, le génie, les mœurs, l'âme de cette belle contrée, vivent dans ce long drame toujours attachant, dans cette verte fresque si bien peinte, si fortement colorée, qui remue le cœur profondément et satisfait l'esprit le plus difficile, le plus exigeant (2). » Le sujet de *La Chartreuse*, c'est donc l'Italie : « Tout est italien à faire prendre la poste et courir y chercher ce drame et cette poésie (3). » « Quoique ce soit l'Italie telle qu'elle est, avec sa finesse, sa dissimulation, sa ruse, son sang-froid, sa ténacité, sa haute politique à tout propos, *La Chartreuse de Parme* est plus chaste que le plus puritain des romans de Walter Scott », dit encore Balzac (4). L'atmosphère italienne du roman l'enchante évidemment, lui qui n'a jamais pris au sérieux le faux italianisme des romantiques et qui trouve chez Stendhal tout le contraire de la couleur locale artificielle dont trop d'œuvres contemporaines étaient déparées. Balzac, en romancier expérimenté, comprend le parti que peut tirer un grand écrivain de cette peinture italienne ; les deux éléments que Stendhal y souligne sont en effet les meilleurs ressorts d'action qu'on puisse imaginer : la passion et l'intrigue politique. Ce n'est pas à tort

---

(1) *Ibid.*, p. 1157.
(2) *Ibid.*, p. 1212.
(3) *Ibid.*, p. 1183.
(4) *Ibid.*, p. 1171.

que Balzac répète que « si Machiavel écrivait de nos jours un roman, ce serait *La Chartreuse* ». Il y a en effet dans la peinture de la cour de Ranuce-Ernest IV et du personnage de Mosca tout un traité de politique : « Parme vous fait comprendre *mutato nomine*, les intrigues de la cour la plus élevée (1). »

Quant à la passion, elle anime tous les personnages, c'est elle qui les entraîne dans cette succession étonnante d'événements où un moins habile que Stendhal aurait trouvé un écueil certain. C'est sur elle qu'est construit tout le personnage de la duchesse de Sanseverina. Ce personnage opère une compréhensible fascination sur Balzac. Dès son apparition il en admire le caractère essentiellement italien. La vengeance qu'elle inflige à l'amant qui refuse de venger la mort du comte Pietranera est une de ces vengeances « magnifique au delà des Alpes, et qu'on trouverait stupide à Paris » (2). Nous aimerions pouvoir relever toutes les phrases de Balzac où s'exprime son admiration pour l'art de Stendhal à créer un personnage si vivant, à la fois exceptionnel et typique. Elles sont trop nombreuses. Nous ne citerons qu'un passage : « Peut-être jamais un poète ne s'est-il tiré d'une pareille donnée avec autant de bonheur que M. Beyle dans cette œuvre hardie. La duchesse est une de ces magnifiques statues qui font tout à la fois admirer l'art et maudire la nature avare de pareils modèles. La Gina, quand vous aurez lu le livre, restera devant vos yeux comme une statue sublime (3). » La séduction qu'opère sur tout lecteur le personnage de la duchesse se double chez Balzac du plaisir qu'il éprouve à trouver chez Stendhal la mise en œuvre d'une de ses idées les plus chères, celle de l'importance de la femme dans la peinture de la société : l'histoire de la société est l'histoire du jeu des passions, et les passions viennent de la femme. Quel plus bel exemple d'Arthez aurait-il pu offrir à Lucien dans sa critique de Walter Scott que ce personnage de Gina ? « Pour la femme », remarque Balzac, « l'univers est le marchepied de sa passion. Aussi la femme est-elle plus belle et plus grande que l'homme en ceci. La Femme est la Passion, et l'Homme est l'Action. Si ce n'était pas ainsi, l'Homme n'adorerait pas la Femme » (4).

Nous sommes un peu surpris de voir l'insistance de Balzac à chercher un modèle réel pour les personnages de Stendhal. Pourquoi écrit-il : « Pour cette statue [la Sanseverina] comme

(1) *Ibid.*, p. 1179.
(2) *Ibid.*, p. 1159.
(3) *Ibid.*, p. 1171.
(4) *Ibid.*, p. 1184.

pour le prince et pour le premier ministre, il y a eu nécessairement un modèle » (1), lui qui déclare n'avoir jamais « portraituré »
que deux personnes réelles, George Sand et G. Planche, et
sait par conséquent, mieux que personne, les mystères de la
création littéraire ? Il y a là matière à réflexion. Si la vérité d'un
personnage vient de ce qu'il exprime une idée ou une passion,
comme Balzac ne cesse de le redire, sa création doit être le résultat
d'une analyse, puis d'une synthèse où les traits individuels
observés se changent en traits généraux. Le modèle alors importe
peu. Il n'y a pas un modèle, mais plusieurs. Or nous avons l'impression que Balzac fait, peut-être pour la première fois, une
expérience nouvelle avec Stendhal. Le personnage de Gina *est* la
passion, et en cela elle représente un type. Mais Balzac sent bien
que sa grandeur lui vient surtout de sa profonde individualité,
que chez elle la vérité est tout le contraire d'une essence de réalité,
et que la vérité littéraire peut alors venir tout droit de l'observation directe sans reconstruction nécessaire. La Sanseverina
est une exception : les femmes de ce type sont en très petit
nombre, admet Balzac. Dans tout autre roman, une telle constatation eût suffi à lui faire rejeter le personnage. Stendhal lui
révèle au contraire un mode de création tout différent du sien.

Le personnage de Fabrice relève du même type de création
que celui de sa tante, mais il frappe moins, car il est un des
ressorts de l'action plutôt qu'un protagoniste.

Chez Mosca, au contraire, où Balzac veut voir plus de Metternich que Stendhal n'en mit, se combinent et s'équilibrent les
deux tendances opposées : individualisme et type. Balzac se
sent avec lui en terrain plus familier. Son admiration n'en est
d'ailleurs pas diminuée, puisqu'il connaît précisément toutes
les difficultés d'une telle caractérisation : « Avoir osé mettre en
scène un homme de génie de la force de M. de Choiseul, de
Potemkin, de M. de Metternich, le créer, prouver la création par
l'action même de la créature, le faire mouvoir dans un milieu
qui lui soit propre et où ses facultés se déploient, ce n'est pas
l'œuvre d'un homme, mais d'une fée, d'un enchanteur (2). »

Comme le personnage d'Ernest IV, inspiré du duc de Modène,
Mosca commence par être Metternich et finit par être à la fois
type et individu : « M. Beyle, parti pour peindre une petite cour
d'Italie et un diplomate, a fini par le type du PRINCE et par le
type du premier ministre. La ressemblance, commencée avec

(1) *Ibid.*, p. 1207.
(2) *Ibid.*, p. 1163.

la fantaisie des esprits moqueurs, a cessé là où le génie des arts est apparu à l'artiste (1). »

Qu'il s'agisse des personnages principaux ou des personnages secondaires, l'émerveillement de Balzac ne cesse de s'exprimer devant la vie que leur créateur leur imprime. Car Mosca a beau être le type des premiers ministres, il n'en est pas moins un homme, et un homme amoureux : « Je ne sais rien de saisissant comme le chapitre sur la jalousie de Mosca », s'écrie Balzac (2). Parmi les personnages secondaires, la figure qui s'impose avec le plus de force à son admiration est celle de Palla Ferrante : « A quelque hauteur que soient, comme faire, comme conception, comme réalité, le prince, le ministre, la duchesse, Palla Ferrante, cette superbe statue, mise dans un coin du tableau, commande votre regard, exige votre admiration. Malgré vos opinions, ou constitutionnelles, ou monarchiques, ou religieuses, il vous subjugue (3). » Le rapprochement qui se fait dans l'esprit de Balzac entre le libéral italien de Stendhal et Michel Chrestien, son républicain français, le conduit à admettre avec simplicité la supériorité du premier. Là encore il s'avoue vaincu. Les raisons qu'il en donne sont intéressantes, car elles expriment la seule envie que puisse porter l'auteur de *La comédie humaine* à celui de *La Chartreuse de Parme* : le bonheur d'un sujet si favorable au roman. La société italienne se prête à la peinture de la passion et des contrastes sublimes. La société parisienne, au contraire, n'est que platitude et médiocrité. Si nous reconnaissons une part de vérité à cette constatation, elle est bien loin cependant de rendre compte de la différence fondamentale entre le roman stendhalien et le roman balzacien. Cette vie intense qui saisit si fort Balzac chez son collègue n'existerait jamais chez lui, même si le sujet s'y prêtait. Le rythme de *La Chartreuse* emporte le lecteur sans le laisser s'arrêter à la moindre description, l'action suit l'action, les personnages vivent sans être décrits. C'est l'opposé du rythme balzacien.

Nous savons la sévérité de Balzac quant à la structure d'un roman, et connaissons les lois de composition, tirées de Walter Scott, qui le guident dans ses jugements. L'improvisation géniale qu'est *La Chartreuse* semblerait offrir le plus parfait démenti à toutes ces idées sur le patient travail de tisserand qu'est la conduite d'une intrigue. Le caractère spontané de

(1) *Ibid.*, p. 1164.
(2) *Ibid.*, p. 1181.
(3) *Ibid.*, p. 1192.

l'œuvre ne lui échappe pas : c'est sur lui que Balzac basera les remaniements à faire, parce que « le livre manque de méthode » (1) et qu'à une première lecture, par sa « manière simple, naïve, et sans apprêt de conter », Beyle risque de paraître confus. Mais le jugement de Balzac est loin d'être absolu à ce sujet, puisqu'il ne peut s'empêcher de trouver à la deuxième ou troisième lecture que la nécessité du détail justifie les longueurs, que rien n'est donc superflu dans le roman, que tout s'y agence avec un art extrême. Le naturel avec lequel Stendhal mène l'intrigue la plus compliquée laisse Balzac stupéfait : « Quand on vient à songer que l'auteur a tout inventé, tout brouillé, tout débrouillé, comme les choses se brouillent et se débrouillent dans une cour, l'esprit le plus intrépide et à qui les conceptions sont familières, reste étourdi, stupide, devant un pareil travail (2). »

Toujours armé de son code du romancier établi d'après Walter Scott, Balzac constate que chez Stendhal toutes les lois de la composition sont respectées, que les caractères se révèlent toujours selon une logique longtemps préparée, que les scènes les plus diverses et les plus inattendues se relient entre elles comme les différentes parties d'une tapisserie, par des fils invisibles mais serrés. Nous avons l'impression que Balzac va de surprise en surprise devant ce talent si instinctif qui produit ce que les recettes les plus compliquées n'arriveraient pas à obtenir. Alors que l'art le plus achevé de Walter Scott permettait une analyse assez complète de la technique employée, que les préparations, les descriptions, les dialogues, l'action, avaient leur place une fois pour toutes bien assignée, chez Stendhal tout se mêle et pourtant tout est d'une simplicité et d'une clarté admirables. Impossible de prendre l'auteur en délit d'infraction de la moindre loi littéraire :

Il faut vous laisser le plaisir de lire les admirables détails de cette trame continue où l'auteur mène de front cent personnages sans être plus embarrassé qu'un habile cocher ne l'est des rênes d'un attelage de dix chevaux. Tout est à sa place, il n'y a pas la moindre confusion. Vous voyez tout, la ville et la cour. Le drame est étourdissant d'habileté, de faire, de netteté. L'art joue dans le tableau, pas un personnage n'est oisif (3).

Instinct particulier au talent ? ou calcul, méditation, déduction naturelle d'un sujet bien choisi ? se demande Balzac avec

(1) *Ibid.*, p. 1208.
(2) *Ibid.*, p. 1162.
(3) *Ibid.*, p. 1191.

perplexité. Nous le sentons incapable de répondre avec certitude, plutôt enclin à parier pour l'instinct, assuré d'une seule chose : *La Chartreuse de Parme* est *le* chef-d'œuvre du roman, encore jamais rencontré. Nous avons vu en effet que son admiration pour telle ou telle œuvre est toujours limitée à un ou quelques aspects particuliers, technique ou psychologique. Quelle pâle figure fait alors le grand Walter Scott chaque fois que Balzac essaie de le mesurer à Stendhal. Le sincère enthousiasme de l'auteur de cet article peut se juger par un fait significatif : la confrontation répétée avec les grands maîtres de Balzac. Nous qui connaissons maintenant la place qu'occupent en son esprit Corneille, Racine, Molière, Shakespeare, Richardson, Byron, Walter Scott, Lewis, Cooper, nous les voyons avec curiosité accourir l'un après l'autre à l'appel de leur disciple et repartir vaincus par le nouveau géant du roman qu'est Stendhal.

Les critiques formulées par Balzac ont bien peu d'importance en regard de la prodigalité des éloges. Le manque de méthode n'est, nous l'avons vu, qu'une demi-critique, une concession (étrange chez Balzac), au lecteur moyen peu capable de saisir la nécessité profonde de certaines préparations : supprimer la peinture de Milan au début de l'ouvrage, débuter par la bataille de Waterloo, et utiliser le procédé du retour en arrière pour exposer l'enfance de Fabrice, tels sont les remaniements conseillés pour centrer le roman sur la cour de Parme. Déjà dans sa lettre à Stendhal, Balzac suggérait que, par égard pour le *pecus*, les longueurs du début soient reportées à la fin. Il est évident que le manque d'unité fondamentale de l'œuvre le déroute, ou plutôt, devrions-nous dire, le manque d'équilibre dans les dimensions de l'édifice. Son goût classique apparaît en ceci. Pour lui, l'héroïne du roman est la duchesse de Sanseverina, sans aucun doute, et le lieu d'action est avant tout Parme : « En dépit du titre, l'ouvrage est terminé quand le comte et la comtesse Mosca rentrent à Parme et que Fabrice est archevêque (1). » Les amours de Fabrice et de Clélie ne sont qu'un appendice qui brise les proportions harmonieuses du roman : sans le savoir, Balzac avait raison d'y voir un épisode ou superflu ou trop court. On n'ignore pas que Stendhal avait dû l'abréger considérablement pour obéir à son éditeur. Si Fabrice est le héros du roman, comme semble le désirer Stendhal, alors, remarque Balzac, son caractère n'est pas assez mis en valeur. Il ne passe au premier plan qu'à la fin.

Mille protestations se sont élevées contre de telles observa-

(1) *Ibid.*, p. 1209.

tions. Du point de vue technique, c'est Balzac qui a raison.
Stendhal l'a tout de suite senti en essayant de suivre ses conseils.
Du point de vue de l'art, c'est peut-être Stendhal qui a raison,
et Balzac l'a senti en spécifiant que les erreurs relevées le sont
moins « au point de vue de l'art qu'en vue des sacrifices que tout
auteur doit savoir faire au plus grand nombre » (1). L'œuvre
telle qu'elle était le satisfaisait parfaitement. Il savait seulement
que « le scrutin secret dans lequel votent un à un et lentement les
esprits supérieurs », ne se dépouille que très tard. Son souci
immédiat était de hâter ce dépouillement en rendant l'œuvre
plus accessible.

Une seule critique de technique, faite dans la deuxième
lettre de Balzac à Stendhal, nous étonne vraiment : « Vous avez
commis une faute immense en posant Parme ; il fallait ne nommer
ni l'État, ni la ville, laisser l'imagination trouver le prince de
Modène et son ministre, ou tout autre. [...] Laissez tout indécis,
comme réalité, tout devient réel ; en disant Parme, aucun esprit
ne donne son consentement (2). » L'étrangeté d'un tel conseil,
venant de Balzac qui a toujours localisé ses romans avec la plus
grande minutie, frappe encore davantage lorsque nous le voyons
citer Hoffmann, « l'écrivain le plus fantasque », pour prouver la
vérité de la loi littéraire invoquée ici. Notons tout de suite que
cette critique ne figurera pas dans l'article de la Revue parisienne.
Il se peut donc qu'à la réflexion Balzac ait vu le malfondé de son
objection. Quoi qu'il en soit, le fait même qu'il puisse la formuler
demande à être éclairci. Il s'agit en somme du problème de la
création littéraire dans ses rapports avec la réalité. Le raisonnement de Balzac est le suivant : si, en lisant les descriptions de la
cour de Parme, le lecteur reconnaît immédiatement le duché de
Modène, la transposition manque son effet, elle ne peut que
gêner. De prime abord, il semblait donc bien préférable, en effet,
de ne pas nommer la ville. Cependant, en étendant cette réflexion
à Ernest IV et à Mosca, Balzac fut amené à modifier son opinion.
Les ressemblances entre Ernest et le duc de Modène, entre Mosca
et Metternich, sont « assez vagues à l'extérieur pour être niées,
et si réelles à l'intérieur, que les connaisseurs ne peuvent pas s'y
tromper » (3). C'est dire que ces personnages sont créés d'après
une vérité profonde, psychologique, et ne sont pas la simple
reproduction de modèles réels. Où les situer géographiquement ?

(1) *Ibid.*, p. 1208.
(2) CFL, t. 16, p. 269.
(3) CFL, t. 14, p. 1162.

A Modène, ils colleraient trop à la réalité. Dans un duché imaginaire, ils seraient au contraire trop détachés de la réalité. Balzac comprend vite que le roman de Stendhal ne peut obéir aux mêmes lois que les contes d'Hoffmann. Le choix de Parme apparaît alors un choix judicieux, permettant une peinture de la vie de cour d'autant plus frappante qu'elle est plus concentrée. Parme finit par devenir, comme Mosca, comme Ernest IV, un « type ».

Quant aux critiques de style, elles ne sont pas non plus aussi graves qu'on a voulu le dire. Il s'agit, non pas du style en tant qu'expression de la pensée, mais de « l'arrangement des mots ». Le style de Stendhal, très différent du sien, plaît à Balzac : il en aime la concision, la rapidité, la précision. Préférer citer plutôt que de paraphraser, n'est-ce pas être conscient de l'importance de la forme donnée par l'auteur à la pensée ? Malheureusement Balzac cite souvent de mémoire, donc à faux. L'arrangement des mots n'est plus le même. Il a donc tort de référer le lecteur de son article à ces citations pour juger du style fautif de Stendhal. Il n'en reste pas moins vrai que le style de Stendhal est souvent négligé, de premier jet, et qu'un écrivain habitué, comme Balzac, aux innombrables retouches ne peut que souhaiter un peu plus de polissage. Les corrections de Stendhal prouvent cependant que l'inspiration première chez lui trouvait en général plus facilement le mot juste que la réflexion. La « rondeur » que Balzac regrette de ne pas trouver dans la phrase courte de Stendhal aurait certainement empêché Stendhal de nous sembler si moderne à côté de ses contemporains, trop épris de l'ornement. Pourtant, nous ne pouvons guère reprocher à Balzac de souhaiter que Beyle puisse polir son roman jusqu'à ce qu'il atteigne la perfection absolue. Nous nous étonnerons plutôt de trouver autant de naïve admiration et une telle absence de jalousie devant un écrivain comme Stendhal, chez qui la facilité, le bonheur d'inspiration, l'instinct de conteur et la finesse de psychologue pourraient sembler une injustice trop grande à celui qui ne réussissait qu'avec effort et travail à formuler d'une manière satisfaisante le monde d'idées et d'êtres qui s'agitait dans son cerveau. Balzac ne fut jamais jaloux du génie ; à peine le fut-il de la célébrité tapageuse des talents médiocres. Son opinion de Stendhal se résume une dernière fois en 1846 dans la lettre à Romain Colomb l'autorisant à utiliser l'article de la *Revue parisienne* :

Ce que j'ai écrit sur Beyle l'a été avec trop de désintéressement et de conviction pour que vous ne soyez pas libre d'en disposer comme bon vous semblera ; je n'y mets d'autre condition que d'avoir un exemplaire de ses œuvres que j'aime beaucoup. C'est un des esprits les plus remarquables de ce temps ; mais il n'a pas assez soigné *la forme* ; il écrivait comme les oiseaux chantent, et notre langue est une sorte de Dame Honesta, qui ne trouve rien de bien que ce qui est irréprochable, ciselé, léché. Je suis très chagrin que la mort l'ait surpris ; nous devions porter la serpe dans *La Chartreuse de Parme* et une seconde édition en aurait fait une œuvre irréprochable. C'est toujours un livre merveilleux, le livre des esprits distingués (1).

Dans une lettre au marquis de Custine datée de février 1839, Balzac écrit : « Vous apporterez beaucoup plus à la littérature *idée* qu'à la littérature imagée ; vous tenez en cela au xviiie siècle par l'observation à la Champfort [*sic*] et à l'esprit de Rivarol, par la petite phrase coupée (2). » Cet aristocrate, bien oublié maintenant, était très mêlé à la vie littéraire de son époque, recevait chez lui les écrivains de marque, et s'était acquis une assez solide réputation d'homme de lettres. Bien que Balzac ne fasse jamais aucune allusion publique à Custine, sa correspondance contient, outre de fréquentes remarques, dans les *Lettres à l'étrangère*, sur les hauts et les bas de son amitié avec le marquis, deux lettres adressées à Custine même dans lesquelles Balzac juge deux romans : *Le monde comme il est* et *Ethel*. En confrontant ces lettres avec un essai de critique du *Monde comme il est* destiné à *La Revue de Paris* et jamais publié, nous pouvons dégager assez précisément l'opinion de Balzac sur Custine.

*Le monde comme il est* parut en janvier 1835. Balzac en avait reçu un exemplaire, d'où la lettre du 15 janvier qui, tout en remerciant l'auteur de son présent, fait part des remarques suggérées par la lecture de l'ouvrage. « Vous avez fait un des beaux livres, du petit nombre de ceux que j'aie lus avec plaisir depuis longtemps », commence Balzac (3). Et pourtant il semble que les critiques lui viennent beaucoup plus facilement que les éloges ; ceux-ci restent vagues, essaient de tourner les défauts en qualités que seuls des hommes d'élite pourront apprécier. Finalement Balzac ne trouve à louer que « deux ou trois descriptions » irréprochables : « Je sais ce que cela me coûte quand je veux égratigner un paysage, pour ne pas être en admiration devant un peintre tel que vous (4). » L'article que Balzac tenta d'écrire pour *La Revue de Paris* est déjà annoncé dans cette lettre. Ce n'est donc pas sur les instances de la duchesse d'Abrantès, comme le

(1) CFL, t. 16, pp. 429-430.
(2) CFL, t. 16, p. 264.
(3) CFL, t. 16, p. 168.
(4) *Ibid.*, p. 169.

disent MM. Bouteron et Longnon (1), que Balzac entreprit l'article inédit sur *Le monde comme il est*. Cet article présente exactement les mêmes caractéristiques que la lettre : on y sent Balzac
désireux d'écrire une critique favorable et entraîné presque malgré
lui à montrer tous les défauts de l'œuvre, que le technicien en lui
ne voit que trop. A Custine, il signalait déjà que « les défauts
viennent de l'oubli de quelques procédés d'art que savent les vieux
loups ». Les fragments biffés de l'article soulignent ces fautes. Pour
être élogieux, Balzac doit donc éviter soigneusement de parler du
roman en tant que roman, et insister sur l'intérêt des réflexions
que l'auteur glisse constamment dans son texte (bien que cette
manière d'intervenir personnellement soit fortement critiquée
dans le passage supprimé), sur les quelques beautés occasionnelles
du style, sur les descriptions dont la lettre parlait. Toute la
première partie de cet article n'est qu'une violente réfutation de
l'idée centrale du roman : le suicide auquel un homme est poussé
par la société. Ainsi nous ne pouvons avoir beaucoup d'illusions
sur le mérite de l'œuvre de Custine aux yeux de Balzac.

Lorsque paraît *Ethel*, en 1839, son auteur en envoie à nouveau
un exemplaire à Balzac qui écrit à nouveau une assez longue
lettre de remerciement. Par certains côtés cette lettre nous fait
penser à la lettre écrite à Stendhal : même aveu de maladresse à
juger les choses qui lui plaisent, même intérêt pour un aspect
du roman qui le ramène à son œuvre à lui, mêmes suggestions de
remaniement selon la technique balzacienne du retour en arrière
comme moyen d'exposition. Cependant les défauts sont mentionnés dès la première phrase, et Balzac ne peut les excuser
qu'en disant : « J'aime mieux vous savoir écrivain qu'auteur (2). »
Le sujet, cette fois, intéresse Balzac, car il s'agit du conflit entre
l'amour idéal et l'amour sensuel, un des thèmes de *Béatrix*
auquel Balzac travaillait précisément à ce moment-là. Mais la
manière dont il est traité n'est évidemment pas celle que Balzac
aurait choisie. Custine manque de vérité, et pour le lui dire,
Balzac feint de prévoir les réactions des journalistes, « ces eunu-
ques du feuilleton ». La manie d'intercaler des maximes ou des
réflexions n'a pas abandonné non plus l'écrivain amateur. Balzac
décide alors d'être bon lecteur et de louer la profondeur de ces
maximes que l'on trouve « de deux pages en deux pages ». Est-il
tellement à court d'inspiration devant ce roman qu'il soit obligé
de se perdre dans des subtilités d'anagrammes, faisant d'*Ethel le*

(1) Con., t. 39, note de la page 677.
(2) CFL, t. 16, p. 263.

*thé* d'un homme de cœur et d'esprit ? La fin de la lettre est
empreinte d'une courtoisie appliquée : « Vous êtes mon créancier
de quelques heures qui ont nuancé de fleurs le canevas de ma vie
travailleuse, je crois que je mourrai insolvable avec vous (1). »
Après avoir écrit l'année précédente une attaque violente contre
Custine qui, douillettement installé dans sa fortune héréditaire,
s'était permis de prêcher aux écrivains un désintéressement
total (2), Balzac sent la nécessité de ménager son ami, dont il
peut d'ailleurs avoir besoin. D'où cette lettre trop flatteuse.

La publication du *Voyage en Russie*, dont le succès fut éclatant, enragea Balzac qui fit de son mieux pour désavouer bien
haut son amitié avec l'auteur d'une pareille attaque du régime
tsariste. Il supprima la dédicace du *Colonel Chabert*. Mais en 1846
les relations sont de nouveau cordiales, puisque *L'auberge rouge*
est alors dédiée au marquis. En se contentant d'écrire *A M. le
marquis de Custine*, Balzac ne léguait à la postérité que le nom
d'un ami, sans l'accompagner d'aucune des remarques flatteuses
qu'aurait exigées une vraie dédicace. L'absence de Custine de
tout texte relatif à la littérature contemporaine nous montre
assez clairement que Balzac ne voyait en lui qu'un amateur et
le flattait en le rattachant au genre littéraire auquel appartenait
Stendhal.

Puisque les catégories d'écrivains établies par Balzac sont
essentiellement basées sur le style, ou plutôt sur le ton général
de l'expression littéraire, il est naturel que l'un des premiers
rapprochements qui s'impose soit celui de Stendhal et de Mérimée
dans cette littérature des idées où l'abondance des faits, la sobriété
des images, la concision, la netteté, le sentiment du comique,
jouent un rôle prépondérant (3). Mérimée, grand ami et admirateur de Stendhal, bien que beaucoup plus jeune, partage avec
lui non seulement le goût pour l'expression exacte et la phrase
sans rondeur, mais la rapidité d'observation et de jugement.
« Malgré leur profond sérieux », remarque Balzac, ils « ont je ne
sais quoi d'ironique et de narquois dans la manière avec laquelle
ils posent les faits. Chez eux le comique est contenu. C'est le feu
dans le caillou » (4).

Connaissant l'intérêt de Balzac pour l'art et la technique du
conte, nous pourrions nous attendre à le voir attentif aux œuvres

---

(1) *Ibid.*, p. 265.
(2) Cf. Préface de la 1ʳᵉ éd. de *La femme supérieure*, CFL, t. 15, pp. 279-284.
(3) Cf. *Etudes sur M. Beyle*, CFL, t. 14, p. 1153.
(4) *Ibid.*

de Mérimée, prêt à saluer en lui, sinon un grand romancier, du moins un admirable conteur de nouvelles. Ce n'est pas le cas. De la *Chronique du règne de Charles IX*, qui peut passer pour la meilleure réussite française dans le genre historique, Balzac se contente de rappeler le froid accueil qui lui fut fait, sans plus. De même pour les *Scènes féodales* où pourtant, dit-il, l'auteur « a supérieurement peint » le machiavélisme des dirigeants (1). Mérimée semble pour Balzac un bon écrivain plus qu'un créateur. Ses « conceptions fraîches et vives » (2), se distinguent par une prose serrée comparable à celle de Stendhal, bien que Mérimée soit « plus élégant et plus facile » (3). Voir *Matteo Falcone* cité comme une page où l'écrivain a donné toute la mesure de son talent (4), ne nous convainc certes pas de l'importance qu'une telle œuvre peut avoir pour Balzac. *Tamango* n'est mentionné que pour illustrer les journées de 1848 ; *La double méprise*, où « Mérimée avait porté le plus furieux coup à l'*amour de tête* », ne fait l'objet d'aucun jugement réel (5). Ainsi nous pourrions presque rayer Mérimée de notre étude s'il n'était pas l'auteur du *Théâtre de Clara Gazul*. Est-ce parce que Balzac était encore très jeune quand ce théâtre parut qu'il en eut tant de plaisir ? Il y trouve en tout cas un mélange heureux d'imagination, d'intelligence, de sens dramatique et de bouffonnerie bien plus satisfaisant pour son esprit que les prétentieux drames de Hugo à qui il opposera précisément (est-il sérieux ?) au sujet d'*Hernani*, ce *Théâtre de Clara Gazul* où partout l'action se substitue à la parole (6). Le romantisme effréné de Mérimée est drôle ; il se moque de lui-même. C'est ce que Balzac aime. Le subterfuge de la fausse identité de l'auteur semble l'avoir amusé, et dans son esprit s'opère une étrange transposition lorsqu'il attribue à Camille Maupin « les deux volumes de pièces non susceptibles de représentation, écrits à la manière de Shakespeare ou de Lopez de Vega *(sic)*, publiés en 1822 [le théâtre de Clara Gazul est de 1825], et qui firent une sorte de révolution littéraire, quand la grande question des romantiques et des classiques palpitait dans les journaux, dans les cercles, à l'Académie » (7). Une estime certaine de Balzac pour Mérimée date de cette époque. Rien ne

---

(1) *Lettres sur Paris*, CFL, t. 14, p. 418, et Con., t. 39, p. 110.
(2) *Lettres sur Paris*, Con., t. 39, p. 125.
(3) *Etudes sur M. Beyle*, CFL, t. 14, p. 1225 ; *Lettres sur la littérature*, CFL, t. 14, p. 1145.
(4) *Ibid.*, p. 1144.
(5) *Lettres à l'étrangère*, t. 2, p. 188.
(6) *Hernani*, CFL, t. 14, p. 986.
(7) *Béatrix*, CFL, t. 9, p. 304.

semble s'être développé par la suite et le grand maître de la nouvelle française nous paraît un peu injustement négligé par son contemporain.

Beaucoup plus qu'à la nouvelle dans le genre de Mérimée, c'est au conte fantastique que Balzac s'intéressera pour en tirer sa propre version qui fut le conte philosophique. Encore une fois, nous le trouvons en 1830, attentif à la mode littéraire. Hoffmann, mort en 1823, venait d'être lancé à Paris par cet étrange D$^r$ Koreff, ancien ami du conteur berlinois, diplomate et guérisseur, que Balzac fréquenta probablement dès 1827. C'est lui que Balzac mettra en scène dans *Les martyrs ignorés* (1836), sous le nom de Tschoern : « Si mon cher Hoffmann, un Berlinois que vous ne connaissez pas encore, mais qui viendra prendre ici son picotin de gloire, comme tout le monde, si mon conteur avait connu cette aventure, nous posséderions un chef-d'œuvre digne de *Cassenoisette*, de *Maître Floh*, de *L'homme au sable* et du *Petit Zach*. Le souvenir de ce génie me trouble », lui fait-il dire au cours d'un entretien daté de décembre 1827. Les premières traductions d'Hoffmann confiées à Loëve-Veimars, autre connaissance de Balzac, parurent en 1829, d'abord isolément, dans des revues (*La revue de Paris* surtout). De 1830 à 1832, Loëve-Veimars publia une traduction des œuvres complètes en 20 volumes. Dès les premiers échantillons des *Contes fantastiques*, le succès fut grand. Le goût de l'horreur exploité par Anne Radcliffe reprit une nouvelle vigueur dans un genre différent. Chacun se mit au « fantastique ». Les balzaciens ne s'accordent pas tout à fait sur l'importance d'Hoffmann pour Balzac. M. Baldensperger, par exemple, voit chez celui-ci, dès 1830, une exploitation systématique et consciente du fantastique à la Hoffmann. Or, Balzac proteste énergiquement, en 1831, contre les assertions de Charles de Bernard qui avait, dans un article, rattaché *La peau de chagrin* à Hoffmann : « Je ne me suis vraiment pas inspiré d'Hoffmann, que je n'ai connu qu'après avoir *pensé* mon ouvrage (1). » D'autre part ce n'est qu'en novembre 1833 qu'il déclare avoir lu Hoffmann en entier (2). Conscient de ces contradictions apparentes, M. Bardèche avance une thèse qui nous paraît raisonnable : le « merveilleux naturel » qu'apportaient les œuvres d'Hoffmann n'était qu'un élément nouveau pour Balzac qui, depuis des années déjà, s'intéressait au même genre de phénomènes psychiques exploités par l'Allemand. Les œuvres de jeunesse en témoignent incontes-

(1) CFL, t. 16, p. 80.
(2) *Lettres à l'étrangère*, t. 1, p. 72.

tablement, et la réflexion de Balzac sur les effets de la pensée précède de beaucoup la révélation d'Hoffmann en France. Le succès de celui-ci fut cependant tel que Balzac ne put manquer de prendre connaissance, imparfaitement sans doute, d'une partie de son œuvre. En écrivant des contes dans le genre de *Jésus-Christ en Flandre* ou *Le dôme des Invalides*, il exploitait une coïncidence de la mode et de ses propres préoccupations : « Ce n'est pas tant par Hoffmann qu'il a été touché, c'est par une ambiance qui rendait une certaine actualité à ses préoccupations d'autrefois. Il vit là, semble-t-il, un prétexte commode pour reprendre son enquête sur la nature de la pensée en lui donnant une forme consacrée par le succès. Et là, il est très loin d'Hoffmann, et même assez loin du fantastique (1). » Pourquoi Balzac mentirait-il lorsqu'en 1846 il écrit pour *L'élixir de longue vie* (publié en 1830), cet avis au lecteur dans lequel il admet avoir reçu son sujet d'un ami « mort depuis longtemps » et l'avoir retrouvé *plus tard* (c'est nous qui soulignons), dans un recueil publié au début du siècle ? Il l'attribue alors à Hoffmann par simple conjecture (2). C'est un fait que si le titre ressemble étrangement à *L'élixir du diable* d'Hoffmann, et si une courtisane porte le nom hoffmanesque de Brambilla, le contenu de la nouvelle n'a rien à voir avec l'œuvre de l'écrivain allemand. Nous ne trouvons, avant 1833, aucun jugement de Balzac montrant qu'il connaît bien les *Contes fantastiques*. Mais ce qu'il en retient déjà, d'après ses lectures fragmentaires et les critiques des journaux, n'est pas tellement l'élément « fantastique » mais l'élément « réaliste », les personnages bizarres et pittoresques à la Callot. Le prospectus de *La caricature*, écrit par Balzac, annonçait l'intention qu'avait ce journal d'offrir à Paris une « littérature spéciale dont les créations pouvaient correspondre aux folies de nos dessinateurs » (3), en se réclamant de Nodier et des *Contes fantastiques* « par lesquels Hoffmann s'est moqué de certaines idées » (4).

*La peau de chagrin*, tout imprégnée de fantastique qu'elle soit,

(1) M. Bardèche, *op. cit.*, pp. 328-329.
(2) CFL, t. 10, p. 1092.
(3) CFL, t. 15, p. 407.
(4) On voit tout de suite le rapprochement possible entre certains personnages d'Hoffmann et ceux des *Scènes de la vie populaire*, d'Henry Monnier. L'admiration de Balzac pour le créateur de M. Prudhomme est bien connue, et allait aussi bien à l'acteur qu'au dessinateur ou à l'écrivain. Toutefois H. Monnier est essentiellement dessinateur, son texte illustre ses dessins et pour cette raison nous le laissons de côté dans notre étude. Si Balzac le nomme souvent, c'est presque toujours en se référant à Joseph Prudhomme. Il n'y a pas de jugements véritablement littéraires.

ne contient aucune allusion directe à Hoffmann (1), et Balzac
a sans doute raison en gros lorsqu'il écrit à Charles de Bernard
que la parenté d'idées entre deux ouvrages ne vient pas forcément
d'une imitation directe mais d'un fond commun transmis de
siècle en siècle : « Croyez-vous que le *fantastique* d'Hoffmann
n'est pas virtuellement dans *Micromégas*, qui, lui-même, était
déjà dans Cyrano de Bergerac où Voltaire l'a pris (2) ? » Il est
évident, à voir la déception que fut pour Balzac la lecture suivie
d'Hoffmann, que la popularité de l'écrivain allemand lui avait
donné de lui une idée surfaite. « Il est au-dessous de sa réputation », écrit-il à Mme Hanska. « Il y a quelque chose, mais pas
grand-chose ; il parle bien musique (3), il n'entend rien à l'amour
ni à la femme ; il ne cause point de peur, il est impossible d'en
causer avec des choses physiques (4). » Ce « quelque chose »,
c'est précisément, n'en doutons pas, l'élément réaliste de certains
personnages dont nous avons déjà parlé. Le fantastique, en effet,
comme Balzac l'entend, dépasse infiniment celui d'Hoffmann
car il est orienté vers la psychologie profonde des personnages ; il
ne se borne pas à utiliser de simples phénomènes psychiques,
il explore également les états d'âme. Rien de tel chez Hoffmann.
D'où la déception de Balzac. Les allusions à Hoffmann sont
pourtant relativement fréquentes dans *La comédie humaine*.
Elles sont toutes, sans exception, du même ordre : elles servent à
accentuer l'aspect bizarre d'un personnage en le rattachant aux
créatures des *Contes fantastiques*. Ici c'est « une voix qui eût
épouvanté Hoffmann le Berlinois », car elle portait « comme une
mécanique dont le ressort est poussé » (5), ou « les mouvements
mécaniques » de « corps brusqués » plus épouvantables que ce

(1) M. BARDÈCHE en signale une seule, qui fut retirée par Balzac : elle
joignait à l'évocation de Fragoletta le souvenir de la princesse Brambilla
d'Hoffmann (BARDÈCHE, *op. cit.*, p. 327).
(2) CFL, t. 16, pp. 79-80.
(3) La culture musicale de Balzac laissait trop à désirer pour qu'il ait pu
juger sérieusement de celle d'Hoffmann. Cependant, là encore l'intuition géniale
remplaça parfois la connaissance précise. *Gambara* en fait foi. Cette nouvelle,
demandée par Félix SCHLESINGER pour la *Revue et gazette musicale*, rapprocha
Balzac d'Hoffmann : « Vous avez chatouillé ma vanité par le nom d'Hoffmann
le Berlinois », écrit-il à Schlesinger (29 mai 1837, CFL, t. 16, p. 233). Il est
donc fort probable que, pour se montrer égal ou supérieur à l'écrivain allemand, Balzac relut attentivement la critique musicale d'Hoffmann. Son jugement est amusant, car tout en reconnaissant qu' « il y a des pages empreintes
de génie, et surtout dans les lettres de maîtrise de Kreisler », le romancier français s'estime mieux capable de parler musique pour la raison discutable que
« Hoffmann était trop musicien pour discuter » tandis que lui a « l'avantage
d'être Français et très peu musicien » *(ibid.)*.
(4) *Lettres à l'étrangère*, t. 1, p. 72.
(5) *Illusions perdues*, CFL, t. 4, p. 640.

que peuvent imaginer Maturin ou Hoffmann « les deux plus
sinistres imaginations de ce temps » (1) ; là c'est le vieux Schmuke,
une de ces « étranges créatures qui n'ont été bien dépeintes que
par un Allemand, par Hoffmann, le poète de ce qui n'a pas l'air
d'exister et qui néanmoins a vie » (2), et que Balzac tire en effet
tout droit d'Hoffmann, lui et son chat Murr. Veut-on connaître
la vie de bohème menée par Joseph Minoret ? Balzac nous renvoie
à Hoffmann qui l'a si bien décrite (3). C'est à cette bohème hoffmanesque que se rattache Joseph Bridau (4), c'est d'elle que sort
le taudis décrit dans *Les comédiens sans le savoir* (5). Hoffmann,
« ce chantre de l'impossible » comme Balzac se plaît à le nommer (6), se trouve ainsi maintes fois conjuré par l'auteur de *La
comédie humaine* qui aime chez lui l'évocateur d'êtres mi-réels
mi-fantastiques et pourtant humains. L'imagination de Balzac
n'a aucune peine à le suivre jusqu'à ces frontières du surnaturel.
Bien au contraire, elle en retrouve volontiers d'elle-même des
visions : que l'on relise la page de *Splendeurs et misères des courtisanes* où l'auteur décrit les alentours de la rue de Langlade ;
« le monde fantastique d'Hoffmann le Bavarois est là » (7) ; Balzac
n'aurait pas besoin de nous le spécifier, la description suffit.

A ce plaisir certain de l'imagination se limite ce qu'Hoffmann
peut offrir à Balzac. *Les contes fantastiques* ont très certainement
été étudiés de près par l'auteur des *Contes philosophiques*. Nous
avons vu que Balzac invoque Hoffmann dans le reproche qu'il
fait à Stendhal d'avoir localisé son roman de façon trop précise :
« Jamais Hoffmann n'a manqué d'obéir à cette loi sans exception
dans les règles du roman, lui [l'écrivain] le plus fantasque (8). »
Littérairement parlant, nous avons l'impression que la déception
de Balzac a été réelle en lisant Hoffmann. Le procédé employé
dans *Le chat Murr*, par exemple, est utilisé pour présenter les
*Fragments* d'un roman publié sous l'Empire, mais avec pleine
conscience, de la part de Balzac, de son caractère de « ficelle » :
« Malheureusement, cet incident n'est pas nouveau. Sterne a
trouvé l'histoire du petit notaire sur le papier dans lequel sa
fruitière lui avait envoyé du beurre. [...] Certes, amis et ennemis,

(1) *Le cabinet des antiques*, CFL, t. 2, p. 1081.
(2) *Une fille d'Eve*, CFL, t. 8, p. 825.
(3) *Ursule Mirouet*, CFL, t. 8, p. 414.
(4) *Illusions perdues*, CFL, t. 4, p. 589.
(5) CFL, t. 10, p. 911.
(6) *Les employés*, CFL, t. 5, p. 1043 ; *Physiologie de l'employé*, Con., t. 40,
p. 496.
(7) CFL, t. 5, p. 46.
(8) *A M. Frédéric Stendhal*, CFL, t. 16, p. 270.

si je parle de cette maculature me jetteront au nez la biographie
du chat Murr entremêlée des feuilles où l'incompréhensible
Hoffmann a parlé de lui sous le nom de Kreisler (1). » Aussi
inacceptable que soit ce procédé, Balzac ne l'en gardera pas
moins dans *La muse du département* où il passera, grâce à l'ironie
qui accompagne la lecture d'*Olympie ou les vengeances romaines*
par Lousteau et Bianchon. Ne peut-on pas sentir une sorte
d'arrêt sur l'œuvre d'Hoffmann en lisant dans *Les employés* :
« S'il était possible de se servir en littérature du microscope des
Leuvenhoëk, des Malpighi, des Raspail, ce qu'a tenté Hoffmann
le Berlinois... (2) ? » Tentative, oui. Réussite, non. Le « s'il était
possible » le laisse entendre.

C'est à Nodier surtout, plus qu'à Hoffmann, que l'on doit
cette mode du fantastique en France, qui sévit déjà bien avant
les traductions de Loëve-Veimars. La fréquence des références
de Balzac à Nodier reflète parfaitement l'influence exercée par
cet écrivain sur ses jeunes confrères pendant les années romantiques, moins par la qualité même de ses œuvres que par leur diversité, par la finesse aussi de son intelligence, la délicatesse de son
goût et l'étendue de sa culture. Devant cet homme spirituel et
modeste, Balzac éprouve une amitié déférente faite de beaucoup
d'estime et d'un peu d'indulgence, si nous nommons ainsi le
sentiment éprouvé devant un La Fontaine, par exemple, auquel
il le compare pour ses caprices d'artiste et son caractère de
grand enfant (3).
Le début de la *Lettre à Charles Nodier*, écrite en 1832, bien que
faisant allusion aux soirées passées par Balzac à l'Arsenal, indique
clairement que les relations entre les deux écrivains sont encore
très distantes, tout comme les précautions presque exagérées
prises par Balzac tout au long de cette lettre pour ne paraître ni
familier ni présomptueux. Des liens plus étroits d'amitié se
forment peu à peu entre les deux hommes sans que le respect
de Balzac en diminue. Jamais il n'aura pour Nodier un mot ou
une pensée malveillante. La dédicace de *La Rabouilleuse* est un
hommage sincère à celui chez qui Balzac trouva toujours une
bienveillance assez rare pour qu'il sût l'apprécier. Profondément sincère aussi, son chagrin en entendant Nodier, dont il
sollicitait le soutien pour sa candidature à l'Académie, lui répondre : « Eh ! mon ami, vous me demandez ma voix, et je vous donne

(1) Cité par Lovenjoul, *Histoire des œuvres*, p. 86.
(2) CFL, t. 5, p. 1040.
(3) *Lettres à l'étrangère*, t. 1, p. 17.

ma place. J'ai la mort sur les dents (1). » Quelques semaines plus tard en effet Balzac assistait à l'enterrement de cet ami resté gracieux et spirituel jusque sur son lit de mort. « J'ai été pris par les larmes », écrit-il à Mme Hanska, « moi qui crois que toutes les larmes vous appartiennent » (2).

La seule remarque quelque peu désobligeante est la première en date (1829). Balzac, harcelé par son éditeur qui réclame la *Physiologie du mariage* à grands cris, lui répond : « Si, comme les Nodier, car le Nodier est un sous-genre dans l'histoire naturelle de la littérature, je flânais, je faisais des prospectus, des vieux souliers, des parties de billard, si je buvais, mangeais, etc., mais je n'ai pas une idée, je ne fais pas un pas, qui ne soit la *Physiologie*, j'en rêve, je ne fais que cela (3). » Sans doute y a-t-il plus d'envie que de mépris dans une telle phrase. Nodier, jamais riche mais jamais pauvre, libre de disposer de son temps selon sa fantaisie, de s'abandonner à toutes les curiosités de son esprit sans s'inquiéter du succès commercial de ses œuvres, offre l'image parfaite du dilettantisme heureux. En même temps Balzac sent déjà que le talent a besoin de concentration pour s'imposer. Il n'y a pas de grande œuvre dans la dispersion. Nodier est bel et bien condamné à être un sous-genre. Balzac le constatera au moment de sa mort : « Pauvre Nodier ! Il est toujours resté secondaire, quand il a quelquefois mérité la première place, et voilà que le dernier événement de sa vie est primé par le convoi d'un maréchal de France (4) ! »

Chez Nodier, mieux que chez d'autres écrivains, l'œuvre reflète l'homme de la manière la plus limpide. Les nombreuses facettes d'une riche personnalité en produisent la diversité. C'est pourquoi, dans toutes les remarques de Balzac, nous avons toujours l'impression que le jugement littéraire est étroitement lié au jugement humain. L'homme et l'œuvre s'expliquent réciproquement. Le rêveur et le fantaisiste se retrouvent dans les contes ; l'homme d'esprit (et l'esprit, pour Balzac, n'est pas nécessairement délicat ; il se réclame de Rabelais) et le satirique dans l'*Histoire du roi de Bohême* ; l'érudit dans les *Observations sur la langue* ; le penseur dans *La palingénésie*, etc. Essayons rapidement d'examiner le reflet que jettent sur Balzac les diverses facettes de cette personnalité.

Rêve, fantaisie, poésie s'expriment de leur mieux dans ce

(1) *Lettres à l'étrangère*, t. 2, p. 245.
(2) *Ibid.*, p. 291.
(3) *A M. Alphonse Levavasseur*, CFL, t. 16, p. 47.
(4) *Lettres à l'étrangère*, t. 2, p. 291.

*Smarra* qui connut un vif succès quand il parut en 1821. Mais Balzac ne s'arrête pas au fantastique superficiel. Il cherche la signification profonde à laquelle mènent la poésie et le rêve : « Smarra, votre magique Smarra, me semble l'épisode poétique d'un grand ouvrage sur le sommeil, épisode où vous avez avec un merveilleux talent fait saillir en dehors des parois cervicales, les accidents les plus insaisissables de notre pouvoir intérieur (1). »

Parfois la magie de Nodier n'offre que simple plaisir poétique, né du talent du conteur. Tel le portrait d'*Oudet*, « gracieuse figure à laquelle la magie du pinceau n'a pas nui. Mais ce n'est rien de lire la notice : il faut entendre Nodier lui-même racontant certaines particularités qui tiennent trop à la vie privée pour être écrites, et alors vous concevriez la puissance prestigieuse de ces créatures privilégiées » (2).

Le « fantastique portrait » que Nodier a tracé de ce colonel Oudet avait suffisamment frappé Balzac pour qu'il l'utilise dans le portrait du colonel italien, héros d'un des récits d'*Une conversation entre onze heures et minuit* (3). Dans ces œuvres de fantaisie, tout l'art de Nodier réside dans la forme qu'il sait donner à son invention. Nous imaginons volontiers Balzac subjugué plus d'une fois par l'esprit et la grâce que l'hôte de l'Arsenal savait mettre dans ses récits, tout comme Stendhal ou Latouche. Nous le reconnaissons en Lousteau lorsque celui-ci annonce une anecdote qui lui fut « et avec quel charme ! racontée par un de nos écrivains les plus célèbres, le plus grand musicien littéraire que nous ayons, Charles Nodier » (4). C'est lui « ce magicien du langage, ce sorcier dont la baguette évoque des phrases toutes neuves » (5), qui décourage à l'avance Balzac de tenter d'être original en se faisant « contier ».

Nodier est peut-être l'écrivain entre tous chez qui Balzac reconnaisse la perfection du style. Jamais le mot de Buffon ne fut plus vrai qu'ici : « Le style c'est l'homme », car Nodier est tout entier dans son style, d'où le caractère de perfection qui s'impose à Balzac. Tout à la fois philologue, linguiste, poète, Nodier a su se former l'instrument qui correspondait à sa personnalité. A un jeune écrivain débutant, Balzac ne peut mieux faire que lui conseiller d'étudier les secrets de la langue française

(1) *Lettre à Charles Nodier*, CFL, t. 14, p. 1021.
(2) *Traité de la vie élégante*, CFL, t. 12, p. 1660.
(3) Plus tard *Autre étude de femme*, CFL, t. 8, pp. 109-110.
(4) *La muse du département*, CFL, t. 9, p. 82.
(5) *Théorie du conte*, CFL, t. 13, p. 903.

dans « l'admirable prose » de Nodier (1). Ce travail, Balzac s'y est très probablement livré lui-même : il a étudié et analysé de très près la phrase de Nodier et cherché ce qui lui donnait ce charme et cette grâce incomparables. La *Lettre à Charles Nodier* est écrite dans le style de Nodier, très différent de celui de Balzac, style soigné, raffiné à l'extrême, délicat, bien défini par Balzac lui-même : « Phrase toute française, habituellement pure et transparente, où la pensée est enchâssée comme un insecte d'or ou d'azur pris dans un morceau d'ambre (2). » Mme Hanska, grande admiratrice de Nodier, avait dans une lettre à Balzac essayé d'analyser le talent de cet écrivain. Sans le vouloir, elle avait sans doute mis en valeur tout ce que la délicatesse de Nodier peut avoir de facile et de légèrement mièvre, car cette analyse servit à Balzac dans son explication du talent de Canalis. Si nous nous reportons à cette page, nous y trouvons Nodier mentionné : « Canalis, comme Nodier en ceci, vous ensorcelle par une naïveté, naturelle chez le prosateur et cherchée chez Canalis, par sa finesse, par son sourire, par ses fleurs effeuillées, par une philosophie enfantine (3). » Ainsi Balzac n'ignore pas les faiblesses possibles d'un écrivain comme Nodier ; un magicien a tout autant besoin, pour ensorceler, d'une certaine crédulité de la part de sa victime que de la maîtrise d'un art secret et difficile.

« L'adorable conteur » (4) qu'est Nodier, ne constitue néanmoins qu'un aspect de sa personnalité. Il y a en lui un esprit satirique et sceptique qui est bien fait pour attirer Balzac. Nous le constatons par l'effet profond que produisit sur celui-ci l'*Histoire du roi de Bohême et de ses sept châteaux*, roman complètement tombé dans l'oubli, qui parut en 1830. Livre essentiellement fantaisiste où l'auteur ne suit aucun plan et ne développe aucune intrigue, il a pu plaire à Balzac par sa parenté avec deux de ses auteurs favoris, Sterne et Rabelais. De plus, la satire mordante de la société moderne à laquelle Nodier se livre entre dans le courant de pensée pessimiste qu'est celui de Balzac à la veille de *La peau de chagrin*. Les trois personnages de Nodier, trois incarnations de leur créateur, Théodore, don Pic de Fanferluchio, Breloque s'unissent pour juger et détruire toutes les valeurs sociales. Ne nous étonnons donc pas de voir, dans les *Lettres*

---

(1) *Lettres sur la littérature*, CFL, t. 14, p. 1137.
(2) *Lettre à Charles Nodier*, CFL, t. 14, p. 1007.
(3) *Modeste Mignon*, t. 7, p. 386.
(4) *Honorine*, CFL, t. 6, p. 848.

*sur Paris*, cet ouvrage rapproché du *Rouge et noir*, de la *Physiologie*, et surtout de *L'âne mort et la femme guillotinée*, de J. Janin :

> Charles Nodier a publié son *Histoire du roi de Bohême*, délicieuse peinture littéraire, pleine de dédain, moqueuse : c'est la satire d'un vieillard blasé, qui s'aperçoit à la fin de ses jours du vide affreux caché sous les sciences, sous les littératures. Ce livre appartient à l'*École du désenchantement.* [...] Nodier arrive, jette un regard sur notre ville, sur nos lois, sur nos sciences ; et, par l'organe de *don Pic de Fanferluchio* et de *Breloque*, il nous dit en poussant un rire éclatant : « Sciences ?... Niaiserie. A quoi bon ? Qu'est-ce que cela me fait (1) ? »

La résonance rabelaisienne d'une telle philosophie entre pour beaucoup sans doute dans l'intérêt de Balzac pour une œuvre médiocre. La *Lettre à Charles Nodier* le verra, deux ans plus tard, se réclamer de « votre divin Breloque » pour rejeter de sa discussion métaphysique tout apport possible des sciences exactes, et rappellera « toutes les scholies inutiles de l'oblong docteur Dom P. Fanfreluchio *(sic)* » (2). Cette « raillerie toute pantagruélique » (3) répond, il faut bien le dire, au goût pas toujours très raffiné de Balzac pour la plaisanterie et ce qu'il appelle « l'école du rire ». Le roman de Nodier tient, pour lui, son rang parmi la grande littérature à côté de *Volupté*, de *Notre-Dame de Paris*, des poésies de Musset, de *Stello*, d'*Indiana*. Il n'hésite pas à le qualifier de « livre magnifique » (4). Les jeunes écrivains de *La peau de chagrin* le connaissent et le discutent (5). Nous sommes portés à croire que c'est l'œuvre de Nodier la plus marquante pour Balzac parce qu'en elle mieux qu'en aucune autre se trouve exprimée toute la personnalité de son auteur. Le goût de Balzac pour cette *Histoire du roi de Bohême* est d'autant plus étrange que Nodier lui-même admettait que cet ouvrage était « aussi mauvais que possible ». Nous ne pensons pas, comme M. Guyon, que Balzac l'ait loué par tactique littéraire. Il y trouve tout simplement le mélange de philosophie et de légèreté qui lui plaît. La signature de Nodier contribue sans doute à donner à ce livre le poids qu'il n'aurait pas, signé d'un inconnu. Balzac admire chez Nodier l'étendue des connaissances de tous genres, leurs esprits vont se rencontrer plus d'une fois dans leur commune soif de tout comprendre.

---

(1) *Lettres sur Paris*, CFL, t. 14, p. 416.
(2) CFL, t. 14, pp. 1013 et 1017.
(3) *Théorie de la démarche*, CFL, t. 12, p. 1553.
(4) *Lettre aux écrivains*, Con., t. 39, p. 650.
(5) CFL, t. 7, p. 1026.

La lettre en réponse à l'article sur la Palingénésie nous en offre l'exemple le plus frappant. Qui, sinon Balzac, aurait comme lui oublié Aix-les-Bains, son lac, ses montagnes, la délicate conquête d'une maîtresse, les subtils projets politiques, pour se lancer corps et âme, sans bibliothèque à l'appui, dans une discussion métaphysique dont la seule urgence est dans l'intérêt passionné de Balzac pour les questions abordées par Nodier ? Nous ne nous arrêterons pas au contenu, fort intéressant mais non littéraire, de cette *Lettre à Charles Nodier*. Remarquons simplement qu'elle est écrite avec le plus grand soin, dans un style soigné et élégant qui tient à se montrer digne de l'interlocuteur, et que nous y trouvons maintes preuves de l'estime et de l'admiration de Balzac pour Nodier. La « gratitude personnelle » que lui inspirent les écrits de celui-ci n'est pas ici simple flatterie. Balzac se sent en profonde sympathie avec son aîné :

> Vous avez éprouvé mieux encore que je ne l'éprouve, moi, jeune, la pédantesque infirmité des jugements par lesquels les contemporains parquent un écrivain dans une spécialité, lui dénient les connaissances auxquelles il s'est adonné le plus amoureusement, et, pesant sa pensée inconnue du même poids dont ils se servent pour estimer sa vie extérieure, veulent lui conformer l'âme à ses goûts apparents, à ses fantaisies d'artiste ; lui refusant d'être complice de ses écrits, lui interdisant d'être de son opinion, savant de la science dont il s'occupe, occupé de la science dont il sonde plus promptement que tous les autres les obscurités mystérieuses (1).

Tout au long de ces pages, nous sentons le charme qu'exercent sur Balzac les chatoiements de l'esprit de Nodier, la poésie de ces « nuages multicolores, si fluidement éclairés » (2), sur lesquels il emporte si gracieusement ses lecteurs ; trop gracieusement même puisque la postérité ne garde de lui que le souvenir d'une aimable fantaisie. Balzac ne semble pas avoir senti ce danger, car pour lui, la grâce de Nodier n'exclut pas le sérieux. S'il n'avait pas été persuadé de l'influence de Nodier sur son siècle, il n'aurait sans doute pas éprouvé un si ardent désir de lui répondre :

> Vous qui touchez par tant de points à la science humaine, vous dont la parole doit influer, plus fortement que vous ne le pensez dans votre touchante modestie, sur le siècle et sur la littérature [...] vous qui avez tant lu, tant appris, tant médité, tant composé dans les études prodi-

---

(1) CFL, t. 14, p. 1008.
(2) *Ibid.*, p. 1010.

gieuses dont témoignent toutes vos pages [...] usez de votre sacerdoce intellectuel dans un grand but de science réelle et de consolation philosophique (1).

Tels sont les termes, sincères, nous en sommes sûrs, malgré leur emphase, dans lesquels Balzac s'adresse à Nodier. C'est au philosophe, au penseur, au critique lucide de son époque, que *La Rabouilleuse* sera dédiée six ans plus tard : « Vous avez jeté sur notre temps un sagace coup d'œil [...] vous avez mieux que personne apprécié les dégâts produits dans l'esprit de notre pays par quatre systèmes politiques différents (2). » C'est seulement dans la mesure où nous avons oublié ce Nodier-là que nous pouvons nous étonner de l'affection portée par Balzac à l'aimable hôte de l'Arsenal. Pour lui, Nodier l'enchanteur reste le désenchanté qui se révélait dans l'*Histoire du roi de Bohême*.

A l'*École du désenchantement*, à celle du *Rouge et noir*, de l'*Histoire du roi de Bohême* et de la *Physiologie du mariage*, se rattache également, on s'en souvient, Jules Janin, par deux œuvres publiées coup sur coup en 1829 et en 1830 : *L'âne mort et la femme guillotinée* et *La confession*. Le premier de ces deux ouvrages est une satire des romans d'horreur, parodie du romantisme aussi, où percent derrière le sarcasme les espoirs déçus (3). Le 5 février 1830, Balzac s'amusait, dans *Le voleur*, à y ajouter un 30e chapitre après une courte introduction où, sur un ton légèrement moqueur, il faisait le portrait physique de Jules Janin. Ce chapitre jongle gaiement avec le macabre ou l'horrible, se plaît à écraser les sentiments sous le réalisme d'une salle de dissection, sans oublier de faire résonner la corde du désenchantement social. Lorsque paraît *La confession*, Balzac en fait la critique dans le *Feuilleton des journaux politiques* (14 avril 1830), critique élogieuse mais peu profonde, où l'analyse cède la place, la plupart du temps, au simple récit. Pourtant Balzac met fortement l'accent, en présentant l'ouvrage, sur sa signification sociale : « Ce livre est une pensée profonde et philosophique dramatisée. Cette pensée la voici : Pour l'honnête homme coupable, il n'y a plus de consolation possible aujourd'hui (4). » Le héros, doué de toutes les qualités de cette belle jeunesse de 1830, est conduit

(1) *Ibid.*, pp. 1015 et 1016.
(2) CFL, t. 3, p. 24.
(3) M. René JASINSKI cite en effet ce roman de J. Janin comme témoignage typique de « ce deuxième mal du siècle » où le cœur et l'esprit se déchirent mutuellement (*op. cit.*, p. 306).
(4) Con., t. 38, p. 410.

au crime par « une époque désabusée, sèche et égoïste » où l'indifférence religieuse a fait disparaître tout espoir, pour un cœur
repentant, de trouver l'apaisement. Tel est le thème de ce roman.
C'est surtout sur la deuxième partie, la vaine quête du héros pour
une croyance dans laquelle il puisse se réfugier, que Balzac
insiste. « La *Confession* », écrivait-il dans sa *Lettre sur Paris*,
« achève le livre de M. Lamennais et proclame que la religion et
l'athéisme sont également morts, tués l'un par l'autre ; qu'il
n'y a pas de consolation pour l'honnête homme qui commet un
crime » (1). Comme les trois autres œuvres auxquelles Balzac le
rattache, cet ouvrage passe une condamnation sur une société
trop vieille. Il est difficile de déterminer avec précision la valeur
réelle attribuée par Balzac à ce roman de Jules Janin. Nous
inclinons à penser qu'elle est très limitée, malgré les éloges assez
vifs que le critique du *Feuilleton* prodigue à son jeune confrère :
« drame qui s'adapte merveilleusement à un style étincelant de
verve et de couleur [...] sombre et satanique figure [...] pur et
frais tableau ». Ces éloges placés, d'autres leur succèdent, beaucoup plus ambigus : le roman de Janin est écrit dans la manière
de Sterne, remarque Balzac. Nous savons son admiration pour
l'auteur anglais, mais Janin n'est pas Sterne, et le jeune romancier
exigeant qu'est déjà Balzac a tôt fait de révéler les défauts
déguisés en vertus : pas de « plan fortement noué, puissamment
conçu », pas de « chapitres se déduisant logiquement les uns des
autres », pas d' « action claire et froidement raisonnée ». Au
contraire l'imagination fougueuse de l'auteur vous séduit, mais
aussi « vous repousse, vous égare et vous attriste » (2). Le drame
est sacrifié à la magie du style et Balzac termine son article par
une pointe directe contre « le physiologue » qu'est Janin qui,
bien que tout jeune, est obligé de rester toujours le même tant
il est déjà devenu « type ». En revenant à *La confession* dans la
*Lettre sur Paris*, Balzac résume ces réserves, dans son jugement,
en écrivant : « Ce livre, dont la pensée première est hardie, manque d'audace dans l'exécution (3). » Le technicien parle déjà en
lui. Les romans de Janin, délibérément anti-scottiens, se condam-
nent d'eux-mêmes. L'absence de technique n'est pas une technique. Balzac voit l'impasse à laquelle son confrère a déjà abouti.
Sa foi en la valeur des règles de conception et de composition
est fondée sur une connaissance des possibilités du roman. D'autre

(1) CFL, t. 14, p. 416.
(2) Con., t. 38, p. 413.
(3) CFL, t. 14, p. 416.

part, le style de Janin est en cette même année 1830 ridiculisé dans le conte inachevé des *Deux amis* (1) et dans *Des mots à la mode* (2).

Un moment attiré vers le jeune critique, en un temps où le dandysme le possédait, Balzac ne tarda pas à se brouiller avec lui. Déjà en mai 1833, il le dépeint à Mme Hanska comme « un gros petit homme qui mord tout le monde » (3), et explique à sa correspondante que bien peu de choses sont de l'auteur dans le *Barnave* qui avait paru en 1831. L'article de la *Revue de Paris* d'octobre 1833 intitulé « La cent millième et une et dernière nouvelle Nouvelle » dans lequel Janin attaque violemment les contes de Balzac n'est donc pas une surprise. En 1834, Balzac aura encore l'honnêteté de citer *L'âne mort* parmi les grandes œuvres contemporaines mais son aversion pour Janin sera définitive. Mme de Castries, qui a le mauvais goût de faire sa société de Janin et de Sainte-Beuve qui « m'ont si outrageusement blessé », dit Balzac, force celui-ci à rompre toutes relations (4). Très vite, Jules Janin ne sera plus pour Balzac qu'un journaliste dont il pourra s'inspirer pour sa peinture d'*Illusions perdues*. Son attitude à son égard se résume dans cette réponse à une lettre où Mme Hanska signalait un article élogieux par Janin sur Balzac : « Je suis, vous le savez, aussi indifférent au blâme qu'à l'éloge des gens qui ne sont pas les élus de mon cœur, et surtout aux opinions du journalisme et de la foule, en sorte que je ne saurais rien vous dire de cette conversion d'un homme que je n'aime ni n'estime, et qui n'obtiendra jamais rien de moi (5). »

Nous ne pouvons pas clore cette immense période contemporaine de Balzac sans chercher à mesurer d'un bref coup d'œil la place faite par celui-ci, dans ses écrits, à l'un de ses contemporains qui, pour être théoricien de la pensée, n'en est pas moins grand écrivain : Lamennais.

Nous pouvons nous attendre à ce que l'opinion de Balzac sur Lamennais varie considérablement selon l'époque puisque, en gros, la pensée des deux hommes évolue en sens contraires. Le succès de l'*Essai sur l'indifférence en matière de religion* paru de 1817 à 1823, la polémique que cet ouvrage avait soulevée, n'avaient pu échapper au jeune Balzac, tout voltairien et libéral

(1) CFL, t. 14, p. 691.
(2) *Ibid.*, p. 323 et 324.
(3) *Lettres à l'étrangère*, t. 1, p. 26.
(4) *Lettres à l'étrangère*, t. 1, p. 300.
(5) *Lettres à l'étrangère*, t. 1, p. 456.

qu'il fût à cette époque. Lorsque vers 1829, Balzac commence à relier intimement la création littéraire à la peinture sociale, et que se forme en son esprit la conception rousseauiste d'une société corrompue prête à s'écrouler, en même temps que la notion du rôle de l'écrivain comme juge et prophète, la pensée de Lamennais sur les conséquences sociales de l'indifférence religieuse trouve tout naturellement sa place dans le système de Balzac, même si celui-ci est très loin d'adopter la foi catholique militante de Lamennais :

> Ce qui de nos jours a tué la foi, ce n'est pas l'athéisme, mais, ce qui est pis, l'indifférence, qu'un homme d'un immense talent a combattue avec une rare énergie. Mais hélas ! *vox clamabat in deserto*, et la fougue de cette éloquence entraînante, le cri de cette conviction terrible, vinrent expirer devant cette décourageante et glaciale proposition : nous n'avons aucun *intérêt* à nous assurer de la vérité de certaines idées religieuses (1).

D'autre part, le point crucial qui marque l'année 1830 pour l'évolution de la pensée politique et sociale de Balzac, le tour d'horizon qu'il y fait, examinant les différentes prises de position possibles, du saint-simonisme au légitimisme, sont des éléments favorables à une sympathie réelle pour Lamennais chez qui cette même année 1830 est également déterminante. La fondation de *L'avenir* en octobre n'a pas passé inaperçue de Balzac puisqu'il écrit dans sa *Lettre sur Paris* du 31 décembre : « Aujourd'hui le persécuteur de Fénelon soutiendrait sans doute le catholicisme tandis que M. de Lamennais, homme peut-être supérieur à son devancier, voit quelque chose de plus fort en avant, et devine qu'à des sociétés nouvelles, il faut des sacerdoces nouveaux (2). » Balzac manifeste ici une singulière lucidité vis-à-vis de Lamennais. Le pragmatisme de Balzac, qui va l'entraîner vers l'absolutisme et la profession d'un catholicisme formel non basé sur une foi véritable, nous le montre ici en son point maximum de sympathie avec Lamennais.

A partir de ce moment, les voies des deux écrivains s'éloignent rapidement l'une de l'autre et les *Paroles d'un croyant*, publiquement admises par Balzac comme le livre « d'un grand écrivain » (3), seront dorénavant jugées dans l'intimité des lettres à Mme Hanska : « Je pense comme vous sur l'ouvrage de Lamennais. J'ai failli me faire dévorer pour avoir dit que, littérairement

---

(1) *La confession*, Con., t. 38, p. 410.
(2) Con., t. 39, p. 109.
(3) *Lettre aux écrivains*, Con., t. 39, p. 647.

parlant, la forme n'était qu'une niaiserie, que Volney et lord
Byron l'avaient déjà employée, et que, quant aux doctrines, tout
était pris aux Saint-Simoniens. Vraiment, ces rois sur un rocher
vert et puant, c'est bien pour les enfants (1). » Inutile d'insister
sur la répulsion croissante que pourra inspirer à Balzac l'affection
et la compassion de Lamennais pour le peuple et les faibles.
Elle se double assez curieusement d'une antipathie physique
insurmontable éprouvée lors de la première rencontre en 1836 :
« J'ai été épouvanté par l'atroce figure de l'abbé de Lamennais.
J'ai tâché de saisir un seul trait auquel on pût s'attacher, mais
il n'y a rien (2). »

Du point de vue littéraire, le style prophétique, tout en images,
des *Paroles d'un croyant* appartient à un genre littéraire pour
lequel Balzac a peu de goût, nous le savons. Une curieuse page de
la *Monographie de la presse*, consacrée au genre « pamphlétaire »,
juge Lamennais avec un mélange d'admiration et de mépris qui
résume assez bien l'opinion de Balzac sur cet « ange égaré » (3) :
« Ce Luther manqué donne dans un style biblique et prophétique,
dont les magnifiques images passent à mille pieds au-dessus des
têtes courbées par la Misère. Ce grand écrivain a oublié que le
pamphlet est le sarcasme à l'état de boulet de canon (4). » Quelles
que soient les réserves de Balzac, cependant, Lamennais est pour
lui une des grandes personnalités de la pensée et de la littérature
du XIX<sup>e</sup> siècle.

Balzac ne se trompait pas lorsqu'il pressentait la grandeur
littéraire de son époque. Sous le signe du « géant qui berça dans
ses drapeaux l'enfance de ce siècle et lui chanta des hymnes
accompagnés par la terrible basse du canon » (5), surgit en effet
une génération de grands écrivains « si régulièrement entassés »
qu'ils « se nuisent par leur voisinage » (6). Certes, un tel coude-à-
coude ne facilitait pas les jugements. Or, nous constatons avec
un certain émerveillement que Balzac s'est très peu trompé. Pas
une seule fois il ne condamne une œuvre à tort. Son plus grand
péché est le péché de négligence, mais peut-on même le lui
attribuer sérieusement, à lui qui ne fut jamais critique professionnel et qui dut faire des miracles pour se tenir d'aussi près au
courant des publications de ses contemporains alors qu'il

(1) *Lettres à l'étrangère*, t. 1, p. 184.
(2) *Ibid.*, p. 333.
(3) *Études sur M. Beyle*, CFL, t. 14, p. 1173.
(4) CFL, t. 14, p. 565.
(5) *Béatrix*, CFL, t. 9, pp. 327-328.
(6) Préface de la 1<sup>re</sup> éd. d'*Une fille d'Eve*, CFL, t. 15, p. 314.

accomplissait lui-même une œuvre gigantesque. Si quelquefois nous l'entendons louer un ouvrage médiocre, nous sentons aussitôt les scrupules d'amitié qui l'y poussent. C'est d'ailleurs très rare. La critique des contemporains chez Balzac est bien supérieure en sagacité à celle du plus grand critique de la même époque, Sainte-Beuve, qui met Béranger parmi les trois premiers grands poètes, et qui y croit, alors que Balzac ne croit pas à la valeur de Béranger ; Sainte-Beuve qui voit surtout dans *La comédie humaine* des fleurs maladives sur un fumier, alors que Balzac admire *Volupté* ; Sainte-Beuve enfin qui néglige Stendhal alors que Balzac prédit l'enthousiasme de la postérité.

Cette première moitié du XIXᵉ siècle vue par les yeux de Balzac renforcera, nous l'espérons, les positions de ceux qui ont foi dans les capacités critiques de Balzac. Il est vrai que romancier avant tout, et romancier de génie, c'est principalement sur ce genre, dans la grande richesse de son siècle, que se fixe son attention. Il est faux cependant que son esthétique personnelle l'empêche de reconnaître la beauté d'une œuvre qu'il aurait faite différente. Il est également faux que Balzac ne s'intéresse qu'au roman. La place qu'il accorde à Byron et à Hugo dans le siècle le dément expressément. Préférer, par goût, la mesure classique aux débordements romantiques n'est pas condamner la poésie. Jamais Balzac ne nie le magnifique apport de vie que fut pour la littérature le mouvement romantique. Lui-même y nourrit généreusement son œuvre.

Nous ne pouvons, enfin, qu'être saisis d'étonnement en constatant une absence à peu près totale de jalousie chez Balzac. Conscient de son génie, convaincu que le temps de la justice arrive toujours pour les grandes œuvres, il poursuit sa route avec une humilité touchante chez cet homme réputé vaniteux. Peu de ses éminents contemporains auraient eu la modestie de se mettre au dernier rang, après les plus médiocres, en écrivant que « tous, depuis Bonald, Lamartine, Chateaubriand, Béranger, Victor Hugo, Lamennais, George Sand, jusqu'à Paul de Kock, Pigault-Lebrun et moi, nous sommes les maçons » (1).

(1) *Lettre à M. Hippolyte Castille*, Con., t. 40, p. 652.

# CONCLUSION

Ainsi s'achève la longue descente à travers les siècles au cours de laquelle s'est formé, à l'appel de Balzac, l'imposant cortège d'écrivains aimés qui va patronner son œuvre. Tour à tour, se sont dressés devant nos yeux Homère, Dante et les auteurs inconnus des *Mille et une nuits*, Boccace et les conteurs, Rabelais, Cervantès et Shakespeare, Corneille, Racine, Molière et La Fontaine, Voltaire, Rousseau et Diderot, Montesquieu et Buffon, Richardson et Sterne, Beaumarchais, Chénier, Sénancour et Constant, Gœthe et Byron, Walter Scott enfin. Escorte impressionnante, dont le nombre grandissant a imposé à notre travail sa structure en éventail, chaque chapitre devant faire un accueil toujours plus large à ceux que Balzac invoque. Un tel rassemblement de forces permet à celui-ci, en débouchant dans la foule de ses contemporains, de se sentir capable d'y discerner les vrais talents et d'opérer de lui-même le tri d'où sortent vainqueurs Hugo, Lamartine, Musset, Sand et Stendhal.

Il nous reste à tenter de dégager quels éléments déterminants et constants dirigent l'intérêt de Balzac vers les écrivains de son choix.

Avant toute autre, peut-être, entre en jeu la question de tempérament. Selon les termes de la caractérologie, Balzac est un primaire. Ses réactions aux choses et aux gens sont immédiates, presque instinctives. Nous sentons chez lui une personnalité en expansion continuelle, mue par un dynamisme qui le pousserait à embrasser l'univers entier s'il le pouvait. Avidité de connaître et de comprendre, extraordinaire facilité à sympathiser avec les êtres, à se substituer à eux, enthousiasme débordant, naïf souvent, qui lui réserve bien des déceptions, jovialité, goût pour les bons mots et le rire, telles sont les conséquences de ce tempérament si puissant, si débordant de vie. Nous n'avons pas de peine à en discerner l'influence sur ses goûts littéraires. Tandis qu'il est porté d'un élan spontané vers un écrivain chez qui il reconnaît un tempérament semblable au sien, comme c'est le cas pour

Rabelais, il est tout aussi spontanément repoussé par un tempérament opposé, tel Montaigne, tel Pascal, tel Rousseau, tel Sainte-Beuve surtout. Sympathies ou antipathies instinctives, qui peuvent être renforcées ou au contraire, c'est le cas pour Rousseau, contrôlées par d'autres facteurs, plus raisonnés. L'enthousiasme naturel de Balzac fait également de lui un bon lecteur. Il l'avoue à Stendhal et c'est vrai. Il ne demande qu'à se laisser charmer et parfois nous restons stupéfaits de l'excès de louanges que des œuvres bien médiocres peuvent lui arracher. A ce point de vue, Balzac manque souvent de mesure. L'article sur Stendhal et celui sur Sainte-Beuve marquent les deux pôles entre lesquels oscillent sa sympathie ou son dégoût.

Toujours de son tempérament dérive son goût persistant pour la littérature comique, voire licencieuse. Aussi rassemble-t-il sous le même étendard de l'école du rire : Aristophane, Pétrone, Plaute, les conteurs français et italiens des XVe et XVIe siècles, Rabelais, Molière, La Fontaine, La Bruyère, Sterne, Beaumarchais, Lesage, Voltaire le satirique, et cherche-t-il vainement dans le XIXe siècle romantique et larmoyant de nouvelles recrues. L'esprit railleur de Stendhal et de Musset, celui de Byron aussi, les distinguent agréablement de leurs contemporains aux yeux de Balzac. Nous voyons là une des raisons les plus profondes qui le séparent du romantisme. Son attachement à la tradition comique semble d'autant plus forte que lui-même n'a pas plus réussi que ses contemporains à la prolonger. Le rire franc lui convenait mieux que le pauvre rire trempé de larmes qu'offrait le romantisme après Shakespeare.

Rattachons enfin à son tempérament expansif, l'échange constant que nous avons observé entre l'œuvre de Balzac et celle des autres. Tout comme sa sympathie humaine embrasse facilement la peine ou la joie d'autrui, sa sympathie littéraire, une fois provoquée, ne serait-ce que par un détail, établit un courant ininterrompu entre le monde qui se forme en lui et celui qu'il découvre chez un autre écrivain. Il n'y a probablement pas d'autre exemple au monde d'une œuvre si profondément originale et en même temps si pleine d'apports étrangers. Nous avons vu successivement Balzac s'identifier à Dante, à Schéhérazade, à Rabelais, à Shakespeare (tentative avortée), à Molière, à Voltaire, à Buffon, à Walter Scott, parfois jusqu'au point où il finit par leur donner à tous son propre visage au lieu de prendre le leur ; nous avons vu encore bien d'autres œuvres envahir celle de Balzac, y apportant soit un personnage, soit une pensée, soit une vision du monde, se côtoyant les unes les autres sans se nuire, contribuant toutes à la création de l'univers balzacien. Formidable appel à un don mutuel, car Balzac se donne tout entier à ce qu'il aime en retour de quoi il se l'approprie. Comme nous l'avons dit en commençant, l'admiration chez Balzac n'est qu'amour, elle entraîne l'union totale.

Après l'influence du tempérament, le deuxième des éléments à considérer, si l'on veut expliquer l'intérêt de Balzac pour une œuvre, se trouve dans l'idée même qu'il se fait de l'écrivain, c'est-à-dire sa notion du génie et du talent. La distinction n'est pas absolue, mais elle a sa valeur. Parmi les cinq sens littéraires, tels que Balzac les définit, trois sont du domaine du génie : l'invention, l'idée, la sensibilité, tandis que les deux autres, le style et le savoir, appartiennent au talent. Le talent se manifeste donc dans la technique, le génie dans l'originalité de la création. Or, partout où Balzac s'applique à estimer la valeur d'un écrivain, nous le voyons appliquer ces notions, faire la part de chacune et conclure en conséquence. Par invention, n'entendons pas une originalité totale, une idée neuve, mais plutôt une recréation à partir de données existantes. L'observation y a donc une large part. Là est pour Balzac la marque suprême du génie. Par idée, il faut entendre la pensée sur laquelle repose l'œuvre. Il n'y a pas de grande œuvre sans pensée, ne cesse de répéter Balzac. « Qu'est-ce que cela veut dire ? », demande-t-il après la lecture des *Contes* de Musset. Que la réponse soit négative, et le génie est exclu. La sensibilité enfin donne à l'œuvre la chaleur humaine nécessaire pour toucher le lecteur, mais aussi permet à l'écrivain de percevoir les besoins de l'époque, d'aller au-devant de ce qu'elle attend et de le lui offrir. « Le génie en toute chose est une intuition », dit-il (1).

Rares sont les écrivains chez qui ces trois sens sont également développés. Le vrai génie est avant tout, pour Balzac, un visionnaire : « Il a réellement vu le monde, ou son âme le lui a révélé intuitivement (2). » Cette vision exige en effet le concours de l'invention, de la sensibilité et de l'idée. En elle coïncident la temporalité et l'universalité : l'écrivain de génie est le secrétaire de son époque, répète Balzac, et en même temps s'adresse à l'humanité tout entière bien au delà de son siècle. Deux écrivains répondent à cette exigence de vision totale : Rabelais et Molière, les deux seuls génies complets.

Plus fréquents sont les cas où, de ces trois sens littéraires

(1) *Splendeurs et misères des courtisanes*, CFL, t. 5, p. 409.
(2) Préface de la 1re éd. de *La peau de chagrin*, CFL, t. 15, p. 72.

indispensables, l'un est beaucoup plus développé que l'autre. Ainsi Balzac voit chez Voltaire la prédominance de l'idée, comme chez Rousseau et chez Byron (en dépit de ce que nous penserions), chez Walter Scott celle de l'invention, chez Racine celle de la sensibilité.

Nombreux enfin sont les génies incomplets, à qui manque l'un des trois sens. Nous croyons pouvoir avancer que Hugo se rangerait dans cette catégorie, car l'idée, selon Balzac, lui fait défaut. Les conteurs que Balzac qualifie si souvent d'hommes de génie possèdent surtout le don d'invention. Buffon, Montesquieu, par contre, sont des génies de l'idée. Une telle évaluation est moins rigide chez Balzac que nous la faisons ici. Une infinité de nuances sont possibles. L'important est qu'elle nous montre comment Balzac cherche à aborder l'œuvre par son côté le plus favorable, le plus capable de retenir l'attention.

L'évaluation du talent est beaucoup plus aisée pour l'écrivain de métier qu'est Balzac. Elle est aussi plus arbitraire, car s'il s'agit de roman, Balzac a tendance à juger selon ce qu'il ferait, et s'il s'agit de genres différents, de poésie en particulier, le juge n'est plus très compétent. Pourtant, nous relevons peu d'injustices. Les conseils techniques à de plus novices sont toujours judicieux, les erreurs dramatiques soulignées chez Hugo sont réelles, et le savoir des prédécesseurs est si bien apprécié que son étude a fait partie de l'apprentissage littéraire du jeune Balzac.

Un troisième élément enfin guide Balzac vers les œuvres littéraires et lui dicte son choix. Il ne s'agit plus de coïncidence de tempérament ni d'esthétique ni de technique mais bien de vision. Car Balzac est lui-même un génie visionnaire. Il porte en lui, dès les premières années de sa vie littéraire, un monde calqué sur l'image de l'homme (ou est-ce l'homme qui se calque sur le monde ? Swedenborg et Rabelais ont-ils eu la même intuition ?) monde divisé en deux zones, l'une éclairée d'une lueur infernale, l'autre baignée du bleu de l'Empyrée, chacune correspondant au double visage angélique et satanique de l'homme-Janus. Dans combien d'œuvres Balzac n'a-t-il pas retrouvé de quoi compléter, agrandir, modifier cet univers ? *La divine comédie*, d'abord, aide probablement à jeter les fondements du monde balzacien, à en répartir les masses ; Rousseau lui apporte ses grandes lois de l'action corruptrice de la société et du pouvoir destructeur de la pensée ; Richardson le peuple de ses deux héros, l'image désespérante de la vertu et le Satan moderne ; Goldsmith de sa famille de Wakefield ; Godwin de son Caleb Williams, Schiller, Byron, Gœthe, Cooper, tous y contribuent.

Dans les grandes œuvres comme dans les plus obscures, Balzac aime à retrouver un fragment de sa vision, une lueur de son enfer ou un chant séraphique de son paradis.

Tempérament, conception de l'écrivain, vision intérieure, telles sont donc les trois composantes essentielles de la force qui attache Balzac à tant d'œuvres si variées. La mode y joue un rôle d'initiatrice, parfois, comme c'est le cas pour la littérature étrangère dite romantique, mais elle est loin d'être déterminante. Hoffmann, par exemple, malgré sa vogue, n'a retenu Balzac que très peu. Indépendant de tout esprit de chapelle, heureux de cette indépendance, fier d'affirmer le génie là où il le voit, Balzac reste à la fois disciple des classiques, champion de Racine, ami des œuvres romantiques les plus frénétiques, et promoteur enthousiaste d'une formule littéraire moderne, à condition que celle-ci se manifeste par des chefs-d'œuvre et non pas par des théories. Ses jugements sur ses contemporains, presque tous confirmés par la postérité, montrent que les compagnons littéraires qu'il s'est choisis dans le passé lui ont formé un goût plus sûr que celui des critiques les plus réputés.

# APPENDICES

## I

# INDEX GÉNÉRAL DES FRÉQUENCES

9 ANTIER.
BONALD.
COURIER (+ 1 article).
DESBORDES-VALMORE.
des ESSARTS.
HORACE.
de JOUY.
LA ROCHEFOUCAULD.
8 DELILLE.
GOLDSMITH.
MASSILLON.
MONTAIGNE.
TACITE.
7 l'ARÉTIN.
CICÉRON.
FLORIAN.
KARR.
MARGUERITE DE NAVARRE.
RICHTER.
RIVAROL.
6 CRÉBILLON FILS.
DUCANGE.
FRÉRON.
JUVÉNAL.
LOPE DE VEGA .
OTWAY.
PIGAULT-LEBRUN.
PLUTARQUE.
5 d'ALEMBERT.
ARISTOPHANE.
le BANDELLO.
de BERNARD.
CALDERON.
CHAMFORT.
CRÉBILLON père.
HELVÉTIUS.
LACROIX (+ 2 articles).
MARMONTEL.
REGNARD.
J.-B. ROUSSEAU.
de SÉVIGNÉ.
4 BARTHÉLÉMY.
CARDAN.
CATULLE.
CLAIRVILLE.
de l'ÉGREVILLE.
de FOE.
GRIMM.
LOUVET DE COUVRAY.
X. de MAISTRE.
SCARRON.
SWIFT.
RONSARD.
TIBULLE.

3 G. de BALZAC.
CHAMPFLEURY.
DÉMOCRITE.
DESCHAMPS.
FÉVAL.
GODWIN.
HARDY.
JAY.
LACLOS.
LEWIS.
J. de MAISTRE.
MARTIAL.
MOORE.
MORELLET.
NERVAL.
OSSIAN.
OVIDE.
PÉTRONE.
POPE.
RABOU.
SAADI.
de SCUDÉRY.
TABOUROT DES ACCORDS.
2 BARBIER.
BERQUIN.
BOURDALOUE.
BRANTÔME.
CRABBE.
DANCOURT.
DUCLOS.
HEINE.
HÉRACLITE.
d'HOLBACH.
LUCIEN.
LUCRÈCE.
MALHERBE.
MARIVAUX.
MAROT.
PLAUTE.
PINDARE.
PIXÉRÉCOURT.
PONSARD.
RACAN.
RESTIF DE LA BRETONNE.
de la SALLE.
SAINT-ÉVREMOND.
SAINT-SIMON.
d'URFÉ.
VOITURE.
ZSCHOKKE.
1 ANDERSEN.
AMYOT.
AUGER.
du BARTAS.

II

# INDEX ALPHABÉTIQUE
# DES NOMS CITÉS PAR BALZAC
# AVEC LEUR FRÉQUENCE

d'ABRANTÈS (20).
d'ALEMBERT (5).
AMYOT (1).
ANDERSEN (1).
ANTIER (9).
l'ARÉTIN (7).
l'ARIOSTE (13).
ARISTOPHANE (5).
ARISTOTE (13).
AUGER (2).

de BALZAC (3).
le BANDELLO (5).
BARBIER (2).
du BARTAS (1).
BARTHÉLÉMY (4).
BAYLE (16).
BEAUMARCHAIS (72).
BÉRANGER (31).
de BERNARD (5).
BERNARDIN DE SAINT-PIERRE (29).
BERQUIN (2).
BOCCACE (14).
BODIN (1).
BOILEAU (28).
BONALD (9).
BOSSUET (39).
BOUHOURS (1).
BOURDALOUE (2).
BRANTÔME (2).
BUFFON (39).
BYRON (135).

CALDERON (5).
CARDAN (4).
CATULLE (4).

CERVANTÈS (42).
CHAMFORT (5).
CHAMPFLEURY (3).
CHAPELAIN (1).
CHATEAUBRIAND (77).
CHÉNIER (28).
CICÉRON (7).
CLAIRVILLE (4).
CONSTANT (31).
CONDORCET (1).
COOPER (31) (+ 1 article).
CORNEILLE (45).
COURIER (9) (+ 1 article).
CRABBE (2).
CRÉBILLON fils (6).
CRÉBILLON père (5).
de CUSTINE (37).
CYRANO DE BERGERAC (1).

DANCOURT (2).
DANTE (51) (+ personnage).
DELAVIGNE (16).
DELILLE (8).
DÉMOCRITE (3).
DÉMOSTHÈNE (1).
DESBORDES-VALMORE (9).
DESCARTES (22).
DESCHAMPS (3).
DICKENS (1).
DIDEROT (51) (+1 article).
DUCANGE (6).
DUCLOS (2).
DUMAS (39).

ÉPICTÈTE (1).
ÉPICURE (1).

des Essarts (9).
Ésope (1).
de L'Égreville (4).

Fénelon (22).
Féval (3).
Florian (7).
de Foe (4).
Fontenelle (10).
Fréron (6).
Froissart (1).
Furetière (1).

Gautier (33).
D. de Girardin (75).
Godwin (3).
Gœthe (62).
Goldsmith (8).
Gozlan (25).
Grimm (4).

Hardy (3).
Heine (2).
Helvétius (5).
Héraclite (2).
Hoffmann (33).
d'Holbach (2).
Homère (36).
Horace (9).
Hugo (136) (+ 3 articles).

Janin (19) (+ 2 articles).
Jay (3).
de Jouy (9).
Juvénal (6).

Karr (7).
de Kock (11).

La Bruyère (12).
Laclos (3).
Lacroix (5) (+ 2 articles).
La Fontaine (81).
Lamartine (82).
Lamennais (22).
La Rochefoucauld (9).
Latouche (12) (+ 3 articles).
Laurent-Jan (28).
Lesage (31).
Lewis (3).
Lope de Vega (6).
Louvet de Couvray (4).
Lucien (2).
Lucrèce (2).

Machiavel (10).
J. de Maistre (3).
X. de Maistre (4).
Malherbe (2).
Marivaux (2).
Marmontel (5).
Marot (2).
Martial (3).
Massillon (8).
Maturin (11).
Ménage (1).
Mérimée (17).
Méry (26).
Mille et une Nuits (38).
Milton (12).
Molière (204).
Montaigne (8).
Montesquieu (49).
Moore (3).
Musset (22) (+ 1 article).

M. de Navarre (7).
Nerval (3).
Nodier (58) (+ 1 article).

Ossian (3).
Otway (6).
Ourliac (3).
Ourville (1).
Ovide (3).

Pascal (31).
Perrault (19).
Perse (1).
Pétrarque (21).
Pétrone (3).
Pigault-Lebrun (6).
Pindare (2).
Pixérécourt (2).
Platon (15).
Plaute (2).
Pline (1).
Plotin (1).
Plutarque (6).
Ponsard (2).
Pope (3).
Prévost (19).

Rabelais (111).
Rabou (3).
Racan (2).
Racine (68).
Radcliffe (12).
Regnard (5).

# III

# INDEX DES NOMS PROPRES
# CITÉS DANS CET OUVRAGE

# TABLE DES MATIÈRES

1961. — Imprimerie des Presses Universitaires de France. — Vendôme (France)
ÉDIT. N° 26 170      IMPRIMÉ EN FRANCE      IMP. N° 16 712